A verdadeira história de Maria Madalena

João Pessoa-PB,
14 de julho de 2009

A verdadeira história de Maria Madalena

Os segredos da mulher mais instigante da Bíblia

Dan Burstein e
Arne J. de Keijzer

TRADUÇÃO:
Marcos José da Cunha e
Alexandre Martins

COM INTRODUÇÃO DE:
Elaine Pagels

Ediouro

Título original
Secrets of Mary Magdalene

Capa
Raul Fernandes

Copidesque
Cristiane Pacanowski

Revisão
Taís Monteiro
Isabella Leal

Produção editorial
Cristiane Marinho

CIP-Brasil. Catalogação-na-fonte
Sindicato Nacional dos Editores de Livros, RJ.

S458

A verdadeira história de Maria Madalena / organizadores Dan Burstein e Arne J. de Keijzer ; com introdução de Elaine Pagels ; tradução Alexandre Martins e Marcos José da Cunha. – Rio de Janeiro : Ediouro, 2006.

Tradução de: Secrets of Mary Magdalene
ISBN 85-00-02040-7

1. Maria Madalena, Santa. 2. Maria Madalena, Santa - Na literatura. 3. Santos cristãos. 4. Cristianismo. I. Burstein, Daniel. II. De Keijzer, Arne J.

06-2630. CDD 922.22
CDU 929:253.3

---

06 07 08 09 10 8 7 6 5 4 3 2 1

Rua Nova Jerusalém, 345 – Bonsucesso
Rio de Janeiro – RJ – CEP 21042-235
Tel.: (21) 3882-8200 – Fax: (21) 3882-8212/3882/8313
www.ediouro.com.br

Sumário

Prefácio

Ela é a Maria de muitos aspectos: mulher decaída, santa penitente, apóstolo dos apóstolos, visionária, exorcista, administradora de unção, idealista cristã, matriarca de uma linhagem sagrada, deusa na união sagrada, mulher independente e de posses, exemplo a ser seguido, modelo de pintores, musa, ícone feminista, revolucionária do prazer, personificação da espiritualidade feminista, vítima de uma religião dominada por homens, esposa de Jesus, e muito mais. "Nenhuma outra figura bíblica – incluindo Judas e talvez até Jesus – tem tido uma existência pós-bíblica tão vívida e bizarra na imaginação humana", afirma Jane Schaberg, um dos nossos colaboradores. Tampouco qualquer figura cultural causou mais controvérsia.

Hoje, vimos a saber que grande parte de sua imagem foi distorcida, seu poder como uma figura espiritual, desprezado. A "verdadeira" Maria Madalena tem-se mantido um segredo, na verdade, por uma tradição da Igreja que a destituiu de autoridade e a aprisionou teologicamente por causa de seu sexo. Para a maioria, ela foi a mulher inconveniente desde o início. Os romanos consideravam todas as mulheres indignas de confiança; os discípulos seguiram o exemplo deles. "Dize a Maria que nos deixe", pede Pedro a Jesus no Evangelho de Tomé, "pois as mulheres não são dignas da vida". À medida que a Igreja primitiva evoluía, muitos padres começaram a pregar que Jesus havia morrido para livrar o mundo do pecado de Adão. A origem desse pecado, é claro, era Eva. No século III, Tertuliano, o prolífico defensor da Igreja ortodoxa, escreveu: "Por causa das [mulheres] [...] até mesmo o Filho de Deus teve de morrer."

A pressão seguinte foi exercida num domingo do outono de 591, quando o papa Gregório, o Grande, disse às pessoas reunidas em sua presença que Maria Madalena havia sido prostituta antes de ser redimida por Cristo. A Cristandade rapidamente adotou essa imagem errônea, mas religiosamente instrutiva da pecadora santa. Essa versão de Maria Madalena foi a base para o culto amplamente popular que começou a se formar em torno dela na França do século XIII, alimentado por histórias de sua chegada a Provença num barco sem remos e da "descoberta" de seus ossos.

Durante o Renascimento, os pintores julgaram-na uma musa de grande versatilidade – ela podia ser rechonchuda e pródiga (Ticiano) ou magra e ascética (Donatello). Maria Madalena tornou-se até uma espécie de *pinup* devota, conforme pode ser visto na pintura recentemente atribuída a Leonardo da Vinci que ornamenta a capa da edição original deste livro. O grande transtorno social causado pela Revolução Industrial fez com que igrejas invocassem o nome dela para governar as pessoas de má conduta. Freiras começaram a fundar casas de Madalena na esperança de salvar as perdidas. Em fins do século XIX, Wagner, Rilke e algumas outras personagens eminentes da cultura começaram a retomar o indício de que Maria havia sido uma parceira erótica de Jesus. No fim do século XX, ela havia se transformado em um ícone feminista, em um exemplo a ser seguido pelas mulheres na Igreja e numa guia espiritual para os adeptos do movimento da Nova Era. O Vaticano, curvando-se em 1969 aos novos conhecimentos oriundos até mesmo de dentro da Igreja, alterou por completo o veredicto que vigorara por 1.400 anos ao determinar que, dali em diante, Madalena deveria ser identificada com a ressurreição, e não com a mulher pecadora em Lucas. Porém, um aspecto da antiga imagem dela permanece: mesmo a Maria reabilitada continuou a ser definida e influenciada pelo sexo. Não procure além do fenômeno de *O código Da Vinci*, ou do que a cantora *pop* Tori Amos, um dos colaboradores deste livro, chama de a atraente qualidade da "*sinsuality*"[1] de Maria Madalena.

Parece que o verdadeiro significado de Maria Madalena com freqüência continua a ser um reflexo do espelho que seguramos diante de nós mesmos. Para alguns estudiosos e figuras religiosas, a narrativa dominante, que considera que a doutrina cristã foi estabelecida por Jesus e tem sido transmitida de maneira resoluta desde então, deve permanecer inalterada em seu lugar – muito embora, como acaba se revelando, o que nos foi ensinado sobre Maria Madalena provenha do pensamento da Idade Média, e *não* dos lábios de Jesus. Muitos outros abraçaram um cristianismo nascido da diversidade e cultivado pelo igualitarismo e pela tolerância. Para alguns, ainda, Maria Madalena é apenas nominalmente uma figura na história cristã. Considerando como o cristianismo e a civilização ocidental têm estado

[1] Trocadilho com os termos *sensuality* ("sensualidade") e *sin* ("pecado"). (N. dos T.)

intimamente entrelaçados nos últimos dois mil anos, a evolução mítica de Maria Madalena é de fato um metacomentário sobre como a nossa cultura vê o papel das mulheres de uma maneira mais geral.

Este livro foi escrito para ajudar você, leitor, a raspar as camadas de tinta ocultas que obscureceram a importância fundamental, secular e religiosa de Maria Madalena e a chegar às suas próprias conclusões sobre uma das mulheres mais importantes e fascinantes da história.

Como nos livros anteriores, *Os segredos do Código* e *Os segredos de Anjos e Demônios*, reunimos um grupo estelar de teólogos, estudiosos e outros especialistas, que trazem para o nosso festim intelectual uma ampla variedade de pontos de vista e experiências. Partilhamos com você as idéias daqueles que acreditam que tudo o que precisamos saber sobre Maria Madalena pode ser encontrado no Novo Testamento, bem como as daqueles que julgam os evangelhos alternativos, com a ênfase muito maior no papel de destaque dela como discípula, apóstola e companheira íntima de Jesus, a melhor forma de interpretá-la. Também trazemos até você as vozes daqueles que a associam a figuras de deusas antigas e ao sagrado feminino . E, ainda, de outros para quem Maria Madalena é a inspiração última para a criatividade ou para a comunidade espiritual.

Nós o encaminhamos especialmente ao Capítulo 5 deste livro, no qual seis dos principais especialistas do mundo em Maria Madalena participam de uma extraordinária discussão, ao estilo de mesa-redonda, das questões mais importantes, temas, debates e controvérsias dos estudos sobre Maria Madalena no contexto do século XXI. Todos têm escrito, falado e publicado amplamente sobre ela e assuntos afins: o Jesus histórico, o movimento cristão primitivo, o gnosticismo e outras tendências alternativas dentro do cristianismo, o papel das mulheres na Igreja primitiva, arte religiosa, arqueologia, cultura da era bíblica à atualidade e muitos outros tópicos que vinculam sexo/espiritualidade/religião/mito/arquétipo. Seu trabalho pioneiro tem trazido à luz novas idéias sobre os acontecimentos de dois mil anos antes e o que eles implicaram para a nossa própria época.

Uma palavra sobre a nossa abordagem editorial. Nós nos envolvemos num longo processo para identificar as idéias e os especialistas mais interessantes e instigadores do pensamento, e para encontrar o equilíbrio certo entre os elementos – excertos, ensaios originais, entrevistas – e os pontos de vista. Todo o material original foi identificado, e tivemos o cuidado de deixar claro quando estamos apresentando material inédito e quando estamos usando a nossa voz editorial para falar. Material publicado com permissão que apareceu antes em outra parte é identificado com a indicação do autor e/ou observações sobre copyright e permissão para reimpressão. Tendemos a uniformizar a grafia e as convenções sobre o emprego de nomes no nosso próprio trabalho, embora deixando inalteradas a grafia original e as convenções utilizadas nos excertos. Variações no estilo são inevitáveis, e pedimos sua compreensão. A maioria das introduções contém curtas notas biográficas. Para biografias mais detalhadas, por favor, consulte a seção sobre os colaboradores já quase no fim do livro. Também o incentivamos a examinar as obras completas e muitas outras obras de cada um dos nossos colaboradores.

Em certos aspectos, a história de Maria Madalena é uma história sobre como nós, como sociedade, interpretamos mito, lenda e desconhecido quando em conexão com o "mundo real". Ela também serve para nos lembrar do valor essencial de compaixão, sinceridade, tolerância e respeito pelas pessoas que se estende além dos limites estreitos de um sexo, de um grupo ou de um povo. Convidamo-lo a explorar estes temas conosco.

Dan Burstein
Arne J. de Keijzer
Agosto de 2006

Introdução

Por Elaine Pagels

Quem era aquela mulher esquiva e fascinante no círculo em torno de Jesus de Nazaré? Há quase dois mil anos, Maria Madalena vive na imaginação dos cristãos como uma prostituta sedutora; no nosso tempo, a ficção moderna a retrata como amante e esposa de Jesus e mãe de seus filhos. No entanto, as fontes mais antigas que discorrem sobre ela – tanto no Novo Testamento como fora dele – não descrevem nenhum desses papéis sexualizados, indicando que a mulher em si – e a maneira como passamos a vê-la – é mais complexa do que a maioria de nós jamais imaginou. Ela era, afinal, uma das seguidoras de Jesus, cuja riqueza ajudou a sustentá-lo, como diz o evangelho mais antigo do Novo Testamento, o Evangelho de Marcos? Uma louca que havia sido possuída por sete demônios, conforme Lucas afirma? Ou o discípulo mais próximo de Jesus, a quem ele amava mais do que a qualquer outro, como nos informa o Evangelho de Maria Madalena? Ou, nas palavras do Diálogo do Salvador, "a mulher que compreendia todas as coisas"?

Quando examinamos os registros mais antigos disponíveis, descobrimos todas essas imagens conflitantes, e mais. O que também descobrimos é que a resposta que encontramos depende de onde procuramos. A história provavelmente mais antiga provém do Evangelho de Marcos, no Novo Testamento, escrito cerca de quarenta anos após a morte de Jesus. Marcos nos diz que, enquanto soldados romanos crucificavam Jesus, Maria Madalena estava em meio a um grupo de mulheres que assistiam à execução e se lamentavam, visto que os discípulos do sexo masculino haviam fugido, temendo por suas vidas. De pé com Salomé e outra mulher chamada Maria (mãe de Tiago e José), Maria Madalena continuou sua vigília até Jesus morrer; mais tarde, junto com suas companheiras, ela viu o corpo dele ser envolto cuidadosamente em faixas de linho, sepultado e lacrado numa gruta escavada numa rocha.

Marcos explica que Maria, Salomé e "a outra Maria" estavam entre aquelas que "seguiam e serviam Jesus" – provavelmente com refeições e um lugar para se hospedar, talvez com dinheiro para necessidades – quando ele estava na Galiléia. Na manhã depois do sábado, as mulheres vieram prestar a seu mestre o último serviço, trazendo ervas aromáticas para consumar o sepultamento. O relato de Marcos, porém, encerra-se com uma nota de confusão e choque: encontrando o túmulo aberto e vendo que o corpo havia desaparecido, as mulheres, ao ouvirem que Jesus "não está aqui; ele ressuscitou", fogem, estremecendo de terror, "pois um tremor e um estupor apossaram-se delas. E nada contaram a ninguém, pois tinham medo".

Mateus, que escreveu sua versão com o relato de Marcos anterior ao seu, repete a mesma história, mas muda o final perturbador. Maria e suas companheiras de fato deixaram o túmulo rapidamente, afirma ele, mas o fizeram "com temor e grande alegria". E, em vez de pretenderem não dizer nada, elas imediatamente correm "para relatar isso aos discípulos dele". Em seguida, enquanto estavam a caminho, o próprio Jesus ressuscitado apareceu-lhes e falou com elas.

A história de Lucas, como a de Mateus, é precedida pela de Marcos, mas Lucas tem outra coisa em mente quando revisa Marcos. Para deixar claro para o leitor que mulheres – *qualquer* mulher, ainda mais Maria – *não* poderiam estar entre os discípulos de Jesus, Lucas inicialmente omite o comentário de Marcos de que Maria, Salomé e a outra Maria "seguiam Jesus" (uma vez que dizer isso poderia ser entendido como colocá-las entre os discípulos). Em seguida, contrasta deliberadamente "os doze" – os homens que ele diz que Jesus chamava de discípulos – com o que ele chamava de "as mulheres", as quais inclui entre os membros necessitados, doentes e loucos das multidões que se comprimiam em torno de Jesus e seus discípulos. Assim, Lucas, ao contrário de Marcos, afirma que Maria veio até Jesus movida por espíritos demoníacos, e como apenas uma entre "algumas mulheres que haviam sido curadas de maus espíritos e de enfermidades". Ele identifica essas mulheres como "Maria, chamada Madalena, da qual saíram sete demônios, e Joana [...] e Susana e muitas outras", que, admite, "serviam [Jesus e seus discípulos] com seus bens".

Quando Lucas relata a história da crucificação e morte de Jesus, ele muda três passagens nas quais Marcos havia mencionado Maria Madalena, omitindo seu nome em cada uma dessas três histórias, em meio a um grupo anônimo que ele chama de "as mulheres".

Só depois de as mulheres anônimas, horrorizadas a princípio por encontrarem o túmulo de Jesus vazio, darem seu testemunho do que viram aos "onze" (o círculo íntimo que Lucas havia chamado de "os doze" até Judas Iscariotes, que traiu Jesus, abandoná-los), é que Lucas cita os nomes das mulheres. Pois a essa altura, evidentemente, o testemunho delas é importante para validar suas declarações, e ele agora se refere às três que julga as mais proeminentes pelos nomes: Maria Madalena, Maria – mãe de Tiago e José – e Joana. Embora Lucas, a exemplo de João, às vezes fale de forma positiva sobre "as mulheres", podemos nos perguntar por que, em outras ocasiões, ele denigre Maria e minimiza o papel dela.

Ora, graças à descoberta recente de *outros* evangelhos antigos – evangelhos não incluídos do Novo Testamento e que permaneceram praticamente desconhecidos por cerca de dois mil anos –, podemos entender o que Lucas tinha em mente. Pois esses outros evangelhos, encontrados no Egito traduzidos para o copta, originalmente haviam sido escritos mais cedo, em grego, como os evangelhos do Novo Testamento. Os eruditos debatem sobre *quando* eles foram escritos, mas em geral concordam que a maioria deles se origina dos dois primeiros séculos do movimento cristão. É surpreendente o que encontramos nessas descobertas: *cada uma das fontes recém-descobertas que mencionam Maria Madalena* – fontes que incluem o Evangelho de Maria Madalena, o Evangelho de Tomé, o Evangelho de Filipe, a Sabedoria da Fé e o Diálogo do Salvador – descreve Maria, de maneira unânime, como um dos discípulos de Jesus mais dignos de confiança. Algumas até mesmo a reverenciam como seu *principal* discípulo, o confidente mais próximo de Jesus, porque ele a julgava capaz de entender seus segredos mais íntimos. Podemos ver que Lucas evidentemente não quis reconhecer que algumas daquelas, que ele antes simplesmente havia chamado de "as mulheres", eram na verdade consideradas discípulas. Embora nesta introdução não possamos discorrer em detalhe sobre esses textos notáveis, examinemos brevemente cada um desses evangelhos por vez.

Em primeiro lugar, o Evangelho de Maria Madalena mostra Maria assumindo um papel influente entre os discípulos. Ao ver que os discípulos do sexo masculino estavam aterrorizados para pregar o evangelho após a morte de Jesus, por temerem que também seriam presos e mortos, Maria se ergue para falar e encorajá-los, "voltando os corações deles para o bem". Quando Pedro, ao reconhecer que "o Senhor te amava mais do que a outras mulheres" e pedir a Maria que "nos conte o que ele te contou" em segredo, Maria concorda. Quando ela termina, Pedro, furioso, pergunta: "Ele realmente falava em particular com uma mulher, e não abertamente conosco? Devemos voltar-nos e ouvi-la? Ele a amava mais do que a nós?" Angustiada com a fúria dele, Maria responde: "Meu irmão Pedro, o que pensas? Pensas que eu mesma inventei isto em meu coração, ou que estou mentindo acerca do Salvador?" Levi intervém naquele momento para mediar a discussão: "Pedro, tu sempre foste exaltado. Agora eu te vejo discutindo com as mulheres como [nossas] inimigas. Mas se o Salvador a fez digna, quem és tu para rejeitá-la? Decerto o Senhor a conhecia muito bem; é por isso que ele a amava mais do que a nós." O Evangelho de Maria termina quando os outros concordam em aceitar a pregação dela, e os discípulos, incluindo Maria, saem para anunciar o evangelho.

A exemplo do Evangelho de Maria, o Evangelho de Tomé descreve Maria como um dos discípulos de Jesus. Surpreendentemente, ele menciona apenas seis discípulos, e não 12, e dois deles são mulheres: Maria Madalena e Salomé, uma das mulheres que acompanhavam Maria. No entanto, a exemplo da disputa entre Pedro e Maria no Evangelho de Maria Madalena, várias passagens no Evangelho de Tomé indicam que, na época em que ele foi escrito, provavelmente em torno de 90-100 da era cristã, a questão de se mulheres poderiam ser discípulas já havia desencadeado uma explosiva controvérsia. No enunciado 61, por exemplo, Salomé pede a Jesus que lhe diga quem ele é: "Quem és tu, homem, que sentaste no meu sofá e comeste da minha mesa?" Jesus responde: "Eu venho do indiviso"; ou seja, do divino, que transcende o sexo. Desse modo, ele rejeita o que a pergunta dela implica – que a identidade dele envolve sobretudo o fato de ele ser homem, como a dela implica o fato de ela ser mulher. Compreendendo instantaneamente o que ele quer dizer, Salomé reconhece que o mesmo é verdadeiro no que diz respeito a ela. Portanto, responde de imediato: "Eu sou tua discípula."

Todavia, aqui também, como no Evangelho de Maria, Pedro contesta a presença de mulheres entre os discípulos e opõe-se a essa presença. De acordo com o enunciado 114 no Evangelho de Tomé, Pedro diz a Jesus: "Dize a Maria que nos deixe, pois as mulheres não são dignas da vida [espiritual]." Porém, em vez de mandar Maria embora, conforme Pedro insiste, Jesus o repreende e declara: "Farei de Maria um espírito vivo", de modo que ela – ou qualquer mulher – possa tornar-se tão capaz de vida espiritual quanto qualquer homem teria sido capaz na tradição judaica do século I.

Encontramos ainda outro relato de uma discussão na qual Pedro contesta o direito de Maria de falar entre os discípulos no diálogo chamado Sabedoria da Fé. Aqui, após Maria fazer várias perguntas a Jesus, Pedro interrompe, queixando-se a ele de que ela está falando demais e, desse modo, tirando a prioridade legítima dele,

Pedro, e de seus irmãos discípulos. No entanto, aqui também, assim como no Evangelho de Maria Madalena e no Evangelho de Tomé, a tentativa de Pedro de silenciar Maria faz com que ele receba uma rápida censura, dessa vez do próprio Jesus. Mais tarde, contudo, Maria admite a Jesus que ela dificilmente ousa falar livremente com ele, porque "Pedro me faz hesitar; tenho medo dele, porque ele odeia as mulheres". Jesus responde que todo aquele que o Espírito inspirar tem ordem divina para falar, seja homem, seja mulher.

Este tema do conflito entre Maria e Pedro, que encontramos em tantas fontes – conflito envolvendo a recusa de Pedro a reconhecer Maria como discípula e muito menos como líder entre os discípulos –, pode bem refletir o que as pessoas sabiam e diziam sobre o verdadeiro conflito entre os dois. Também sabemos que, como as mulheres com freqüência se identificavam com Maria Madalena, certas pessoas no movimento contaram tais histórias sobre ela – ou contra ela – como uma forma de discutir se – ou como – mulheres poderiam participar dos círculos deles [dos discípulos].

Devemos observar, por exemplo, que os próprios escritores que retratam Pedro como o discípulo que Jesus reconhece como o principal líder deles – ou seja, os autores dos evangelhos de Marcos, Mateus e Lucas – são os mesmos que retratam Maria não como discípula em absoluto, mas simplesmente como uma "das mulheres", ou, pior, no caso de Lucas, como alguém que havia sido possuído por demônios. O que torna os relatos deles historicamente importantes, é evidente, é que esses são três dos evangelhos que vieram a ser incluídos no cânone do Novo Testamento – invocados com freqüência, mesmo hoje, para "provar" que as mulheres não podem ocupar posições de autoridade nas igrejas cristãs.

Também devemos observar como isso funciona ao contrário: cada uma das fontes que reverenciam Maria como líder entre os apóstolos foi excluída do cânone do Novo Testamento. Quando esses textos foram excluídos – entre eles o Evangelho de Maria Madalena, o Evangelho de Tomé, o Evangelho de Filipe, a Sabedoria da Fé e o Diálogo do Salvador –, muitos cristãos excluíram também a convicção de que as mulheres poderiam – e deveriam – participar da liderança das igrejas.

O Diálogo do Salvador, outro texto antigo descoberto junto com esses outros evangelhos, se propõe a relatar um diálogo entre o Jesus ressuscitado e três discípulos que ele escolhe para receber revelação especial: Mateus, Tomé e Maria. Todavia, aqui, após cada um dos três se envolver num diálogo com Jesus, o Diálogo escolhe

Maria para receber o maior elogio: "Isto ela falou como a mulher que entendia todas a coisas."

Por fim, antes de nos voltarmos para os fascinantes estudos encontrados neste livro, examinemos uma das fontes mais fascinantes de todas: o Evangelho de Filipe. Esse Evangelho mostra como muitos cristãos primitivos viam Maria Madalena: como companheira constante de Jesus. Certos leitores contemporâneos tomaram isso ao pé da letra, como se ela fosse a amante e esposa de Jesus. É verdade que o Evangelho de Filipe a retrata como a companheira mais íntima de Jesus, e que o termo grego – *syzygos* – ("companheira") pode indicar intimidade sexual. Além disso, como as outras fontes que examinamos, o Evangelho de Filipe demonstra uma rivalidade entre Maria Madalena e os discípulos do sexo masculino:

> A companheira do Salvador é Maria Madalena. [Mas Cristo a amava] mais do que [a todos] os discípulos, e costuma beijá-la com freqüência na [boca]. Os demais discípulos ficavam ofendidos com isso. Eles lhe disseram: "Por que tu a amas mais do que a todos nós?" O Salvador respondeu dizendo-lhes: "Por que eu não vos amo tanto quanto a amo?"

Essa declaração, na qual o Evangelho de Filipe retrata Maria como companheira de Jesus, e talvez até como sua parceira, contribuiu para inspirar um dos pontos mais controversos no enredo de *O código Da Vinci*, de Dan Brown. Para seus objetivos ficcionais, Brown tende a tomar essas insinuações ao pé da letra. Porém, se tivesse continuado a ler o restante do Evangelho de Filipe, teria notado que seu autor vê Maria Madalena como uma poderosa presença *espiritual*, como alguém que manifesta o divino como ele aparece na forma feminina – acima de tudo, como a Sabedoria divina e como o Espírito Santo.

Quando os profetas e poetas de Israel falavam do *espírito* e da *sabedoria* divinos, eles reconheciam o gênero feminino dos termos hebraicos. O Livro dos Provérbios bíblico fala da sabedoria como uma presença espiritual feminina que partilhou com Deus a obra da criação:

> O Senhor me criou no início de sua obra [...] antes da origem da terra. Quando os abismos não existiam, eu fui gerada. [...] Antes que os montes fossem firmados, antes dos outeiros eu fui gerada [...] quando traçava os

> fundamentos da terra, então eu estava junto com ele como mestre-de-obras; e era cada dia as suas delícias, alegrando-me perante ele o tempo todo; folgando no seu mundo habitável, e alegrando-me com os filhos dos homens.

Portanto, o Evangelho de Filipe vê Maria como a sabedoria divina – *hokhmah* em hebraico, *sophia* em grego, ambos termos do gênero feminino – manifesta no mundo. A tradição mística judaica com freqüência fala da presença de Deus no mundo não só como *sabedoria*, mas também como *shehkina*, como a *presença* dele. Mais de mil anos após o Evangelho de Filipe ter sido escrito, a tradição cabalística, usando a linguagem de místicos em todo o mundo, proclamaria esse aspecto feminino de Deus como sua noiva divina.

Ao mesmo tempo, o Evangelho de Filipe exalta Maria Madalena como manifestando o espírito divino, que esse evangelho chama de a "virgem que desceu" do céu. Quando os cristãos falavam de Jesus "nascido de uma virgem", esse autor concordava, mas se recusava a tomar isso ao pé da letra. Assim, diz ele, algumas pessoas tomam isso literalmente, com o significado de que a mãe de Jesus engravidou independentemente de qualquer homem, independentemente de relação sexual. Mas isso, diz ele, é a "crença de tolos", que não conseguem compreender assuntos espirituais (embora, como observamos, isso possa ser visto nas narrativas do nascimento mencionadas nos evangelhos de Mateus e de Lucas do Novo Testamento). Em vez disso, continua o Evangelho de Filipe, Jesus nasceu fisicamente, como todos os seres humanos, como o filho de pais biológicos. A diferença, diz o autor desse evangelho, é que ele também "renasceu" no batismo – nasceu espiritualmente para tornar-se o filho do Pai que está no alto e da Mãe celestial, o Espírito Santo.

Muitos outros textos descobertos junto com o de Filipe reproduzem a mesma linguagem. O Evangelho da Verdade também declara que a graça nos faz voltar à nossa fonte espiritual, conduzindo-nos "ao Pai, à Mãe, ao Jesus de infinita doçura". O Livro Secreto de João relata como o discípulo João, sofrendo após a crucificação de Jesus, saiu para o deserto, cheio de dúvida e medo, até que de repente "Toda a criação tremeu, e eu vi [...] uma luz sobrenatural, e na luz, três formas". Enquanto observava, assombrado, João ouviu a voz de Jesus saindo da luz, falando com ele: "João, João, por que duvidas, e por que estás com medo? Eu sou aquele que está sempre contigo; eu sou o Pai, e a Mãe, e o Filho."

Por mais surpreendente que isso possa ser à primeira vista, quem mais esperaríamos encontrar com o Pai e o Filho senão a Mãe divina, o Espírito Santo? Mas essa antiga formulação da trindade sem dúvida reflete o termo hebraico para espírito, *Ruah*, como um ser feminino – uma conotação que se perdeu quando *espírito* foi traduzido na língua do Novo Testamento, o grego, na qual a palavra se torna neutra.

Mesmo esse rápido resumo indica a ampla gama de caracterizações e a riqueza de significados dos cristãos primitivos associados com Maria Madalena, muitos dos quais os ensaios neste livro examinam e expandem. Desde o século I até o nosso próprio tempo, poetas, pintores e místicos têm adorado festejar essa mulher extraordinária, a qual o Diálogo do Salvador exalta como a mulher "que entendia todas as coisas". Agora, por meio das pesquisas aqui apresentadas, e dos debates que vêm sendo realizados, podemos descobrir novos aspectos de Maria Madalena – e, ao fazê-lo, de nós mesmos.

Princeton, Nova Jersey
Maio de 2006

CAPÍTULO 1

Maria Madalena: não mais proscrita

Embora o pedantismo negue,
É óbvio que a Bíblia diz
Que Salomão se tornou sábio
Enquanto conversava com suas rainhas.
— W. B Yeats

Maria Madalena é uma pessoa – e uma pessoa representativa e simbólica – que tem sido parte da tradição desde o começo. É como termos uma fotografia na qual uma das principais imagens foi removida com um aerógrafo, e agora estamos vendo que a imagem tem estado lá desde o início, e é parte da tradição que conhecemos.
— Elaine Pagels

Ocorreu-me que é necessário examinar cuidadosamente o absurdo e a hostilidade que têm caracterizado o pensamento e os textos sobre Maria para encontrar algumas imagens, cacos e fragmentos brilhando no entulho.
— Mary Gordon

Nosso fascínio por Maria Madalena: confissões de um fã de *O código Da Vinci*

Por Dan Burstein

Eram cerca de duas horas de uma madrugada quente de 2003. Eu havia pegado *O código Da Vinci* no início da noite e fizera uma leitura dinâmica de seus capítulos repletos de suspense por várias horas. Eu estava completamente fascinado por esse romance que se revelava um intrigante mistério sobre um assassinato e, ao mesmo tempo, uma verdadeira caça ao tesouro por intermédio dos mitos, lendas e símbolos de vários milênios de civilização ocidental.

Quando cheguei à cena que se passa na biblioteca de Leigh Teabing, onde essa personagem explica sua tese de que há uma mulher sentada à direita de Jesus na pintura *A última ceia*, de Leonardo – e que essa mulher deve ser Maria Madalena, que, por sua vez, deve ser a companheira, parceira e esposa de Jesus, para não dizer a mãe de sua filha e, portanto, a personificação do Santo Graal –, não consegui resistir a dar um pulo em nossa biblioteca de livros de arte e dar uma nova olhada em *A última ceia*. Silenciosamente, no meio da noite, tirei da estante o imenso volume ilustrado, em encadernação de luxo, das obras de Leonardo que está há décadas na minha família. Examinei com novos olhos a bastante familiar *Última ceia* e, sob o encantamento da ficção conspiratória de *O código Da Vinci*, de Dan Brown, e à luz suave do meio da noite, descobri, para minha considerável surpresa, que o que eu sempre pensara ser a figura de João se parecia de fato com uma mulher.

Aquele momento revelou-se o início da minha jornada para separar fato de ficção em *O código Da Vinci* e explorar os estudos eruditos, as descobertas arqueológicas e o pensamento atual sobre como interpretar acontecimentos e personagens dos tempos bíblicos.

Quando na manhã seguinte fui à livraria Barnes & Noble do meu bairro, a primeira coisa que descobri foi a grande quantidade de livros recentes sobre Maria Madalena. Além disso, encontrei todo um universo de livros sobre muitos assuntos, nos quais Maria Madalena figurava com destaque e de formas surpreendentes: o *best-seller Os Evangelhos gnósticos*, de Elaine Pagels, bem como os livros de Karen King, Margaret Starbird, Susan Haskins, Lynn Picknette e Tim Freke. E dezenas de outros títulos, de *A biblioteca de Nag Hammadi* a *O santo Graal e a linhagem sagrada*, que vinham atraindo atenção nas últimas três décadas. Havia o livro de Robert Graves sobre a deusa branca, o de Riane Eisler sobre os símbolos do cálice e da espada, e o romance de Nikos Kazantzakis descrevendo o sonho de Jesus com Maria Madalena enquanto ele morria na cruz, como eu logo viria a saber.

No musical *Jesus Cristo Superstar*, da década de 1970, a personagem de Maria Madalena cantava o sucesso *I Don't Know How to Love Him*. Odetta gravou uma fascinante versão da velha canção folclórica *John Henry*, cuja letra diz que o heróico personagem John Henry era casado com Maria Madalena. Em meados da década de 1990, fiquei sabendo que houve apenas um punhado de eventos em comemoração ao dia santo oficial de Maria Madalena (22 de julho) nos Estados Unidos. No ano passado, esse número havia aumentado para mais de trezentos. Em suma, as pessoas haviam passado de um punhado de eventos em meados da década de 1990 a mais de trezentos no ano passado. Resumindo, elas estavam pensando em interpretações alternativas da história de Maria Madalena muito antes de existir um *Código Da Vinci*.

No entanto, a maioria de nós nem ao menos estava ciente de que a história de Maria Madalena estava passando por uma reinterpretação até *O código Da Vinci* transformar-se num fenômeno global: ele foi comprado como livro por mais de sessenta milhões de pessoas nos últimos anos e visto como filme por mais várias centenas de milhões. Fosse qual fosse a opinião da crítica sobre *O código Da Vinci*, ele se transformou numa das obras culturais marcantes dos primeiros anos do terceiro milênio.

A partir do primeiro momento, do que logo se tornou uma excursão fascinante – naquela noite, enquanto eu lia o romance e olhava para o passado, através de quinhentos anos de história da arte, para a obra-prima de Leonardo –, que culminou na criação de *Os secredos do código*, nosso manual sobre as questões suscitadas por *O código Da Vinci* – manual esse que se tornou um *best-seller* internacional –, uma coisa ficou completamente clara para mim: Maria Madalena é a estrela do *show*. O romance de Brown se tornou tão popular e tão controverso por vários motivos. Porém, se eu tivesse de dar uma única razão para explicar o fenômeno de *O código Da Vinci*, eu diria que ele consiste nos argumentos provocantes do romance sobre Maria Madalena (por mais especulativos ou fictícios que possam ser) e na profunda impressão que essas idéias causam neste momento específico na cultura global.

Dan Brown não criou nenhum dos argumentos e teses sobre Maria Madalena que são cruciais para *O código Da Vinci*. Em vez disso, ao criar sua cultura *pop*/rebuliço intelectual, ele mesclou fragmentos de idéias e argumentos originários das obras daqueles que haviam passado as várias décadas anteriores trabalhando em novas biografias e em novas idéias sobre Maria Madalena. Suas fontes estendiam-se do oculto a acadêmicos da Ivy League;[1] do folclore mítico a descobertas arqueológicas, e mesmo a fraudes e embustes inequívocos. Ele sintetizou e comprimiu essas histórias, esticou-as e torceu-as, a fim de fazê-las se encaixarem em seu fascinante

[1] Associação de universidades do Nordeste dos Estados Unidos, de elevada posição acadêmica e prestígio social, entre elas Harvard, Yale, Princeton, Cornell, Columbia, etc. (N. dos T.)

enredo. Ao fazê-lo, contribuiu para fazer de Maria Madalena a nova "garota cheia de charme" do século XXI. Por acaso, também fez o feixe do laser brilhar de volta no tempo sobre o papel dela como a "garota cheia de charme" do século I.

Embora *O código Da Vinci* seja fundamentalmente "apenas um romance popular", repleto de fato e ficção, especulação e narração de histórias, ele não obstante se transformou no novo ponto central do conhecimento popular sobre Maria Madalena e na fonte dos debates atuais sobre o Jesus histórico, o significado dos evangelhos alternativos, o papel das mulheres na Igreja, o gnosticismo e as divergentes tendências de pensamento no movimento cristão primitivo. Até mesmo importantes acadêmicos da área que estão incomodados pelos erros e confusões do romance se sentem compelidos a discorrer sobre os argumentos dele, porque sabem que é o romance, e não o trabalho erudito sério, que atraiu o interesse e atiçou a imaginação de milhões e milhões de pessoas. Com efeito, *O código Da Vinci* introduz na materialidade de um livro centenas de tipos de idéias e argumentos que o associam com o despertar e o redespertar espiritual que estão ocorrendo no início deste novo milênio.

Nesta época de grande incerteza, novos ventos religiosos e espirituais estão soprando com vigor no mundo inteiro. Viver no século XXI é uma experiência que realça para muitas pessoas a aparente ausência de um Deus justo e amoroso. Por um lado, vivemos num ambiente no qual inexplicavelmente acontecem coisas terríveis – de Ruanda a Darfur,[2] do *tsunami* ao Katrina, o nosso mundo é um mundo de violência política generalizada, catástrofes naturais de grandes proporções, doenças epidêmicas imprevistas, intolerância e corrupção. O abuso sexual e a violência continuam a irromper no seio de famílias, de comunidades e até da Igreja. Ao mesmo tempo, nosso mundo tem gerado uma estupenda riqueza material. Tem produzido novas descobertas científicas, imensas e profundas. E tem rompido quase todas as barreiras e todos os tabus. No processo de construir essa nova ordem mundial e de libertar os cidadãos globais pós-modernos dos rigores da religião,

[2] Vasta região árida no Noroeste do Sudão, onde existe um grave conflito. Ali ocorre o que se chama de "estupro étnico", em virtude de uma disputa por terra entre "árabes" e "africanos". Esse conflito já matou dezenas de milhares de pessoas e expulsou dois milhões de suas casas, provocando uma crise humanitária de grandes proporções. Os ataques são desencadeados por milícias árabes irregulares, os temíveis *janjaweed* (cujo significado é mais ou menos "diabos montados a cavalo"), os quais, além de matar e estuprar, devastam o que encontram pela frente. (N. dos T.)

muitas pessoas acabaram separadas de suas raízes e crenças tradicionais. Nossa cultura, por mais rica, produtiva e apreciável que seja, está cada vez mais vulgar, excessivamente comercial e alienante.

Em face dessas contradições, surgiram muitas reações religiosas e espirituais. A crença religiosa tradicional está passando por uma intensa revivescência, não importa a forma – do fundamentalismo islâmico ao judaísmo ortodoxo, passando pelo Opus Dei e pelo evangelismo protestante renascido. Porém, apesar de a ortodoxia conquistar adeptos, novas religiões e novas direções espirituais de todos os tipos também estão se revelando atraentes. Nos Estados Unidos, estima-se que cerca de duzentas novas religiões são criadas a cada ano. Na nossa cultura popular, essa nova religiosidade é refletida num *continuum* de obras que vão de *A paixão de Cristo*, de Mel Gibson, a *O código Da Vinci*, de Dan Brown.

Em *A paixão de Cristo*, na verdade nos é dito: foi exatamente assim há dois mil anos. Sabemos o que aconteceu. Aconteceu exatamente da maneira que a escritura tradicional diz que aconteceu, e vamos usar as poderosas ferramentas modernas da produção cinematográfica de Hollywood para fazê-lo sentir que você também testemunhou esses acontecimentos apocalípticos. Você vai sair do cinema com um novo compromisso com uma crença tradicional em Jesus e uma compreensão tradicional da mensagem cristã.

No outro extremo do *continuum*, *O código Da Vinci* na realidade diz: tudo o que lhe disseram sobre o que aconteceu há dois mil anos está provavelmente errado. Jamais lhe contaram algumas das coisas mais importantes, como quem realmente era Maria Madalena. Você deveria questionar tudo, porque pessoas poderosas estão conspirando para ocultar a verdadeira história. Os chamados hereges são os verdadeiros crentes; os que chamam os outros de hereges são os falsos profetas.

Na interpretação de *O código Da Vinci*, os imperadores romanos pagãos, os inimigos de Jesus, mais tarde apropriaram-se de seu movimento, viraram sua filosofia pelo avesso e remodelaram o cristianismo como a religião oficial do Império, uma religião hierárquica, patriarcal e imperialista. Ao longo do caminho, eles eliminaram o papel das mulheres como sacerdotisas e profetisas, suprimiram o espírito da deusa e a união da dualidade masculino/feminino que havia sido essencial para certo cultos religiosos no Egito, na Grécia e em outras partes do Mediterrâneo oriental. Os romanos subverteram o antimaterialismo revolucionário de Jesus a favor do uso do cristianismo para justificar o acúmulo de poder e riqueza. Em vez de encorajarem a auto-realização embutida em documentos tais como o Evangelho Gnóstico de Tomé e o Evangelho de Maria, eles usaram seus evangelhos aceitos e aprovados para manter os servos, os escravos e os soldados em seu lugar. Erradicaram a busca do autoconhecimento e a capacidade de se dirigir a Deus individualmente, sobrepondo à simples e não mediada religião de Jesus a infra-estrutura de padres e papas, igrejas, confessionários, catedrais e cruzadas. Denunciaram como heresia as tradições de mistério e as práticas gnósticas da busca de um conhecimento cada vez mais profundo sobre o sagrado a partir de dentro. E substituíram o que era um movimento religioso diverso, em evolução, pelo dogma de relatos evangélicos imperfeitos e contraditórios que declararam ser a verdadeira palavra de Deus.

Da forma contada em *O código Da Vinci*, Maria Madalena é o símbolo de tudo o que foi arrancado do âmago da visão revolucionária de Jesus. Ela incorpora toda a sabedoria e conhecimento tragicamente perdidos para as gerações futuras. No romance, manter vivo o segredo de Maria também simboliza o potencial para devolver a fé cristã a seus verdadeiros princípios espirituais. Não é de surpreender que algumas pessoas tenham levado *O código Da Vinci* muito mais a sério do que um livro de aventura ambientado numa praia deveria ser levado. O romance é construído como uma busca romântica do Graal semelhante à "viagem do herói" no estilo de um Joseph Campbell, a fim de encontrar o que foi perdido, matar os demônios e os dragões da adversidade e recuperar a verdadeira identidade da heroína, restituindo-a assim ao seu lugar de direito. Na qualidade do arquetípico espírito feminino da *anima*, de Carl Jung, Maria Madalena dá vida ao romance. Se ela está ou não em *A última ceia*, e se Leonardo da Vinci pensou ou não nela como o Santo Graal, ela é sem dúvida o Santo Graal de *O código Da Vinci*.

Tem-se dado grande importância aos erros históricos, causados por desleixo, em *O código Da Vinci*, à forma com que seu autor trata sem consideração assuntos de fé, teologia e práticas religiosas, e à sua aparente incapacidade de discernir o que para a maioria dos intelectuais é uma linha claríssima que separa o factual do ficcional. Embora todas essas críticas sejam válidas num ou noutro grau, elas não captam o aspecto fundamental. Em primeiro lugar, é um pouco difícil ficar irritado com a crítica de que *O código Da Vinci* é um horrível amálgama de fato e ficção, quando tal crítica procede daqueles que não conseguem reconhecer que o mesmo problema é inerente às escrituras religiosas – tradicionais, gnósticas, judaicas, cristãs ou outras. Para mim, o entrelaçamento de fato e ficção até eles serem quase indistinguíveis apresenta o problema nem mais nem menos lógico de determinar como reagir à história contada em *O código Da Vinci* do que o problema de determinar como reagir às histórias contadas na Bíblia.

Porém, talvez mais importante para nós, aqui, seja o valor e mesmo a validade de *O código Da Vinci* em um certo nível de abstração. Se você recuar, ignorar por um momento os detalhes errôneos, os personagens inconsistentes, os diálogos às vezes risíveis e os elementos de enredo exagerados, e se concentrar na visão global do romance, você começará a ver que *O código Da Vinci* cumpre razoavelmente sua função de transmitir pelo menos algumas das grandes idéias sobre Maria Madalena que estudiosos pioneiros, teólogos e feministas vêm articulando nas últimas várias décadas.

Em *O código Da Vinci*, ficamos sabendo acima de tudo o que Maria Madalena *não* era: ela *não* era prostituta, quer arrependida, quer não. Até mesmo os pretensos guardiães da pureza religiosa – aqueles que têm atacado as numerosas afrontas percebidas à teologia e à história que observam no livro, em geral não têm atacado a "chocante" premissa de Dan Brown de que Maria Madalena não era a prostituta arrependida que a Igreja Católica Romana descreveu desde o tempo do papa Gregório, o Grande, em 591, até 1969. Só em meio às tempestades da década de 1960 e a todas as outras profundas mudanças na política da Igreja é o que o Vaticano fez um pequeno conjunto de alterações em certos documentos e recomendou leituras da escritura no dia santo de Maria Madalena que a desassociassem de sua imagem de mulher prostituída que havia dominado a história oficial da Igreja desde a época do papa Gregório I.

É claro que o fato de ela ter passado 1.378 anos institucionalizada na consciência da civilização ocidental como prostituta teve certos efeitos lentos. Minhas experiências pessoais em serviços católicos são limitadas, mas, nos meados da década de 1990, ouvi um padre fazer um sermão sobre o significado de Jesus perdoar os pecados de Maria Madalena, a prostituta. Isso ocorreu quase trinta anos após a Igreja ter supostamente corrigido o registro.

A visão de Maria Madalena de *O código Da Vinci*, por mais radical que seja para a cultura popular em geral, já era lugar-comum para estudantes em importantes escolas de teologia dos Estados Unidos nas décadas de 1970 e 1980, quando as escrituras alternativas encontradas em Nag Hammadi, no Egito, em 1945, eram tema de intenso debate e brilhantes teses de doutorado. Aqueles que leram *Os Evangelhos gnósticos*, o livro pioneiro de Elaine Pagels, e outros semelhantes relatos revolucionários de Maria Madalena, do Jesus histórico e do movimento gnóstico, foram esclarecidos de maneira análoga. No entanto, entre o bilhão de cristãos no mundo em 2003, estatisticamente muito poucos estavam cientes de que a biografia de Maria Madalena já não incluía uma restrição como prostituta. Isto é, não estavam cientes até toparem com *O código Da Vinci* nesse ano. Eu acho mais que irônico que um obscuro romancista de uma cidadezinha de New Hampshire, agora rotineiramente atacado por alguns como herege e blasfemo, seja responsável por informar muito mais pessoas sobre os esforços da própria Igreja para corrigir o registro sobre Maria Madalena do que o próprio Vaticano.

O retrato que o papa Gregório fez de Santa Maria de Magdala como a pecadora penitente baseou-se em sua decisão de fundir três personagens femininas distintas mencionadas em estreita proximidade dentro do mesmo trecho do evangelho – Maria Madalena, Maria de Betânia e uma mulher anônima conhecida apenas como a "pecadora da cidade" – e declarar que elas eram uma pessoa: Maria Madalena. Ao fazê-lo, intencionalmente ou não, ele mudou a atitude cristã do mundo (caso em que também poder-se-ia ler: ocidental) em relação a Maria Madalena, às mulheres e à sexualidade pelos séculos que hão de vir.

Será que a fusão das três mulheres por Gregório foi um simples erro de transcrição e de tradução, na Idade Média, cometido no esforço de simplificar a história para um público analfabeto e padronizar o cânone oficial? Será que foi uma tentativa consciente de rebaixar a reputação de Maria Madalena e, ao fazê-lo, desentranhar a história de profetisas e líderes do sexo feminino da Igreja? Será que foi parte de um argumento filosófico para retratar a sexualidade como um vício moral e as mulheres como sedutoras e prostitutas e, portanto, as fontes do pecado? Ou será que foi uma forma de afirmar a universalidade e a totalidade da capacidade de Jesus de perdoar, de modo que até mesmo uma ex-prostituta – caso se arrependesse – poderia tornar-se membro do círculo íntimo do filho de Deus?

No fim, é claro, as respostas a estas e a muitas outras perguntas que agora estão sendo feitas pelos estudiosos são especulativas. Exceto para Dan Brown, que presume saber a verdade. *O código Da Vinci* afirma que havia uma conspiração intencional em curso. No enredo do romance, o papa Gregório era um adversário consciente do legado de Maria Madalena e o herdeiro de uma tradição masculina que começou com São Pedro e continuou por intermédio de Constantino e dos padres da Igreja primitiva, como Irineu, Tertuliano e Orígenes. Todos esses homens foram os instrumentos voluntários de uma conspiração da Igreja para difamar Maria, obliterar seu papel fundamental na história de Jesus e isolar o cristianismo das antigas influências do sagrado feminino que ela representava. Neste contexto, *sagrado feminino* significa tudo, desde a sacralização da sexualidade e do poder revitalizante do sexo, da fertilidade e do nascimento, até a natureza especial da intuição feminina e do acesso superior das mulheres ao conhecimento divino.

Indo do sagrado ao profano, *O código Da Vinci* passa a insinuar que Maria termina casta como a prostituta mais famosa da História, e não como a esposa, parceira e mãe mais famosa da história, a fim de ocultar todos os vestígios do que equivalia a um golpe de Estado político: Pedro, procurando assumir o controle do movimento, recusa-se a permitir a liderança de uma mulher. Esse golpe, de acordo com o romance, explica os gestos ameaçadores de Pedro e a faca afiada apontada para o personagem "Maria" em *A última ceia*. Ele também pode explicar o motivo por que o Evangelho de Mateus contém uma declaração de Jesus bastante canhestra e fora de contexto, da qual Pedro deriva sua legitimidade: "Tu és Pedro, e sobre esta pedra edificarei a minha Igreja." Alguns estudiosos pensam que essa frase é muito óbvia e um acréscimo muito posterior para apoiar a reivindicação de Pedro de ser o porta-estandarte do movimento de Jesus, em oposição a Maria e no lugar dela.

Em seguida, movemo-nos do profano de volta ao sagrado: *O código Da Vinci* passa a insinuar que, receando as ameaças de Pedro tanto quanto os soldados romanos, Maria – a mulher que Jesus estava acostumado a "beijar com freqüência na [boca]", de acordo com as palavras torturantes do Evangelho de Filipe, a mulher a quem Jesus confidenciava seus conhecimentos mais profundos e suas visões mais penetrantes – foge para a França. Ela está grávida de um filho de Jesus quando foge do tumulto da Terra Santa após a crucificação. Esse filho do casamento com Jesus é sangue sagrado real que ela traz no ventre, tornando-a o cálice supremo de carne e osso, isto é, o Santo Graal. Numerosas lendas francesas, particularmente fortes no período medieval, de fato, contam histórias sobre Maria Madalena e um filho ou filhos, chegando à costa francesa num pequeno barco sem vela nem remos. Maria passa seus dias em vários lugares no sul da França, alguns dos quais afirmam possuir relíquias de seus ossos e fios de cabelo de sua famosa cabeleira ruiva.

Passando do sublime para o quase explicitamente ridículo, *O código Da Vinci* então inventa sua história lendária da descendência de Jesus e Maria dando origem a uma linhagem real, seus filhos unindo-se por casamento àqueles que se tornariam os reis merovíngios da França, e a linhagem perpertuando até hoje. Consta que toda essa história altamente carregada foi redescoberta pelos templários durante sua ocupação das ruínas do Templo de Salomão nos poucos anos das cruzadas. Mas os papas e os imperadores instigaram o massacre e a perseguição dos templários na sexta-feira, 13 de outubro de 1307, porque esses cavaleiros medievais tinham vindo a conhecer e compreender essa poderosa história de Maria Madalena e sua linhagem e, portanto, tinham de ser assassinados, por medo de que o segredo se tornasse público. Contudo, o segredo continua a ser documentado e mantido pelos chamados grão-mestres do Priorado de Sião, cujas fileiras, segundo se diz, incluíram um panteão de grandes gênios europeus do segundo milênio. Dizem que esses homens – e quase todos eles são homens, o que é um pouco surpreendente para um culto que, como se sabe, possui um matiz feminista – conheciam a verdade sobre Maria Madalena, cultuavam-na como a figura de uma deusa e até se envolviam na antiga prática de mistério grega de *hieros gamos* (sexo sagrado), a fim de manterem vivo seu compromisso com o sagrado feminino. De Leonardo, cuja *Última ceia* supostamente mostra Maria Madalena como o Santo Graal, à *Pequena sereia* da Disney (Ariel mantém uma imagem de Maria Madalena em sua cômoda no fundo do mar), *O código Da Vinci* afirma que existe um mundo inteiro lá fora que conhece o segredo de Maria Madalena e continua ocultando-o à vista de todos, na expectativa de fazer com que o restante de nós perceba.

Após três anos estudando o material que serviu de fonte de informações para *O código Da Vinci*, bem como todos os debates, controvérsias e especulações que o livro tem provocado, estou razoavelmente convencido das seguintes proposições:

Primeira: conforme indiquei anteriormente, quando Dan Brown insiste em que Maria Madalena *não* é prostituta e que não há indicação nas escrituras mais antigas ou nos primeiros anos do movimento cristão que corrobore uma interpretação dela como prostituta arrependida, ele está historicamente correto, baseado em fatos e seguindo a corrente dominante do melhor e mais importante trabalho erudito desenvolvido sobre esse tema no último meio século.

Segunda: estou igualmente certo de que quase tudo em *O código Da Vinci* que tem a ver com Maria Madalena como o Santo Graal, ou como o cálice responsável pela origem, há dois mil anos, de uma linhagem que ainda pode ser investigada, bem como de que quase tudo o que tem a ver com uma conspiração deliberada da Igreja Católica para encobrir tudo isso, e/ou de um esforço multissecular ininterrupto de um pretenso Priorado de Sião para manter viva a verdade sobre Maria Madalena – tudo isso é muito mais fantasioso do que factual. Embora o sucesso do romance demonstre que esses elementos resultam na narração de histórias fascinantes e memoráveis, acho difícil atribuir qualquer credibilidade histórica a essas partes do livro. Estou bastante certo de que o Priorado de Sião, por exemplo, é um embuste de meados do século XX forjado por Pierre Plantard e seus amigos monarquistas nostálgicos e de centro-direita na França. Depois de ter refletido bem, também acho que Leonardo da Vinci não foi grão-mestre de nada, exceto das artes e idéias do Renascimento. As insólitas teorias de conspiração e as partes de *O código Da Vinci* impregnadas de misticismo são extremamente interessantes no nível do mito e da metáfora, como narrativa arquetípica e simbólica. Mas é importante observar que essas partes da história – e em particular essa versão de quem é Maria Madalena – não são derivadas de fatos, de evidência histórica ou mesmo de especulação dos estudiosos.

Terceira: as áreas mais complexas nuançadas da história de *O código Da Vinci* não dizem respeito à prostituta que Maria Madalena não era, nem à vítima da conspiração pós-moderna que ela se tornou para alguns. As questões mais interessantes sobre Maria Madalena têm a ver com quem de fato ela era (ou, pelo menos, quem de fato pode ter sido) e o papel que realmente pode ter desempenhado na vida e no tempo de Jesus; com o papel a ela atribuído na história da Igreja primitiva por certos grupos gnósticos e com os motivos por que emergiu hoje como tão essencial a tantas facetas do novo pensamento espiritual. Assim como *O código Da Vinci* foi a fonte por meio da qual muitos leitores souberam que Maria Madalena não era prostituta, ele também é a fonte por meio da qual muitos leitores souberam da existência de relatos de evangelhos e escrituras alternativos além de Mateus, Marcos, Lucas, João e outros livros aceitos do Novo Testamento. A importância dessas escrituras alternativas reside em parte no fato de elas darem mais espaço a Maria Madalena do que os evangelhos aceitos. Com efeito, nos textos alternativos, ela tem seu "próprio" Evangelho de Maria (a meu ver, na verdade não redigido por Maria Madalena, e sim mais tarde por pensadores gnósticos, tentando apreender seu espírito, sua sabedoria e sua história). Sem dúvida, é importante que nos textos alternativos ela seja chamada de "companheira" de Jesus (de uma antiga palavra grega às vezes usada com o significado de "cônjuge") e se diga que é beijada "com freqüência" por ele, na boca ou em outra parte.

Mas para mim, a maior importância do vínculo entre os Evangelhos gnósticos e Maria Madalena pode estar na relevância desse tipo de espiritualidade para os nossos tempos. Para o movimento neognóstico de hoje, vago mas crescendo cada vez mais rápido, parece haver uma sabedoria mais do tipo zen, mais profunda, mais espiritual nos Evangelhos gnósticos do que na teologia cristã tradicional. Existe uma ânsia muito maior para entender os mistérios e a magia da vida, uma sensação maior do sagrado. Os gnósticos parecem ter dado ênfase aos processos de autodescoberta e auto-realização como situados no âmago dos princípios morais e da religião. E, apesar de muitas coisas extremamente contraditórias serem ditas sobre as mulheres nos textos gnósticos, parece haver pelo menos uma forte tendência pró-feminina permeando muitos desses documentos.

Nesse contexto, é interessante notar a "revolução dentro da revolução" que está ocorrendo agora nos estudos sobre Maria Madalena. Tendo sido reabilitada tão recentemente de cerca de 1.400 anos de roubo de identidade, qual identidade Maria deveria assumir agora? Há aqueles que julgam que simplesmente fazer dela outra vez uma figura importante no movimento de Jesus – o "apóstolo dos apóstolos", conforme se faz menção a ela no linguajar cristão tradicional – não é bom o bastante. Alguns pensam que ela deveria ser vista como uma deusa, ou pelo menos que as histórias sobre ela deveriam ser interpretadas como representações míticas do espírito da deusa na cultura do Mediterrâneo oriental.

Há aqueles que pensam que o ponto de vista de Dan Brown de que Maria era casada com Jesus e mãe de sua filha é um papel limitador demais (isto é, "Sra. Jesus") para essa mulher profundamente espiritual e independente que personifica a essência do princípio do sagrado feminino. Alguns dizem que ela deveria ser vista como plenamente igual a Jesus na criação da revolução cristã. Outros acham que não é exótico o suficiente vê-la como uma judia rica oriunda de Magdala – uma aldeia de pescadores no mar da Galiléia – e, em vez disso, afirmam que ela era uma negra de uma cidade da Etiópia também chamada Magdala – talvez explicando o Culto da Madona Negra, particularmente forte nas partes da França onde a lenda afirma que Maria Madalena viveu depois da morte de Jesus.

Alguns especialistas em Maria Madalena estão até descontentes com a idéia de destituí-la do papel de prostituta. Existem alguns indícios de que as chamadas "prostitutas do templo" habitaram certos lugares de culto religioso no Egito, na Grécia, em Israel e em outras partes do Mediterrâneo oriental. Essas prostitutas do templo praticavam ritos sexuais sagrados com reis, príncipes, guerreiros e líderes religiosos, ungindo os homens com seus poderes semelhantes aos da deusa mediante os atos de *hieros gamos*. Ao fazerem uso de seus dons femininos, as prostitutas do templo faziam com que os homens fossem bem-sucedidos na caça, na batalha, na atração de chuva para as plantações ou na predição do futuro. Um punhado de estudiosas feministas argumenta que a associação de Maria Madalena com a prostituição é uma alusão deturpada a essa gloriosa história divina de mulheres poderosas no mundo antigo.

Como descobri ao perambular entre os muitos títulos na Barnes & Noble naquela manhã de 2003 – e como continuo a descobrir ao ler muitos dentre as centenas de novos livros e artigos sobre Maria Madalena publicados nos últimos anos –, Maria Madalena é como um teste de Rorschach do século XXI para atitudes em relação às mulheres, ao gênero, à sexualidade, à religião, ao cristianismo, ao Jesus histórico, à espiritualidade, ao conhecimento, à autodescoberta, à intuição, à sexualidade e ao que é verdadeiramente sagrado e profano no nosso mundo. A realidade é que Maria Madalena – como Jesus, Moisés, Buda, Confúcio e praticamente todos os ícones populares do credo religioso e da fé – se transformou em quem quer que nós queiramos que ela seja.

Quem era Maria Madalena?*

Por James Carroll

"Toda a história da civilização ocidental está exemplificada no culto de Maria Madalena" – é assim que James Carroll inicia este provocante ensaio. Carroll é um ex-padre, autor de dez romances, colunista do

Boston Globe e autor de *A espada de Constantino: a Igreja Católica e os judeus* e outros títulos de não-ficção. Sua tese aqui é a de que, dos documentos originais que se transformam no Novo Testamento à filmagem de *O código Da Vinci*, a imagem de Maria Madalena tem sido repetidamente arregimentada, distorcida e contestada. Mas, em meio a tudo isso, diz ele, a questão essencial foi em grande parte ignorada: quem era ela?

O ensaio de Carroll tem a intenção de fornecer uma resposta ao observar que as confusões que têm girado em torno de Maria Madalena começam com os próprios Evangelhos. Estes, lembra ele aos leitores, resultaram do "que os estudiosos costumam chamar de o caráter da 'brincadeira do telefone-sem-fio' da tradição oral", querendo com isto dizer que, embora os redatores desses Evangelhos talvez concordassem que ela aparecesse em acontecimentos importantes, tais como a Crucificação e a Ressurreição, eles discordam do que aconteceu – em particular na nova versão subseqüente. Por exemplo, quando, no jardim próximo ao túmulo vazio, o Jesus ressuscitado encontra Maria Madalena, ele lhe diz: "Pára de agarrar-te a mim."[3] Esta, afirma Carroll, é uma frase que soa verdadeira para um Jesus que, na maioria dos relatos bíblicos, é "lembrado como tratando as mulheres com respeito e como iguais em seu círculo". Mas essa interpretação logo começou a ser sutilmente alterada, afirma Carroll, e, "como no caso de qualquer narrativa relacionada com Maria Madalena, os detalhes eróticos começam a ser exagerados". Assim tem início a invenção de Maria Madalena como a prostituta arrependida – segundo ele, uma manipulação executada por homens, para homens: "Uma visão do celibato evocada para celibatários." Porém, quando elementos desse movimento religioso passaram do desafio à misoginia para a confirmação dela, um dos resultados foram mudanças significativas na história de Maria Madalena. Carroll afirma que Maria "passou da condição de uma discípula importante, cujo *status* superior dependia da confiança que o próprio Jesus nela depositava, à condição de uma prostituta arrependida, cujo *status* dependia da carga erótica de sua história e da atribulação de sua consciência angustiada".

[3] Em algumas versões da Bíblia, consta "Não me retenhas" ou "Não me detenhas". (N. dos T.)

Neste ensaio, um ex-padre mescla seus conhecimentos do pensamento bíblico com o olho do jornalista para o detalhe, a fim de apresentar uma versão nuançada da história de Maria.

Toda a história da civilização ocidental está exemplificada no culto de Maria Madalena. Por muitos séculos a santa reverenciada da forma mais obsessiva entre todos os santos; essa mulher transformou-se na personificação da devoção cristã, definida como arrependimento. Todavia, ela foi apenas identificada de forma imprecisa na escritura e assim tem servido como uma tela na qual uma sucessão de fantasias tem sido projetada. Era após era, sua imagem foi reinventada, de prostituta a sibila, mística, freira celibatária, colaboradora passiva, ícone feminista e matriarca da dinastia secreta da divindade. Como o passado é lembrado, como o desejo sexual é domesticado, como homens e mulheres vencem seus impulsos distintos, como o poder inevitavelmente procura a santificação, como a tradição se torna dominante, como revoluções são cooptadas, como se ajustam contas com a falibilidade, e como se pode fazer da devoção algo doce para servir à dominação violenta – todas essas questões culturais contribuíram para moldar a história da mulher que auxiliou Jesus de Nazaré.

Quem era ela? Do Novo Testamento pode-se concluir que Maria de Magdala (sua cidade natal, uma aldeia situada no mar da Galiléia) era uma importante figura entre os que eram atraídos por Jesus. Quando os homens que o seguiam o abandonaram na hora do perigo mortal, Maria de Magdala foi uma das mulheres que permaneceram ao lado dele, mesmo durante a Crucificação. Ela esteve no sepulcro, foi a primeira pessoa a quem Jesus apareceu após a Ressurreição e a primeira a pregar a "boa-nova" daquele milagre. Essas declarações estão entre as poucas declarações específicas feitas sobre Maria Madalena nos Evangelhos. Com base em outros textos do início da era cristã, parece que seu *status* era o de uma "apóstola"; nos anos que se seguiram à morte de Jesus, rivalizou até mesmo com Pedro. Essa preeminência derivava da intimidade de seu relacionamento com Jesus, que, de acordo com alguns relatos, tinha um aspecto físico que incluía beijos. Começando com os fios dessas poucas afirmações nos registros cristãos mais antigos, datando do século I ao século III, foi tecido um elaborado tapete, levando a um retrato de Santa Maria Madalena cujo estigma mais importante – o de que ela era uma prostituta arrependida – é quase certamente inverídico. Nesse falso estigma apóia-se o uso dual que tem sido feito de sua lenda desde então: depreciação da sexualidade em geral e destituição dos poderes das mulheres em particular.

Confusões vinculadas ao caráter de Maria Madalena foram sendo criadas através do tempo, à medida que sua imagem era arregimentada numa luta pelo poder atrás da outra, e conseqüentemente distorcida. Nos conflitos que definiram a Igreja cristã – as atitudes exageradas em relação ao mundo material, concentradas na sexualidade; a autoridade de um clero exclusivamente masculino; o advento do celibato; a estigmatização da diversidade teológica como heresia; as sublimações do amor cortês; o desencadeamento da violência "cavalheiresca"; o *marketing* da santidade, quer no tempo de Constantino, quer na Contra-Reforma, quer na era romântica, quer na era industrial –, as reinvenções de Maria Madalena desempenharam seu papel. Sua recente reaparição em um romance e em um filme como a esposa secreta de Jesus e mãe de sua filha oprimida pelo destino mostra que a arregimentação e a distorção ainda continuam.

Na verdade, porém, a confusão começa com os próprios Evangelhos.

Nos Evangelhos, várias mulheres entram na história de Jesus com grande energia, incluindo energia erótica. Existem várias Marias – em especial, é claro, a Maria, mãe de Jesus. Mas existe a Maria de Betânia, irmã de Marta e Lázaro. Existem a Maria, mãe de Tiago e José, e a Maria, esposa de Clopas. De igual importância é a existência de três mulheres anônimas expressamente identificadas como pecadoras sexuais – a mulher de "má reputação" que limpa os pés de Jesus com ungüento como sinal de arrependimento, uma mulher samaritana que ele encontra junto a um poço e uma adúltera que fariseus arrastam até a presença de Jesus para ver se ele a condenará. A primeira coisa a fazer ao se desemaranhar o tapete de Maria Madalena é separar os fios que propriamente pertencem a essas outras mulheres. Alguns desses fios estão bastante embaraçados.

Servirá de ajuda lembrar como a história que as abrange todas veio a ser escrita. Os quatro Evangelhos não são relatos de testemunhas oculares. Eles foram escritos 35 a 65 anos após a morte de Jesus, uma cristalização de tradições orais distintas que haviam tomado forma nas comunidades cristãs dispersadas. Jesus morreu por volta do ano 30 da nossa era. Os Evangelhos de Marcos, Mateus e Lucas datam de cerca de 65 a 85, e têm fontes e temas em comum. O Evangelho de João foi escrito por volta de 90 a 95, e é distinto. Por isso, tanto quando lemos sobre Maria Madalena em cada um dos Evangelhos, como quando lemos sobre Jesus, o que estamos obtendo não é História, e sim memória – memória moldada pelo tempo, por nuanças de ênfase e pelos esforços de propor idéias teológicas distintivas. E, no entanto, mesmo naquele período inicial – como é evidente quando os diversos relatos são confrontados um com o outro –, a memória está embaçada.

Em relação a Maria de Magdala, a confusão começa no oitavo capítulo de Lucas:

> Depois disso, ele [Jesus] andava por cidades e povoados, pregando e anunciando a Boa-nova do Reino de Deus. Os Doze o acompanhavam, assim como algumas mulheres que haviam sido curadas de espíritos malignos e doenças: Maria, chamada Madalena, da qual haviam saído sete demônios, Joana, mulher de Cuza, o procurador de Herodes, Susana e várias outras, que o serviam com seus bens.

Duas coisas importantes estão implicadas nessa passagem. Primeira, essas mulheres "serviam" Jesus e os Doze, o que dá a entender que elas eram figuras abastadas e respeitáveis. (É possível que esta fosse uma atribuição, no tempo de Jesus, de um papel que mulheres prósperas desempenharam alguns anos mais tarde.) Segunda, todas elas haviam sido curadas de alguma coisa, incluindo Maria Madalena. Os "sete demônios", conforme aplicados a ela, indicam uma doença (não necessariamente possessão) de certa gravidade. Bastante cedo, enquanto o trabalho de toldar a memória prosseguia e, posteriormente, quando o Evangelho escrito foi lido pelos gentios não familiarizados com essa linguagem cifrada, esses "demônios" seriam considerados sinal de uma enfermidade moral.

Essa referência a Maria Madalena, sob outros aspectos inócua, assume uma espécie de energia narrativa radioativa por causa do que imediatamente a precede no fim do sétimo capítulo, um relato de força estupenda:

> E rogou-lhe [a Jesus] um dos fariseus que comesse com ele; e, entrando na casa do fariseu, sentou-se à mesa. E eis que uma mulher da cidade, uma pecadora, sabendo que ele estava à mesa na casa do fariseu, levou um vaso de alabastro com ungüento. E, ficando por trás, aos pés

> dele, chorava; e com as lágrimas começou a banhar-lhe os pés, a enxugá-los com os cabelos, a cobri-los de beijos e a ungi-los com o ungüento.
>
> Ao ver isso, o fariseu que o convidara disse consigo mesmo: "Se este homem fosse profeta, bem saberia quem e qual é a mulher que o toca, pois é pecadora."

Mas Jesus se recusa a condená-la, ou mesmo a desviar o gesto dela. Na verdade, ele reconhece seu gesto como um sinal de que "seus muitos pecados lhe são perdoados, porque ela demonstrou muito amor". "Tua fé te salvou", diz Jesus à mulher. "Vai em paz."

Essa história da mulher de má reputação, com o vaso de alabastro, os cabelos soltos, os "muitos pecados", a consciência aflita, o ungüento, a unção dos pés e o ato de beijá-los, tornar-se-ia, com o tempo, o ponto alto dramático da história de Maria Madalena. A cena seria explicitamente vinculada a ela e representada repetidas vezes pelos maiores pintores cristãos. Porém, mesmo uma leitura casual desse texto, por mais carregada que seja sua justaposição com os versículos subseqüentes, dá a entender que as duas mulheres não têm nada a ver uma com a outra – que a mulher que unge e chora não está mais associada com Maria de Magdala do que com Joana ou Susana.

Outros versículos em outros Evangelhos apenas aumentam a complexidade. Mateus relata o mesmo incidente, por exemplo, mas para expressar um ponto de vista diferente e com o acréscimo de um detalhe crucial:

> Estando Jesus em Betânia, na casa de Simão, o leproso, aproximou-se dele uma mulher com um vaso de alabastro com dispendioso óleo perfumado e começou a derramá-lo sobre a cabeça dele, enquanto ele se recostava à mesa. Vendo isso, os discípulos ficaram indignados e disseram: "Por que este desperdício? Porque isso poderia ter sido vendido por grande soma, e o dinheiro dado aos pobres." Percebendo isso, Jesus disse-lhes: "Por que procurais causar aflição à mulher? [...] Pois, quando esta mulher derramou este óleo perfumado sobre o meu corpo, fez isso em preparação para o meu enterro. Deveras, eu vos digo: Onde quer que se pregarem estas boas-novas em todo o mundo, o que esta mulher fez também será contado em lembrança dela."

Esse trecho mostra o que os estudiosos das Escrituras costumam chamar de o caráter da "brincadeira de telefone-sem-fio" da tradição oral da qual os Evangelhos se originaram. Em vez do fariseu de Lucas, cujo nome é Simão, encontramos em Mateus "Simão, o leproso". Ainda mais notável é o fato de essa unção ser especificamente mencionada como a tradicional fricção de um cadáver com óleo; portanto, o ato é um prenúncio explícito da morte de Jesus. Em Mateus e em Marcos, a história da mulher anônima põe a aceitação da morte próxima de Jesus pela mulher em magnífico contraste com a recusa dos discípulos (do sexo masculino) a levar a sério as predições de sua morte por Jesus. Porém, em outros trechos, Maria Madalena é associada pelo nome com o sepultamento de Jesus, o que ajuda a explicar por que foi fácil confundir essa mulher anônima com ela.

Na realidade, com esse incidente as narrativas de Mateus e de Marcos iniciam o avanço em direção ao clímax da Crucificação, porque um dos discípulos – "o homem chamado Judas" –, no versículo seguinte, vai até os chefes dos sacerdotes para trair Jesus.

Nas passagens sobre as unções, a mulher é identificada pelo "vaso de alabastro", mas em Lucas, em que não há referência ao ritual da morte, há claras insinuações eróticas; um homem daquela época só devia ver os cabelos soltos de uma mulher na intimidade do quarto de dormir. A ofensa sofrida pelas testemunhas em Lucas relaciona-se com sexo, ao passo que em Mateus e em Marcos ela se relaciona com dinheiro. E, em Lucas, as lágrimas da mulher, junto com as palavras de Jesus, definem o encontro como um encontro de arrependimento servil.

Porém, as complicações avolumam-se. Mateus e Marcos dizem que o incidente da unção ocorreu em Betânia, um detalhe que se repete no Evangelho de João, que tem ainda outra Maria, a irmã de Marta e Lázaro, e ainda outra história de unção:

Seis dias antes da Páscoa, Jesus foi a Betânia, onde estava Lázaro, que ele ressuscitara dos mortos. Ofereceram-lhe aí um jantar; Marta servia e Lázaro era um dos que estavam à mesa com ele. Então Maria, tendo tomado uma libra de um bálsamo de nardo puro, muito caro, ungiu os pés de Jesus e os enxugou com seus cabelos.

Judas objeta em nome dos pobres, e mais uma vez Jesus é mostrado defendendo a mulher. "Deixa-a; que ela o conserve para o dia da minha sepultura", diz ele. "Pois sempre tereis os pobres convosco; mas a mim nem sempre tereis."

Como antes, a unção prenuncia a Crucificação. Também há ressentimento pelo desperdício de um artigo de luxo, por isso morte e dinheiro definem o conteúdo do encontro. Porém, os cabelos soltos implicam também erotismo.

A morte de Jesus no Gólgota, onde Maria Madalena é expressamente identificada como uma das mulheres que se recusaram a abandoná-lo, leva ao que é, de longe, a afirmação mais importante sobre ela. Todos os quatro Evangelhos (e outro texto cristão primitivo, o Evangelho de Pedro) explicitamente a citam como presente junto ao túmulo, e em João ela é a primeira testemunha da Ressurreição de Jesus. Essa – não o arrependimento, não a renúncia sexual – é a maior reivindicação dela. Ao contrário dos homens, que se dispersaram e correram, que perderam a fé, que traíram Jesus, as mulheres ficaram. (Muito embora a memória cristã glorifique esse ato de lealdade, seu contexto histórico pode ter sido menos nobre: era muito mais provável que os homens que acompanhavam Jesus fossem presos do que as mulheres.) E a mais importante entre elas era Maria Madalena. O Evangelho de João apresenta a história de maneira comovente:

> No primeiro dia da semana, sendo ainda escuro e de madrugada, Maria Madalena foi ao sepulcro, e viu que a pedra fora removida. Então correu e foi até Simão Pedro e o outro discípulo, a quem Jesus amava, e lhes disse: "Tiraram o Senhor do sepulcro e não sabemos onde o colocaram."

Pedro e o outro correm até o sepulcro, para verem por si mesmos, e em seguida voltam a se dispersar.

Mas Maria permaneceu chorando junto à entrada do sepulcro. Enquanto chorava, abaixou-se, olhou para dentro do sepulcro e viu dois anjos vestidos de branco, sentados onde estivera o corpo de Jesus, um à cabeceira e o outro aos pés. Eles lhe perguntaram: "Mulher, por que choras?" Ela lhes respondeu: "Porque levaram o meu Senhor e não sei onde o colocaram." Tendo dito isso, voltou-se e viu Jesus em pé, mas não o reconheceu. Jesus lhe perguntou: "Mulher, por que choras? A quem procuras?" Ela, supondo ser o jardineiro, respondeu: "Senhor, se o tiraste, dize-me onde o puseste, e eu o levarei." Jesus lhe disse: "Maria!" Voltando-se, ela lhe disse em hebraico: "Rabbuni!", que quer dizer "Mestre". Disse-lhe Jesus: "Pára de agarrar-te a mim, pois ainda não subi a [...] meu Pai e vosso Pai, a meu Deus e vosso

Deus." Maria Madalena, então, saiu para anunciar aos discípulos que vira o Senhor e que ele lhe dissera essas coisas.

À medida que a história de Jesus foi contada e recontada naquelas primeiras décadas, ajustes narrativos no evento e na personagem foram inevitáveis, e a confusão de um com o outro foi uma marca do modo como os Evangelhos foram transmitidos. A maioria dos cristãos era analfabeta; eles recebiam suas tradições por meio de um complexo trabalho de lembrança e interpretação, e não da história, trabalho esse que só eventualmente resultava em textos. Assim que os textos sagrados foram oficialmente estabelecidos, os exegetas que os interpretavam podiam fazer distinções cuidadosas, mantendo o rol de mulheres separado, mas os pregadores comuns eram menos cuidadosos. Contar breves histórias era essencial para eles, e assim era certo que ocorressem alterações.

A multiplicidade das Marias em si era suficiente para embaralhar as coisas – como o eram os vários relatos de unção, que num lugar é o ato de uma prostituta de cabelos soltos, em outro de uma estranha pobre preparando Jesus para o túmulo, e em outro, ainda, de uma amiga querida chamada Maria. Mulheres que choravam, se bem que numa série de circunstâncias, emergiram como tema. Como no caso de cada narrativa, os detalhes eróticos foram exagerados, em especial porque a atitude de Jesus para com mulheres com passado de relacionamentos sexuais era uma das coisas que o distinguiam de outros mestres da época. Jesus era lembrado não apenas por tratar as mulheres com respeito, como iguais em seu círculo; ele não apenas se recusou a reduzi-las à sua sexualidade; Jesus era expressamente retratado como um homem que amava as mulheres e a quem as mulheres amavam.

O clímax desse tema ocorre no jardim do sepulcro, com esta única palavra que ele dirige a ela: "Maria!" Ela foi suficiente para fazer com que ela o reconhecesse, e a reação dela é clara pelo que ele diz em seguida: "Pára de agarrar-te a mim." O que quer que tenha sido antes, a manifestação física entre Jesus e Maria de Magdala tem de ser diferente agora.

Desses fios díspares – as várias figuras femininas, a unção, os cabelos, o choro, a intimidade sem paralelo junto ao sepulcro –, foi criado um novo personagem para Maria Madalena. Isto é, dos fios um tapete foi tecido – uma única linha narrativa. Ao longo do tempo, essa Maria passou de uma importante discípula, cujo *status* superior dependia da confiança que Jesus havia nela depositado, a uma prostituta arrependida, cujo *status* dependia da carga erótica de sua história e da atribulação de sua consciência angustiada. Em parte, essa transformação surgiu de um impulso natural para ver os fragmentos da Escritura formarem um todo, para fazer uma narrativa desconexa aderir, com escolhas e conseqüências distintas sendo ligadas umas às outras num único drama. É como se o princípio da unidade de Aristóteles, enunciado na Poética, fosse imposto após o fato aos textos fundamentais do cristianismo.

Assim, por exemplo, de episódios independentes nas narrativas dos Evangelhos, alguns leitores até criariam uma lenda muito mais unificada – mais satisfatória –, segundo a qual Maria de Magdala era a mulher anônima que estava se casando nas bodas de Caná, em que Jesus admiravelmente transformou água em vinho. O noivo dela, nessa narrativa, era João, o qual Jesus imediatamente recrutou para ser um dos Doze. Quando João partiu de Caná com o Senhor, deixando para trás sua recente esposa, ela sucumbiu a uma crise de solidão e ciúme e começou a vender-se a outros homens. Em seguida, apareceu na narrativa como a então notória adúltera que os fariseus arrastaram até a presença de Jesus. Quando ele se recusou a condená-la, ela percebeu o erro de seus hábitos. Em conseqüência disso, foi buscar seu precioso bálsamo e espalhou-o nos pés dele, chorando de arrependimento. A partir dali, ela o seguiu, em castidade e devoção, seu amor para sempre não consumado – "Pára de agarrar-te a mim!" – e mais intenso por ser assim.

Essa mulher continua a viver como Maria Madalena no cristianismo e na imaginação secular ocidentais, até, digamos, a ópera-rock *Jesus Cristo Superstar*, na qual ela canta: "Eu não sei como amá-lo. [...] Ele é apenas um homem, e eu tive tantos homens antes. [...] Eu o quero desse jeito. Eu o amo desse jeito."[4] A história tem um apelo intemporal, em primeiro lugar, porque esse problema do "como" – se o amor deveria ser eros ou ágape; sensual ou espiritual; uma questão de desejo ou de consumação – define a condição humana. O que torna o conflito universal é a experiência dual do sexo: o meio necessário de reprodução e a loucura do encontro apaixonado. Para as mulheres, o materno pode parecer estar em desacordo com o erótico, uma tensão que nos homens pode ser reduzida às conhecidas fantasias opostas da Madona e da prostituta. Escrevo como homem e, no entanto, me parece

[4] No original, "I don't know how to love him... He's just a man, and I've had so many men before... I want him so. I love him so". (N. dos T.)

que nas mulheres essa tensão é expressa em atitudes não para com os homens, e sim para com a própria feminilidade. A imagem de Maria Madalena dá expressão a essas tensões, e delas extrai força, sobretudo quando está entrelaçada com a imagem daquela outra Maria, mãe de Jesus.

Os cristãos podem adorar a Virgem Santíssima, mas é com Madalena que eles se identificam. O que a torna fascinante é que ela não é meramente a prostituta em contraste com a Madona mãe de Jesus, e sim uma mulher que combina ambas as figuras em si. Pura em virtude do arrependimento, ela não obstante continua a ser uma mulher com um passado. Sua conversão, em vez de remover seu fascínio erótico, intensifica-o. O tormento da auto-acusação, conhecido de uma maneira ou de outra por todos os seres humanos, encontra libertação numa figura cuja penitência servil é a condição da recuperação. O fato de ela lamentar-se por ter levado a vida deliberada de objeto sexual a torna apenas mais fascinante do que aquilo que poderia ser chamado de objeto de arrependimento.

Portanto, a invenção do personagem Maria Madalena como uma prostituta arrependida pode ser vista como tendo ocorrido devido a pressões inerentes à forma da narrativa e à urgência primordial de dar expressão às inevitáveis tensões da inquietação sexual. Porém, nenhum desses foi o principal fator da transformação da imagem de Maria Madalena, de uma mulher que desafiava as presunções misóginas dos homens numa mulher que as confirmava. O principal fator dessa transformação foi, na verdade, a manipulação da imagem dela por aqueles mesmos homens. Levou muito tempo para que a mutação se realizasse – pelo menos os primeiros seiscentos anos da era cristã.

Mais uma vez, ajuda ter uma cronologia em mente, com foco no lugar das mulheres no movimento de Jesus. A primeira fase é o tempo do próprio Jesus, e existem todos os motivos para acreditar que, de acordo com seus ensinamentos e em seu círculo, as mulheres eram excepcionalmente dotadas de poderes como completamente iguais. Na segunda fase, quando as normas e suposições da comunidade de Jesus estavam sendo registradas por escrito, a igualdade das mulheres é refletida nas epístolas de São Paulo (c. 50-60), que as chama de parceiras plenas – suas parceiras – no movimento cristão, e nos relatos dos Evangelhos que fornecem evidência das atitudes do próprio Jesus e dão ênfase às mulheres, cuja coragem e fidelidade estão em acentuado contraste com a covardia dos homens.

Porém, na terceira fase – após os Evangelhos terem sido escritos, mas antes que o Novo Testamento fosse definido com tal –, a rejeição por Jesus do domínio masculino prevalecente estava sofrendo erosão na comunidade cristã. Os próprios Evangelhos, escritos naquelas várias décadas após Jesus, podem ser lidos de uma forma que indique essa erosão, em razão de sua ênfase na autoridade dos "Doze", todos homens. (A composição dos "Doze" apenas por homens é expressamente usada pelo Vaticano hoje para excluir as mulheres da ordenação.) Porém, nos livros do Novo Testamento, a discussão entre os cristãos sobre o lugar das mulheres na comunidade é implícita; ela se torna bastante explícita em outros textos sagrados daquele período inicial. Não é de surpreender, talvez, que a figura que mais incorpora o conflito imaginativo e teológico sobre o lugar das mulheres na "Igreja", como o movimento começou a chamar a si mesmo, seja Maria Madalena.

Neste ponto, é útil lembrar não só como os textos do Novo Testamento foram compostos, mas também como foram selecionados como literatura sagrada. A suposição popular é que as Epístolas de Paulo e Tiago e os quatro Evangelhos, junto com os Atos dos Apóstolos e o Apocalipse, eram nem mais nem menos o que a comunidade cristã primitiva tinha à guisa de escritos fundamentais. Esses textos, que se acreditava fossem "inspirados pelo Espírito Santo", são considerados tendo sido de algum modo transmitidos por Deus à Igreja e acrescidos aos livros do Antigo Testamento previamente "inspirados" e selecionados para formar "a Bíblia". Mas os livros sagrados do cristianismo (como os livros sagrados do judaísmo, na verdade) foram estabelecidos por um processo muito mais complicado (e humano) do que esse.

A explosiva difusão das Boas-novas de Jesus pelo mundo mediterrâneo significou que comunidades cristãs distintas estavam surgindo em toda a região. Existia uma vívida diversidade de crença e prática, o que se refletiu nas tradições orais e, mais tarde, nos textos que aquelas comunidades utilizaram. Em outras palavras, havia muitos outros textos que poderiam ter sido incluídos no "cânone" (ou lista), mas não foram.

Só no século IV é que a lista de livros que passaram a fazer parte do cânone do que agora conhecemos como o Novo Testamento foi estabelecida. Isso foi um marco rumo à definição de si mesma pela Igreja precisamente em oposição ao judaísmo. Ao mesmo tempo, e de maneira mais sutil, a Igreja estava progredindo para entender a si mesma em oposição às mulheres. Assim que a Igreja começou a impor a "ortodoxia" do que é considerado Escritura e seu credo doutrinariamente definido, os textos rejeitados – e às vezes as pessoas que os prezavam, também conhecidas como hereges – foram destruídos. Essa foi, em parte, uma questão de disputa teológica – se Jesus era divino, de que forma? –, e, em parte, do estabelecimento de fronteiras contra o judaísmo. Mas também havia uma indagação expressamente filosófica em ação, porque os cristãos, como os pagãos de sua época, procuravam definir a relação entre espírito e matéria. Entre os cristãos, esse argumento, bastante cedo, viria a concentrar-se na sexualidade – e seu campo de batalha seria a tensão existencial entre homens e mulheres.

Quando os livros sagrados foram transformados em cânone, que textos foram excluídos, e por quê? Esse é um longo rodeio, mas estamos de volta ao nosso tema, porque um dos textos cristãos mais importantes a serem encontrados fora do cânone do Novo Testamento é o chamado Evangelho de Maria, um relato da história do movimento de Jesus que apresenta Maria Madalena (decididamente, não a mulher do "vaso de alabastro") como um de seus líderes mais poderosos. Assim como os Evangelhos "canônicos" emergiram de comunidades que se associavam aos "evangelistas", que, na verdade, talvez não tenham "escrito" os textos, esse recebeu o nome de Maria não porque ela o "escreveu", mas porque emergiu de uma comunidade que reconhecia a autoridade dela.

Seja por supressão, seja por negligência, o Evangelho de Maria perdeu-se no período primitivo – do mesmo modo que a verdadeira Maria Madalena estava começando a desaparecer no sofrimento mental de uma prostituta penitente e as mulheres estavam desaparecendo do círculo interno da Igreja. Ele reapareceu em 1896, quando uma cópia bem-conservada, porém incompleta, feita no século V, de um documento datando do século II foi posta à venda no Cairo; por fim, outros fragmentos desse texto foram encontrados. Apenas lentamente, no decorrer do século XX, os estudiosos de fato se deram conta do que o Evangelho redescoberto revelava, um processo que culminou com a publicação, em 2003, de *The Gospel of Mary of Magdala: Jesus and the First Woman Apostle*, de Karen L. King.

Embora Jesus rejeitasse o domínio masculino, conforme simbolizado no fato de ele incumbir Maria Madalena de difundir a notícia da Ressurreição, a supremacia masculina voltou aos poucos com toda a força no movimento de Jesus. Mas, para que isso acontecesse, a incumbência de Maria Madalena teve de ser reinventada. Percebe-se essa própria ação em curso no Evangelho de Maria.

Por exemplo, a preeminência de Pedro é tida como certa em outra parte (em Mateus, Jesus diz: "Tu és Pedro, e sobre esta pedra edificarei minha Igreja."). Aqui, ele se curva a ela:

> Pedro disse a Maria: "Irmã, sabemos que o Salvador te amava mais do que a todas as outras mulheres. Dize-nos as palavras do Salvador de que te lembras, as coisas que sabes e nós não, pois não as ouvimos."
> Maria respondeu: "Eu vos ensinarei o que vos foi ocultado." E começou a falar essas palavras para eles.

Maria relembra sua visão, uma espécie de descrição esotérica da ascensão da alma. Os discípulos Pedro e André estão perturbados – não pelo que ela diz, e sim pelo modo como o sabe. E agora um invejoso Pedro se queixa a seus companheiros: "[Jesus] a escolheu acima de nós?" Isso provoca uma áspera repreensão de outro apóstolo, Levi, que diz: "Se o Salvador a fez digna, quem és tu, por tua parte, para rejeitá-la?"

Esse era o problema não só com Maria Madalena, mas com as mulheres em geral. Não deveria ser nenhuma surpresa, dado o êxito com que a predominância excludente dos homens se estabeleceu na Igreja dos "padres", que o Evangelho de Maria fosse um dos textos postos de lado no século IV. Como esse texto mostra, a imagem inicial dessa Maria como uma apóstola de Jesus digna de confiança, refletida até nos textos dos Evangelhos canônicos, revelou-se um grande obstáculo para o estabelecimento da predominância masculina, e esse é o motivo pelo qual, sejam quais forem os outros problemas "heréticos" apresentados por esse Evangelho, essa imagem tinha de ser remodelada como uma imagem de subserviência.

Simultaneamente, a ênfase na sexualidade como a origem de todo o mal serviu para subordinar todas as mulheres. O mundo romano antigo era repleto de espiritualidades que abominavam a carne – o estoicismo, o maniqueísmo, o neoplatonismo –, e elas influenciaram o pensamento cristão exatamente quando ele estava se cristalizando em "doutrina". Assim, a necessidade de despojar de poder a figura de Maria Madalena, de modo que suas irmãs subseqüentes na Igreja não competissem com os homens pelo poder, combinou-se com o impulso para desacreditar as mulheres de modo geral. Isso foi feito de maneira mais eficaz reduzindo-as à sua sexualidade, até mesmo porque a sexualidade em si foi reduzida à esfera da tentação, a origem de toda a desonra humana. Tudo isso – desde a sexualização de Maria Madalena, passando pela enfática veneração da virgindade de Maria, mãe de Jesus, pela aceitação do celibato como um ideal clerical, pela marginalização da devoção feminina, até a remodelação da piedade como abnegação, em particular por meio de cultos penitenciais – chegou a uma espécie de clímax determinante no fim do século VI. Foi então que todos os impulsos filosóficos, teológicos e eclesiásticos se voltaram para a Escritura, procurando um *imprimatur* definitivo para o que na época era um firme preconceito cultural. Foi então que foram assentados os trilhos ao longo dos quais a Igreja – e a imaginação ocidental – correria.

O papa Gregório I (c. 540-604) era aristocrata de nascimento e foi prefeito da cidade de Roma. Após a morte do pai, ele se desfez de tudo e transformou sua residência palaciana em Roma num mosteiro, do qual se tornou um humilde monge. Eram tempos de peste, e na verdade o papa anterior, Pelágio II, morrera vitimado por ela. Quando o pio Gregório foi eleito para suceder-lhe, ele imediatamente deu ênfase a formas penitenciais de culto como um meio de evitar a doença. Seu pontificado marcou uma solidificação da disciplina e do pensamento, um tempo tanto de reforma quanto de invenção. Mas tudo isso ocorreu contra o pano de fundo da peste, uma circunstância carregada de destruição na qual a servilmente arrependida Maria Madalena, ao evitar a peste espiritual da danação, pôde receber os elogios merecidos. E ela o fez com a ajuda de Gregório.

Conhecido como Gregório, o Grande, ele continua a ser uma das figuras mais influentes que já serviu como papa, e numa famosa série de sermões sobre Maria Madalena, proferidos em Roma por volta do ano 591, ele selou o que até então havia sido uma interpretação comum mas não sancionada da história dela. Com isso, a imagem contraditória de Maria foi, nas palavras de Susan Haskins, autora de *Mary Magdalene: Myth and Metaphor*, "finalmente estabelecida [...] por cerca de 1.400 anos".

Tudo retrocedeu àqueles textos dos Evangelhos. Abrindo caminho entre as cuidadosas distinções dos exegetas – as várias Marias, as mulheres pecadoras –, que tinham feito uma combinação simples e difícil de sustentar das personagens, Gregório, baseando-se em sua própria autoridade, ofereceu sua decodificação dos textos pertinentes dos Evangelhos. Ele estabeleceu o contexto no qual o significado deles foi avaliado dali em diante:

> Aquela a quem Lucas chama de mulher pecadora, a quem João chama de Maria, nós acreditamos ser a Maria da qual sete demônios foram expulsos, de acordo com Marcos. E o que significavam esses sete demônios senão todos os vícios?

Lá estava – a mulher do "vaso de alabastro" chamada pelo próprio papa de Maria de Magdala. Ele a definiu:

> É claro, irmãos, que antes a mulher usava o ungüento para perfumar sua carne em atos proibidos. O que ela então expunha de maneira mais escandalosa estava agora oferecendo a Deus de uma forma mais digna de louvor. Ela havia cobiçado com olhos mundanos, mas agora, mediante a penitência, estes são consumidos com lágrimas. Ela expôs os cabelos para realçar o rosto, mas agora seus cabelos enxugam suas lágrimas. Ela havia pronunciado coisas orgulhosas com sua boca, mas, ao beijar os pés do Senhor, agora colocava a boca nos pés do Redentor. Por esse motivo, por cada deleite que experimentara dentro de si, ela agora se imolava. Ela transformou a grande quantidade de seus crimes em virtudes, a fim de servir a Deus inteiramente em penitência.

A saudação "irmãos" é a pista. Durante a Idade Média e a Contra-Reforma, entrando na Idade Moderna e indo de encontro ao Iluminismo, monges e padres leram as palavras de Gregório, e por intermédio delas leram os próprios textos dos Evangelhos. Cavaleiros galantes, freiras que fundavam casas para mães solteiras, amantes corteses, pecadores desesperados, celibatários frustrados e uma sucessão interminável de pregadores trataram a leitura de Gregório literalmente como a verdade dos Evangelhos. A Escritura Sagrada, tendo remodelado o que de fato havia acontecido durante a vida de Jesus, foi ela mesma remodelada.

Os homens da Igreja que se beneficiaram dessa remodelação, para sempre poupados da presença de mulheres em seus santuários, não sabiam que era isso o que havia acontecido. Tendo criado um mito, não se lembravam de que ele era mítico. A Maria Madalena deles – nenhuma ficção, nenhum híbrido, nenhuma traição de uma mulher outrora venerada – transformou-se na única Maria Madalena que já existira.

Essa obliteração das distinções textuais serviu para evocar um ideal de virtude que extraiu sua força do fato de ser uma visão de celibatários, evocada para celibatários. O excessivo interesse particular de Gregório, o Grande, no passado da mulher decaída – para que aquele óleo fora usado, como aqueles cabelos haviam sido expostos, aquela boca – trouxe para o centro da devoção da Igreja uma energia vagamente lasciva que vicejaria sob o patrocínio autorizado de um dos papas reformadores mais reverenciados da igreja. Por fim, Madalena, como objeto despido da preocupação pictórica do Renascimento e do Barroco, tornou-se uma figura de nada menos que pornografia sagrada, assegurando à prostituta sempre lasciva – ainda que agora lasciva para o êxtase da santidade – um lugar permanente na imaginação católica.

Desse modo, Maria de Magdala, que começou como uma mulher poderosa ao lado de Jesus, "transformou-se", no resumo de Haskins, "na prostituta redimida e modelo de arrependimento do cristianismo, em uma figura manipulável, controlável, e arma e instrumento eficazes de propaganda contra seu próprio sexo". Houve motivos relacionados com a forma da narrativa pelos quais isso aconteceu. Houve uma subordinação da inquietação sexual a essa imagem. Houve o apelo humano de uma história que enfatizava a possibilidade de perdão e redenção. Porém, o que mais instigou a sexualização anti-sexual de Maria Madalena foi a necessidade dos homens de dominar as mulheres. Na Igreja Católica, como em outras partes, essa necessidade ainda está sendo satisfeita.

A pecadora santa: os dois mil anos de obsessão por Maria Madalena*

Por Joan Acocella

Se alguém precisava de mais provas do papel de Maria Madalena como a "garota cheia de charme" do início do século XXI – isto é, mais do que seu papel como estrela do romance e da filmagem *O código Da Vinci*, o *best-seller* e o filme mais grosseiro do nosso tempo –, que melhor surpresa do que ter o extenso perfil dela própria na superatual e moderna revista *The New Yorker*?

Este artigo da *New Yorker*, escrito por Joan Acocella e publicado no início de 2006, é uma das melhores introduções à vasta discussão sobre Maria Madalena que já foram escritas, e este é o motivo por que o incluímos aqui. A atividade regular de Acocella na revista é como crítica de dança – de fato, ela é amplamente reconhecida como uma entre o punhado de pessoas que estabeleceram a crítica da dança como uma forma de arte moderna em si mesma. Talvez seja sua exposição à dança e ao seu papel na história humana – um papel poderoso, primal, às vezes sagrado, às vezes extático, às vezes erótico, às vezes com inversão de papéis sexuais – que a tornou particularmente sensível a algumas das nuanças no debate sobre Maria Madalena.

Seja como for, Acocella tem escrito com brilhantismo sobre a dança, mas também sobre outros assuntos relacionados com o debate sobre Maria Madalena. Em seu livro pioneiro sobre Willa Cather, romancista americana do início do século XX, Acocella teve de lidar com uma figura feminina a quem haviam sido atribuídos muitos papéis variados e opostos – esquerdista populista, defensora conservadora de uma era romântica que já passara, idealista cristã clássica, mulher capacitada e independente, e lésbica obcecada por sexo, para citar apenas alguns. Embora perfeitamente capaz de decodificar o simbolismo na obra de Cather, Acocella também rejeitou a interpretação excessiva do conteúdo simbólico, observando isso para certos críticos: "Nenhuma árvore pode crescer, nenhum rio pode correr nas paisagens de Cather sem ser um pênis ou um período menstrual." Na discussão atual sobre Maria Madalena, ela encontrará o que pode ser uma tendência semelhante de ir além do necessário na interpretação do conteúdo simbólico em textos e obras de arte.

Acocella também tem escrito exaustivamente sobre psicologia, incluindo um trabalho muito extenso especificamente sobre as mulheres e o distúrbio de personalidade múltipla. Sua crítica da facilidade com que síndromes psicológicas complexas são rotuladas e mal compreendidas, sobretudo nas mulheres, também pode ter-lhe dado um

> *insight* especial das referências bíblicas a Jesus expulsando os "sete demônios" de Maria Madalena.
>
> Muitos dos especialistas que convidamos para colaborar em *A verdadeira história de Maria Madalena* também são citados por Acocella em seu ensaio. Estes incluem Susan Haskins, Katherine Jansen, Elaine Pagels, Marvin Meyer, Jane Schaberg, Bruce Chilton e Margaret Starbird, entre outros. As opiniões de cada um dos especialistas acima mencionados são bem representadas em outra parte do livro, por isso nossos leitores só precisam olhar o sumário para encontrar uma elaboração mais completa dos pontos de vista deles.

A Igreja Católica presumivelmente está bastante ocupada no momento para se preocupar com ficção popular, mas a Santa Sé não deve ter deixado de notar que *O código Da Vinci*, de Dan Brown, um romance que afirma que Jesus foi casado, está na lista de *best-sellers* da *Time* há quase três anos. Brown de modo algum é o primeiro a afirmar que Cristo teve uma vida sexual – Martinho Lutero também disse isso –, mas a declaração recente mais notória da teoria foi um livro de 1982, *O Santo Graal e a linhagem sagrada*, de Michael Baigent, Richard Leigh e Henry Lincoln. Essa obra, que foi uma das principais fontes para *O código Da Vinci*, propõe que, após a Crucificação, a esposa de Jesus, com pelo menos um de seus filhos, fugiu para a França, onde seus descendentes se casaram com membros da dinastia merovíngia e ainda circulam por aí hoje em dia. No entanto, ninguém sabe disso, porque, de acordo com a seqüência imaginária de acontecimentos dos autores, a verdade tem sido mantida em segredo há mil anos por uma sociedade secreta chamada Priorado de Sião. O livro oferece uma teoria de conspiração fantasticamente elaborada – envolvendo Leonardo da Vinci, Isaac Newton, Victor Hugo e Jean Cocteau (todos "grão-mestres" do Priorado de Sião), além de Emma Calvé e vários outros – que não pode ser resumida de forma sucinta, mas a conclusão é que o Priorado agora pode estar pronto para ir a público com sua história. Os autores advertem que a organização pode ter a intenção de fundar uma nação teocrática – os Estados Unidos da Europa –, com um descendente de Jesus como seu rei-sacerdote, porém com os verdadeiros negócios do governo sendo administrados por outra pessoa ou facção – o Priorado de Sião, por exemplo.

E quem é a mulher que causou todo esse problema? Quem se casou com Jesus e deu à luz seus descendentes e, com isso, lançou as bases para a destruição da cultura pós-Iluminismo? Maria Madalena.

Existem apenas 14 menções a Maria Madalena no Novo Testamento. Lucas e Marcos descrevem-na como o objeto de um dos exorcismos de Jesus – ele expulsa "sete demônios" dela – e como uma das várias mulheres que o seguiam. Em todos os quatro Evangelhos, ela assiste à Crucificação. Não obstante, o papel dela permanece minúsculo até que, de repente, após a morte de Jesus, aumenta imensamente. Cada um dos Evangelhos conta a história de maneira um pouco diferente, mas, basicamente, Madalena, quer sozinha, quer com outras mulheres, vai ao sepulcro no terceiro dia para untar o corpo de Jesus, e um anjo ou o próprio Cristo anuncia a ela (ou a elas) que ele ressuscitou dos mortos e a instrui a ir contar isso aos discípulos dele. Essa ordem deu a Madalena um prestígio inteiramente novo. A Ressurreição é a prova da verdade da fé cristã. Como a primeira pessoa a anunciá-la, Maria Madalena tornou-se, conforme foi mais tarde designada, "o apóstolo dos apóstolos".

Porém, havia um problema. Por que ela? Por que uma pessoa que antes fora mencionada apenas de passagem? Acima de tudo, por que uma mulher?

O fato de todos os quatro Evangelhos afirmarem que Madalena foi essa pessoa insinua fortemente que isso na verdade era o que as pessoas diziam ter acontecido. Todavia, nesse caso, ela precisava ser valorizada. Isso era bastante fácil. Hoje, com tantos literalistas bíblicos por aí, temos de prestar muita atenção ao que a Escritura realmente diz, mas, nos primeiros séculos após a morte de Cristo, essas questões eram menos importantes, porque a maioria das pessoas não sabia ler. Na maior parte, os quatro Evangelhos são compilações de tradições orais. Assim que foram registrados por escrito, eles serviram como um guia para a pregação, mas apenas como um guia. Os pregadores faziam acréscimos inverídicos a eles livremente, e os pintores – na verdade, todo mundo – faziam seus próprios ajustes. A estudiosa inglesa Marina Warner apresenta esse argumento em seu livro sobre a Virgem Maria, *Alone of All Her Sex* (1976). Como Warner mostra, muitos detalhes da Natividade que nos são tão familiares de pinturas, hinos e desfiles escolares – "o feno e a neve e o cheiro dos corpos quentes dos animais" – não constam no Novo Testamento. As pessoas inventavam-nos; elas queriam uma história melhor. De modo análogo, inventaram uma Maria Madalena melhor.

Para seu tempo e lugar, Jesus era notavelmente não sexista. Na Samaria, quando ele falou com a mulher junto ao poço – este é o intercâmbio pessoal mais longo que ele tem com alguém na Bíblia –, seus discípulos "ficaram maravilhados"; um judeu não falava em público com uma mulher sem parentesco com ele. Em outro episódio, em Lucas, Jesus está jantando com Simão, o fariseu, quando uma "mulher da cidade", uma "pecadora" – presumivelmente uma prostituta –, entra na casa, lava os pés de Jesus com suas lágrimas, enxuga-os com seus cabelos, beija-os e em seguida unta-os com bálsamo de um vaso. Simão diz a Cristo que, se ele consegue aceitar aquele tributo de uma pessoa como aquela, ele decerto não é um profeta. Cristo responde que a "pecadora" lhe demonstrou mais amor do que Simão.

De acordo com alguns estudiosos, a equanimidade de Cristo em relação ao gênero era honrada em algumas comunidades cristãs primitivas, nas quais mulheres tinham a função de líderes. Mas no século II, à medida que a chamada "Igreja ortodoxa" se consolidava, as mulheres estavam sendo postas de lado, junto com a coisa que cada vez mais se julgava que elas simbolizavam: sexo. Só no século XII é que houve a exigência absoluta de que todos os sacerdotes católicos romanos fossem celibatários, mas a exigência do celibato começou a soar muito antes, e os escritos dos padres da Igreja eram rigorosíssimos com o sexo. No século IV, a mãe de Cristo foi declarada virgem. A castidade tornou-se o ideal; as mulheres, a incitação à não-castidade foram estigmatizadas.

Como, então, o anúncio da Ressurreição pôde ter sido feito a uma mulher? Em retrospecto, no que parece ser uma solução engenhosa, diz-se que a "pecadora" de Lucas é Madalena. Isso faz algum sentido. Primeiro, Lucas introduz Madalena pelo nome apenas dois versículos após a história da "pecadora". Em seguida, houve os "sete demônios" que Cristo expulsou dela. Que demônios teria uma mulher, além da concupiscência? Finalmente, ao contrário de muitas outras mulheres nos Evangelhos – Maria, mãe de Tiago; Maria, esposa de Cleofas, etc. –, Maria Madalena, quando é mencionada, é identificada não pela relação com um homem, e sim pela sua cidade, Magdala, uma próspera aldeia de pescadores no mar da Galiléia. Portanto, Madalena era provavelmente uma mulher que não dependia de ninguém, coisa rara e suspeita na sociedade judaica do período. Acrescentemos a esse fato que Magdala tinha a reputação de cidade licenciosa, e que Madalena aparentemente tinha dinheiro (Lucas diz que ela ministrava a Jesus suas "posses"), e chegamos à conclusão de que ela foi a pecadora que lavou os pés de Cristo com suas lágrimas.

Em primeiro lugar, perguntamo-nos como o fato de a primeira testemunha da Ressurreição ser uma prostituta ajudaria a nova campanha da Igreja pela castidade. Porém, conforme observado, a Igreja estava bastante presa a Madalena. Além disso, o traço predominante do ministério de Jesus era a humildade. Um deus que escolhera nascer num estábulo também poderia decidir anunciar sua Ressurreição a uma prostituta. E a pecadora de Lucas não era apenas uma prostituta: ela era uma prostituta arrependida, derramando lágrimas tão copiosas que seriam suficientes para limpar os pés de um homem que acabara de percorrer a estrada poeirenta até a casa do fariseu. Mas o ganho crucial de enxertar essa mulher em Madalena era que ele dava a ela alguma plenitude como personagem, enquanto também diminuía o prestígio dela. A fusão já estava sendo feita por volta do século III ou IV, e no século VI foi ratificada em um sermão do papa Gregório, o Grande. Maria Madalena, uma das poucas mulheres independentes do Novo Testamento, transformou-se em prostituta.

Como tal, ela foi um tremendo sucesso. Assim que se converteu ao cristianismo, a Europa não estava satisfeita em ter todas aquelas pessoas santas na Bíblia com suas atividades – ou, mais importante, suas relíquias – restritas ao Oriente Médio. E assim Madalena, entre outros, foi enviada em direção ao oeste. Consta que, após a Crucificação, infiéis a colocaram num barco sem remos e o empurraram para o mar, com plena certeza de que ele emborcaria. Porém, pilotado pela mão de Deus, o barco de Madalena chegou a Marselha, e então ela se dedicou a uma carreira de evangelismo persistente e converteu o sul da Gália. Contudo, ela acabou se cansando de pregar e retirou-se para uma caverna numa montanha próxima a Marselha, onde chorava e se arrependia de sua juventude sórdida. Não usava roupas: era coberta apenas por seus longos cabelos (ou, em algumas pinturas, por uma horrorosa espécie de pele). Tampouco se alimentava. Uma vez por dia, anjos desciam para levá-la ao Céu, onde ela recebia "alimento celestial", e depois a devolviam à gruta. Isso continuou por trinta anos. Então, um dia, seu amigo Maximino, bispo de Aix, encontrou-a levitando dois côvados acima do chão e rodeada por um coro de anjos. Ela imediatamente expirou.

Este é um resumo de várias histórias, mas a maioria delas pode ser encontrada em *A lenda de ouro*, uma compilação das vidas dos santos escrita por um dominicano do século XIII, Tiago de Voragine, que mais tarde se tornou arcebispo de Gênova. Depois da Bíblia, diz-se que *A lenda de ouro* foi o texto mais lido da Idade Média.

Com base nele, sermões foram redigidos, peças escritas, retábulos pintados, histórias contadas ao pé da lareira. De acordo com algumas fontes, Madalena transformou-se na santa mais popular da França depois da Virgem Maria. No século XI, um culto de Madalena particularmente fervoroso desenvolveu-se na cidade borgonhesa de Vézelay, cuja igreja afirmou possuir seus restos mortais – sem dúvida, uma afirmação influenciada pelo fato de que Vézelay se situava numa das principais rotas para Santiago de Compostela, na Espanha – o terceiro lugar de peregrinação mais importante da cristandade (depois de Jerusalém e Roma). Vézelay logo se tornou outro importante lugar de peregrinação, beneficiando substancialmente a economia local. Em 1267, os monges de Vézelay mandaram exumar os restos mortais de Madalena de sob a igreja, um evento que contou com a participação do rei.

Algumas pessoas, no entanto, perguntaram-se como o corpo de Madalena chegou a Borgonha, quando a lenda dizia que ela morrera na Provença. O príncipe provençal Carlos de Salerno, um homem devoto, ficou particularmente desgostoso por essa relocação. E assim, em 1279, apenas 12 anos após a exumação em Vézelay, um novo conjunto de relíquias de Madalena foi descoberto, na cripta de São Maximino, perto de Aix-en-Provence. Saint-Maximin transformou-se num concorrido lugar de peregrinação. Com o passar do tempo, cinco corpos completos de Madalena, junto com “peças sobressalentes”, foram descobertos em vários locais. Seu dia santo, 22 de julho, tornou-se um importante feriado. Consta que em Viviers um camponês que ousou arar seus campos nesse dia foi fulminado por um raio. Várias profissões – vinhateiros, jardineiros, marinheiros, tanoeiros, tecelões – tomaram-na como santa padroeira. Uma igreja após outra recebeu o nome dela, bem como muitos bebês do sexo feminino.

Como ela veio a ser tão estimada? Nos últimos anos, houve uma grande quantidade dos chamados “estudos de recepção” de Madalena, histórias de como sua imagem mudou com o tempo. Dois bons exemplos são *Mary Magdalene: Myth and Metaphor* (1993), de Susan Haskins, e *The Making of the Magdalen: Preaching and Popular Devotion in the Later Middle Ages* (2001), de Katherine Jansen. De acordo com essas escritoras, em parte porque a urbanização no século XII causou um aumento da prostituição, Madalena, essa prostituta de renome, tornou-se tão eminente nessa época. Os pregadores enfatizavam – na verdade, inventavam – sua juventude perdida. Ela era bonita, diziam eles, com uma cabeleira ruiva, e também uma herdeira: vivia num castelo. Mas não tinha nenhum parente do sexo masculino para arrumar um casamento adequado para ela, e assim se entregou à *luxúria*. Dia após dia, sentava-se diante do espelho, aplicando em si mesma cosméticos e perfumes, os melhores para seduzir rapazes inocentes. Em breve, segundo os pregadores medievais (que, ao que tudo indica, não consideravam a riqueza um meio de inibição da prostituição), ela começou a vender seu corpo – uma lição, declaravam eles, para todas as moças tentadas pela *luxúria*. Jansen cita um frade do século XIII que se pôs na mente de uma garota dessas, sentada diante do espelho: "Ela puxa o vestido para um dos lados, a fim de revelar a pele, afrouxa a faixa para revelar o colo. Seu corpo ainda está em casa, mas aos olhos de Deus ela já está num bordel." A pregação era apenas parte da campanha. Por toda a Europa, foram fundadas instituições, sob a égide de Maria Madalena, para prostitutas dispostas a se arrepender de seus hábitos.

Entretanto, embora fosse exibida como uma advertência, a jovem Madalena também era objeto de admiração. Ela foi escolhida como a santa padroeira não apenas de tanoeiros e jardineiros, mas também de fabricantes de luvas, fabricantes de perfumes e cabeleireiros – em outras palavras, os fornecedores de todas aquelas bugigangas que a levaram à queda. (Ela também se tornou a padroeira das prostitutas. Em Beaucaire, no seu dia santo, as prostitutas locais participavam de uma corrida em sua homenagem.) Além de sua beleza, o que agradava às pessoas era sua reputada emotividade. Nas representações medievais da Crucificação e da Descida da Cruz, Madalena tipicamente aparece enlouquecida de dor. Com freqüência, sua boca está aberta: ela está gritando. Seus cabelos esvoaçam; seu manto também. Ela beija os pés sangrentos de Cristo. Sabe que foi também por seus pecados que ele morreu. Comparada a ela, a Virgem costuma ser muito mais serena. O período entre os séculos XI e XIII foi o ponto alto do culto da Virgem Maria. De acordo com Marina Warner, todas as falhas humanas que foram removidas da Virgem foram deslocadas para Madalena, e cada culto se desenvolveu desse modo. Porém, quando se tratava do sentimento de culpa de alguém por suas transgressões, Madalena, e não a Virgem imaculada, era a santa de que o povo precisava. Nas palavras de Haskins, ela era "um modelo para os meros mortais, que podiam pecar e voltar a pecar, e, no entanto, pelo arrependimento, ainda aspiravam alcançar o céu".

Essa imagem cambiante de Madalena – às vezes a de uma *pinup*, às vezes a que se criou a partir de um sermão – estabilizou-se na Renascença. Conforme diz o grande erudito Mario Praz, ela se tornou uma "Vênus em um saco". Numa pintura de Ticiano de 1530-35, vemo-la, em sua gruta, olhando para o Céu. Ao mesmo tempo, entre as mechas dos cabelos ondulantes, vemos os seios nacarados que em sua vida – como em todas as vidas, Ticiano está dizendo, com cumplicidade – foram a causa do pecado. Mas o equilíbrio durou pouco tempo. No século XVI, veio o desafio dos protestantes ao sacramento da penitência, o qual, mediante a venda de indulgências, fora usado de forma tão abusiva pela Igreja. Por esse motivo, a Contra-Reforma deu forte ênfase à penitência, e como parte daquela campanha de limpeza moral obtemos imagens notavelmente castas de Madalena, como as da famosa série de Georges de la Tour, com a santa piedosa agora completamente vestida e com uma caveira do lado – uma advertência de como a beleza termina. Madalena também apareceu intensamente na poesia religiosa na Inglaterra do século XVII. "Saint Mary Magdalene, or the Weeper" (1646), de Richard Crashaw, retrata Cristo "seguido por duas fontes fiéis" – os olhos de Madalena –; "duas casas de banho ambulantes; duas torrentes de lágrimas; / Oceanos portáteis e concisos". Este poema, junto com outras representações da mesma opinião, foi suficiente para estabelecer a palavra "*maudlin*", um derivado de Madalena, na língua inglesa, com o significado de "sentimentalmente lacrimoso".

Com o Iluminismo, Maria Madalena, a exemplo de outros assuntos sagrados, foi um pouco negligenciada. Porém, na Inglaterra do século XIX ela foi novamente invocada pelos reformadores, pois a prostituição era epidêmica na Londres vitoriana. Foram fundados mais conventos para prostitutas redimidas em nome de Maria Madalena. (Na verdade, conforme Haskins explica, tratava-se de casas de recuperação, nas quais as garotas faziam bordados enquanto aguardavam um casamento modesto ou um emprego em uma loja.) A própria palavra "madalena" era amplamente usada para significar "mulher decaída". No fim do século, uma grande onda de luxúria irrompeu na arte européia; nisso, também, Madalena teve um lugar, e não de maneira religiosa. Em algumas pinturas, ela aparece completamente nua – de corpo inteiro, frontal –, sem nem ao menos a falsa proteção de seus cabelos. Ela também agradou ao "simbolismo negro" da época. Em uma gravura de 1888 do simbolista belga Félicien Rops, ela cai, nua em pêlo, ao pé da Cruz, enquanto abraça os pés de Cristo.

No século XX, Madalena recebeu mais tributos exaltados. Rainer Maria Rilke, Marina Tsvetaeva e Boris Pasternak lhe dedicaram belos poemas. Tratam-se de poemas de amor, sobre o relacionamento dela com Cristo, mas eles são sérios e nuançados. As representações populares de Madalena no nosso tempo têm sido menos sutis. O musical de 1971 *Jesus Cristo Superstar*, de Tim Rice e Andrew Lloyd Webber, retratou-a abertamente como uma prostituta apaixonada por Jesus. No filme *Jesus de Nazaré*, que Franco Zeffirelli produziu em 1977 para a TV, vemos Madalena pela primeira vez quando ela está terminando com um cliente. Em *A última tentação de Cristo* (1988), de Martin Scorsese, baseado no romance de Nikos Kazantzákis, Madalena torna-se prostituta só porque Jesus, seu companheiro de infância, a rejeita sexualmente. Não que ele o quisesse. Mais tarde, na Cruz, ele é assaltado por uma fantasia (vividamente filmada) em que faz sexo com ela, e ela concebe um filho. Ao que parece, isso é demais para ela, e ela morre. O mesmo ocorre com Jesus após sua fantasia. *A Paixão de Cristo*, de Mel Gibson, usa Madalena apenas como uma carpideira durante a Crucificação, mas é um caso raro.

Na verdade, o filme de Gibson é o único nessa enumeração que se conforma à doutrina atual da Igreja. Na década de 1960, a Igreja finalmente pôs-se em dia com algumas das mais fantásticas vidas de santos, e em 1969 o calendário litúrgico foi revisado. Vários dias santos que eram comemorados havia muito tempo foram suprimidos, por falta de provas de que o santo em questão havia existido. (Isso incluiu São Cristóvão, para pesar de muitas pessoas que ainda usam sua medalha.) A entrada de outros santos foi reescrita, e Madalena foi um deles. Ela já não era uma prostituta, disse a Igreja, e o *Cântico dos Cânticos*, esse poema erótico, não deveria mais ser lido no dia santo dela. Como o registro do filme demonstra, algumas pessoas não queriam saber dessa Madalena livre de vícios. Outras, antes de mais nada, começaram a perguntar como ela ficou maculada.

O desenvolvimento crucial nos estudos eruditos sobre Madalena foi a descoberta da biblioteca de Nag Hammadi. Fazia muito tempo que especialistas em estudos bíblicos haviam entendido que a Igreja ortodoxa era apenas o segmento da Igreja que triunfara sobre seitas cristãs rivais, notavelmente os chamados gnósticos. Porém, além do que poderia ser reunido das denúncias dos padres da Igreja contra esses supostos hereges, os estudiosos do cristianismo primitivo sabiam pouco sobre eles. Então, num dia de dezembro de 1945, um camponês árabe chamado Muhammad Ali al-Samman conduziu seu camelo aos contrafortes próximos à cidade de Nag Hammadi, no Alto Egito, a fim de coletar fertilizante para suas plantações, e, enquanto cavava, desenterrou um vaso de barro com cerca de um metro de altura. Na expectativa de que o vaso contivesse um tesouro, ele o quebrou e, para sua decepção, encontrou apenas uma coleção de livros de papiro, encadernados em couro. Ele levou os livros para casa e jogou-os num pátio onde mantinha seus animais. Nas semanas seguintes, sua mãe usou algumas páginas dos livros para acender o fogão; outras páginas foram trocadas por cigarros e frutas. Mas, afinal, depois de muito passar pelas mãos de antiquários, atravessadores, contrabandistas e eruditos, o achado de Samman foi reconhecido como uma inestimável biblioteca de escritos gnósticos – 13 códices, contendo 52 textos – registrados em copta (uma antiga forma do egípcio) no século IV, mas traduzidos de originais gregos datando do século II ao século IV. Os livros foram confiscados a tempo pelo governo egípcio e transferidos para o Museu Copta, no Cairo, onde permanecem até hoje. (Foram publicados em 1972-77.) Na verdade, eles não foram os primeiros textos gnósticos a serem descobertos. Outros tinham vindo à luz no fim dos séculos XVIII e XIX, porém a maioria só foi publicada após a época da descoberta de Nag Hammadi.

Quem quiser conhecer todo o surpreendente conteúdo dos Evangelhos gnósticos – com um demiurgo (e não Deus) criando o universo, e a história da Queda contada do ponto de vista da serpente, uma amiga da humanidade – deveria consultar o clássico *Os evangelhos gnósticos*, de Elaine Pagels, ou *The Gnostic Discoveries: The Impact of the Nag Hammadi Library*, de Marvin Meyer, publicado em 2005. Meyer é mais descritivo, Pagels, mais analítica. O que importa para esta história é que Maria Madalena é uma figura fundamental nos Evangelhos gnósticos e, comparada com sua lenda européia, uma personagem inteiramente nova. Ela não só não é uma prostituta; ela é uma personagem central evangélica e o discípulo predileto de Cristo.

O texto mais importante é o Evangelho de Maria. Quando o tratado se inicia, o Cristo ressuscitado está pregando para seus discípulos. Ele diz que o pecado não existe. Além disso, os discípulos, em sua busca do divino, não deveriam seguir nenhuma autoridade, nem acatar nenhuma regra, mas simplesmente olhar dentro de si mesmos. Tendo ministrado essas lições, Jesus vai embora, deixando seus discípulos tremendo de medo. Nenhum pecado? Nenhuma regra? Se pregarem essas doutrinas, poderão acabar sendo mortos, como ele. Nesse ponto, Maria Madalena assume o comando. "Não choreis, nem vos lamenteis, nem fiqueis em dúvida", diz ela aos outros. (Esta citação e as seguintes dos textos gnósticos são traduções de Meyers.) Pedro então diz a Madalena que todos eles sabem que Jesus a amava mais do que a qualquer outra mulher e pergunta-lhe se existe alguma coisa que ela tenha aprendido privadamente do Salvador. Madalena responde descrevendo uma visão que teve da ascensão da alma à verdade – uma história que ela partilhou com Jesus. (Ela acrescenta os comentários dele.) Faltam quatro páginas desse trecho, e alguns leitores talvez não lamentem sua perda. Os relatos das visões gnósticas são, às vezes, como as descrições que as pessoas fazem de seus sonhos: bizarros e no entanto tediosos – e longos. A história de Madalena parece ter impressionado seus ouvintes dessa forma. "Ele [Jesus] realmente falou com uma mulher em particular, sem o nosso conhecimento?", Pedro agora pergunta a seus irmãos. "Deveríamos todos voltar-nos para ela e ouvi-la? Ele a preferiu a nós?" Maria irrompe em lágrimas e pergunta a Pedro se ele acha que ela está mentindo. Outro discípulo, Levi, interrompe: "Pedro, tu estás sempre zangado. [...] Se o Salvador a fez digna, quem és tu para rejeitá-la?"

Esse texto exemplifica o princípio pelo qual o gnosticismo recebeu seu nome. Em grego, *gnosis* significa "conhecimento". Para as comunidades gnósticas, isso significava uma espécie de compreensão espiritual – a meta de todos os crentes –, que só era alcançada por meio de um intenso auto-exame, tipicamente acompanhado por visões. O Evangelho de Maria mostra Madalena como uma perita nessa prática. Ele também a apresenta como líder, cheia de confiança e fervor. Outro dos textos gnósticos, *Pistis Sophia* (Sabedoria da fé), assume a forma de um diálogo entre Jesus e os discípulos. Das 46 perguntas feitas a Jesus, 39 vêm de Madalena. Pedro, por fim, se queixa de que mais ninguém tem oportunidade de falar. Além disso, outra característica do retrato gnóstico de Madalena é a discussão entre ela e Pedro. Jesus a defende repetidas vezes, e essa é a questão decisiva, crítica, sobre a Madalena gnóstica: a preferência de Jesus por ela. Em outro Evangelho, ela é citada como sua "companheira", a quem ele com freqüência beijava. Alguns leitores julgaram que isso significava que ela era sua amante ou esposa, mas beijar era comum entre as pessoas no Oriente Médio naquela época, e o companheirismo parece basear-se na convicção de Jesus do entendimento superior dela. Quando os discípulos lhe perguntam: "Por que tu a amas mais do que a todos nós?", ele responde, causando constrangimento: "Se uma pessoa cega e uma que enxerga estão ambas na escuridão, elas são iguais. Quando vem a luz, aquela que enxerga verá a luz, e a pessoa cega continuará na escuridão."

Assim, enquanto a Igreja ortodoxa estava ocupada eliminando as mulheres das posições de poder, parece que as seitas gnósticas seguiam um caminho diferente. Um de seus textos diz que Jesus tinha sete mulheres e 12 homens entre seus discípulos. O panteão gnóstico incluiu deidades femininas. Mas o Documento A é Madalena: sua liderança e seu endosso por Cristo. Isso não quer dizer que os Evangelhos gnósticos retratem uma comunidade insensível ao gênero. Em outra passagem, na qual Pedro se queixa de Madalena – "Maria deveria deixar-nos", diz ele, "pois as mulheres não são dignas da vida" –, Jesus responde: "Prestai atenção, eu a guiarei para fazer dela um homem, de modo que ela também possa tornar-se um espírito vivo semelhante a vós, homens. Pois cada mulher que se fizer homem entrará no Reino do Céu." Essa declaração, uma decepção para muitos admiradores do gnosticismo, tem sido explicada pelos estudiosos como uma reflexão da antiga crença, aceita até pelos progressistas gnósticos, de que as mulheres simbolizam as questões mundanas, ao passo que os homens estavam mais em contato com o divino. Jesus está dizendo que suas discípulas, apesar de seu sexo, tornar-se-ão espirituais. Pedro claramente não concorda. Por isso a autoridade das mulheres também era um ponto de conflito entre os gnósticos.

Sabemos como a Igreja ortodoxa – que, não por acaso, reivindicava sua missão apostólica de Pedro – solucionou esse problema; e o fato de que as comunidades gnósticas pareciam estar solucionando-o de outro modo foi um dos motivos por que elas foram consideradas heréticas. Em todo o caso, foi no século IV, no momento em que a Igreja ortodoxa, depois de séculos de perseguição, estava afinal alcançando a estabilidade, que os líderes da comunidade gnóstica nas proximidades de Nag Hammadi, ao que parece sentindo que estavam agora em grave perigo, puseram seus livros mais preciosos num vaso e enterraram-nos na colina.

O problema delas, no entanto, não eram apenas as mulheres. Conforme Elaine Pagels explica, todo o esforço da Igreja naquela época era criar uma instituição, e certos princípios gnósticos – acima de tudo, a rejeição a regras e hierarquias – eram completamente incompatíveis com a institucionalização. Pagels também salienta que o gnosticismo, apesar de todo o seu igualitarismo, era elitista. Para qualificar-se, era necessário, durante um longo período de estudo, iniciar a descoberta do divino dentro de si mesmo. Isso não era para todos, e a Igreja ortodoxa queria todos. Conseqüentemente, a Igreja não pedia às pessoas que procurassem o divino – o padre delas lhes dizia o que era o divino – e lhes assegurava que, enquanto reconhecessem certos artigos de fé prescritos e observassem determinados rituais simples, elas também poderiam entrar no Reino do Céu. Sem essas regras razoáveis, fáceis de seguir, escreve Pagels, "dificilmente se pode imaginar como a fé cristã poderia ter sobrevivido".

Outros escritores têm sido menos compreensivos. O estudo erudito feminista da Bíblia começou no início do século XIX e prosseguiu até a década de 1960, quando adquiriu nova força na esteira do Concílio Vaticano II. Logo em seguida, houve a publicação da biblioteca de Nag Hammadi. As feministas haviam suspeitado por muito tempo que o Novo Testamento, junto com seus comentaristas, havia minimizado as contribuições das mulheres para a fundação do cristianismo. Ali estava a prova. Escritos sobre Madalena explodiram depois de 1975. De maneira oportuna, isso aconteceu ao mesmo tempo que o desenvolvimento da teoria literária pós-moderna, que sustentava que todos os textos eram instáveis e porosos, marcados por "lacunas" que o leitor tinha de preencher. Se alguma coisa sempre teve lacunas, essa coisa era a Madalena revisada. Ela já não era prostituta, mas o que era? Jovens estudiosos tentaram imaginar o que aconteceu com a história dela. Para mencionar apenas dois livros recentes, Ann Graham Brock, em *Mary Magdalene, the First Apostle: The Struggle for Authority* (2003) e Holly E. Hearon, em *The Mary Magdalene Tradition: Witness and Counter-Witness in Early Christian Communities* (2004), atacaram os Evangelhos do Novo Testamento, afirmando que eles suprimiram as tradições orais provenientes de Madalena a favor de tradições originárias do ministério de Pedro.

Mas o livro mais minucioso dessa categoria e que discorre de maneira mais entusiástica sobre o assunto é *The Resurrection of Mary Magdalene: Legends, Apocrypha, and the New Testament* (2002), de Jane Schaberg, professora da Universidade de Detroit Mercy. Com pinças, por assim dizer, Schaberg examina meticulosamente o Novo Testamento, os Evangelhos gnósticos e escritos posteriores, a fim de reunir e expor as manobras no texto pelas quais, em suas palavras, a Igreja ortodoxa "tomou o lugar de Madalena, apropriou-se dela e a esqueceu". Ela crê que, entre os séculos I e IV, o cristianismo amalgamou-se em algumas tradições bastante difundidas. Uma era o cristianismo de Madalena, cujo objetivo era pôr termo à opressão dos fracos do mundo. O cristianismo de Madalena era igualitário em sua organização, como o movimento de Jesus no qual se originou. Nessa campanha, diz

Schaberg, Jesus "não era herói, líder ou Deus", e sim apenas um irmão de seus companheiros reformadores. Só depois de sua morte e suposta Ressurreição é que o foco se deslocou do grupo unicamente para ele, e ele foi deificado. Todavia, não há dúvida de que Schaberg o vê como alguém que teve autoridade especial dentro do movimento, pois ela propõe que ele escolheu Madalena como sua sucessora. Ela diz que era disso que se tratava o anúncio da Ressurreição. Para Jesus, a Ressurreição significava a renovação ética do mundo, e, ao fazer o anúncio da Ressurreição a Madalena, ele estava transferindo essa missão para ela.

Porém, enquanto Madalena e as comunidades que ela inspirou estavam executando essa tarefa, outras tradições, notavelmente as oriundas de Pedro e Paulo, estavam bifurcando-se em direções menos igualitárias. Essas foram as tradições que venceram, e, para que ninguém se lembrasse da mulher que desejava criar uma espécie diferente de Igreja, "assassinaram" sua memória, transformando-a numa prostituta.

Schaberg afirma que tudo isso são conjeturas. Para ela, isso é ótimo. Desde a década de 1970, tem havido uma verdadeira mudança de paradigma no estudo erudito da Bíblia. Antes, as pessoas pensavam que o cristianismo fosse uma verdade; até os reformadores procuravam apenas uma modificação dessa verdade. Porém, com a publicação dos Evangelhos gnósticos, favorecida pela teoria pós-moderna, vários eruditos jovens passaram a encarar o cristianismo primitivo de uma maneira inteiramente diferente – como um *processo*, uma discussão ampla, por séculos a fio, entre seitas rivais, durante a qual certas escolhas foram feitas. E, na opinião desses escritores, ainda estavam sendo feitas escolhas, o que significava que quaisquer novas propostas, por mais conjeturais que fossem, eram não só úteis, mas essenciais. Schaberg diz que as pessoas não precisam se preocupar em contestar o Novo Testamento. Esse documento era apenas um rascunho: "uma colagem de fragmentos, idéias malogradas, censuras, espaços em branco, instruções, experimentações verbais, rabiscos, pontos." Antes, escritores também haviam dito que os cristãos tinham de fazer seu próprio cristianismo – e isso deveria ser político. Nas palavras da teóloga Elisabeth Schüssler Fiorenza, de Harvard, as reinterpretações feministas eram uma coisa boa, uma forma de "fomentar e julgar nossa própria capacidade de desenvolver um significado cristológico em face da violência e das matanças de hoje em dia". Os pontos de vista de Fiorenza, primos da "teologia da libertação" (ela chama Madalena de um dos "desaparecidos"), foram esposados por muitos jovens especialistas em estudos bíblicos. Schaberg define-se como uma "exegeta guerrilheira".

Nem todos os reformadores mostraram os dentes. Em novembro, a Doubleday publicou *Mary Magdalene: A Biography*, de Bruce Chilton, sacerdote episcopal e professor de religião no Bard College. De acordo com Chilton, Madalena foi uma das "forças que moldaram o cristianismo". De especial importância, na opinião dele, foi a experiência visionária dela, tanto nos Evangelhos gnósticos quanto no anúncio da Ressurreição, o que ele considera um acontecimento subjetivo, e não objetivo. Além disso, Chilton é um dos que acreditam que podem propor um cristianismo mais moderno e aceitável, questionando a existência de milagres. Muitos dos reformadores católicos, como Fiorenza e Schaberg, parecem ter passado desse estágio. Eles pertencem a uma Igreja que *realmente* acredita em milagres, e qualquer ceticismo que sentiam em relação a esses acontecimentos fantásticos parecem ter-se esgotado há anos. Quando confrontada com a questão de se Cristo ressuscitou em carne e osso, Schaberg recusa-se a botar a boca no trombone. "Quem sabe?", diz ela. "Quem se importa?", Chilton se importa. É evidente, que para ele, como para muitos dos clérigos liberais mais velhos, os milagres são uma mistificação que separa os fiéis do verdadeiro significado da Escritura. E, portanto, na sua opinião, Lázaro não ressuscitou dos mortos. Ele provavelmente foi enterrado vivo por engano, e Jesus o salvou. De modo análogo, apenas os "literalistas da Ressurreição" acreditam que Cristo ressuscitou em carne e osso. Se o túmulo estava vazio, talvez alguém tivesse roubado o corpo. Cristo era um homem, com uma noção de amor e justiça, e deveríamos seguir seu exemplo sem nos preocuparmos com essas histórias antigas. Todavia, a essa altura esse argumento parece, ele mesmo, uma história antiga, de utilidade limitada. Muitos – provavelmente a maioria – dos dois bilhões de cristãos do mundo de fato acreditam em milagres e querem acreditar neles. Isso torna a vida mais interessante e séria para eles. Fazer reforma com base em uma negação dos milagres parece fútil e também – por mais involuntário que seja – indelicado.

Os reformadores católicos, pelo que posso dizer, não são apenas mais radicais. Também parece mais provável que eles gerem grupos marginais, tais como os de "adoradores da deusa". Em 1993, Margaret Starbird, uma boa católica que jamais publica coisa alguma sem que o padre de sua paróquia leia o texto primeiro, lançou o livro *Maria Madalena e o Santo Graal*. Ela diz que, quando leu *O Santo Graal e a linhagem sagrada*, ficou "abalada" pela sua afirmação de que Jesus foi casado. No entanto, não rejeitou isso de imediato. Pesquisou por sete anos e concluiu que o livro estava certo: Jesus foi casado com Maria Madalena. Não só isso, como também a ocultação desse segredo – e do "feminino esquecido" em geral – havia causado problemas terríveis no mundo: poluição ambiental, abuso de crianças, guerra. Mas agora a deusa divina estava farta. Estátuas da Virgem Maria "foram vistas derramando lágrimas em igrejas do mundo inteiro. [...] Até as pedras protestaram!" E o mesmo fizeram os filmes da Disney. Em *A pequena sereia*, a verdadeira identidade de Ariel é a da "Noiva Perdida", ou seja, Madalena. O feminino esquecido está voltando.

Starbird vai além da análise: ela escreve uma história de amor. Jesus era um homem alto e bonito; Madalena era uma tímida donzela judia, acostumada a sentar-se em seu jardim e observar passarinhos. Um dia, eles foram apresentados. "Os olhos escuros dele acariciaram-na." Ah, lemos sobre a noite de núpcias deles. Pouco tempo depois, Jesus diz a Madalena, agora grávida, que tem de partir em uma missão perigosa e que ela deve ficar. "Ela enterrou suas lágrimas no calor do ombro dele." As feministas acadêmicas têm pouquíssima paciência com o enredo de Jesus casado com Madalena. Para Schaberg, essas histórias não são sobre Madalena. Elas são sobre Jesus; são um esforço de transformá-lo num "homem de verdade", e não apenas por razões humanísticas, do tipo Cristo é seu amigo. (Na década de 1960, houve algumas insinuações maliciosas de que talvez Jesus fosse homossexual.) Na medida em que o enredo de amor diz respeito a Madalena, escreve Schaberg, ele é de novo aviltante, uma tentativa de converter essa mulher independente numa mulher "normal". O livro de Starbird corrobora essa teoria.

Ela não é a única que recorreu à ficção. Foram publicados alguns romances sobre Madalena nas últimas décadas, e muitos deles, segundo Susan Haskins, são relutantes em abandonar a reputação de Madalena como prostituta. A tendência é exaltá-la como uma mulher sexualmente liberada. Por trás disso, é claro, está o feminismo da segunda fase, mas eu penso que também existe outro motivo, um esforço para introduzir sorrateiramente um pouco de vivacidade de novo à história de Maria Madalena.

Um problema para a revivescência de Madalena, ou pelo menos para os teólogos, é que ela teve de extrair sua heroína reconfigurada da austera filosofia dos gnósticos. A fim de ter êxito, uma religião deve oferecer um pouco de diversão: histórias, símbolos, rituais. Por mais infundadas que sejam suas biografias, os santos católicos são um grupo vívido, cada um com um tipo de cabelo ou de chapéu, e acompanhado por um leão ou dragão, ou por outra coisa interessante. Eles são como uma coleção de bonecas ou super-heróis, ou como o panteão hindu – repletos de cor e variedade. De maneira geral, o Novo Testamento não dá a Madalena uma vida concreta. A lenda medieval preencheu essa lacuna, dotando-a com um barco, uma gruta, alguns amigos. Se removermos essas coisas, voltamos à estaca zero. Os Evangelhos gnósticos não contribuem muito para criar uma personalidade para ela, e o que eles apresentam não é cativante. A Madalena gnóstica é uma visionária cheia de ostentação. A certa altura, ela reage a algo que Jesus disse olhando fixamente para o ar por uma hora. Também é muito estudiosa, o melhor aluno da turma, constantemente erguendo a mão. Se eu fosse Pedro, também ter-me-ia queixado. É claro que as feministas têm razão quando assinalam as virtudes gnósticas de Madalena – a capacidade visionária, o fervor – como uma resposta ao seu rebaixamento – e o de todas as mulheres – pela Igreja. No entanto, sentimos falta dos cabelos ruivos, do vaso de ungüento.

Em determinado momento, contudo, dá-se à Madalena sem rosto não só um rosto, mas também um drama pessoal desmedido, exagerado. Isso não consta nos Evangelhos gnósticos, e sim no Novo Testamento, no relato de João do anúncio da Ressurreição. Aqui Madalena vai sozinha ao sepulcro na escuridão, antes do raiar do dia. Sentimos sua pressa, sua sensação de perigo. Para sua surpresa, ela encontra a pedra removida. Volta correndo até os discípulos e lhes diz: "Retiraram o Senhor do sepulcro e não sabemos onde o colocaram." Pedro e outro discípulo tomam a dianteira. Eles se dirigem às pressas até o sepulcro; na verdade, correm para ver quem chega lá primeiro. (Esta exemplar competição masculina tornou-se uma das cenas favoritas nos dramas alegóricos medievais de fundo moral. No Evangelho de João, essa competição acrescenta um pequeno e brilhante tom de comédia à história, sombria sob outros aspectos.) Quando chegam, vêem que Madalena tinha razão: o corpo desapareceu. Eles voltam para casa, presumivelmente frustrados, mas Madalena permanece, chorando. Ela torna a olhar para dentro do sepulcro, e agora vê dois anjos vestidos de branco. Eles lhe perguntam por que está chorando, e ela repete sua queixa autêntica: "Levaram o meu Senhor e não sei onde o colocaram." Mesmo com os anjos, continua procurando o corpo. Mas então ela se volta e vê outra figura, que lhe diz: "Mulher, por que choras? A quem procuras?" O sepulcro fica em um jardim, e Madalena pensa que aquele homem deve ser o jardineiro. Uma terceira vez – é como uma canção – ela repete sua queixa: "Senhor, se foste tu que o levaste, dize-me onde o puseste." Agora vem a punhalada no coração. "Maria!", diz-lhe o "jardineiro", e no mesmo instante ela fica sabendo. "Rabboni" (mais ou menos, "Meu querido rabino"), responde ela, e, ao que tudo indica, estende-lhe os braços, porque ele diz: "Não me toques." (Esta é famosa frase "*Noli me tangere*", na Bíblia em latim.) "Vai, porém, a meus irmãos", diz-lhe ele, "e dize-lhes: Subo a meu Pai." Ele então desaparece, e ela fica sozinha.

Essa cena é a afirmação mais forte do Novo Testamento sobre a confrontação com a morte, sobre a perda para sempre do objeto amado. O cenário é belo: o jardim verde, a luz da manhã, os anjos. Então ouvimos as palavras cruéis: "Não me toques." Ele estava lá; ele a havia chamado pelo nome; ela havia estendido os braços para abraçá-lo. Agora ela tem de recuar, de deixá-lo partir e de seguir sozinha o seu caminho. Os jovens especialistas em estudos bíblicos deveriam todos ter o nosso apoio, e deveríamos concordar com eles que a Madalena enérgica e sagaz dos textos gnósticos é um bom indício de que a Igreja deveria ordenar mulheres. Porém, essa não é a evidência da autoridade de Madalena sobre assuntos da alma. A história de João é a prova disto.

Mudando nossas concepções sobre Maria Madalena

Entrevista com Bruce Chilton

Bruce Chilton, sacerdote episcopal, escritor e professor de religião da Cadeira Bernard Iddings Bell no Bard College, quer corrigir um equívoco: Maria Madalena não é a pessoa de segunda classe sobre a qual a maioria de nós aprendeu. Em vez disso, ela é um dos criadores do cristianismo. É "o discípulo que melhor compreendeu a doutrina visionária de Jesus sobre a Ressurreição", acredita ele. "Sem ela, o cristianismo teria sido inteiramente diferente. Nem sequer é evidente que o cerne da fé do cristianismo na vitória de Jesus sobre a morte poderia ter emergido em absoluto sem Maria."

Nesta entrevista, Chilton afirma que, para começarmos a compreender adequadamente o importante papel de Maria Madalena, deveríamos vê-la no contexto da tradição judaica da época – uma tradição na qual as mulheres *tinham* um lugar. Maria, a exemplo das mulheres em outras partes do Oriente Próximo, era uma visionária que praticava a cerimônia sagrada da unção e, como Jesus, expulsava maus espíritos ou forças malignas por meio de rituais de exorcismo.

Chilton, cujo livro mais recente é *Mary Magdalene: A Biography* (ver a transcrição de um trecho no Capítulo 3), conclui partilhando seus pensamentos sobre a importância da visão de Maria Madalena e sobre como a sabedoria dela inspira a tradição cristã, bem como sua própria prática dessa tradição.

Biografia é reconstrução, um esforço que se torna particularmente difícil quando, como no caso de Maria Madalena, não há nenhum registro da época, e camadas e mais camadas de "renovação" controversa têm de ser levadas em conta. Todavia, em seu livro, Mary Magdalene: A Biography, *o senhor tenta fazer exatamente isso. Como procedeu neste caso?*

Eu penso que podemos tomar as informações sobre Maria Madalena existentes nos Evangelhos e relacioná-las contextualmente com a vida dentro do judaísmo primitivo no período em que ela viveu. As três atividades relacionadas com Maria Madalena nos Evangelhos são o exorcismo, a unção e a visão. Essas histórias estão associadas com ela de forma muito estreita, por isso elas correspondem aos melhores dados de que dispomos sobre Maria Madalena. Além disso, temos de tomar essas práticas e relacioná-las com o que estava ocorrendo entre os curandeiros judeus da época.

Eu peguei cada história de exorcismo, por exemplo, e a comparei com outras histórias de exorcismo na literatura judaica e em outras partes no Oriente Próximo. Apliquei um método semelhante à compreensão da unção, que era muito difundida nos costumes do Oriente Próximo, e também à visão. E o que descobri foi que todas as três estavam particularmente associadas com mulheres dentro do judaísmo primitivo desse tempo. A idéia proposta por alguns estudos eruditos modernos de que as mulheres não tinham lugar na vida religiosa do judaísmo é simplesmente inverídica.

Consegui documentar casos de outras mulheres que tinham visões, que praticavam a unção e que estavam envolvidas com o exorcismo. E, comparando suas práticas com as de Maria, podemos ver o que era insólito nas dela e como essas práticas contribuíram para a origem do cristianismo.

Se é um equívoco que as mulheres em geral não tinham lugar na vida religiosa da época, existem coisas a respeito de Maria Madalena que poderíamos ter igualmente ignorado ou remodelado para adequar-se às nossas concepções?

Maria Madalena tem sido descrita como a garota "cheia de charme" da teologia moderna, e, por ter "charme", naturalmente ocorre uma série de projeções que tendem a distorcer a verdadeira contribuição dela para o Novo Testamento. Normalmente, referem-se a ela como prostituta ou mesmo como tendo tido um relacionamento sexual com Jesus. Ou ocorre o contrário: a afirmação de que devemos vê-la como inteiramente celibatária a partir do momento da conversão. O que é claramente evidente em ambos os casos é nossa contínua obsessão com a questão da sexualidade de Maria Madalena. Desde a Idade Média, vimos perguntando, de uma forma ou de outra: ela fez ou não fez? Infelizmente, isso significa que a contribuição que ela *de fato* deu tem sido ignorada por completo.

O que podemos dizer de maneira bastante categórica, com base na tradição dos Evangelhos, é que Maria Madalena foi a primeira pessoa a ter uma visão de Jesus ressuscitado dos mortos, depois de ter sido crucificado, que ela agiu como pioneira de um sacramento de unção autorizado pelo próprio Jesus, e também que ela melhor do que ninguém sabia como Jesus lidava com os maus impulsos dentro do coração humano e transmitia esse conhecimento a outras pessoas. Isso quer dizer que Maria praticava três sacramentos: o exorcismo, a unção e a visão, que eram fundamentais para o cristianismo primitivo. E, no entanto, isso é em grande parte obscurecido hoje por causa do modo como estamos obcecados com o que, afinal de contas, são questões incidentais sobre a vida dela.

Por favor, conte-nos mais sobre esses três importantes atos religiosos e simbólicos que o senhor atribui a Maria Madalena, começando pelo ritual da unção. Diz-se que ela untou Jesus duas vezes, uma quando ele estava vivo e outra quando já não vivia. Conte-nos sobre esse processo, tanto como ato quanto como símbolo.

A unção no mundo antigo era normalmente executada por mulheres em domicílios ou, no caso do movimento de Jesus, dentro do grupo de discípulos que dele participavam. Maria Madalena é chamada mais de uma vez de a principal mulher que ungia e, por esse motivo, parece que, entre as mulheres que seguiam Jesus como discípulas, ela era a mais conhecida pela prática da unção.

A unção significava a aplicação de azeite de oliva na cabeça ou no corpo de uma pessoa. A unção da cabeça de Jesus é na verdade especificada em um caso, no qual Maria vem, pega óleo que foi perfumado e o derrama sobre o corpo de Jesus. É uma cena bela e evocativa, porque no Evangelho segundo São Marcos, a princípio, a identidade dessa mulher não é fornecida. Nós não sabemos quem é. Porém, depois de ela ter aplicado todo esse óleo caro em Jesus, e de os discípulos se queixarem do desperdício, Jesus diz: "Ela fez o que pôde: antecipou-se a ungir o meu corpo para a sepultura. Em verdade vos digo que em todo o mundo onde este Evangelho for pregado, o que ela fez também será contado em sua memória." Isso nos fornece a chave da identidade dessa mulher, porque é precisamente Maria Madalena quem mais tarde, no Evangelho de Marcos, vai ao sepulcro a fim de untar o corpo de Jesus.

Em seu livro, o senhor chama atenção para o fato de que o exorcismo era uma parte fundamental da pregação de Jesus. E, assim que Maria Madalena se torna discípula e apóstola, o senhor diz que ela também se torna conhecida pelos exorcismos que pratica. É claro que o elo fundamental aqui é o fato de Jesus ter expulsado demônios de Maria Madalena – demônios que acabam sendo amplamente interpretados como relacionados com a vida sexual dela.

O Evangelho de Lucas diz que sete demônios foram expulsos de Maria Madalena. Ele não especifica que demônios eram esses. E eu creio que as tentativas de fazê-lo agora são ainda mais implausíveis do que tentar fazer uso da psicologia nesse tipo de distância no tempo. O que Lucas está propondo nessa seção específica do Evangelho é, antes de tudo, que o sofrimento de Maria Madalena era profundo. Essa foi uma possessão em série com a qual Jesus teve de lidar por intermédio de exorcismo persistente. Lucas também insinua que Maria Madalena desenvolveu uma relação muito próxima com Jesus porque ele precisava tratá-la de forma sucessiva. Maria fora um recipiente do exorcismo de Jesus com o conhecimento de alguém bem informado sobre o que estava envolvido. E isso ajuda a explicar por que nos Evangelhos temos algumas histórias muito detalhadas que relatam não apenas como Jesus exorcizava, mas também o modo como ele pensava sobre o exorcismo. Essas histórias são atribuídas de maneira mais apropriada a Maria Madalena, um de seus discípulos que entendia essa prática melhor do que nenhum outro.

Indiscutivelmente, é o caso de que, à medida que os séculos passavam e quando os mestres no seio da Igreja davam exemplos do que um espírito imundo ou um demônio poderia levar você a fazer, eles com freqüência escolhiam os pecados sexuais mais do que os outros. E, assim, o fato de que Maria Madalena havia tido sete demônios levou, por associação, à idéia de que ela era também uma prostituta. Mas, na verdade, no tempo de Jesus, a compreensão de espíritos imundos não estava restrita à sexualidade. Um espírito imundo era entendido como qualquer daqueles impulsos dentro de nós que, quando passam a nos dominar, podem fazer com que nos machuquemos a nós mesmos, machuquemos outras pessoas, nos comportemos de uma forma deliberadamente malévola.

Em outras palavras, a ciência do exorcismo no mundo antigo, conforme praticada por Jesus e por outros, visava ao problema de como enfrentar o mal dentro do coração humano, que com freqüência resulta em comportamento violento e importuno. Por isso, quando Lucas se refere a sete demônios, o que ele quer dizer é que Maria Madalena tinha uma variedade desses padecimentos, de maneira semelhante a alguém que, hoje em dia, poderia ser descrito como tendo diferentes tipos de compulsão ou de vícios com os quais é preciso lidar como um todo, se eles de fato forem tratados.

Fale sobre a importância da visão de Maria Madalena, visto que ela se relaciona com a visão que teve do Jesus ressuscitado. Alguns chegaram a ponto de afirmar que, em vez de ser simbólica e espiritual, na verdade foi parte da demonologia dela – em síntese, uma alucinação.

Conhecimento da história bíblica e fé em Deus são duas coisas diferentes e, todavia, em última análise, estão relacionadas uma com a outra. Elas podem convergir na compreensão de um tipo específico de experiência humana – visão espiritual, que era um aspecto vívido e essencial da experiência religiosa no mundo antigo, mas reprimida e marginalizada na prática da religião hoje.

Por exemplo, no caso em que Maria Madalena tem a visão do Jesus ressuscitado, nós, no mundo moderno, poderemos estar inclinados a equacionar esse uso da palavra "visão" com alguma forma de histeria. Porém, à medida que você se familiariza com a literatura antiga, pode ver que a prática da visão destinava-se a trazer os que eram devotados a Deus àquele lugar onde eles poderiam entender Deus como o fundamento da realidade. Além disso, a visão também pode nos permitir ver o mundo material à nossa volta não como a verdade última, mas apenas como algo que nos conduz a essa verdade. O mundo antigo está repleto de seus próprios tipos de sabedoria. A história é o nosso meio para termos acesso a essa sabedoria. Às vezes, descobrimos formas de sabedoria que nos parecem tão fortes e tão poderosas que também nos apropriamos delas. Eu certamente fiz isso no caso dos sacramentos de Maria Madalena, e entendê-la aprofundou minha consciência não só de como o cristianismo foi formado, mas de como eu poderia continuar a praticá-lo no século XXI.

As quatro Marias do Novo Testamento

Maria, a mãe de Jesus. A mais importante Maria na Escritura canônica. Sua virgindade simboliza seu serviço a Deus e cumpre a antiga profecia de que o futuro Messias nasceria de uma virgem. Sua presença durante a Crucificação demonstra de forma defensável sua disposição de submeter-se à vontade de seu santo Pai.

Maria Madalena. Sua imagem como a "pecadora arrependida" tem servido nitidamente de contraponto à Virgem Maria, a santa Mãe. Seu papel mais antigo como uma força fundamental na interpretação dos ensinamentos de Jesus e como "apóstolo dos apóstolos" foi logo rebaixado. No fim do século I, atribuíram-lhe o papel de rival de Pedro, depois ela foi posta de lado, como uma mulher que não se poderia imaginar como líder no mundo romano, e, por fim, no século VI, foi reduzida a prostituta. Por um equívoco, carregaria esse rótulo até 1969, quando o Vaticano afinal reinterpretou seu papel.

Maria de Betânia. Irmã de Marta e Lázaro. Depois de Jesus ressuscitar Lázaro do mortos, o Evangelho de João diz que essa Maria untou profusamente os pés de Jesus com um ungüento caro e os enxugou com os próprios cabelos. Sua identidade foi combinada com a de Maria Madalena e a "pecadora" anônima da cidade pelo papa Gregório, o Grande, em 591 d.C.

A "mulher da cidade". Por implicação uma prostituta, ela é a pessoa anônima em Lucas 7:36-50 que também unta Jesus. Só no capítulo seguinte Lucas introduz Maria Madalena pelo nome. Mas, não obstante, o papa Gregório concluiu que a pecadora e Madalena eram a mesma pessoa. Padres da Igreja, teólogos, pintores e a leitura anual da condenação da pecadora por Lucas no dia santo de Maria Madalena favoreceram a imagem dela como prostituta até o século XX.

A proscrita que por muito tempo interpretou o papel errado*

Por Richard Covington

Em retrospecto, trata-se sem dúvida de um dos sermões mais infames na história da Igreja Católica. Em 14 de setembro de 591, o papa Gregório fundiu a Maria Madalena dos sete demônios com Maria de Betânia, que unge Jesus, e com a pecadora anônima que secou os pés de Jesus com os cabelos. De repente, Maria Madalena foi transformada numa "mulher pecadora" que usava ungüento "para perfumar sua carne em atos proibidos". Neste famoso caso de culpa por associação, ela passaria a ser conhecida como a prostituta penitente. É claro que Jesus lhe perdoou os pecados e ela ficou arrependida – um modelo que os paroquianos poderiam muito bem aprender a seguir. Foi uma distorção que durou cerca de 1.400 anos.

Alguns teólogos e estudiosos acreditam que foi uma simplificação infeliz num tempo conturbado, quando as pessoas queriam certeza. "Talvez tenha sido para facilitar a narração da história, para facilitar a lembrança [...] [ou] para facilitar o estabelecimento de uma compreensão mais ampla das carreiras dessas Marias como pessoas que seguiam Jesus", diz o padre Jean-Pierre Ruiz, de Nova York. Ou talvez tenha sido uma conspiração, "o legado de uma campanha difamatória deflagrada pela Igreja primitiva", conforme o Leigh Teabing ficcional afirma em suas discussões com Robert Langdon e Sophie Neveu em *O código Da Vinci*.

Seja qual for a motivação, agora quase todos os estudiosos, os teólogos e os especialistas dentro e fora da Igreja Católica, em geral, concordam que Maria Madalena foi muito denegrida através dos séculos. Escrevendo numa edição especial de *US News & World Report*, "Women of the Bible", Richard Covington resume o impacto diversificado que esse "erro" teve durante o milênio e meio em que representou o ponto de vista oficial do Vaticano.

Poucas personagens no Novo Testamento interpretaram de forma tão extrema o papel errado como Maria Madalena, cuja reputação como mulher decaída não se originou na Bíblia, e sim num sermão do papa Gregório, o Grande, proferido no século VI. Ela não apenas não é a prostituta arrependida da lenda, meditando e levitando numa caverna, como também não era necessariamente sequer uma pecadora notável: ao ser possuída por "sete demônios", que foram exorcizados por Jesus, ela foi defensavelmente mais vítima do que pecadora. E a idéia, popularizada por *O código Da Vinci*, de que Maria era a esposa de Jesus e deu à luz seu filho, embora não de todo refutável, é a mais remota das possibilidade remotas.

Mas os debates sobre se Maria Madalena era a esposa de Jesus, uma prostituta convertida ou uma mulher adúltera que Jesus salvou do apedrejamento perdem a importância em comparação com o aspecto mais odiosamente questionado de seu legado – o que ela exatamente testemunhou na Ressurreição de Jesus. Em uma nova biografia de Maria Madalena, Bruce Chilton afirma que Maria testemunhou não a ressurreição de um Jesus de carne e osso, e sim uma visitação espiritual. Este é um dos principais motivos por que ela passara a ter um papel secundário no Novo Testamento, diz Chilton, [...] [que também afirma que] a interpretação não física da ressurreição por Maria Madalena foi afinal suprimida, porque ficou embaraçosamente próxima do ponto de vista dos gnósticos, uma seita cristã herética que floresceu nos séculos II e III. Mas isso veio à luz em 1896, quando o Evangelho de Maria, do século II, foi adquirido por um estudioso alemão. Nesse texto fragmentário de oito páginas, escrito em copta em papiro, Maria tem uma visão na qual Jesus lhe diz que ela testemunhou com a "mente" sua imagem renascida. [...] Ela então insiste com os apóstolos para seguirem as instruções de Jesus para difundirem seus ensinamentos a não crentes.

Quando Pedro, cheio de cólera, zomba da idéia de que Jesus confiaria uma importante visão como aquela a uma mulher, outro discípulo, Levi, o repreende como "exaltado". Mas agora, depois de séculos de negligência, distorções bizarras e inequívocas fantasias masculinas, Maria Madalena está começando a reconquistar seu lugar como [...] uma das principais forças catalisadoras e formadoras do cristianismo. Grupos católicos em todos os Estados Unidos comemoram 22 de julho, o aniversário de sua morte, como o dia santo de Maria Madalena, usando a ocasião como uma forma de opor-se aos mitos que a cercam e de incentivar a ordenação de mulheres.

"Estamos tentando reparar um erro de dois mil anos", disse Christine Schenk, diretora executiva da FutureChurch, uma organização por trás do movimento sediada em Cleveland, à revista *U.S. Catholic*.

Maria aparece pela primeira vez na Bíblia por volta do ano 25 da era cristã em Cafarnaum, uma aldeia de pescadores no mar da Galiléia, onde Jesus está rapidamente obtendo reputação como curandeiro. Atormentada por "sete demônios", essa mulher solteira tem provavelmente 25 ou 26 anos. Alguns anos mais velha do que Jesus e também judia, ela saiu de Magdala (a origem de seu nome Madalena), uma aldeia pequena e malcheirosa, devido ao processamento de peixe, fervilhante de agricultores irados e despossuídos, situada 11 km a sudoeste. Não é difícil imaginar Maria abandonando em desespero esse lugar extremamente desconfortável, cheia de gratidão por encontrar alguém que poderia salvá-la de seus demônios. [...]

Embora Lucas fale sobre Maria como uma das mulheres que servem Jesus "com suas posses", o Evangelho não afirma que ela é rica, como Joana, outra seguidora, casada com o procurador do rei Herodes. E não é fácil imaginar alguém rico vindo de um lugar como Magdala.

No entanto, pintores renascentistas como Caravaggio e outros retrataram a rica e decaída Maria como uma mulher fatal de cabelos ruivos envolvida em arminho, seda e pérolas. Nessas fantasias, a mulher rica e ociosa passa a se prostituir não por dinheiro, e sim por vaidade, tornando seu arrependimento e perdão muito mais doces.

Depois de Jesus curá-la, Maria transforma-se na mulher mais influente no movimento dele, a fonte oral dos relatos de outros exorcismos no Novo Testamento. [...] Maria também figura com destaque em rituais de cura e unção, práticas destinadas a invocar o Espírito Santo. [E ela] é inquestionavelmente um dos seguidores mais fiéis de Jesus, assistindo à Crucificação com a mãe dele, Maria, enquanto os apóstolos do sexo masculino fogem para evitar a prisão. Em todos os quatro Evangelhos do Novo Testamento, Maria Madalena é a primeira (ou sozinha ou com um grupo de mulheres) a chegar ao túmulo de Jesus, onde encontra um anjo (ou dois anjos) que a manda ir contar aos discípulos que Jesus ressuscitou. [...]

Não é por acaso que ela está entre os primeiros a saberem do renascimento de Jesus. Sem dúvida, o profeta divino que anteviu sua própria crucificação também anteviu as testemunhas de sua ressurreição; em certo sentido, Jesus escolheu Maria Madalena como o arauto de sua volta. Por seu papel essencial na Ressurreição, ela ficou conhecida como "o apóstolo dos apóstolos", uma figura poderosa o bastante para admoestar os apóstolos a seguirem a ordem de Jesus para pregarem a não crentes, apesar dos riscos.

Na tradição ortodoxa oriental, Maria Madalena viaja a Roma, onde prega para Tibério, depois se estabelece em Éfeso, no Noroeste da Turquia, com Maria, mãe de Jesus, e o apóstolo João. Outros relatos situam-na no sul da França ou mesmo na Índia, com o apóstolo Tomé. Segundo Chilton, ela regressa a Magdala, onde continua a pregar, curar e ungir. No ano 67 da era cristã, transforma-se em uma das milhares de vítimas massacradas pelos romanos em represália a uma rebelião armada.

Pouco depois, os primeiros líderes da Igreja emergente, incluindo os autores dos Evangelhos do Novo Testamento, escritos por volta de 70-95, deram continuidade ao processo de obliterar Maria Madalena e outras seguidoras que haviam começado junto com Pedro e os outros discípulos do sexo masculino. Em um texto, o herético Evangelho Gnóstico de Tomé, o próprio Jesus faz a surpreendente declaração de que Maria e, na verdade, todas as mulheres não podem entrar no Reino do Céu a menos que se transformem em homens.

A fim de oferecer uma alternativa moral à decadente religião romana, a Igreja emergente anunciou aos quatro ventos valores familiares tradicionais dominados pelos homens. "Isso permitiu que o cristianismo fizesse grandes progressos no mundo greco-romano, mas ao enorme preço de se esquecer das mulheres influentes no movimento", diz Chilton.

No século VI, o papa Gregório, o Grande, trouxe Maria Madalena com toda a força de volta à cena – não do jeito que ela era, e sim como a Igreja queria que ela fosse. Com uma supersimplificação sensacional, Gregório fundiu a Maria Madalena dos sete demônios com a "pecadora" anônima que lavou os pés de Jesus com os cabelos em Lucas (uma leitura atenta dos capítulos 7 e 8 de Lucas revela que elas não são a mesma mulher) e também com Maria de Betânia, que unta Jesus com nardo em João.

Gregório argumentou que, se uma mulher como Maria, que havia decaído tanto, poderia ser perdoada pela fé e pela Igreja, sua sensualidade transformada em espiritualidade, os piores pecadores poderiam esperar a salvação. Maria Madalena erradicou o pecado original de Eva. "No paraíso, uma mulher foi a causa da morte de um homem; saindo do sepulcro, uma mulher anunciou vida aos homens", declarou Gregório em seu famoso sermão em 591. A Igreja Ortodoxa do Oriente, contudo, jamais aceitou a fusão das três mulheres por Gregório.

Em pouco tempo, Maria Madalena passou a ser identificada com a mulher adúltera que Jesus salvou do apedrejamento em João e com outra mulher que nem sequer é mencionada no Novo Testamento – Maria do Egito, uma prostituta do século IV que se converteu ao cristianismo e passou o resto da vida numa caverna.

A historiadora Jane Schaberg cunhou o termo "redução à prostituição" para descrever a remodelação negativa de Maria, um processo que tirou a influência de uma poderosa líder da fé.

Histórias sobre a eremita Maria dilacerando os seios e arrancando os cabelos em penitência por seus pecados abundaram, inspirando a criação de ordens de monges flagelantes. Igrejas que afirmavam possuir relíquias do corpo de Maria proliferaram, com cerca de duzentas vangloriando-se de possuir um fragmento da santa em fins do século XIII. Em Saint-Maximin, no sul da França, frades dominicanos ainda exibem o seu crânio com um pedaço de pele milagrosamente preservado onde Jesus tocou a testa dela após a Ressurreição.

Pintores como Hans Holbein, do século XIII, mestre italiano especializado em representações de Madalena, e William Blake concentraram-se no papel dela na Ressurreição, ao passo que outros artistas, como Ticiano, retrataram a santa em êxtase, mal cobrindo o corpo nu com os longos cabelos castanho-avermelhados.

Fotógrafos vitorianos fizeram posar para eles, como "Madalenas", adolescentes seminuas, muitas das quais viviam em escolas de caridade que haviam recebido o nome dela, uma lasciva mensagem mista perpetuando a imagem da santa como a turbulenta *Lady* Godiva do cristianismo.

Por fim, em 1969, 1.378 anos após Gregório ter fundido três mulheres do Novo Testamento em Maria Madalena – e mais de 450 anos desde que estudiosos da religião rejeitaram essa confusa associação –, a Igreja oficialmente reparou o erro. Mesmo assim, a lenda da prostituta arrependida ainda exerce uma firme impressão na imaginação pública. Cineastas como Martin Scorsese, em *A última tentação de Cristo*, de 1988, e Mel Gibson, em *A Paixão de Cristo*, de 2004, mantêm viva a ficção.

A Maria Madalena *sexy* e convertida é um símbolo que se provou difícil de abandonar. Mas a Maria visionária, cheia de fé ao pé da cruz e mensageira da Ressurreição, uma discípula essencial encarregada por Jesus de uma missão especial de difundir a palavra de Deus, é muito mais verossímil.

CAPÍTULO 2

Seguindo as tradições das mulheres e o sagrado

Sou a Natureza, a Mãe universal, senhora de todos os elementos, filha primordial do tempo, soberana de todas as coisas espirituais, rainha dos mortos e também dos imortais, a manifestação única de todos os deuses e deusas. Meu arbítrio governa as alturas resplandecentes do Céu, as saudáveis brisas do mar, os deploráveis silêncios do mundo inferior. Embora eu seja cultuada sob muitos aspectos, conhecida por incontáveis nomes e apaziguada por toda espécie de diferentes ritos, toda a Terra me venera.

— Apuleio, *O asno de ouro*

Os mitos da Grande Deusa ensinam a compaixão por todos os seres vivos. É aí que passamos a entender a verdadeira santidade da própria Terra, porque ela é o corpo da Deusa.

— Joseph Campbell

Dos céus sagrados, envia-a, manda-a de teu trono de glória para que me assista nos trabalhos, ensinando-me o que te agrada. E ela, que tudo sabe e compreende, prudentemente me guiará em minhas ações e me protegerá com a sua glória.

— Livro da Sabedoria de Salomão [9:10-11]

Creio que a heresia cristã mais antiga foi a rejeição da Noiva.

— Margaret Starbird

Quando Deus era uma mulher*

Por Merlin Stone

Talvez nos flagremos nos perguntando até que ponto a extinção dos ritos femininos foi na verdade a extinção dos direitos das mulheres.
— Merlin Stone

O profundo interesse de Merlin Stone pelo papel da Deusa nas nossas sociedades mais antigas foi despertado pelo seu trabalho com a arte: ela é uma escultora que já fez muitas exposições, professora de arte e de história da arte. Uma década de pesquisas resultou em seu livro clássico, *When God Was a Woman*, publicado originalmente em 1976.

A premissa do livro é a de que já no Paleolítico sociedades cultuavam as mulheres como "criadoras" da vida. Na verdade, todas as religiões antigas tinham por base a mulher, afirma Stone, e só quando as tribos indo-européias, com suas crenças androcêntricas, conquistaram grande parte das terras bíblicas é que a tradição da Deusa começou a ser eliminada. O golpe decisivo para suprimir a tradição da Deusa, sustenta Stone, foi empreendido pelos levitas, o ramo dominante dos profetas e sacerdotes hebreus. O esforço deles tendo em vista uma religião androcêntrica prosseguiu até a era de Maria Madalena e os primórdios do cristianismo, e, segundo Stone, tem estado ali desde então.

As teorias de Stone não estão isentas de controvérsia. Especialistas que discordam dela aludem aos estudos eruditos amplamente aceitos, mostrando que, embora as figuras de deusas fossem importantes para os ritos religiosos de muitas culturas antigas, não existem indícios de que quaisquer delas eram as figuras dominantes, ou de que jamais houve uma clara linha divisória entre a era das deusas e a era dos deuses. Não obstante, as opiniões de Stone conquistaram considerável aceitação nos

* De *When God Was a Woman*, de Merlin Stone, copyright © 1976 by Merlin Stone. Usado com permissão da Doubleday, uma divisão da Random House, Inc.

últimos anos, e uma vasta gama de pensadores e escritores associa as idéias dela acerca da pré-história a temas sobre Maria Madalena e o movimento cristão primitivo.

Apesar de vivermos em meio a arranha-céus de aço, bancadas revestidas de fórmica e telas eletrônicas de televisores, existe algo em todos nós, tanto homens quanto mulheres, que nos faz sentir profundamente ligados ao passado. [...] Para as pessoas criadas e programadas com base nas religiões patriarcais de hoje, religiões que nos afetam até nos aspectos mais seculares da nossa sociedade, talvez continue a existir uma lembrança remanescente e quase inata dos santuários e templos cuidados por sacerdotisas que serviam na religião da deidade suprema original. No começo, as pessoas oravam à Criadora da Vida, à Senhora do Céu. Bem no começo da religião, Deus era uma mulher. Você se lembra? [...]

Os artefatos arqueológicos indicam que em todas as sociedades do Neolítico e do início do Calcolítico, a Ancestral Divina, à qual em geral a maioria dos escritores se refere como a Deusa Mãe, era adorada como a deidade suprema. Ela produzia não apenas a vida humana, mas também um suprimento controlável de alimentos. [...] [O estudioso da religião] Werner Schmidt diz o seguinte sobre essas culturas primitivas: "Nelas, eram as mulheres que se revelavam supremas; elas não apenas davam à luz crianças, como também eram os principais produtores de alimentos. Ao se darem conta de que era possível cultivar, bem como colher, elas tornaram a terra valiosa e, por conseguinte, transformaram-se em suas proprietárias. Desse modo, conquistaram poder e prestígio econômico e social. [...]"

Embora a princípio pareça que a Deusa reinou sozinha, em algum momento indeterminado Ela passou a ter um filho ou irmão (dependendo da localização geográfica), que também era Seu amante e consorte. [...] O professor E. O. James escreveu o seguinte: "Quer isso reflita, quer não reflita um sistema primitivo de organização social matriarcal, o que de modo algum é improvável, permanece o fato de que a Deusa a princípio tinha precedência sobre o Deus jovem, o qual estava associado a ela na qualidade de filho, esposo ou amante."

Esse jovem era simbolizado pelo papel masculino na união sexual sagrada anual com a Deusa. [...] Conhecido em várias línguas como Damuzi, Tamuz, Átis, Adônis, Osíris ou Baal, esse consorte morreu jovem, causando um período anual de pesar e lamento entre os que veneravam a Deusa. [...] Esse relacionamento da Deusa com Seu filho, ou, em certos lugares, com um jovem belo que simbolizava o filho, era conhecido no Egito por volta de 3000 a.C.; ele era encontrado na literatura mais antiga da Suméria, reapareceu mais tarde na Babilônia, na Anatólia e em Canaã, sobreviveu na lenda grega clássica de Afrodite e Adônis e era até mesmo conhecido, sob a forma dos rituais de Cibele e Átis, na Roma pré-cristã, onde possivelmente influenciou o simbolismo e os rituais do cristianismo primitivo. [...]

Porém, assim como os povos das culturas do início do Neolítico podem ter vindo da Europa, também posteriormente ondas de mais e mais povos do Norte dirigiram-se para o Oriente Próximo [...] e sua chegada não foi uma assimilação gradual na região, como parece ter sido o caso dos povos que cultuavam a Deusa, mas antes uma série de invasões agressivas, resultando na conquista, uma área após a outra, dos povos que cultuavam a Deusa.

Os indo-europeus chegam para dominar a Babilônia, a Assíria e outras regiões

Esses invasores do Norte, em geral conhecidos como indo-europeus, trouxeram consigo sua própria religião, o culto de um jovem deus guerreiro e/ou de um deus pai supremo. Sua chegada é demonstrada histórica e arqueologicamente por volta de 2400 a.C., [...] [e] o padrão que emergiu após as invasões foi um amálgama das duas teologias, e a força de uma ou da outra era com freqüência sensivelmente diferente de cidade para cidade. À medida que os invasores conquistavam mais territórios e continuavam a se tornar mais poderosos durante os dois mil anos seguintes, essa religião sintética muitas vezes justapunha as deidades femininas e masculinas não como iguais, e sim com o macho como o marido dominante ou até como o assassino Dela. No entanto, mitos, estátuas e provas documentais revelam a presença contínua da Deusa e a sobrevivência dos costumes e rituais relacionados com a religião, apesar dos esforços dos conquistadores para destruir ou depreciar o antigo culto. [...]

A chegada de tribos indo-arianas [numa onda no século XVI a.C., e de novo nos séculos III e II a.C.], a representação de suas deidades masculinas como superiores às femininas das populações autóctones das terras que eles invadiam e o subseqüente entrelaçamento intrincado dos dois conceitos teológicos estão registrados mitologicamente em cada cultura. É nesses mitos que testemunhamos as atitudes que levaram à repressão da adoração à Deusa.

Conforme Sheila Collins escreve: "A teologia é, em última análise, política. A forma como as comunidades humanas deificam o transcendente e determinam as categorias do bem e do mal tem mais a ver com a dinâmica do poder dos sistemas sociais que criam as teologias do que com a revelação espontânea da verdade por outra fonte."

[...] A deidade masculina indo-européia, ao contrário do filho/amante da religião da Deusa, era retratada com mais freqüência como um deus da tempestade, no alto de uma montanha, resplandecente com a luz do fogo ou de raios. Esse simbolismo recorrente indica que esses povos do Norte podem um dia ter adorado vulcões como as manifestações de seu deus. [...] Em algumas áreas, esse deus foi associado à Deusa como marido, tal como o deus da tempestade Taru e a Deusa do Sol de Arinna ou Zeus e Hera. Em certas lendas, ele emergiu como um jovem rebelde, que destruiu com heroísmo a deidade feminina mais antiga, às vezes em contradição com a promessa antes feita de supremacia na hierarquia divina. [...] Em muitos desses mitos, a deidade feminina é simbolizada como uma serpente ou um dragão, na maioria das vezes associados às trevas e ao mal.

[...] Porém, foi após os últimos ataques pelos hebreus e, por fim, pelos cristãos dos primeiros séculos depois de Cristo que a religião acabou sendo reprimida e quase esquecida. Nesses relatos dos povos indo-europeus, podemos encontrar as origens de muitas das idéias dos antigos hebreus. O conceito do deus no topo da montanha, resplandecente de luz, a dualidade entre a luz e a escuridão simbolizada como o bem e o mal, o mito da derrota da serpente pela deidade masculina, bem como a liderança de uma classe dominante suprema, todos tão prevalentes na religião e na sociedade indo-européias, e também são encontrados nos conceitos políticos e religiosos dos hebreus. Essa influência ou possível relação com os povos indo-europeus pode fornecer a explicação para as extremas atitudes patriarcais dos hebreus. [...]

"Tu destruirás seus altares e quebrarás suas imagens"

Os sacerdotes levitas opunham-se tanto à religião da Deusa em Canaã [...] que foram redigidas leis proibindo a adoração desses "outros deuses". As leis eram tão rígidas que mandavam os membros da religião hebraica assassinar até mesmo seus próprios filhos se eles não adorassem Jeová. As leis levitas da Bíblia ordenavam: "Se teu irmão, filho do teu pai ou da tua mãe, teu filho, tua filha, ou a mulher que repousa no teu seio, ou o amigo que é como tu mesmo, quiser te seduzir secretamente, dizendo: 'Vamos servir a outros deuses' [...], deverás matá-lo; tua mão seja a primeira a erguer-se contra ele para matá-lo, e depois a mão de todo o povo" (Dt 13:6-9). [...]

Os levitas [...] insistiam em que todas as mulheres deveriam ser publicamente declaradas como a propriedade privada de algum homem, pai ou marido. Desse modo, eles desenvolveram e instituíram o conceito de *padrões morais* sexuais – para as mulheres. [...] Assim, a virgindade pré-nupcial e a fidelidade conjugal foram proclamadas leis pelos levitas por serem divinamente essenciais a todas as mulheres hebréias, a antítese das posturas acerca da sexualidade feminina aceitas pela religião da Deusa.

Todavia, a influência e o prestígio da religião antiga sempre estiveram presentes. Como vimos, há contínuos relatos bíblicos de "paganismo" em cada era; ele surgia como um problema constante, descrito de cabo a rabo do Antigo Testamento. Os sacerdotes-profetas de Jeová ameaçavam. Censuravam. Os escritores levitas rotulavam quaisquer mulheres sexualmente independentes, incluindo as mulheres sagradas do templo, como promíscuas e prostitutas, e exigiam o cumprimento de suas próprias posturas patriarcais relativas à propriedade sexual das mulheres. Uma vez tendo inventado esse conceito de "padrões morais", eles faziam acusações de "imoralidade" contra as mulheres cujo comportamento e vida, de acordo com as crenças mais antigas delas, eram do tipo mais elevado e mais sagrado.

O aspecto mais revelador era a analogia simbólica que eles faziam entre quaisquer mulheres que recusassem submeter-se às leis dos novos padrões morais – mulheres às quais se referiam continuamente como prostitutas e adúlteras – e os caprichos e a apostasia de todo o povo hebreu em sua constante falta de fidelidade a Jeová. O uso da infidelidade sexual feminina como o pecado último – tão grave que era considerado análogo à traição de Jeová– nos fornece algum *insight* da postura dos levitas em relação à mulher sexualmente independente. [...]

Conclusão

As ordens para a destruição da religião da Deusa transformaram-se em parte permanente dos próprios cânones e leis das religiões masculinas que a substituíram. É claro que a antiga veneração da deidade feminina simplesmente não parou de existir, mas sua desaparição foi provocada aos poucos, inicialmente pelos invasores indo-europeus, mais tarde pelos hebreus, por fim pelos cristãos e ainda mais pelos muçulmanos. Junto com a aceitação definitiva das religiões masculinas em grande parte do mundo, os preceitos dos "padrões morais" sexuais, ou seja, virgindade pré-nupcial e fidelidade conjugal no caso das mulheres, foram incorporados nas posturas e nas leis das sociedades que os adotaram. [...]

Então, talvez não seja especulativo demais afirmar que o mito de Adão e Eva [...] pode ter sido intencionalmente escrito e incluído na história bíblica da criação como mais um ataque à religião da Deusa.

Na lenda da criação de toda a existência e vida por Jeová, a história que supostamente explicou o que aconteceu no começo dos tempos, a imagem da mulher como a tentadora perigosamente sedutora, que ocasionou a queda de toda a humanidade, pode ter sido um acréscimo. Sabendo tudo o que sabemos sobre os costumes sexuais sagrados na religião da Deusa, a presença contínua desses costumes entre os hebreus, mesmo em Jerusalém, o uso pelos indo-europeus dos mitos do dragão ou da serpente, muitas vezes em conjunção com histórias da criação, e os vestígios do mito do Leviatã no Antigo Testamento, podemos obter um *insight* mais esclarecedor do simbolismo e da mensagem contidos no mito bíblico de Adão e Eva. Podemos descobrir que o mito aparentemente inocente do Paraíso e de como o mundo teve início foi na verdade elaborado e difundido com cuidado, a fim de "manter as mulheres em seu lugar", o lugar determinado para elas pela tribo levita da Canaã bíblica. [...]

É hora de trazermos à luz os fatos sobre as religiões femininas primitivas. Eles foram ocultados por muito tempo. [...] Com esses fatos, seremos capazes de desobscurecer os séculos de confusão, mal-entendidos e omissão de informações, de modo que possamos obter uma posição vantajosa necessária ao exame da imagem, do *status* e dos papéis ainda estipulados para as mulheres hoje em dia. Com esses fatos, obteremos a perspectiva histórica e política que nos permitirá refutar as noções de "papéis natural ou divinamente determinados", abrindo afinal o caminho para um reconhecimento mais realista das capacidades e potenciais de crianças e adultos, do sexo masculino ou feminino, como seres humanos individuais. Quando as antigas fontes dos estereótipos de gênero de hoje forem mais bem compreendidas, o mito do Jardim do Éden já não será capaz de nos assombrar.

Aniquilar um consorte desafiador não era a resposta, não mais do que silenciar e debilitar economicamente as mulheres tem sido. Talvez quando mulheres e homens morderem aquela maçã – ou figo – ao mesmo tempo, aprenderem a refletir sobre as idéias e opiniões uns dos outros com respeito e encararem o mundo e suas riquezas como um lugar pertencente a cada ser vivo existente nele, possamos começar a dizer que nos transformamos numa espécie de fato civilizada.

Sexo no templo: a tradição da prostituta sagrada

Entrevista com Nancy Qualls-Corbett

A espiritualidade feminina é derivada da junção do carnal com o sagrado, afirma Nancy Qualls-Corbett, analista junguiana e autoridade na relação entre sexualidade e espiritualidade. Nossa busca de significado espiritual, portanto, não é apenas uma viagem rumo à religião, mas também rumo ao interior, isto é, a psicologia, assevera ela, invocando Carl Jung, o psicólogo suíço pioneiro que enfatizava que a psique poderia ser mais bem compreendida por meio da exploração do mundo dos sonhos, da arte, da mitologia, das religiões e da filosofia.

Jung era um psicólogo clínico, mas também estava imerso nos domínios da filosofia oriental, da alquimia, da astrologia, da arte, da literatura, do simbolismo e dos arquétipos. Ele enfatizava que os seres humanos modernos se baseiam demais na ciência e na lógica e se beneficiariam da integração da espiritualidade e do reconhecimento do universo inconsciente em suas vidas cotidianas. A influência junguiana sobre Dan Brown e sua personagem simbologista de Harvard, Robert Langdon, é defensavelmente forte. Essa influência também é forte sobre muitos dos escritores da Nova Era, que escrevem sobre temas que abrangem o gnosticismo, o neopaganismo e as interpretações metafóricas da experiência religiosa de Maria Madalena.

Jung também era conhecido por sua ênfase nos arquétipos masculino e feminino, bem como pela importância de equilibrar o respectivo papel deles em uma união dualista.

Para Nancy Qualls-Corbett, esse equilíbrio se perde em um dogma cristão que excluiu "qualquer coisa de feminino de sua imagem de Deus, em grande parte para o detrimento psíquico da fé". Ela prossegue: "Sem uma base feminina de qualquer tipo, temos Igrejas que se desenvolveram como estruturas unilaterais ou neuróticas", graças à maneira pela qual "Maria Madalena foi diminuída e marginalizada pelos homens que assumiram o poder na Igreja primitiva patriarcal e no fundo deformaram sua base". Mesmo hoje, continua ela, estamos pouco dispostos a associar qualquer coisa ou qualquer pessoa consagrada a Deus e tornada sagrada com o que é considerado sensual e carnal. No entanto, quando "o nosso mundo era recente [...] não havia conflito entre a natureza sexual humana de alguém e a natureza religiosa ou espiritual de alguém. Cada um dava vida e significado ao outro e fornecia um importante equilíbrio no mundo antigo: uma união do divino com o mortal".

Conversamos com Nancy Qualls-Corbett sobre seu livro *A prostituta sagrada* a fim de obtermos uma compreensão mais profunda de como esses temas se manifestavam nos tempos antigos. Suas respostas lançaram luz sobre as formas com que essas tradições continuam a ter impacto e também revelam algumas surpreendentes características comuns entre Maria Madalena e a visão de Qualls-Corbett da "prostituta sagrada".

Vários estudiosos e outros especialistas deixaram muitos de nós familiarizados com expressões como "união sagrada" e "casamento sagrado". Mas prostituição sagrada? Por favor, ajude-nos a entender esse conceito.

Escavadas das ruínas das remotíssimas civilizações na Babilônia e na Suméria, antigas tabuletas de argila, pinturas em vasos e estatuetas datando de cerca de 18000 a.C. descrevem ou representam mulheres que praticavam o ato do amor no Templo do Amor. Esse era um ato de adoração, e a sacerdotisa da deusa do amor era uma prostituta sagrada. Ela acolhia com prazer o estranho cansado do mundo na intimidade desse lugar santificado e oferecia-se a ele sob a égide da deusa. Na presença da deusa divina, esse ritual era transformador. A prostituta sagrada, talvez uma iniciada, podia vivenciar a plenitude da feminilidade; sua natureza feminina despertava para a vida. O elemento do amor divino agora residia nela. O estranho também vivenciava os mistérios do sexo e da religião que acompanhavam a regeneração da alma. Esse ato sexual sagrado era considerado um ritual de *hieros gamos*, ou o casamento sagrado, porque representava a união espiritual do divino com o mortal.

Em outros lugares antigos, o ritual do casamento sagrado era vivenciado de maneiras ligeiramente diferentes. Na comemoração do Ano-novo, chamada de "Determinação do Destino", as pessoas cantavam hinos à deusa: "O rei vai de cabeça erguida para o colo sagrado, / Ele vai de cabeça erguida para o colo sagrado de Inanna." Essa era a deusa suméria do amor e da fertilidade, que assegurava a fecundidade da terra e a vida humana com sua bênção de amor e a arte de fazer amor. O rei, representando o deus, e uma prostituta sagrada escolhida, representando a deusa, eram levados ao zigurate, de forma que seu acasalamento assegurasse a fertilidade da terra. As emoções humanas dela e suas energias criativas, físicas, incorporavam o pessoal e o suprapessoal. Ela estava em contato com poderes regeneradores básicos, e desse modo, como a deusa encarnada, assegurava a continuidade da vida e do amor. A prostituta sagrada era o receptáculo humano dentro do qual se uniam forças terrenas e espirituais. Uma representação do casamento sagrado, conforme retratado recentemente tanto em *O código Da Vinci* quanto no filme *De olhos bem fechados*, de Kubrick, reflete essa sensibilidade.

Em civilizações posteriores, Inanna e outras deusas tornaram-se mais diferenciadas; uma deusa era identificada com a fertilidade ou com a Deusa Mãe, ao passo que outra era cultuada pela beleza sexual feminina. Os gregos, por exemplo, conheciam a primeira como Deméter, ao passo que Afrodite era venerada pelo esplendor da beleza física, pelo amor, pela paixão e pelo deleite. A deusa do amor e a deusa da fertilidade eram reverenciadas como o feminino divino.

Por que se originou o conceito de prostituta sagrada? Como ele era traduzido na realidade da época?

Julgava-se que as mulheres que executavam as tarefas subalternas nos templos estivessem em estreito relacionamento com a deusa e, portanto, fossem dotadas de poderes para conceder bênçãos. Também se pensava que esse ritual talvez fosse um vestígio de cerimônias primitivas mais antigas, quando o chefe da tribo deflorava a virgem antes do casamento dela. Outra hipótese é a de que, como a deusa e seu consorte conferiam fertilidade à terra, o ato deveria ser imitado pelas mulheres que buscavam a bênção dela.

Em diferentes culturas, em épocas diversas, as mulheres tornaram-se prostitutas sagradas. Isso não era uma desgraça, e sim uma honra. Elas eram consideradas "as esposas do deus". Em certos lugares, apenas mulheres de descendência nobre podiam participar. Em Tebas, a esposa do sumo sacerdote era denominada "concubina suprema". O historiador grego Heródoto, do século III a.C., escreveu: "O costume babilônio [...] obriga toda mulher do país, uma vez na vida, a comparecer ao templo do amor e ter relações sexuais com algum estranho." Nos templos de Afrodite em Érix, Corinto e Comana, de acordo com Estrabão, geógrafo, filósofo e historiador grego do século I, as prostitutas sagradas chegavam aos milhares. Concedia-se-lhes *status* social e elas eram educadas. Em alguns casos, permaneciam iguais aos homens em termos políticos e legais por causa de seu direito de herdar terras. Acreditava-se que, como a deusa trazia seus dons do amor – as artes de fazer amor, da paixão e da alegria – de seu reino celestial para os mortais cá embaixo, a prostituta sagrada, como sacerdotisa da deusa, partilhava essa bênção com o gênero humano.

Como Maria Madalena se enquadra nisso?

Embora envolta em confusão oriunda da Escritura bíblica, eu creio e sinto que Maria Madalena era dotada com os mesmíssimos atributos da prostituta sagrada. De muitas formas, ela seguia seu coração, embora o caminho deva ter sido árduo. Eu posso apenas imaginar a coragem e a força interior que ela possuía para se opor ao papel definidor da feminilidade naquela época. Lucas descreve-a (e a outras seguidoras) como sendo uma mulher de "bens", o que costuma ser interpretado como alguém que dava apoio financeiro. Todavia, a palavra tem outros significados, como "importante" e "necessário(a)". Isso não está mais de acordo com o papel dela?

A senhora baseou sua análise nos arquétipos de Jung. O que é um arquétipo? Por que nós os temos e que papel eles desempenham no pensamento e comportamento humanos?

O dr. Jung referia-se aos estratos mais profundos da psique como inconsciente coletivo, diferenciando-o do inconsciente pessoal, que contém material reprimido proveniente das experiências pessoais de um indivíduo. O inconsciente coletivo contém componentes psíquicos – os arquétipos – que são onipresentes, imutáveis e comuns a todas as pessoas. A exemplo dos instintos, eles são herdados. Como energia psíquica, eles têm a capacidade de regular, de modificar a consciência e de colorir as impressões que uma pessoa tem do mundo; portanto, pode-se pensar neles como padrões de comportamento. O herói ou a feiticeira, por exemplo, são imagens arquetípicas que surgem espontaneamente dos sonhos e dos mitos. Essas imagens são produtos do inconsciente manifestando-se na consciência como símbolos. Por trás do significado visível e objetivo do símbolo está um significado invisível e mais profundo: o que é a "energia" do herói ou da feiticeira dentro de mim e como ela me incita a agir?

Na verdade, podemos dizer que não "temos" arquétipos; os arquétipos é que nos "têm". Quando falamos sobre a deusa do amor, falamos sobre uma imagem arquetípica. Quando nos apaixonamos, nós nos sentimos extaticamente energizados quando aquele arquétipo específico é ativado. A ode de Homero a Afrodite descreve-a como bela, radiante e amante do riso. Nós sentimos o mesmo padrão. Enviamos rosas vermelhas como um símbolo de amor à pessoa amada, por serem as flores de Afrodite.

Como o conceito de arquétipo se aplica às figuras da deusa – e a Maria Madalena?

Nas mitologias do mundo, encontramos dois aspectos distintos do arquétipo feminino: estático ou maternal, e dinâmico ou erótico. As imagens arquetípicas da mãe e da mulher sensual também são proeminentes na mitologia cristã, mas essas imagens são alteradas por crenças conscientes. A imagem arquetípica da mãe, Maria, é reverenciada como virginal, assexual – não um reflexo da fecundidade, com seios fartos e quadris largos, conforme a deusa mãe em tempos antigos era percebida. A imagem erótica feminina arquetípica, Maria Madalena, é aviltada, chamada de prostituta e condenada por sua sexualidade, que era identificada como tentação e mortificação da carne.

Eu vejo essa atitude mudar, conforme indicado pelo intenso interesse atual por Maria Madalena, ligado ao desafio consciente de crenças obsoletas que diminuem ou degradam a natureza feminina. A imagem arquetípica do feminino erótico, simbolizada por Maria Madalena, a mulher de carne e osso, volta a estabelecer nosso vínculo com o aspecto do divino feminino no âmago do nosso ser, como o fazia a prostituta sagrada.

A senhora disse que, ao perder o feminino de sua imagem de Deus, a Igreja cristã se transformou numa estrutura "neurótica". Como e quando a deusa se tornou, nas suas palavras, "desencarnada"? E quais são as implicações?

Através das eras, o sistema matriarcal predominante evoluiu para um sistema patriarcal. Antigamente, a agricultura e a religião eram o principal núcleo da vida; mais tarde, o foco deslocou-se para o comércio, a guerra e o controle de terras mais vastas. O ato de dar à luz e sustentar a vida já não gozava do mesmo apreço elevado como o das façanhas heróicas de conquista. Aos poucos, ao longo de milênios, até aproximadamente 5000 a.C., as mulheres tornaram-se subordinadas porque seus papéis já não eram importantes no contexto desses novos valores. Com o passar dos séculos, o panteão dos deuses e deusas desmoronou quando um Deus Supremo foi reconhecido. O Templo do Amor deu lugar à Casa do Senhor. O prazer sexual e os valores espirituais já não podiam coexistir; os prazeres da vida na Terra foram reprimidos à medida que o homem buscava a vida eterna. A deusa e sua preconização de reacender a alma mediante a expressão sexual eram agora degradadas e vistas como malignas.

É claro que havia poucos vestígios do divino feminino na recém-criada estrutura hierárquica de papas, bispos e padres da Igreja cristã. Em pequeno grau, ele foi incorporado na ortodoxia oriental como *Theotokos*[1] e *Sophia*, e mais tarde os atributos do sagrado feminino foram assimilados na imagem da mãe virgem santíssima, sobretudo nos países católicos. A Igreja declarou que a cristandade era a noiva de Deus, de Cristo e da *Ecclesia* como *sponsus* e *sponsa*. Embora seja um belo ponto de vista, essa é uma imagem bastante esotérica e abstrata, uma concepção difícil de associar à emotividade. Ocorreu uma grande dicotomia na Idade

[1] Em grego, "Mãe de Deus"; em latim, *Deipara*. Título maior de Nossa Senhora, definido no Concílio de Éfeso (431 d.C.), com o aplauso da multidão de cristãos. (N. dos T.)

Média, quando catedrais góticas atingiam alturas celestiais em veneração de Maria, mas mulheres de carne e osso eram queimadas como feiticeiras. A "desencarnação" da deusa significou atitudes regressivas em relação à fertilidade da natureza, aos valores femininos de vínculos comuns e ao componente espiritual inerente ao ato de fazer amor.

O que a repressão do feminino faz conosco, como indivíduos e sociedade? Como podemos nos "regenerar"?

Quando o princípio feminino de Eros é reprimido, não há relação com a essência mais íntima de uma pessoa, com o gênero humano e com a natureza. Sem a característica mediadora do vínculo comum, o poder ergue uma poderosa mão. A sensação de poder dá origem ao orgulho ou a um ego cheio de si, que por sua vez polui o coração e nos transforma em pessoas endurecidas e cínicas. Essas atitudes estão refletidas na sociedade. Pensar é mais importante do que sentir; a ciência é mais importante do que as artes. Não há equilíbrio. Os valores sociais tornam-se duros, enquanto o militarismo, o consumismo e a política são mantidos em alta estima. E as emoções e a natureza humanas afetuosas viram pó.

Sem o elemento do amor divino mediando a experiência sexual, a gratificação tem vida curta. Nós perdemos a reverência pela generosidade da natureza e de todas as coisas vivas. O coração não se comove, a alma não é nutrida e a dimensão espiritual não é percebida. Os homens perdem a experiência da intimidade não só com a mulher exterior, mas também com sua própria natureza feminina inconsciente, a *anima*. De modo análogo, sem observar os dons abençoados da natureza feminina, as mulheres ou se aviltam ou abusam de seu corpo, ou usam-no de maneiras flagrantes para satisfazer as necessidades do ego. Um antigo mito de Afrodite conta sobre mulheres que a receberam com desdém, ridicularizaram-na e zombaram dela. Ela transformou-as todas em pedra. Da mesma forma, as mulheres, hoje, não estão imunes a ficar duras e empedernidas quando não se tem respeito pelo divino feminino.

Receio que não haja nenhuma poção mágica para a regeneração. Os passos iniciais tanto para os homens quanto para as mulheres podem ser tão simples quanto fazer um esforço para maravilhar-se com a lua da deusa ou para admirar uma delicada rosa vermelha. Podemos agir de formas que revelem uma preocupação genuína com o gênero humano e com o nosso planeta. Não podemos reconstruir o

Templo do Amor no nosso mundo exterior, mas podemos construí-lo a partir de dentro. Podemos lembrar-nos da bênção da deusa e, como a prostituta sagrada, trazer seus dons para o mundo.

Qual é a verdadeira força do divino feminino? Como ele se reflete nas mulheres hoje?

A força que as mulheres de todos os tempos possuem está manifestada numa ligação interna com a natureza feminina. Sua essência independe da reação dos outros. Ela faz o que faz porque isso está em harmonia com explorações internas de seu *self* único – a antítese absoluta do desempenho do papel de uma "mulher sensual". Ao trabalhar e viver dentro de um sistema patriarcal, ela talvez não possa mudar o sistema, mas tampouco permite que ele a mude. A mulher leal à sua natureza feminina pode não ser considerada bonita, *sensual* ou provocante pelos padrões atuais; ela é mais plenamente reconhecida pela sua calma, por um calor que emana de dentro. Existe uma característica definitiva de sua presença que quase desafia a definição. Essa mulher traz em si a bênção do divino feminino não para exaltar seu próprio ego, mas com reverência, a fim de levá-lo adiante no mundo.

Maria Madalena e a união sagrada

Entrevista com Margaret Starbird

Margaret Starbird é uma incansável e persuasiva defensora da restauração do conceito de "união sagrada" no coração do cristianismo – um coração que, acredita ela, se perdeu no avanço para a ortodoxia e no estabelecimento de uma rígida doutrina patriarcal. Católica devota, que há alguns anos se empenhou para desacreditar a tese da "linhagem real" de *O Santo Graal e a linhagem sagrada*, e, em vez disso, acabou convencida de sua veracidade, ela escreveu meia dúzia de livros sobre o sagrado feminino e seu papel fundamental para o verdadeiro cristianismo. Entre os melhores estão *Maria Madalena e o Santo Graal* e *The Goddess in the Gospels: Reclaiming the Sacred Feminine.*

Margaret Starbird insiste em que Maria Madalena e Jesus tiveram um "casamento sagrado, dinástico". Separar Maria de Jesus, como ela diz que a Igreja fez, representa "uma distorção do modelo de vida mais básico no nosso planeta – a 'união sagrada' de parceiros dedicados".

Embora considerado especulativo demais por muitos da "corrente principal" erudita, muitos outros concordam com grande parte do que Starbird tem afirmado. É provável que todos reconheçam que seus livros são importantes para a compreensão do fascínio moderno por Maria Madalena e sua nova mitologia. Dan Brown, especificamente, cita a obra dela como tendo sido uma significativa influência na composição da história contada em *O código Da Vinci*.

Margaret Starbird é bastante requisitada como palestrante e líder de *workshops* e retiros, a forma de aparição pública de que ela mais gosta. Ela já foi entrevistada por nós para *Os segredos do Código*·

Comecemos com uma pergunta um tanto pessoal: a senhora disse que a sua viagem nos últimos vinte anos a transformou de várias formas e lhe deu uma nova sensação de sua própria espiritualidade. A senhora poderia explicar melhor isso? Aonde a viagem a conduziu, e o que Maria Madalena significa para a senhora em termos pessoais?

Eu cheguei à busca da Noiva Perdida como católica romana devota e membro de uma pequena comunidade carismática de oração. Em meados da década de 1970, foi-nos mostrado que estava faltando algo crucial desde as origens do cristianismo, com conseqüências devastadoras. Aos poucos, nós nos demos conta de que essa perda envolvia a profanação do "Feminino". Na época, renovamos nossas devoções à Virgem Maria, mas, após ler *O Santo Graal e a linhagem sagrada*, em 1985, senti que a manifestação do sagrado feminino estava encarnada com grande força em Maria Madalena. Revelar a verdade sobre o *status* de Maria Madalena me permitiu criar uma imagem do divino como uma parceria íntima e integrar de maneira consciente essa compreensão na minha própria fé e experiência.

O conceito do sagrado feminino, é claro, transparece em todos os seus escritos. Por favor, discorra um pouco mais sobre ele para nós no contexto da sua educação religiosa.

Na década de 1970, muitas mulheres saíram à procura das tradições da Deusa Perdida, mas eu não era uma delas. Eu era uma filha leal da minha Igreja Católica

Romana e estava firmemente enraizada em suas tradições. Em 1981, eu estava pesquisando Marcos 14 – a unção de Jesus pela mulher com o vaso de alabastro contendo o precioso nardo – para uma aula na Escola de Teologia Vanderbilt. Ao pesquisar os trechos do Evangelho em que ocorrem unções, deparei com sua relação com as liturgias do "casamento sagrado" inerentes aos cultos da fertilidade do antigo Oriente Próximo, descritas na poesia litúrgica da Suméria, da Babilônia, de Canaã e do Egito traduzida há pouco tempo. Como o meu mestrado em letras foi em literatura comparada, eu não considero os ritos pagãos antigos um "tabu". Eles são literatura. Descobri que a unção do Rei Sagrado era a prerrogativa da Noiva, que mais tarde encontra seu Noivo sacrificado ressuscitado no Jardim. Como podemos deixar de notar as semelhanças desses ritos antigos com as narrativas da Paixão dos Evangelhos cristãos, nos quais a "Noiva" desempenha o mesmo papel? Se a "Parceria Sagrada" foi um dos alicerces do cristianismo primitivo, não deveríamos fazer uma tentativa de restaurá-la? Eu sou incentivada quando vejo números assombrosos de pessoas aceitando a "união sagrada".

Incluindo, é claro, Dan Brown, com seu extraordinariamente bem-sucedido O código Da Vinci. *Muitas das idéias que ele expressa no livro são baseadas no seu trabalho; na verdade, ele põe seu livro Maria Madalena e o Santo Graal num lugar de destaque na estante de Leigh Teabing. De sua perspectiva ideal, o que a senhora acha que Dan Brown entendeu bem, e o que ele entendeu mal?*

Dan Brown conseguiu fazer a história de Maria Madalena entrar "na corrente dominante", assegurando que ela chegasse a todos os cantos do planeta. Ele entendeu que a importância da "história" não era uma reivindicação elitista de uma linhagem especial, e sim a "união sagrada" no âmago do Evangelho cristão.

O que toda essa atenção tem significado para a senhora pessoalmente?

Para mim, a "união sagrada" representa um passo para uma igualdade radical de gênero, e para a inclusão. É a única mudança cultural mais importante do nosso tempo. O romance de Dan Brown ajudou a promover a idéia. Minha obra está atingindo um público cada vez mais amplo e mais entusiástico, e eu estou recebendo um número crescente de convites para fazer retiros e seminários sobre a Noiva Perdida.

Em conseqüência de suas palestras pelo país nos últimos dois anos, a senhora ouviu ou descobriu coisas que mudaram sua compreensão de alguns conceitos, ou que modificaram seu ponto de vista? Em caso afirmativo, de que forma?

Eu estou constantemente obtendo novos *insights* e confirmações da "união sagrada" subjacente à realidade. Estou processando uma compreensão mais ampla do arquétipo corporificado em Maria Madalena: o princípio de Sofia/Sabedoria dos antigos conforme expressado também na Bíblia hebraica – "No começo" não era apenas o Logos,[2] mas também a Sofia.

Voltemos ao essencial. Para os leitores que talvez não estejam familiarizados com isso, o que é o sagrado feminino? E o que ocasionou sua perda?

O "sagrado feminino" é uma forma de declarar que Deus não é exclusivamente "masculino", conforme pintado no teto da Capela Sistina, mas também possui atributos femininos. Isso é evidente em belas passagens da Bíblia hebraica e dos Evangelhos que falam de Deus em metáforas femininas: "Por acaso uma mulher se esquecerá da sua criancinha de peito? Não se compadecerá ela do filho do seu ventre?" (Isaías 49:15). Eu sou particularmente grata pelos escritos de Peter Kingsley sobre a perda de "Sofia" na civilização ocidental. "Ela", que é chamada de "Espelho da Divindade de Deus" e "Deleite", foi claramente abandonada por Platão e pensadores gregos posteriores, que continuaram a chamar a si mesmos de "filósofos" ("amantes de Sofia"), quando, na verdade, eles haviam mudado o paradigma para tornar-se "amantes de Logos" (maneiras lógicas, racionais, de ser e pensar, comandadas pelo hemisfério esquerdo do cérebro).

Sabemos que havia o culto e a valorização do sagrado feminino nas tradições egípcia e grega e em outras tradições. Todavia, falando de modo geral, essas culturas não pareciam tratar as mulheres muito bem no dia-a-dia – pelo menos, não pelos

[2] Em grego, o Logos significava inicialmente a palavra escrita ou falada. A partir de filósofos gregos como Heráclito (*c.*540 a.C.–*c.*480 a.C.), passou a ser um conceito traduzido como "razão", tanto como a capacidade de racionalização individual quanto como um princípio cósmico de ordem e beleza. Na teologia cristã, o conceito filosófico do Logos viria a ser adotado no Evangelho de João, no qual o evangelista se refere a Deus como o *Logos*, isto é, a Palavra. Em algumas traduções do Evangelho, Logos é o "Verbo". (N. dos T.)

padrões atuais. Não se poderia afirmar que, embora a mulher possa ter representado a Sabedoria, ela apenas a representava na medida em que servia ao patriarcado?

No Egito, os faraós casavam-se com suas irmãs, refletindo o relacionamento doador de vida do casal formado pela deusa e pelo deus, Ísis e Osíris. E na Bíblia hebraica encontramos histórias maravilhosas de heroínas muito fortes: Débora, Judite e Ester, junto com numerosas profetisas. A "mudança platônica" para costumes masculinos ocorreu mais tarde, e depois a civilização grega relegou os costumes antigos em conseqüência das conquistas globais de Alexandre. Mas o "sagrado feminino" não diz respeito apenas aos "direitos das mulheres". O "feminino" inclui modos de pensar, ser e relacionar-se com a realidade por meio da "sabedoria interior" – intuição, sabedoria empírica "centrada no corpo" em vez de "centrada no cérebro –, modos esses comandados pelo hemisfério direito do cérebro. Se as pessoas no Sudeste da Ásia que viram o *tsunami* tivessem corrido para lugares mais altos, como os elefantes e os macacos fizeram, elas não teriam morrido nas praias. Os turistas ocidentais estavam tão afastados de suas "raízes" que não conseguiram sentir o perigo. A "Sofia" representa não apenas esse vínculo com a nossa "terra" e a nossa sabedoria corporal "instintual", como também com os relacionamentos com a comunidade, incluindo uma preocupação de longo prazo com justiça, compaixão e bem-estar dos "pequeninos" – "até a sétima geração", conforme dizem as avós indígenas americanas. Quando tornamos esses valores conscientes, reconciliamos as energias masculinas e femininas, ajudando a curar o deserto.

Simbolismo, gematria, números sagrados... A senhora dedicou grande parte do seu tempo e energia pesquisando essas coisas. Os resultados são fascinantes. Mas uma pergunta persiste: os escribas daquela época tinham a intenção de torná-los conhecidos como tais, ou estamos olhando para um poço apenas para ver o nosso próprio reflexo? Algumas dessas descobertas – estamos pensando no Código da Bíblia, por exemplo – não resistem ao escrutínio histórico. Em outras palavras, que certeza podemos ter de que esses significados ocultos foram postos lá de propósito?

Não há nada na *gematria* relacionado com a "Nova Era". A gematria é um aspecto da Escritura há muito tempo negligenciado pelos estudiosos da Bíblia. Trata-se de um antigo artifício literário encontrado nas obras de Platão e de outros filósofos, bem como na Bíblia hebraica. Em vez de transformar frases fundamentais em música, ela a transforma em números. Tanto as letras gregas quanto as hebraicas têm valores numéricos e eram usadas como números. Certos títulos e frases importantes na Bíblia produzem somas numéricas que refletem princípios cósmicos encontrados na geometria da arquitetura sagrada – das pirâmides e Stonehenge à "Cidade Santa" descrita no Livro do Apocalipse. Os estudiosos têm pesquisado esse tema, entre eles John Michell (*The City of Revelation* e *The Dimensions of Paradise*) e David Fideler (*Jesus Christ, Sun of God*). Na minha opinião, a evidência de que os autores do Novo Testamento cunharam de propósito nomes, títulos e frases a fim de estabelecerem vínculos com os princípios cósmicos sagrados está fora de dúvida.

Voltando à evolução do cristianismo ortodoxo, a senhora pode nos dar sua opinião sobre o motivo pelo qual a Igreja distorceu os papéis de Maria Madalena e de Jesus?

Meu ponto de vista pessoal é o de que a Igreja primitiva perdeu Maria Madalena porque seus amigos e familiares estavam se esforçando demais para protegê-la de ameaças percebidas, representadas pelas autoridades romanas e pelos herdeiros do rei Herodes, "o Açougueiro". Maria Madalena literalmente desaparece. As epístolas de Paulo não a mencionam, e os Atos [dos Apóstolos] também não. O que aconteceu? De seguidora e devota preeminente, ela desaparece do registro. Os "ortodoxos" acabaram marginalizando aquelas facções que apoiavam as relações familiares de Jesus (nazareus e ebionitas), bem como os ensinamentos gnósticos que elevavam o *status* de Madalena. Ao que parece, no fim do século II, os padres da Igreja, fortemente influenciados por Irineu e Tertuliano, estavam difamando o importante papel das mulheres e da natureza igualitária das comunidades cristãs mais antigas.

Ao rejeitarem o papel da Noiva Sagrada, os padres da Igreja na verdade nos forneceram uma visão distorcida de Jesus. Ele acabou sendo imaginado como um deus celibatário, sentado num trono celestial – o filho celibatário de uma Mãe Virgem. A "mandala" da parceria sagrada havia sido eficazmente abandonada.

Qual é a base para se pensar que Maria Madalena foi para a França? Essa lenda não apareceu pela primeira vez em A lenda de ouro, *escrita por um bispo que reconheceu que sua obra tinha acréscimos para torná-la mais interessante?*

O bispo Tiago de Voragine não inventou a história de Madalena e seus irmãos na França. Ele apenas escreveu uma versão romanceada da vida dela baseada em lendas originárias do país. Na época em que sua *Lenda áurea* foi publicada (*c.*1267), a Inquisição já estava em plena ação. Mas fontes anteriores, incluindo sermões e orações de breviários antigos, demonstram a presença de Maria, Marta e Lázaro no vale do Ródano. Lendas originárias da região foram inseridas numa rica tradição oral manifestada por vários cronistas medievais. Gervásio de Tilbury escreveu em 1212 sobre os 72 discípulos de Jesus que foram expulsos da Judéia e expostos ao mar num barco sem remos. Ele cita Lázaro, Marta, Maria Madalena, Maximino e outros membros da comunidade cristã primitiva. O sire de Joinville narra que ele e o rei Luís IX, voltando da Cruzada para casa, em 1254, pararam para visitar Saint-Maximin e Sainte-Baume, "uma profunda caverna numa rocha, onde se diz que Santa Madalena residiu [...]" (extraído da *Life of St. Louis*).

O original de um manuscrito chamado *The Life of Saint Mary Magdalene and of her Sister Martha* provavelmente data de fins do século XII e é um texto heterogêneo baseado em fontes mais antigas, provavelmente incluindo sermões de Rabano Mauro, um bispo de Mainz do século IX. Em 1040, Bento IX anunciou que os restos mortais de São Lázaro estavam num relicário na abadia de São Vítor, em Marselha. E em uma história do reino de Arles, encontramos referência a Guillaume Gérard, filho do rei da Itália, que fez uma peregrinação em 935 a Sainte-Baume, "onde Madalena viveu e morreu". Além disso, diz-se que o rei merovíngio Clóvis fez uma peregrinação ao túmulo de Santa Marta em Tarascon, o que faria a crença naquele local recuar ao ano 500 da era cristã. Histórias sobre a família de Betânia, incluindo a Maria chamada "Madalena", são bem documentadas em toda a região durante séculos antes de o bispo de Voragine escrever sua versão altamente imaginativa da lenda dela.

Dando um salto no tempo, da Idade Média para o presente, a senhora crê que estamos em meio a um ressurgimento de longo prazo do interesse pela "união sagrada" conforme representada por Maria Madalena, que foi chamada de a garota "cheia de charme" do nosso tempo?

Em outras épocas na História, movimentos tentaram recuperar a Noiva: os trovadores no sul da França exaltavam as virtudes de sua *Dompna* ["Grande Senhora"] e os pré-rafaelitas na Inglaterra do século XIX pintaram esplêndidas imagens de Maria Madalena e escreveram poemas em sua homenagem. O movimento moderno tem a vantagem da internet, que difunde informações a todos os quadrantes da

Terra em nanossegundos. Nenhuma Inquisição pode reprimir o crescente entusiasmo para reinstituir a Noiva; ele está se difundindo por combustão espontânea!

O que a senhora recomendaria às mulheres que têm a expectativa de reintegrar a Deusa perdida em suas vidas?

Algumas pessoas difundem o equívoco de que estou recomendando o culto da Deusa. Na verdade, estou preconizando que restituamos o equilíbrio ao cristianismo, restituindo a esposa e amada de Jesus ao seu papel adequado. Muitos estudiosos das Escrituras e o clero cristão afirmam publicamente que um Jesus casado não contradiria a doutrina, já que esta insiste em que Jesus era completamente humano. O cristianismo há muito tempo reconheceu Jesus como o Noivo Sagrado. Como pode ter deixado de reconhecer sua Noiva?

Há mais alguma coisa com que a senhora deparou em sua pesquisa acerca de Maria Madalena sobre a qual gostaria de comentar?

Eu estou convencida de que Maria Madalena não era "de Magdala". A cidade hoje chamada "Magdala" era chamada Tariquéia nos tempos bíblicos. Josefo, um judeu que escreveu seu primeiro rascunho de *A guerra dos judeus* em aramaico, chama a cidade de "Tariquéia", como o faz qualquer outro registro escrito anterior a 70 d.C. Tariquéia foi destruída em 67 d.C., e a cidade que foi reconstruída no antigo sítio no litoral do mar da Galiléia foi chamada "Magdala Nunnayah" (expressão aramaica que significa "Torre dos Peixes"). Mas, naquela época, Maria Madalena já estava morta havia muito tempo.

Eu acho que uma passagem profética da Bíblia hebraica, Miquéias 4:8-11, é a fonte mais provável do título "Madalena": "E tu, Ó Magdal-eder,[3] Torre do Rebanho, colina da filha de Sião, voltará a ti tua soberania de outrora [...]." O trecho prossegue e profetiza o exílio e o resgate final dela. "Mas agora se juntam contra ti numerosas nações, que dizem: 'Seja profanada, [...]'" (Miquéias 4:11). A passagem inteira sintetiza a difícil situação da Noiva consternada, chorando sobre o rei morto, mandada para o exílio, difamada e profanada. Creio que muitos estudiosos das

[3] A 10ª impressão da nova edição revista da Bíblia de Jerusalém (Paulus: São Paulo, agosto de 2001) registra na nota *n*, p.1.773: "Torre do Rebanho", em hebraico *Migdal-Eder*, esse antigo nome de lugar (cf. Gn 35:21) designa, aqui, Jerusalém como um lugar de pastoreio. [...]" (N. dos T.)

Escrituras deixaram de reconhecer essa passagem como a origem do título "h Magdalhnh" simplesmente porque se recusam a aceitar a idéia de que ela era a Noiva consternada mandada para o exílio no estrangeiro. A "filha de Sião" na passagem de Miquéias encontra aplicação específica na história de Maria Madalena, assim como o "Servo Sofredor" nas profecias de Isaías encontrou aplicação específica à história de Jesus.

Eu também considero de imensa importância o medalhão dos "Peixes" encontrado recentemente no piso em mosaico de um edifício cristão do século III-IV em Megido, Israel. Essa descoberta confirma que os cristãos primitivos reverenciavam o símbolo do zodíaco para Peixes muito antes de decidirem identificar-se com a cruz. Jesus, o *ICHTHYS*[4] deles, foi chamado de "Avatar" ou "Senhor" (*Kyrios*) do começo da Era de Peixes. O símbolo daquela nova era não era apenas um, mas dois peixes. Há muito tempo eu afirmei que Maria Madalena representava aquele "outro peixe" do signo do zodíaco, que era percebido como um signo de "parceria", manifestado na natureza igualitária das comunidades cristãs mais antigas. Ela acabou desaparecendo nas profundezas do mar e nas profundezas do nosso inconsciente coletivo, sua voz silenciada quando ela foi estigmatizada como prostituta. Nós precisamos recuperar a "parceria sagrada" que um dia esteve no âmago da "condição" cristã.

Maria Madalena e a imagem da Deusa

Por Diane Apostolos-Cappadona

As representações visuais de Maria Madalena freqüentemente se relacionam com as figuras da Deusa dos mitos, do folclore e das lendas. Não temos nenhuma imagem dela de sua época; jamais poderemos chamar atenção apenas para uma imagem, numa época específica da história, e dizer: "É assim mesmo que ela era." Essa é a razão por que, quando falamos sobre Maria Madalena na arte, na verdade estamos falando

[4] Peixe. (N. dos T.)

sobre camadas impregnadas de significado. Assim, a fusão das mulheres bíblicas designadas e anônimas a quem São Gregório, o Grande, identifica como Maria Madalena, eu identifico como o "Mosaico de Madalena".

Maria Madalena e Maria de Nazaré são muitas vezes associadas aos atributos e características de deusas anteriores, em particular por pintores em partes da França, da Alemanha, da Itália e da Espanha. De acordo com certos textos egípcios antigos, a deusa Ísis é a esposa do deus Osíris. Quando ele é morto e seu corpo é esquartejado por seus inimigos, Ísis e sua irmã Néftis procuram todas as partes, juntam-nas, untam seu corpo e choram ao lado dele por três dias. No terceiro dia, ele ressuscita dos mortos. Portanto, essa idéia de ungir, de esperar três dias junto ao túmulo, ou da vida voltando, não é uma associação incomum entre as tradições pré-cristãs da Deusa e Maria Madalena.

De modo análogo, Madalena tem relações com Innana, Astarte, Afrodite, Vênus e com outras deusas semelhantes. O que todas elas representam? Amor, paixão, sensualidade feminina, bem como habilidades e prendas domésticas, com que Madalena acaba sendo associada durante certos períodos da história cristã. Muitas vezes eles têm a ver com o fato de se ser fiel a uma pessoa da maneira como Madalena é fiel a Jesus, a partir do momento de sua conversão por ele, além de sua Ressurreição.

As mulheres em torno de Jesus

Entrevista com Mary Rose D'Angelo

Textos bíblicos e outros textos antigos apresentam pouquíssimos detalhes sobre a vida das mulheres no tempo de Jesus. Eram as mulheres que serviam Jesus e seus discípulos "de suas rendas". Quando elas e os outros seguidores romperam com a comunidade judaica, fizeram-no em "igrejas-casas". Mas quais eram os pressupostos culturais da época? O que pode ter atraído essas mulheres para Jesus e seus ensinamentos?

É incorreto ou infundado presumir, como se faz com freqüência, que as mulheres tinham poucos direitos, ou nenhum direito em absoluto, nem a capacidade de serem independentes?Para respondermos a essas perguntas, conversamos com Mary Rose D'Angelo, professora de teologia na Universidade Notre Dame e autora de vários artigos sobre as mulheres e as origens do cristianismo.

O argumento de D'Angelo, conforme enunciado na introdução de seu livro *Women & Christian Origins*, é, em essência, o de que, embora as normas culturais e o domínio político dos romanos devam ser levados em consideração ao se estudar o papel das mulheres no cristianismo primitivo, não deveríamos supor que os papéis femininos eram sempre restritos e medíocres. Apesar de em grande parte limitadas segundo os padrões modernos, as mulheres daquela época, incluindo Maria Madalena, exerciam algum poder. Elas também eram modelos femininos exemplares – religiosos e políticos – para quem as mulheres do cristianismo primitivo podiam olhar em busca de inspiração e orientação.

Jesus é conhecido por ter tido seguidores de ambos os sexos, o que parece ter desafiado o patriarcado estabelecido da época. Quem eram as mulheres em torno de Jesus, e o que sabemos a respeito delas?

Não sabemos muita coisa sobre as mulheres (ou os homens) em torno de Jesus, além dos nomes de algumas delas – e esses nomes são muito comuns. Os nomes das mulheres são todos hebraicos ou aramaicos; alguns dos homens têm nomes gregos, mas também é provável que eles tenham sido judeus. Marcos cita os nomes de três mulheres: Maria Madalena, Maria – mãe de Tiago e José – e Salomé como tendo "seguido" Jesus a partir da Galiléia e "ministrado" a ele aí. As duas Marias são representadas como testemunhas da morte e sepultamento de Jesus, e as três mulheres mencionadas pelo nome são testemunhas do sepulcro vazio e da visão de um anjo.

Tanto Mateus quanto Lucas fornecem versões revisadas de Marcos. Em Lucas, as mulheres parecem ser rebaixadas de participantes ativas do movimento a "ministrar-lhes/servi-los [Jesus e os Doze] de seus bens". Mateus apresenta Maria e "a outra Maria" como testemunhas do túmulo [vazio] e como as primeiras a verem o Jesus ressuscitado. O Evangelho de João vê Maria Madalena não só como uma testemunha da morte de Jesus e do túmulo vazio, mas também como a primeira visionária – a primeira a ver o Jesus ressuscitado –, e a envia com a mensagem que explica o destino de Jesus. A única menção a Maria antes de ela aparecer junto à cruz nos Evangelhos canônicos ocorre em Lucas 8:1-3, que a descreve como tendo tido sete demônios expulsos por Jesus. Isso pode ser invenção do autor e pode ter sido uma tentativa de diminuí-la. Mas não é possível determinar isso.

O Evangelho de Tomé também descreve Maria e Salomé como discípulas de Jesus, e o Evangelho de Maria a representa como uma visionária e líder entre os discípulos.

Quais são as evidências que revelam se Jesus tratava ou não as mulheres em torno dele com base na igualdade de sexos?

Eu não acho que existam muitas evidências de uma completa igualdade sexual na maioria das situações no século I, e os Evangelhos raramente suscitam a questão do *status* das mulheres (O Evangelho de Tomé 114 e O Evangelho de Maria são exceções.). O que esses textos nos fornecem são evidências de que havia mulheres entre os participantes do movimento do reino de Deus no qual Jesus pregava, bem como no início da missão cristã que pregava sua morte e ressurreição. Do jeito que estão, os textos podem pressupor mais participação das mulheres do que parece à primeira leitura.

Por que Jesus e seus ensinamentos atraíram as mulheres (ou os homens, na verdade)? O que os teria levado a abandonar seus lares e, supomos, sua "boa reputação" para seguirem um pregador itinerante de cidade em cidade?

As pessoas ao redor de Jesus estavam reagindo à promessa de que Deus estava prestes a atuar em benefício delas. As condições por meio das quais elas entenderam isso devem ter sido judaicas. Podemos deduzir que elas eram movidas pela idéia de que Deus estava cumprindo as promessas feitas a Israel: justiça para os pobres, o fim da opressão, do sofrimento, de domínios estrangeiros – provavelmente, de que haveria uma mudança radical, de que de algum modo Deus se livraria dos romanos, a fim de que o culto em Israel não mais estivesse sob a supervisão deles.

Esses seguidores ou companheiros de Jesus iam com ele de um lugar a outro pregando. Apenas alguns são mencionados pelo nome, e é impossível dizer quantos estavam envolvidos. A maioria é de homens, mas também há menção a mulheres que teriam viajado à Galiléia e a Jerusalém com ele.

Deixar a casa e a família era uma reação ao chamado em si, uma questão de participar de algo que não era entendido como permanente. É difícil dizer que expectativas eles tinham ou como outras pessoas teriam reagido ao movimento; pessoas diferentes reagem de formas diferentes, como as pessoas reagem a diferentes movimentos agora. É possível que algumas das pessoas da época vissem as mulheres que seguiam estrada afora com o movimento do reino de Deus como não respeitáveis, mas, se era assim, os Evangelhos não fornecem evidências claras de seus pontos de vista.

Havia outros movimentos que se empenhavam muito em satisfazer a obra de Deus pelo bem de Israel. Por exemplo, Josefo relata um novo movimento de saída (ou um novo movimento de entrada) cerca de 15 anos após a morte de Jesus, liderado por um profeta chamado Teudas. Eles cruzaram o Jordão para esperar que Deus os liderasse na recuperação do país. Como se diz que eles saíram com todos os seus pertences, esse movimento provavelmente incluía mulheres, e talvez famílias inteiras. Foram massacrados pelos romanos.

De que forma as mulheres devem ter estado envolvidas na obra de Jesus? Que papéis elas poderiam ter desempenhado?

Se examinarmos o Evangelho de Marcos, o autor diz que as mulheres saíam pela estrada, mas dá pouca atenção a esse fato. E o autor omite a questão da importância de essas mulheres estarem junto à cruz. No Evangelho de Lucas, ele introduz as mulheres antes e afirma que algumas delas são de uma classe elevada – Joana é esposa do procurador de Herodes, por exemplo. E Lucas também diz que essas mulheres seguiam e apoiavam Jesus e os outros com seus bens. Pode ser que Lucas esteja tentando defender as mulheres do movimento, apresentando-as como respeitáveis, com alguma renda. Em Lucas, elas fazem algo diferente do que fazem os discípulos (isto é, ministram-lhes de suas posses), mas em Marcos não há distinção alguma. Se as mulheres estavam mesmo na estrada com Jesus, parece improvável que elas tivessem um papel diferente do papel dos discípulos. A distinção que Lucas faz provavelmente serve a um objetivo específico – parece haver uma preocupação em assegurar que elas sejam vistas como mulheres de posses, respeitáveis.

Uma das coisas que deveríamos lembrar é que não sabemos quase nada sobre cada uma dessas pessoas. Sabemos pela história que havia mulheres que possuíam e administravam bens e dirigiam negócios. As viúvas teriam dotes – dinheiro que o marido podia usar durante o casamento, mas que retornava para a mulher e sua família se o homem morresse. Será que as mulheres casadas podiam participar sem o consentimento dos maridos? Jamais poderemos responder com afirmações vagas a uma pergunta como essa. Mesmo naquela época, as mulheres diziam não aos maridos e faziam escolhas que não agradavam a eles.

Tanto durante quanto após o tempo de Jesus, é provável que mulheres tenham participado ativamente da pregação do reino de Deus de maneiras possíveis para mulheres judias e romanas, mas provavelmente não típicas delas, ou das mulheres cristãs. Por exemplo, havia profetisas no cristianismo primitivo, como a mulher anônima de Marcos e as mulheres em 1 Cor 11:4-5, como havia nos contextos judaico e romano. As mulheres tinham certa independência financeira e podiam viajar, oferecer e aceitar hospitalidade, administrar um negócio, e coisas desse tipo.

Quem essas mulheres poderiam ter considerado exemplos a seguir? Havia mulheres da época ou históricas para quem elas pudessem olhar em busca de inspiração espiritual?

Essas mulheres existiam. O livro de Judite foi escrito próximo a essa época, por exemplo, e Ester e Rute também eram importantes. Havia histórias sobre guerreiras. Existe a história de Débora, na qual ela aparece como juíza e heroína de guerra, e também como sábia e profetisa. Miriam e Hulda também eram profetisas, e Raabe, que escondeu os espiões em Josué 2, aparece como um modelo em textos judaicos e cristãos antigos. As mulheres da época devem ter lido essas histórias (as que sabiam ler) e outras devem tê-las ouvido ao serem lidas ou contadas.

Os papéis das mulheres no judaísmo antigo e no cristianismo primitivo foram ignorados ou esquecidos por muito tempo, mas também sempre houve certo encobrimento intencional da verdade. Em Romanos 16, Paulo saúda um grupo de pessoas no qual os nomes das mulheres estão incluídos. Um desses nomes é "Júnia"; ela e um homem são saudados juntos como "famosos entre os apóstolos". Atos 1:16-26 parece limitar "apóstolo" a 12 homens cujos nomes são mencionados, e os Evangelhos costumam ser lidos à luz dessa passagem; contudo, aqui o termo é usado para uma mulher. Paulo diz que ela havia sido sua companheira de prisão e que o precedera na fé em Cristo. Ele a chama de "parenta". O nome dela é romano, portanto é provável que ela tenha sido uma mulher liberta ou cliente[5] de um cidadão romano. O nome do parceiro dela é grego. Isso é basicamente tudo o que sabemos sobre ela.

O nome dela foi reconhecido como um nome de mulher até fins da Idade Média. Mas, durante a Reforma e o Renascimento, a noção de que uma mulher não poderia ser chamada de apóstola se impôs. Com um sinal gráfico, organizadores e copistas começaram a mudar o nome Júnia para um nome masculino, Juniano, apesar do fato de se saber que esse nome não era usado no século I. Ora, à luz das pesquisas recentes, o texto grego e traduções eruditas como a *New Revised Standard Version* o reconhecem de novo como um nome de mulher.

Estudiosos como Wayne Meeks, Elisabeth Schüssler Fiorenza e Peter Lampe usaram Romanos 16 como fonte de informações sociológicas sobre a missão cristã primitiva. Lampe diz que as mulheres podem ter sido mais ativas na comunidade cristã primitiva do que os homens, assinalando que a maioria das ocorrências das palavras "trabalhador" e "trabalho" está vinculada a nomes de mulheres. Não tenho certeza se podemos de fato deduzir isso, mas creio firmemente que tanto as mulheres quanto os homens foram ativos originadores do cristianismo. Até certo ponto, é por isso que Maria Madalena recebe – e merece – atenção particular. Ela é a portadora e intérprete da mensagem que Jesus ressuscitou, e essa é a mensagem fundamental do cristianismo.

[5] Na antiga Roma, indivíduo que estava sob a proteção de um patrono, por sua vez, um cidadão rico e poderoso. (N. dos T.)

CAPÍTULO 3

Transformando-se no apóstolo dos apóstolos

A companheira do [Salvador] é Maria Madalena. O [Salvador amava-a] mais do que a [todos] os discípulos [e] beijava-a com freqüência na [boca]. Os demais discípulos sentiam-se ofendidos por isso e expressavam sua desaprovação.

Os outros [discípulos] [...] disseram-lhe: "Por que tu a amas mais do que a todos nós?" O Salvador respondeu, dizendo-lhes: "Por que eu não vos amo como a ela? Se uma pessoa cega e uma que enxerga estão ambas na escuridão, elas são iguais. Quando vem a luz, aquela que enxerga verá a luz, e a pessoa cega permanecerá na escuridão."

— O Evangelho de Filipe

Então Maria chorou e disse a Pedro: "Meu irmão Pedro, o que estás imaginando? Tu achas que eu mesma inventei estas coisas no meu coração, ou que estou mentindo sobre o Salvador?"

Levi respondeu, falando a Pedro: "Pedro, tu sempre foste uma pessoa colérica. Agora eu te vejo discutir com a mulher como se ela fosse uma adversária. Pois se o Salvador a fez digna, quem és tu, por tua parte, para rejeitá-la? Sem dúvida, o conhecimento que ela tem do Salvador é inteiramente confiável. Esse é o motivo por que ele a amava mais do que a nós."

— O Evangelho de Maria

Abençoada Maria, tu, a quem deixarei plena de todos os mistérios do alto, fala abertamente, pois és alguém cujo coração está voltado para o Reino do Céu mais do que o de todos os teus irmãos.

— *Pistis Sophia*

Vislumbres biográficos de Maria de Magdala*

Por Bruce Chilton

Os mais simples fragmentos de informação do Novo Testamento nos dizem que, com o passar do tempo, Maria Madalena se transformou numa gigantesca cornucópia de mitos, lendas, debates, idéias, obras eruditas, revisionismo cultural e obras de ficção de grande sucesso.

Há apenas uma dúzia de referências a Maria Madalena no Novo Testamento, e poucas oferecem mais que as alusões e inferências acerca dos fatos e acontecimentos de sua vida. E parece que os quatro relatos dos Evangelhos aceitos não conseguem escrever sobre ela com coerência.

Por exemplo, Mateus, Marcos e João mencionam que ela assiste à Crucificação, mas Lucas não é explícito a esse respeito. Sua presença quando ocorre a Ressurreição é mencionada em Marcos, Lucas e João, mas não em Mateus. João diz que ela "viu que a pedra fora removida" e então foi dizer aos discípulos "Eu vi o Senhor". Marcos afirma: "Ele apareceu primeiro para Maria Madalena", e pára por aí. Lucas fornece o relato mais detalhado da cena da Ressurreição, porém diz que, quando Maria e as outras mulheres "voltaram e anunciaram todas essas coisas aos onze e a todos os outros [...], essas palavras lhes pareceram desvario, e não acreditaram nelas".

Como vários especialistas que contribuíram para *A verdadeira história de Maria Madalena* deixam claro, os Evangelhos gnósticos dizem-nos muita coisa sobre a compreensão dos ensinamentos de Jesus por Maria Madalena, e sobre seu *status* como companheira dele, mas pouca coisa sobre a pessoa Maria Madalena.

Os estudiosos têm trabalhado com todo o cuidado a fim de separar os antecedentes de Maria Madalena dos fragmentos de informação que aparecem tanto nas Escrituras aceitas quanto nas alternativas: o lugar onde ela nasceu, o ambiente político e social da época, seus primeiros

* De *Mary Magdalene: A Biography*, de Bruce Chilton, copyright © by Bruce Chilton. Usado com permissão da Doubleday, uma divisão da Random House, Inc.

encontros com o rabino radical chamado Jesus. O desafio tem sido tentar respeitar a linha tênue que separa os estudos eruditos esclarecidos e conclusões sensatas da mera especulação e da imaginação de contadores de histórias, pintores, líderes religiosos e romancistas.

Bruce Chilton, o estudioso apresentado no primeiro capítulo, tem êxito como ninguém em aproveitar ao máximo as informações relevantes sem cruzar essa linha, em particular em seu bem recebido *Mary Magdalene: A Biography*, a fonte desse excerto. Nesse livro, o professor Chilton apresenta o argumento de que as fontes clássicas da experiência religiosa retratam Deus como influenciando a vida das pessoas ao remover o mal (exorcismo), curar doenças (cura) e oferecer sinais do divino (visões). Chilton diz: "Maria Madalena começou a exercer essas práticas com Jesus e as aperfeiçoou."

Maria aparece pela primeira vez na cronologia da vida de Jesus nesta breve passagem do Evangelho de Lucas:

> Os Doze estavam com ele, como também algumas mulheres que haviam sido curadas de espíritos malignos e enfermidades: Maria, chamada Madalena, da qual haviam saído sete demônios, Joana, mulher de Cuza, o procurador de Herodes, Susana e muitas outras, que lhes ministravam de seus bens. (8:2-3)

Lucas indica quando ela entrou na vida de Jesus e por que o procurou. A reputação de Jesus deve tê-la feito percorrer os 16 penosos quilômetros de sua casa em Magdala a Cafarnaum, onde ele viveu de 24 d.C. até o início de 27 d.C. Ela provavelmente foi até ele sozinha, a pé, por estradas pedregosas e caminhos acidentados, possuída por demônios, as vestes em farrapos. Calculo que ela o tenha procurado em 25 d.C., após ele ter-se tornado conhecido na Galiléia como um rabino que abria os braços para pessoas consideradas pecadoras e combatia os demônios que as atormentavam. [...]

Lucas não apresenta Maria como a sedutora rica e elegante da lenda medieval e da fantasia moderna. [...] Ele [também] não indica quantos anos Maria tinha quando conheceu Jesus, mas é bem provável que ela estivesse na casa dos vinte, um pouco mais velha do que ele, madura o suficiente para ter desenvolvido um complicado caso de possessão (insinuado pela referência a "sete demônios"). Os Evangelhos nada dizem sobre a família dela. É evidente que ela era solteira numa idade em que se esperava que uma mulher houvesse se casado e tido filhos.

Em virtude da possessão demoníaca de Maria, há pouco mistério sobre o fato de ela ser solteira. A possessão trazia o estigma de impureza, não a impureza natural do parto (por exemplo), e sim o contágio de um espírito imundo. Sem dúvida, ela fora condenada ao ostracismo em Magdala por causa de seus muitos demônios. Os judeus da Galiléia definiam-se, em contraposição aos gentios ao redor deles, por sua devoção a rigorosas leis de pureza ordenadas pela Torá, a Lei de Moisés que foi escrita em hebraico e transmitida sob a forma oral à língua aramaica. O que eles comiam, com quem podiam fazer suas refeições e relacionar-se, como cultivavam a terra, quem podiam tocar ou não, as pessoas que podiam desposar, o tipo de sexo que praticavam e quando o praticavam – tudo isso e mais era determinado pela Torá. A pureza dos galileus era sua identidade, mais preciosa e deleitável em suas mentes do que a prosperidade sob os romanos ou mesmo a sobrevivência. Eles recorriam à resistência violenta esporadicamente, durante o século I, a fim de expungir a impureza que os romanos haviam levado para a terra deles, mesmo quando essa resistência se revelava suicida.

"Espíritos imundos", como Jesus e seus seguidores com freqüência chamavam os demônios, habitavam em Maria. Esses demônios eram considerados contagiosos, mudando de uma pessoa para outra e de um lugar para outro, transmitidos por pessoas como Maria, que se sabia estarem possuídas. No mundo helênico, um contágio invisível desse tipo era chamado de *daimon*, a origem da palavra *demônio*. Um *daimon*, porém, não era necessariamente prejudicial nas fontes do pensamento greco-romano. *Daimonia* flutuavam no espaço entre o mundo terrestre e o reino dos deuses. Quando perguntaram a Sócrates como sabia de que forma agir ao enfrentar um dilema ético, ele disse que ouvia seu *daimonion ti*, um "pequeno *daimon*" sem nome que o guiava. [...]

No entanto, Maria arranjara seus *daimonia*, que a tornaram impura dentro da sociedade da Galiléia judaica. Ela provavelmente estava sozinha quando chegou a Cafarnaum [...] [porque] as mulheres solteiras que haviam passado da idade de serem virgens tinham um *status* liminar, não controlado, tão problemático para as famílias que não haviam achado casamento para elas quanto para as próprias mulheres. [...]

Será que Maria havia começado a se prostituir antes de conhecer Jesus? Será que havia sido estuprada ou explorada durante a viagem de Magdala a Cafarnaum? Essas perguntas são pertinentes, apesar de nenhum texto ou de nenhuma inferência razoável a partir de um texto responder a elas. Afirmar ou negar essas possibilidades nos conduz além dos indícios de que dispomos. Mas podemos dizer que no tempo e lugar de Maria Madalena - como no nosso próprio tempo e lugar - as prováveis vítimas do pecado eram muitas vezes retratadas como sendo elas próprias pecadoras. [...]

Maria Madalena dirigiu-se ao rabino certo quando procurou Jesus. Ele se deleitava com a sua reputação de conviver com mulheres supostamente licenciosas (a palavra *licenciosa* sendo aplicável a qualquer mulher que não ostentasse o nome do pai ou do marido, ou algum outro indício de proteção masculina). Havia muitas mulheres solteiras entre os discípulos de Jesus; quando as pessoas o chamavam de "amigo de publicanos e pecadores" (Mateus 11:19), não se tratava de um elogio, e os críticos de Jesus incluíam essas discípulas entre os "pecadores". [...]

A duradoura reputação de Maria Madalena como promíscua na lenda medieval e em muitos romances modernos baseia-se no erro de presumir que mulheres com demônios fossem necessariamente promíscuas. O exorcismo no mundo antigo não estava apenas relacionado com sexo, embora os estudiosos às vezes suponham que descrever uma pessoa como possuída a difamava, mesmo após a cura. Mas não era esse o caso: os pensadores antigos sabiam distinguir uma pessoa de seus padecimentos de uma maneira que seus homólogos modernos poderiam aprender. [...]

As pessoas adoravam ouvir o ponto de vista de Jesus sobre uma nova era, sobre uma completa transformação do mundo conforme o conheciam. Elas se sentiam transformadas pelas muitas parábolas que ele inventava para conduzi-las ao mundo no qual a justiça e a misericórdia divinas reinariam supremas e transformariam toda a Humanidade. Em seus exorcismos e curas, Jesus punha em ação a sua visão do Reino transformador.

Maria participava dessas reuniões e das refeições festivas em casas em Cafarnaum e em suas proximidades, onde Jesus discorria sobre o *malkhuta*, o extraordinário segredo de Deus. O rabino Jesus deve ter sido particularmente loquaz enquanto bebia vinho e comia carne de cordeiro ou de cabrito e verduras frescas, fornecidos por anfitriões obsequiosos, e descrevia visões de como Deus mudaria tudo em algum dia próximo e os israelitas que estavam comendo juntos participariam de um banquete com Abraão, Isaac e Jacó, ressuscitados dos mortos. Se você soubesse que o Reino estava pertinho, comemoraria a sua chegada recostado num catre coberto de palha (ou num sofá de verdade, se o seu anfitrião fosse rico), mesmo enquanto César governasse.

É fácil imaginar como Maria, uma forasteira que havia sido marginalizada e condenada ao ostracismo, sem um lugar na rede social da Galiléia, deve ter reagido a essas parábolas de vindicação e da derrota dos opressores de Israel. Ela talvez tenha sido obrigada a abrir caminho à força entre as multidões para ver Jesus, porém, assim que atraiu a atenção dele, ele cuidou dela, conforme o Evangelho de Lucas deixa claro. Não sabemos como deve ter sido esse primeiro encontro, mas ele se mostrou auspicioso, tanto para o rabino quanto para a mulher possuída trajando farrapos, muito só, que estava destinada a se tornar um de seus discípulos mais importantes.

O fato de Maria ostentar o nome "Madalena" entre os seguidores de Jesus corrobora a impressão de que ela passou a fazer parte de seu círculo íntimo em Cafarnaum. Ele dava tais nomes a seus discípulos mais próximos, após ter convivido com eles por um longo período. [...] A designação "Madalena" distingue Maria das outras Marias que estavam associadas a Jesus. Várias mulheres chamadas Miriam, o nome semítico aportuguesado como Maria, eram próximas de Jesus, incluindo sua mãe e a mãe dos discípulos Tiago e José (Marcos 15:40). A irmã de Moisés chamava-se Miriam, e os judeus, na Galiléia e em outros lugares, orgulhosamente adotaram esse nome para suas próprias filhas. Porém, apenas uma das Mirians no grupo de Jesus foi identificada como procedente de uma cidade chamada Magdala no aramaico lá falado.

Magdala era importante tanto em termos práticos quanto simbólicos para Jesus e seus discípulos. O nome origina-se do termo *migdal*, uma pequena torre de pedra para conservar peixes. [...] A espadilha da Galiléia era um dos alimentos prediletos de Jesus, e também de muitos de seus compatriotas. Peixe seco também era popular entre seus seguidores muito depois da sua morte e longe da Galiléia, porque judeus e não judeus no movimento de Jesus podiam comer peixe juntos sem suscitar a questão de se ele era *kosher*, sempre um problema nas situações em que se consumia carne. Na verdade, o peixe transformou-se num símbolo para os cristãos durante o século II: as letras da palavra *peixe* em grego eram um acrônimo de "Jesus Cristo, Filho de Deus, Salvador", e representavam Cristo.

Peixe significava dinheiro, comércio e prosperidade para os judeus de Magdala. Seu peixe seco e salgado era vendido no interior da Galiléia e do outro lado do mar, na Decápolis, região gentia autônoma. [...] O mais importante, contudo, é que Magdala abastecia Tiberíades, uma cidade grande [e próxima] que [...] se revelou crucial para a identidade de Madalena durante toda a sua vida. [...]

A cidade foi construída no estilo romano, com aquedutos, templos, banhos, anfiteatros e um estádio. Judeus devotos reagiam de maneira negativa, para dizer o mínimo, a esse monumento aos valores romanos erguido no meio deles. Templos para ídolos como Marte, Apolo e Diana já eram bastante ruins. Estátuas de Vênus nos banhos faziam deles locais de encontro de amantes e aspirantes a amantes de todos os tipos e gostos, um exemplo flagrante exatamente do tipo de comportamento que a Torá abominava. [...] Josefo, historiador judeu do século I, diz que os judeus que se mudavam para a cidade eram a escória da Galiléia, lixo que as ondas lançavam na praia [...] [e] do ponto de vista da prática padrão do judaísmo, esses residentes transformaram-se nos veículos da impureza [...] em toda a região da Galiléia.

A proximidade entre Tiberíades e Magdala e o domínio econômico da primeira sobre esta submeteram a cidade de Maria às forças da impureza. Tiberíades produzia contágio, e esse contágio era o que Maria trazia no corpo. Além de sua óbvia associação com peixe, *isto* era o que o cognome "Madalena" significava para os contemporâneos de Maria.

"Madalena", o apelido de Maria, também ressoa com um nome aplicado a Jesus, ligando os dois nos textos fundamentais dos Evangelhos com um eco verbal. Jesus, "o Nazareno" (*Nazarenos* em grego), é o equivalente gramatical de "Madalena" (que também representa o uso grego), permitindo uma mudança de gênero. [...] A pronúncia inglesa[1] oculta uma rima que teria atraído a atenção de qualquer falante do grego ou do aramaico que ouvisse esses nomes serem pronunciados em voz alta: os textos reverberam com uma relação implícita entre Jesus e Maria.

Chamar Jesus de "o Nazareno", naturalmente, evoca Nazaré como sua aldeia natal, assim como a designação "Madalena" evoca Magdala, no mar da Galiléia. O eco verbal entre os nomes reflete a proximidade geográfica entre as duas aldeias e os contatos de uma com a outra. [...] O uso de "Nazareno" também ressoa com o emprego tradicional da palavra "nazarita" (*Nazir* em hebraico), que quer dizer "consagrado". O nome Nazareno, unido à designação "o santo de Deus", evoca a consagração de Jesus e reforça a sua ameaça espiritual ao mundo dos demônios no dramático exorcismo no início do Evangelho de Marcos (1:23-27).

[1] *Næ"zarinn'* e *mæg'dalinn'.* (N. dos T.)

> Na ocasião, achava-se na sinagoga deles um homem possuído de um espírito imundo, que gritou: "Que queres de nós, Jesus Nazareno? Vieste para nos destruir? Sei quem és: o Santo de Deus!" Mas Jesus o repreendeu severamente, dizendo: "Cala-te e sai dele!" O espírito imundo agitou-o violentamente e, dando um grande grito, deixou-o. E todos então se admiraram [...].

O epíteto "Nazareno", repetido no Evangelho de Marcos e ecoado no nome "Madalena", é um lembrete constante da perturbadora santidade que desafia todo o reino dos espíritos imundos e, ao mesmo tempo, revela a identidade de Jesus.

Assim como os contemporâneos de Jesus "se admiram" quando os demônios em Cafarnaum estremecem na presença de sua pureza, Madalena e suas companheiras ficam "completamente admiradas" pela visão de um rapaz que lhes diz que Jesus, "o Nazareno", ressuscitou dos mortos (Marcos 16:1-8). Aqui, também, a revelação deixa perplexas aquelas que a recebem, e a perturbação repercute por intermédio dos nomes Nazareno e Madalena.

Na opinião de Jesus, Maria era a Madalena, a mulher que havia personificado a impureza a que Herodes havia submetido Madgala. Para Maria, Jesus era o Nazareno, a força da pureza rural da Galiléia que conseguiu derrotar os demônios dela. Juntos, esses nomes invocam o modo como Jesus e Maria se tornaram unidos, o vínculo duradouro entre eles e o pensamento perturbador de que a força do sagrado não pode ser contida pelas convenções comuns deste mundo.

O Evangelho de Maria*

Por Karen L. King

"Poucas pessoas hoje em dia estão familiarizadas com o Evangelho de Maria", diz Karen King. "No entanto, essas páginas insuficientes fornecem um intrigante vislumbre de um tipo de cristianismo perdido por

* Extraído de *The Gospel of Mary of Magdala: Jesus and the First Woman Apostle*. Copyright © by Polebridge Press, Santa Rosa, Califórnia, 2003. Usado com permissão.

quase 1.500 anos." King, professora da Cadeira Winn de História Eclesiástica na Escola de Teologia da Universidade de Harvard e um dos mais importantes eruditos do mundo especializados no cristianismo primitivo, é autora do seminal *The Gospel of Mary of Magdala: Jesus and the First Woman Apostle*, publicado em 2003.

Uma única e fragmentária cópia do Evangelho de Maria em tradução para o copta foi descoberta em 1896 – cinqüenta anos antes da famosa descoberta de Nag Hammadi, que deu aos estudiosos todo um tesouro de novos Evangelhos alternativos para estudar (Figura 1). Desde então, vieram à luz dois outros fragmentos em grego, mas ainda assim isso equivale a apenas metade do texto completo. As oito páginas existentes oferecem um ponto de vista radicalmente diferente do cristianismo primitivo – tão radical que não é de surpreender que o cristianismo "ortodoxo" o tenha rotulado como heresia e tentado marginalizar seus adeptos.

Especificamente, afirma King, essa "narrativa surpreendentemente curta" apresenta o argumento de que Jesus ensinava que o caminho para a vida eterna não estava no sofrimento e na morte – conforme apresentado nos Evangelhos canônicos –, e sim no caminho do conhecimento espiritual interior. Mais radical ainda é sua revelação sobre o papel de Maria Madalena e outras mulheres no cristianismo primitivo. King afirma que o Evangelho de Maria "expõe a concepção errônea de que Maria de Magdala era prostituta pelo que ele é: um texto de ficção teológica, apresenta o argumento mais franco e convincente em qualquer escrito cristão primitivo em favor da legitimidade da liderança das mulheres, oferece uma crítica contundente ao poder ilegítimo e uma visão utópica da perfeição espiritual, contesta nossas concepções bastante românticas sobre a harmonia e a unanimidade dos primeiros cristãos e nos exorta a repensar a base da autoridade da Igreja. Tudo em nome de uma mulher".

Apresentamos aqui um resumo das descobertas de King, mostrando ao leitor por que a velha história dominante das origens cristãs – a de que Jesus transmitiu um ensinamento "verdadeiramente" singular ao seu "clube" de discípulos do sexo masculino – está dando lugar a um conjunto de novas interpretações da mensagem cristã original, ao mesmo tempo com um significado mais rico, mais de acordo com o que sabemos agora sobre o movimento cristão primitivo (isto é, a provável diversidade de crenças), e decerto mais ressonante com a experiência moderna.

Quando Jesus morreu, ele não deixou atrás de si uma Igreja estabelecida, com uma clara estrutura organizacional. A liderança patriarcal e hierárquica da Igreja desenvolveu-se de forma muito lenta, com o passar do tempo, e a partir de uma variedade de possibilidades. Os cristãos primitivos experimentaram vários sistemas formais, de organizações carismáticas relativamente desestruturadas a ordens hierárquicas mais fixas. Em algumas congregações, a liderança era dividida entre homens e mulheres, de acordo com a ação do Espírito na inspiração dos dons de profecia, ensinamento, cura, dispensações e serviço. Outras eram chefiadas por anciãos, bispos, diáconos e viúvas. Algumas tinham cargos formais; outras atribuíam os deveres segundo a capacidade e a inclinação num discipulado de iguais. Em muitas, mulheres e escravos eram líderes importantes; outras resistiam a essa inversão da ordem social dominante e esforçavam-se para excluí-los. O Evangelho de Maria foi escrito numa época em que ainda não estava claro que direção a organização da Igreja tomaria.

Pelo menos a partir da época de Paulo, as igrejas cristãs haviam enfatizado a presença do Espírito no seio das igrejas e a manifestação de dons espirituais entre todos os fiéis. Elas supunham que Jesus pretendia dar origem a um movimento que difundiria sua doutrina a todas as nações. O próprio legado espiritual do Evangelho de Maria remonta à tradição cristã primitiva de que Jesus havia incumbido seus discípulos de pregar o Evangelho. Os diálogos entre os discípulos estão ordenados a fim de explorar o significado do conselho de Jesus para pregarem o Evangelho. Qual é o conteúdo desse Evangelho? Quem o entendeu e quem tem autoridade para pregá-lo? O que garante que o verdadeiro caminho para a salvação é ser ensinado? O Evangelho de Maria assume posições muito claras sobre cada uma dessas questões, mas a controvérsia que irrompe entre os discípulos também mostra que o autor do Evangelho de Maria estava plenamente cônscio de que nem todos os cristãos concordavam com suas opiniões.

Cada vez mais, o curso dos acontecimentos mudava tendo em vista favorecer a autoridade patriarcal, hierárquica. Era a forma predominante pela qual o poder era exercido no mundo romano, e ela conferia ao mesmo tempo mais estabilidade e mais respeitabilidade do que grupos carismaticamente organizados, os quais, ao que tudo indica, sensibilidades romanas inflexíveis achavam radicais e ilegais. No início do século IV, quando o imperador romano Constantino legalizou o cristianismo ao publicar uma lei de tolerância, ele reconheceu um grupo de bispos do sexo masculino como os líderes oficiais da Igreja e, ao fazê-lo, sancionou uma estrutura de poder que governaria o cristianismo pelos séculos seguintes. Constantino, porém, apenas deu ordem sistemática e aprovação imperial ao que em grande parte já estava no devido lugar. Pois, por volta do século II, os bispos haviam começado a basear sua reivindicação de serem os legítimos líderes da Igreja na sucessão apostólica, afirmando que sua autoridade remontava, por meio de uma linha direta, aos seguidores imediatos de Jesus do sexo masculino, que foram chamados de "os grandes fundadores apostólicos do cristianismo". Essa sucessão de testemunhas do passado, dizia-se, assegurava a verdade da doutrina da Igreja e garantia a salvação dos crentes.

O Evangelho de Maria contesta inteiramente a validade de tais reivindicações e, em vez disso, oferece uma visão da comunidade cristã na qual a autoridade está baseada não exclusiva ou essencialmente em uma sucessão de testemunhas do passado, mas na compreensão e apropriação do Evangelho. A autoridade é investida não em uma hierarquia masculina, e sim em uma liderança de homens e mulheres que alcançaram força de caráter e maturidade espiritual. Dá-se um lugar de destaque ao discurso e visões proféticos como a manifestação do entendimento espiritual e a fonte de um ensinamento sólido. A comunidade cristã constituía uma nova Humanidade, à imagem do verdadeiro Ser Humano em seu seio, na qual as distinções superficiais da carne eram destituídas de qualquer importância espiritual. Mulheres e homens podiam assumir papéis de liderança com base no seu desenvolvimento espiritual. O Evangelho de Maria rejeita qualquer concepção de Deus como governante e juiz divino e, portanto, não reconhece tais papéis como adequados à liderança cristã. O verdadeiro modelo de liderança é o Salvador, o mestre e mediador da sabedoria divina e da salvação que adverte seus discípulos contra a instituição de leis e regras fixas que virão a escravizá-los.

De acordo com a história dominante das origens cristãs, Jesus transmitiu os verdadeiros ensinamentos a seus discípulos do sexo masculino durante a sua vida.

Como testemunhas da Ressurreição, eles foram incumbidos de sair e propagar esses ensinamentos aos confins da Terra; e só mais tarde esses ensinamentos apostólicos verdadeiros foram corrompidos por Satanás, que semeou as ervas daninhas da heresia nos campos apostólicos. Todavia, de acordo com o Evangelho de Maria, as ervas daninhas foram semeadas pelos próprios apóstolos. Homens como Pedro e André compreenderam mal os ensinamentos do Salvador e semearam a discórdia no seio da comunidade. Segundo a história dominante, a doutrina completa do cristianismo foi estabelecida por Jesus e transmitida às doutrinas da Igreja. Ao contrário, o Evangelho de Maria afirma que a história do Evangelho está inacabada. A doutrina e prática cristãs não são dogmas fixos que alguém pode apenas aceitar ou rejeitar; antes, exige-se que os cristãos entrem na história e trabalhem juntos a fim de moldar o significado do Evangelho em seu próprio tempo. Porque as paixões humanas e o amor às coisas mundanas inclinam as pessoas ao erro, o discernimento da verdade requer esforço, e insiste em que as comunidades de fé assumam a responsabilidade pela forma como se apropriam da tradição num mundo governado com muita freqüência pelas forças da injustiça e da dominação.

Há centenas de anos a história dominante molda a imaginação das pessoas sobre os primeiros séculos do cristianismo; ela forneceu um mito das origens que considera a Igreja primitiva um lugar em que o cristianismo verdadeiro, uniforme e puro triunfou. Essa história atiçou repetidamente os reformadores, que se valeram dela para legitimar mudanças no cristianismo à medida que ele se defrontava com condições e ambientes culturais muito diferentes ao redor do mundo. Contudo, os historiadores passaram a entender cada vez mais a descrição do Evangelho de Maria – apesar de suas elaborações imaginárias – como mais historicamente acurada, em vários aspectos, do que a da história dominante. Os textos cristãos mais antigos de que dispomos não descrevem uma Igreja harmoniosa e unificada, de perfeição espiritual, mas comunidades lidando com as questões de conflito e diferença. O Evangelho de Maria também deixa bastante claro que o apelo a tipos específicos de autoridade apostólica é uma atitude teológica, e não um julgamento histórico. É improvável que 12 discípulos do sexo masculino, cada um com a mesma compreensão dos ensinamentos de Jesus, saíssem e iniciassem os movimentos que acabariam se transformando na religião cristã. Sabemos demais sobre as atividades influentes de outras figuras – entre as quais se incluem sobretudo Paulo, Tiago, irmão de Jesus, e Maria Madalena – para pensar isso. Os textos antigos oriundos do Egito mostram que os cristãos primitivos não estavam de comum acordo – nem mesmo a respeito de uma questão tão crucial quanto a de se a cruz e a ressurreição física de Jesus foram importantes ou não para a salvação. O Evangelho de Maria e outras obras afirmam com veemência que a apropriação dos ensinamentos de Jesus indica o caminho do verdadeiro discipulado e da salvação.

A importância histórica do Evangelho de Maria reside no fato de nos permitir ver os contornos de alguns debates cruciais sobre a autoridade da tradição apostólica, a experiência profética e a liderança das mulheres. Estamos em melhor posição para julgar o que estava em perigo no curso que o cristianismo seguiu ao enveredar por uma das trilhas pouco percorridas.

A tradição dos Evangelhos alternativos

Entrevista com Marvin Meyer

A descoberta dos manuscritos de Nag Hammadi, em 1945, foi uma das mais importantes na história da religião. Desenterrados por um camponês egípcio, esses livros fragmentários, encadernados em couro, foram encontrados num grande vaso que aparentemente havia sido armazenado no deserto desde cerca do ano 400 da era cristã. Em conjunto, esses documentos vieram a ser conhecidos como Evangelhos gnósticos, termo que alude ao conhecimento interior especial buscado por uma série de movimentos religiosos cuja filosofia exerceu influência sobre o judaísmo, as religiões greco-romanas e o que agora passamos a conhecer como diferentes variedades do cristianismo. Considerados juntos, esses documentos, também conhecidos como biblioteca de Nag Hammadi, forneceram uma nova e fascinante perspectiva de Jesus, bem como de Maria Madalena e muitos dos outros primeiros seguidores dele e das idéias filosóficas que eram debatidas no mundo antigo.

Desde a descoberta, os estudiosos têm investigado as muitas formas pelas quais esses Evangelhos alternativos diferem dos Evangelhos do Novo Testamento, assim como os métodos pelos quais algumas forças no movimento cristão primitivo os suprimiram como heresia. Tais diferenças incluem a forma como Maria Madalena é retratada em vários deles e a ênfase na salvação que vinha do conhecimento interior em oposição à adoração de Deus por intermédio de seu filho Jesus no Novo Testamento. Além disso, nesses Evangelhos alternativos, Jesus não ressuscita dos mortos, nem morre por causa dos pecados das pessoas. São apresentados pontos de vista amplamente divergentes sobre pecado, verdade, princípios morais, autoconhecimento e outros assuntos.

Contudo, como o estudioso Marvin Meyer explica na entrevista que se segue, a noção popular de que essas escolas de pensamento seguiam caminhos completamente separados e opostos – um a narrativa dominante, o outro a heresia – é simplista. Meyer, professor de Estudos Bíblicos e Cristãos na Universidade Chapman, menciona algumas semelhanças fundamentais entre os relatos dos Evangelhos gnósticos e os dos Evangelhos tradicionais. Segundo ele, ambos são monoteístas e apóiam a noção de que o ser humano foi criado à imagem e semelhança de Deus, e ambos vêem Jesus como a figura que revela Deus à Humanidade. Isso leva Meyer, junto com outros estudiosos, a advertir contra colocar num molde os Evangelhos canônicos ou esses Evangelhos alternativos. Meyer afirma que eles apresentam uma ampla diversidade de pontos de vista sobre um assunto comum. "Isso nos permite ver o movimento cristão como definido por uma ampla variedade de pessoas e diferentes grupos, todos em sua própria busca do que significa seguir Jesus."

Não obstante, uma importante diferença entre os Evangelhos ortodoxos e esses textos não canônicos está na forma como eles retratam o papel de Maria Madalena, conforme vimos no artigo anterior, de Karen King. Embora em geral se possa dizer que esses Evangelhos alternativos tratam homens e mulheres com mais igualdade do que a visão dos Evangelhos tradicionais, o Evangelho de Tomé parece ser uma das principais exceções. Nele, ao falar sobre Maria, Jesus diz: "as mulheres não são dignas da vida" e "eu mesmo vou liderá-la a fim de fazer dela um homem". Meyer passa algum tempo desta entrevista explicando esse enigmático trecho. Em seguida, conclui citando algumas de suas passagens prediletas sobre Maria Madalena nos Evangelhos gnósticos em geral.

Meyer é autor de *The Gnostic Discoveries*, *The Gnostic Gospels of Jesus*, *The Unknown Sayings of Jesus* e *The Gospels of Mary*. Seu livro *O Evangelho de Tomé: as sentenças ocultas de Jesus* foi incluído na lista dos cem melhores livros espirituais do século XX. Mais recentemente, o dr. Meyer organizou e traduziu o mais importante documento semelhante aos Evangelhos alternativos que veio à luz desde as descobertas de Nag Hammadi: *The Gospel of Judas*.

A descoberta dos chamados Evangelhos gnósticos, em 1945, e os subseqüentes estudos detalhados deles levaram os estudiosos e os teólogos a reconstruir a plataforma do cristianismo primitivo. Faz quase parte do nosso DNA religioso o fato de o cristianismo primitivo ter evoluído numa progressão direta: Jesus propagou a mensagem, Pedro erigiu a Igreja, o Concílio de Nicéia consolidou a doutrina, e ponto final. Agora, subitamente, estamos nos dando conta de que existe uma profusão de cristianismos e de que vários movimentos competem pela ortodoxia doutrinária. Como o senhor avalia tudo isso?

A minha forma de reconstruir a história da Igreja começa com este princípio: no início, havia diversidade. Ora, isso não quer dizer que as pessoas brigavam como cães e gatos o tempo todo, e sim que havia maneiras diferentes de entender o que as Boas-novas de Jesus realmente acarretavam e o que significava seguir Jesus. Algumas dessas diferenças transformaram-se em polêmicas, nem sempre de natureza afável e gentil.

Existe um grau desse tipo de argumentação nos relatos de Maria quando ela e Pedro trocam palavras ásperas. O "grupo de Pedro" e o "grupo de Maria" simplesmente não estão passando juntos por tudo isso em harmonia, e, por fim, a história de Pedro é que leva a melhor. *TV ES PETRVS ET SVPER HANC PETRAM ÆDIFICABO ECCLESIAM MEAM*, lê-se na basílica de São Pedro, no Vaticano. "Tu és Pedro, e sobre esta pedra edificarei a minha Igreja."

Essa é a visão linear da história da Igreja. E a história é péssima. Dá a entender que existe apenas uma forma de pensar sobre como Deus opera, quando, no começo, há diversidade, e a diversidade, do ponto de vista moral, não é especificamente boa ou má, ortodoxa ou herética. Não existe ortodoxia ou heresia *per se*. Existem condições políticas. E quem fala mais alto, quem tem os votos, quem finalmente leva a melhor consegue chamar a si mesmo de ortodoxo. Os hereges são aqueles que simplesmente não têm os grupos seletos. São rotulados como ateus e como homens e mulheres maus, provavelmente motivados pelo demônio, pessoas estranhas, e não parte legítima do movimento – em conchavo com seu pai, o demônio.

O que nos leva diretamente ao movimento gnóstico.

Sim. Por volta do século II, a diversidade cada vez maior gera pensadores que buscam a *gnose* (conhecimento interior), a qual evolui para o que hoje chamamos de religião gnóstica. Muitas pessoas na época começam a se sentir atraídas pelo conceito de conhecimento interior em vez de se sentirem atraídas pelo que nesse período veio a ser a noção predominante de que a salvação reside no culto de alguma coisa fora de si mesmo.

Esse conceito de que a verdade está dentro de nós parece ser um modo de pensar com o qual os homens e as mulheres da atualidade podem identificar-se. Portanto, por que ele não prevaleceu?

O problema com os gnósticos é que eles nunca atuaram juntos para se tornarem organizados e políticos. Enquanto os gnósticos meditavam e procuravam o Deus dentro de si, os seguidores da conduta de Pedro tinham os pés no chão. Eles cortavam a grama e pintavam suas igrejas; além disso, reuniram um cânone e associaram-se estreitamente a Constantino.

O que torna a conduta gnóstica tão diferente da conduta do Novo Testamento?

Existem três diferenças fundamentais, conforme refletidas no Novo Testamento e nos Evangelhos "alternativos".

A primeira é a Ressurreição. Todo o cristianismo moderno está baseado nesse conceito do Novo Testamento. Todavia, o Evangelho de Maria, o Evangelho de Filipe e os outros sobre os quais sabemos agora, e que chamamos de Evangelhos gnósticos ou de Evangelhos místicos, não registram uma crucificação, a expiação pelo sangue e uma ressurreição, pelo menos em sentido literal.

Porém, se você acredita que a lição mais valiosa da história da Ressurreição é a emergência de vida e luz como triunfos na experiência humana, você encontra muito disso nesses Evangelhos – incluindo o Evangelho de Judas, descoberto há pouco tempo. Na verdade, o Evangelho de Judas é um bom exemplo do meu ponto de vista. Há uma quantidade imensa de vida e luz no fim do texto, mas isso não é entendido dessa forma com um túmulo vazio e com anjos ou um rapaz no túmulo, ou seja o que for. Isso é entendido como a pessoa em espírito que passa a manifestar-se, como a pessoa interior que afinal recobra os sentidos e se revela quando se atinge o conhecimento. Portanto, trata-se de fato de uma visão muito diferente, mas, de modo geral, ela não é estranha quando resulta nesse tipo de conclusão acerca da história cristã contada de várias formas em Evangelhos diferentes.

A segunda, uma diferença com a qual nos familiarizamos muito em conseqüência do fenômeno de *O código Da Vinci* – bem como da popularização dos estudos eruditos feministas baseados nesses Evangelhos alternativos –, é a maneira de discorrer sobre Maria Madalena. A meu ver, a história de Maria Madalena no Novo Testamento é uma história reduzida a um enredo secundário. Isso não quer dizer que ela seja insignificante. Na verdade, de todas as mulheres mencionadas, talvez com exceção de Maria, mãe de Jesus, ela é mais importante do que a maioria, e costuma vir em primeiro lugar em qualquer relação de mulheres. Ela é a única mencionada pelo nome que foi purificada de demônios e cujos recursos ajudavam a apoiar o movimento. E, é claro, ela é crucial para a história da Ressurreição. Ainda assim, a história de Maria Madalena é uma história secundária.

É óbvio que nesses outros Evangelhos vemos uma Maria Madalena muito mais independente e cuja história de modo algum é secundária. Na verdade, em alguns casos, ela é a parte mais importante da história do discipulado. Ela não está afastada lá, em algum lugar nas sombras. Em vez disso, pode-se constatar que Maria tem um papel muito dinâmico, e ela também é a pessoa estimada por Jesus e que realmente o entende.

Portanto, do ponto de vista do narrador da história, a diferença é entre um enredo secundário, num caso, e o enredo central da história principal, da qual ela é a protagonista.

E a terceira diferença?

A terceira diferença é o papel do pecado. Eu creio que entre os gnósticos o pecado não era o problema humano básico. A ignorância é o problema humano essencial. Se nós simplesmente obtivermos conhecimento, se conseguirmos erradicar as trevas, a ignorância e a nossa falta de *insight*, faremos a coisa certa. Nós perceberemos o que estamos fazendo. A fé na expiação ou a fé em que Jesus morreu pelos nossos pecados não é a resposta; ao contrário, quando você obtém conhecimento e se dá conta de que é um cristão, Jesus pode ajudá-lo a despertar e dizer-lhe coisas que o conduzirão a um conhecimento de quem Jesus é e de quem você é. E então você descobrirá a sua percepção daquela centelha do divino, daquela luz de Deus, daquele espírito de Deus dentro de você, e você será salvo.

A solução do problema humano não é a fé, a crença em alguém ou no sacrifício de alguém para aplacar um Deus irado. Você pode começar a ver que isso não devia fazer nenhum sentido para os gnósticos, e, com toda a franqueza, mesmo hoje em dia eu penso que existem algumas questões de verdade aqui. Eu quero dizer: será que cristãos educados que acabaram de passar pela Semana Santa de fato pensam que Deus é um Deus irado, furioso? E que a única forma de escapar a essa ira é ter algum tipo de sacrifício? Que o sangue de alguém tem de ser derramado, não o sangue de um animal, e sim o de um ser humano? E não apenas o de um ser humano, mas do próprio filho de Deus?

Em outras palavras, segundo os Evangelhos gnósticos, você chama algo de pecado, mas na verdade, em meio a toda a complexidade da vida, não existe nenhuma coisa definitiva lá fora chamada pecado; mas, quando você fica confuso com as coisas e isso pode levar a ignorância e a distração, então você chama isso de pecado. Mas a verdadeira questão não reside no fato de que de algum modo esse Deus está zangado com você por causa de más ações chamadas pecados. O verdadeiro problema é começar a agir de maneira eficaz; perceber que você pertence ao lado da luz. Saiba quem você é, obtenha conhecimento, e você encontrará sua salvação nisso. Por isso o pecado não ocupa um lugar de destaque na relação dos problemas de que tratam os textos gnósticos.

E quanto ao conceito do mal? Como os gnósticos lidam com isso?

Havia muito interesse no mal dentro do movimento gnóstico. Com efeito, Santo Agostinho (354-430) e outros achavam que estavam preocupados *demais* com o mal – agindo como se o mal fosse algo real e tangível. Os gnósticos acreditavam que o Criador ou Demiurgo era um sujeito bastante desagradável, e lhe deram nomes rudes, como Yaldabaoth ("filho do caos"), Samael ("deus cego") e Sakla ("tolo"), a fim de demonstrar como ele era responsável por grande parte da ignorância, do mal e da morte neste mundo. Isso estava em contraste com a noção mais platônica (adotada por Santo Agostinho), que afirma que tudo o que existe é bom, e, na medida em que não existe, é mau – assim, o mal é precisamente a ausência última do bem. Essa posição desafiava a convicção gnóstica de que devemos estar cientes do mal ao nosso redor e dos poderes sobrenaturais que nos oprimem se quisermos nos libertar deles.

Em outras palavras, os gnósticos reagem aos platônicos dizendo: "Bem, vocês sabem que o problema aqui é que existem alguns poderes sobrenaturais realmente vigorosos ao redor – e quer vocês os chamem de entidades satânicas, quer não, eles são um bando de espíritos maus. E parte da realidade da vida é que vocês têm de aprender a encarar vários males; vocês não podem simplesmente desejar que eles se extingam de uma forma filosófica e fingir que eles não existem plenamente e participam intensamente da existência." O ponto de vista deles é que você sente o mal na sua carne como doença, ou o vê na tirania do poder. São essas as realidades da vida com as quais você tem de lidar. É por meio da meditação e do autoconhecimento que você pode afinal enfrentar a realidade do mal, transcendê-lo e aprender a viver em bem-aventurança por meio de tudo isso e apesar de tudo isso.

Então há toda a questão do papel das mulheres. Minha impressão é a de que nos Evangelhos canônicos o papel das mulheres é importante, porém circunscrito. Mas não nos textos gnósticos, nos quais as mulheres, de modo geral, parecem ter um status *mais elevado – o qual era parte do debate entre Maria Madalena e Simão Pedro.*

Nos textos gnósticos, Maria é a pessoa que sempre diz: "Esqueçam o gênero. Todos nós estamos falando em nos tornar verdadeiramente humanos. Nós não estamos falando se os homens ou as mulheres vão triunfar na batalha dos sexos." Pedro está do lado da batalha dos sexos, ao passo que Maria se eleva acima desse tipo de batalha e fala sobre o que significa ser verdadeiramente humano. Que deveríamos ser capazes de nos elevar acima dessas preocupações relativas ao gênero e ser pessoas mais parecidas com Maria. E, para mim, isso é muito libertador e bastante encantador.

Isso é tão diferente do que nós pensamos do cristianismo predominante que eu me pergunto se os gnósticos de fato deveriam ser considerados cristãos.

Sua observação é interessante. Alguns estudiosos diriam, por exemplo, que o Evangelho de Judas não é um Evangelho cristão, porque nele, como em muitos dos

Evangelhos gnósticos, Jesus não morre pelos pecados de ninguém. E não ressuscita fisicamente e deixa um túmulo vazio, e isso é muito verdadeiro. Mas, na minha opinião, isso simplesmente indica uma abordagem diferente de quem Jesus era e de qual era o seu valor.

O movimento cristão que eu vejo é definido por uma ampla variedade de pessoas e grupos diferentes, todos em sua própria busca do que significa seguir Jesus, caminhar com ele, acreditar nele, e acreditar em Deus. Portanto, de certo modo, estou situando essa diversidade no contexto de um único movimento. O Evangelho de Judas é um Evangelho cristão. O Evangelho de Maria é um Evangelho cristão. O Evangelho de Filipe é um Evangelho cristão. Tudo isso é uma parte do cristianismo – ao contrário, creio, do que ocorre na forma ortodoxa de considerar as coisas, o que indica que "essas pessoas" não podem fazer parte do círculo íntimo. Excluir esses crentes é deixá-los de fora. Então eles são "os outros".

O senhor enfatizou a diversidade do pensamento cristão primitivo, mesmo entre os vários Evangelhos gnósticos. Muitas pessoas gostam de fazer citações do Evangelho de Filipe, que diz que Jesus "amava-a mais do que a [todos] os discípulos [e] beijava-a [com freqüência] na [...]". A maioria dos estudiosos pressupõe que a última palavra seja "boca", sugerindo, portanto, algum tipo de relacionamento erótico. Há, porém, uma segunda implicação, talvez ainda mais importante. É a de que Jesus parece não fazer distinção entre a capacidade de uma mulher e a de um homem de alcançar um profundo insight *espiritual.*

Mas então há o Evangelho de Tomé. Também nele, Jesus parece endossar um equilíbrio igual, integrado, entre homens e mulheres. No enunciado 22, outra frase citada com freqüência, Jesus diz que para entrar no Reino do Céu "fazei o que está dentro igual ao que está fora, e o que está acima igual ao que está abaixo, e quando fizerdes do homem e da mulher um só, de modo que o homem não seja homem, nem a mulher seja mulher [...]". Mas o Evangelho termina com um choque. O enunciado 114 começa com a sugestão de Simão Pedro de que Maria deixe o círculo deles, "pois as mulheres não são dignas da vida". Ao que Jesus responde com o que nós, hoje, consideraríamos uma forte retórica antifeminista: "Eu mesmo vou liderá-la a fim de fazer dela um homem, de modo que ela também possa tornar-se um espírito vivo semelhante a vós, homens. Pois toda mulher que se fizer homem entrará no Reino do Céu."

O senhor estudou a fundo esse Evangelho. Pode nos dar sua interpretação do que parece ser um preconceito de Jesus contra as mulheres?

Bem, eu penso que, à medida que os anos passam, estou entendendo um pouco mais o Evangelho de Tomé e me sinto razoavelmente seguro em relação ao texto agora. Eu não sei bem como classificá-lo; não me senti nem um pouco à vontade para classificar o Evangelho de Tomé como um Evangelho gnóstico. No entanto, creio que, no fim das contas, Tomé reflete uma epistemologia que tem a ver com uma abordagem específica da sabedoria.

Eu realmente vejo o Evangelho de Tomé como um Evangelho de sabedoria, no qual Jesus usa a técnica – que também usou nos Evangelhos canônicos – em que não se define tudo, mas antes se deixam histórias inacabadas ou com uma pergunta suspensa no ar. Essa abordagem faz de Tomé um Evangelho interativo, que apresenta menos um ponto de vista direcionado do que uma teologia do diálogo, destinada a provocar reflexão e aberta a uma ampla interpretação.

Portanto, será que havia uma mensagem específica embutida no último enunciado do Evangelho de Tomé? Ou devemos pressupor que esse é um texto polêmico que reitera grande parte do que encontramos na literatura a respeito do fato de Pedro ser muito interessado em categorias sexuais e de Maria ser com freqüência a pessoa criticada? Meu palpite é que se trata da última hipótese, interpretada de formas diferentes à medida que pessoas diferentes depararam com ela. E imagino que, na verdade, foi um grupo monástico que copiou o Evangelho de Tomé, e se um monge numa cela pegasse esse Evangelho e lesse o último enunciado, talvez não tivesse uma visão mística iluminada disso, ou uma visão simbólica. Tenho certeza de que ele pensou naquela bela mulher que passa – na verdade, que o tenta e o faz ter pensamentos sexuais perniciosos. Ora, ela também pode ser salva, mas terá de abdicar de sua feminilidade e de sua sexualidade e tornar-se um homem e semelhante a Deus.

Quando você examina a questão da mudança de gênero, da mulher transformando-se em homem, existe uma vasta literatura. Em grande parte da literatura, esse tipo de mudança de gênero tende a ser simbólico e as categorias tendem a ser metafóricas. Com efeito, em boa parte da literatura, está implícito que, independentemente dos órgãos sexuais e da especificidade de gênero da pessoa no corpo, existe tanto um lado masculino quanto um lado feminino em todos os seres humanos. E é esse lado masculino que precisa ser fomentado.

Se você aderir por completo a esse modo de pensar mais simbólico e metafórico, o lado masculino tem a ver com o Céu, com o espírito e com coisas semelhantes, e o lado feminino tem a ver com a mãe terra, com o mundo criado e com todo o ciclo de vida neste mundo que, por fim, pode levar à decadência e à morte, junto com pecados, percepção sensorial e todas as coisas que fazem parte deste mundo físico. E assim, desse ponto de vista, se a mulher deve tornar-se homem, ela tem de transcender este mundo e tornar-se parte do mundo lá no alto.

Voltemos ao contraste entre os enunciados 22 e 114, nos quais se pode ver a aplicação desse conceito.

O enunciado 22 tem uma visão da androginia segundo a qual homem e mulher se transformam em um só. E então temos esse enunciado provocador no fim, tão provocador que algumas pessoas disseram: "Ele provavelmente foi acrescentado por um monge que odiava as mulheres." Mas na realidade estes são os dois lados da mesma moeda no mundo antigo. Há histórias que narram que no começo era o andrógino, e o andrógino foi dividido ao meio. No *Simpósio*, Platão tem uma visão do gênero humano que indica que podemos ter homens, mulheres e andróginos.

Por esse motivo, podemos dizer que homem e mulher um dia estiveram no paraíso, e no começo nós éramos um e agora somos dois, e voltaremos a ser um numa existência beatífica. Essa é uma maneira de considerar isso. Mas também havia outra concepção de gênero, que era a abordagem do sexo único. Essa concepção indica que só existe mesmo um sexo, e que este é o sexo masculino. Esse é o sexo completo, e se os órgãos sexuais forem simplesmente removidos, se o pênis for extirpado de um homem, teremos uma mulher. Ou, se tivermos uma mulher que se completa ou é completada pelos deuses e deusas, ela poderá desenvolver um pênis, órgãos sexuais masculinos.

Em alguns textos mitológicos, as mulheres tentam escapar a certas limitações do casamento ou às limitações de serem mulheres, por isso rezam aos deuses para serem transformadas em homens, e de repente sentem uma pressão no abdome, do qual se projetam órgãos sexuais masculinos. Elas estimulam o crescimento de um falo em si mesmas. Nesse modo de considerar o problema, elas podem ser chamadas de andróginas porque são mulheres que desenvolveram um pênis. E assim se tornaram completas. Elas atingiram a inteireza do sexo único.

O que eu creio que se passa no Evangelho de Tomé é que nesses dois enunciados, o 22 e o 114, se existe qualquer visão particular de gênero, bem pode ser que ambos estejam falando sobre a androginia, mas eles estão falando sobre essas diferentes imagens da androginia. A imagem mais atraente nos dias de hoje é a de que a unidade é obtida em algum tipo de união. O outro ponto de vista é rejeitado hoje de maneira muito categórica como sendo bastante inadequado como imagem: o de que a mulher pode transformar-se em homem.

Mas eu penso que no Evangelho de Tomé o enunciado 114 é tratado de uma forma mais simbólica ou metafórica, se examinarmos os outros textos, que constituem literatura gnosticizante ou mística. A tendência dessa literatura não é jogar esses jogos com falos que se desenvolvem, e sim falar de maneira mais simbólica e metafórica sobre a vida neste mundo como sendo feminina e a vida no mundo lá no alto, ou a vida com Deus, ou a vida do espírito, como sendo mais masculina.

Ora, afirmar isso não quer dizer que uma ou outra seja muito aprazível, e eu ainda penso que nós sentimos como se tivéssemos um grão preso nos dentes quando examinamos o enunciado 114. Ele ainda nos irrita, e talvez deva nos irritar. Esse simbolismo sexual, conforme o encontramos no enunciado 114, pode adequar-se ao mundo antigo, mas parece bastante deslocado no nosso mundo.

Que partes dos Evangelhos gnósticos contribuíram para a sua compreensão pessoal de Maria Madalena? E existem historietas que exerçam uma atração particular sobre a sua personalidade?

Creio que a minha passagem predileta provavelmente vem do Evangelho de Maria quando, após a Crucificação, os discípulos estão uns ao lado dos outros. Maria os acalma, dizendo: "Não choreis nem vos lamenteis, nem fiqueis em dúvida, pois a graça dele estará convosco e vos protegerá. Em vez disto, louvemos sua grandeza, pois ele nos preparou e nos fez verdadeiramente humanos." Essa é outra maneira muito poderosa de pensar sobre o que o Evangelho de fato significa. Nesse modo de entender as Boas-novas de Jesus, segui-lo é perceber nosso verdadeiro lugar como seres humanos e descobrir que a experiência mais profunda de salvação ocorre quando atingimos a verdadeira Humanidade. Essa é uma mensagem humanista maravilhosa.

Outra passagem predileta é da *Pistis Sophia*. Jesus está instruindo os discípulos, entre eles Maria Madalena, e conclui dizendo: "Quem tiver ouvidos para ouvir, que ouça." Então vem uma imagem vívida: "Ora, aconteceu que, ao ouvir essas palavras enquanto o Salvador falava, ela olhou fixamente para o ar por uma hora e disse: 'Mestre, ordena-me a falar abertamente.'" O compassivo Jesus responde: "Abençoada Maria, tu, a quem eu farei completa com todos os mistérios do alto, podes falar abertamente, pois és alguém cujo coração está voltado para o Reino do Céu mais do que os de todos os teus irmãos." Não se poderia pedir melhor endosso da força espiritual dela do que isso.

O senhor está preocupado com o fato de que esse tipo de visão espiritual esteja sendo perdido em meio a todo o blablablá? De que todas as controvérsias – se Maria e Jesus tiveram relações sexuais ou não, se ela foi parar na França e deu origem a uma linhagem, etc. – façam com que deixemos de compreender a história dela, da mesma forma que o papa Gregório ou as lendas da França medieval desviam a nossa atenção da história de Madalena?

Sim, eu sinto isso com muita intensidade. Existem evidências mistas de todas essas controvérsias e nenhum meio de resolvê-las. Os argumentos oriundos do silêncio, que com freqüência são aqueles aos quais as pessoas recorrem e gritam o mais alto possível a respeito, são notoriamente especulativos. Argumentar sobre a possibilidade de que eles eram parceiros sexuais ou casados pode ser outra forma de marginalizá-la. E nós podemos cair na mesma armadilha. Como Lucas disse que ela era histérica e Gregório, o Grande, disse que era prostituta, também poderíamos dizer: "Ah, ela era apenas a parceira sexual do cara realmente importante em torno dela." E então não perceberíamos o que os textos estão tentando enfatizar, ou seja, que ela era uma mulher brilhante, inteligente e independente, além de líder espiritual.

Os maiores exageros já contados: uma crítica das "novas" interpretações dos Evangelhos gnósticos

Entrevista com Philip Jenkins

A descoberta da biblioteca de Nag Hammadi – popularmente conhecida como Evangelhos gnósticos – causou uma revolução na nossa compreensão do cristianismo primitivo. Apresentados e popularizados por um novo grupo de estudiosas feministas e de outros eruditos, estimulados por uma mídia ansiosa para fomentar a discussão e o debate em uma era de revivescência religiosa, e projetados na imaginação popular por *O código Da Vinci*, esses textos acabaram transformando-se na nova sabedoria aceita sobre o papel de Maria Madalena entre os discípulos de Jesus.

Philip Jenkins acredita que a nova sabedoria convencional se deve menos ao que os Evangelhos de fato dizem do que à nossa inclinação para vermos o que queremos ver. Ele afirma que muitas dessas chamadas "novas" descobertas são conhecidas há cerca de pelo menos duzentos anos. Além do mais, esses Evangelhos alternativos foram escritos muito mais tarde do que os Evangelhos canônicos, deixando-os tão distantes do tempo de Jesus quanto nós nos Estados Unidos estamos da época das guerras francesas e indianas. Como não existem registros escritos da época em que Jesus viveu, pergunta Jenkins retoricamente, pode-se de fato confiar numa história oral de duzentos a trezentos anos? Ele espera que no futuro, quando novos textos bíblicos vierem à tona, eles sejam afinal "avaliados pelos seus méritos, e não unicamente pelo seu valor em batalhas culturais".

Jenkins é professor de História e Estudo Religioso na Universidade Estadual da Pensilvânia e detalhou esses pontos de vista em seu livro *Hidden Gospels: How the Search for Jesus Lost its Way.*

O subtítulo de seu livro Hidden Gospels *é provocador: "Como a busca de Jesus perdeu o rumo". O senhor pode resumir o que quer dizer com ele? E, de modo análogo, a busca de Maria Madalena "perdeu o rumo"?*

Meu título faz um trocadilho intencional com a palavra "Rumo" ["Caminho"], que é o termo que os primeiros seguidores de Jesus usaram para descrever a nova fé, mesmo antes de ela se transformar no "cristianismo". Eles eram seguidores do Caminho (em grego, *hodos*). Uma vez que saiba disso, você pode encontrar a palavra espalhada em todo o Novo Testamento, em particular nos Evangelhos e no Livro dos Atos. Eu afirmei que muitos dos estudiosos modernos apresentaram um retrato enganoso de Jesus e haviam perdido o "rumo". O Jesus que eles estavam apresentando era baseado principalmente numa interpretação específica de dois documentos reconstituídos, o Evangelho Q perdido e as camadas mais antigas do

Evangelho de Tomé. A partir dessas fontes, eles afirmaram que o "Jesus original", até onde podemos ver, era um mestre da sabedoria e que as histórias sobrenaturais em torno dele surgiram mais tarde. Meu argumento, ao contrário, é que milagres, cura e sobrenatural estavam bem no âmago do movimento mais antigo de Jesus, e que o reconstituído "Jesus de Sabedoria" estava baseado numa compreensão errônea desses primeiros textos.

Da mesma forma, acho Maria uma personagem fascinante, mas que grande parte da produção literária sobre ela perdeu o rumo no sentido de interpretá-la por intermédio de pontos de vista modernos, como uma representante de uma espiritualidade feminista, de uma era perdida da liderança das mulheres na Igreja, e assim por diante. Albert Schweitzer descreveu a busca de Jesus como o ato de olhar num poço e descrever o rosto que você vê lá embaixo como o rosto de Jesus, quando, é claro, é apenas o seu próprio reflexo. Isso é o que vem acontecendo com algumas opiniões recentes sobre Maria Madalena. Como diz o adágio, vemos as coisas não como elas são, e sim como somos.

O senhor escreveu que a expressão "a verdade do Evangelho" costuma simbolizar um padrão absoluto da verdade – mas agora, em parte em virtude da descoberta de Nag Hammadi, em parte por causa de todo o fenômeno de O código Da Vinci, *os estudiosos e o público em geral parecem ter chegado à conclusão oposta, ou seja, de que existe mais de uma verdade, de que, em vez de um cristianismo, existem muitos. E esses outros pontos de vista deveriam ter o mesmo peso, se não um peso maior.*

Um aspecto frustrante dos "novos" estudos eruditos sobre o cristianismo primitivo é que eles continuam reinventando a roda. Se você examinar os estudos eruditos bíblicos há um século ou mais, essas são exatamente as idéias que as pessoas discutiam livremente há muito tempo. Em 1934, Walther Bauer escreveu um livro devastador intitulado *Orthodoxy and Heresy in Early Christianity*,que afirmava que nos séculos II e III diferentes tipos de cristianismo eram ortodoxos em diferentes partes do mundo, e cada um deles tinha seu próprio Evangelho. Só aos poucos uma escola específica triunfou, declarou-se ortodoxa e, de maneira retroativa, anunciou que seus próprios documentos eram os "verdadeiros Evangelhos". Essas idéias não têm nada de novo.

O problema com tudo isso é que Bauer exagerou. Os Evangelhos não são criados iguais. Alguns são muito mais antigos do que outros, quer em relação à época em que foram escritos, quer em relação às suas fontes. Não resta dúvida de que os quatro Evangelhos canônicos são mais antigos, em ambos os sentidos, do que quaisquer rivais, embora alguns fragmentos dos Evangelhos provenientes do Egito possam conter os remanescentes de outros textos antigos. O motivo por que os líderes da Igreja não prestavam atenção a outros assim chamados Evangelhos é que a grande maioria desses textos estava apenas começando a ser escrita naquele estágio, e muitos não seriam escritos senão numa fase avançada do século III. A Igreja dominante não exclui os "Evangelhos ocultos" por pensar que eles são não ortodoxos, mas, antes, por saber que são produções recentes, não merecedoras de respeito como documentos históricos.

Estabelecer datas é crucial na determinação da autoridade. E é por isso que um texto como o Evangelho de Maria pode nos dizer muito sobre o início do século III, quando foi escrito, mas nada em absoluto sobre a Maria Madalena histórica, que provavelmente havia morrido duzentos anos antes.

O senhor acredita que a descoberta de Nag Hammadi enriqueceu nossa compreensão do movimento cristão primitivo, mas que estamos dando importância demais a ela. Por quê? Esses Evangelhos não nos obrigaram a reconsiderar nossa compreensão de Maria Madalena de uma forma positiva – como uma apóstola e até como um exemplo a ser seguido?

Os textos de Nag Hammadi são uma vasta fonte de informações e nos ensinam muito sobre o mundo cristão primitivo. No entanto, eles não nos dizem quase nada de novo sobre Maria Madalena, quer como figura histórica real, quer como líder do cristianismo primitivo. Já em fins do século XIX, qualquer pessoa interessada em religião – no cristianismo, na religião da Nova Era, na espiritualidade feminista – teria ido diretamente para as páginas da famosa *Pistis Sophia*, um extenso diálogo no qual as principais personagens são Jesus e Maria Madalena e no qual ela é descrita como uma importante discípula e uma grande figura espiritual. Isso nos mostra algo sobre a veneração que alguns gnósticos tinham por Maria – provavelmente no século III –, mas, como eu disse, nada em absoluto sobre a verdadeira mulher com esse nome.

E a *Pistis Sophia* é só uma fonte que tínhamos muito antes de Nag Hammadi. O próprio Evangelho de Maria não foi encontrado em Nag Hammadi, e sim redescoberto em 1896. Também temos muitos fragmentos de diálogos entre Jesus e

Maria em excertos dos Evangelhos que conhecemos desde os escritores cristãos mais antigos. Em outras palavras, a maior parte do que as pessoas reivindicam como uma nova descoberta explosiva não é nada disso.

Alguns estudiosos encontraram um público receptivo à noção de que esses "Evangelhos ocultos" revelariam ao mundo "uma possibilidade magnífica" (para usar suas palavras), se não tivessem sido declarados heresia e em seguida ocultados de propósito pela Igreja petrina. O que há de errado com esse ponto de vista?

Os eventos descritos na sua pergunta assumem uma cronologia: a de que os gnósticos estavam em atividade muito cedo, e em seguida a Igreja furtivamente ocultou a verdade acerca deles. A Igreja dos séculos II e III não esconde os Evangelhos, ela simplesmente sabe que eles são recentes e, portanto, não têm muito valor. Além disso, se a Igreja ocultou os Evangelhos gnósticos, ela realizou um trabalho malfeito, pois os primeiros padres [da Igreja] preservaram grande parte dos textos deles.

Mas, sim, eu de fato penso que o principal apelo dos "Evangelhos ocultos" é que eles permitem que as pessoas da atualidade pensem sobre os caminhos que não foram seguidos. Para citar um exemplo, tanto em 1900 como hoje, as pessoas olhavam para as grandes religiões da Ásia e sentiam um profundo pesar de o cristianismo parecer condenar o budismo ou o hinduísmo. Será que não poderíamos aprender com os grandes ensinamentos espirituais da Ásia? Os Evangelhos gnósticos, contudo, retratam um Jesus que está muito mais sintonizado com o mundo do guru asiático, que apela às nossas sensibilidades. Um dos primeiros sucessos de vendas da moderna ficção sobre Jesus foi *The Brook Kerith*, de George Moore, publicado em 1916, que retrata Jesus exatamente à maneira do sábio budista, que sobrevive à Crucificação e acaba unindo-se a um grupo de monges budistas em regresso para a Índia. Conforme eu disse, *O código Da Vinci* não é o primeiro livro a fazer afirmações radicais desse tipo – tampouco é o centésimo. D. H. Lawrence brincou com a idéia de um Jesus casado, e o mesmo fizeram Frank Harris e Robert Graves. Muitos escritores também exploraram a idéia de que Jesus sobreviveu à Crucificação.

Ah, e a idéia de que Jesus desposou Maria Madalena é outra piada muito velha. Eu estou deveras surpreso de que ninguém ainda tenha retomado a idéia de Christopher Marlowe de que Jesus costumava ter relações sexuais com o evangelista João. Talvez alguém esteja trabalhando nesse romance neste momento.

Cada geração precisa reconstruir o cristianismo primitivo à sua própria imagem, e o faz. Não é de surpreender que a "descoberta" do Jesus casado coincida maravilhosamente com as intensas controvérsias dentro da Igreja Católica sobre as questões do celibato e das reivindicações de liderança pelas mulheres, e que acusações de complôs e ocultação resultem claramente dos escândalos de abuso pelo clero.

O senhor parece apontar o dedo para os meios de comunicação e dizer: "Sem o fato de vocês serem um cúmplice voluntário – por serem escravos do politicamente correto e do ambiente de "bem-estar" social –, esse revisionismo não se teria tornado tão popular quanto se tornou, porque certamente não o merece." O senhor pode explicar isso?

Eu não seria tolo o bastante para criticar a mídia por tentar fazer seu trabalho primordial, que é cativar o maior público possível. Mas, por definição, a notícia é sempre sobre o novo. Os estudiosos da religião ficam cansados quando recebem o telefonema normal nas proximidades da Páscoa – "Então, algo de novo sobre a Ressurreição?" –, e, caso não haja nada de novo, os jornalistas têm uma tendência natural a divulgar teorias que podem ser pouco importantes ou efetivamente irracionais. Eles também tendem a formular as histórias em termos de narrativa muito interessantes, de descobertas sensacionais, de estudiosos independentes e destemidos enfrentando *establishments* arraigados, de novos documentos sacudindo o mundo dos estudos eruditos, e por aí afora. O problema de tudo isso é que perdemos a perspectiva da lembrança, de que na verdade pouquíssimo do que é supostamente novo e revolucionário tem algo de novo, sendo muito bem conhecido pelos estudiosos literalmente há séculos. A narrativa de mistérios perdidos e da súbita redescoberta transformou-se em parte integrante de um padrão de amnésia recorrente.

Então, se os "novos estudos eruditos" criaram uma concepção extremamente exagerada das descobertas de Nag Hammadi e de outros Evangelhos descobertos há pouco tempo, qual é a maneira adequada de entendermos Maria Madalena como pessoa, como apóstola e como líder espiritual? E todo o fenômeno de O código Da Vinci *ajudou ou atrapalhou nossa compreensão do cristianismo primitivo e do papel de Maria Madalena?*

Para mim, os encontros entre Jesus e Maria Madalena após a Ressurreição não são apenas soberbos como literatura, eles estão entre os trechos mais comoventes na escritura religiosa de qualquer tipo. Eu fico literalmente todo arrepiado quando os leio. Não é de surpreender que tantos pintores e autores tenham usado e mencionado as cenas. Deixe-me aproveitar a oportunidade para citar o esplêndido conto "O Jardineiro", de Rudyard Kipling, um emprego do encontro de Jesus e Maria Madalena num cenário moderno (com encanto, ele funde Maria com a mãe de Jesus).

Tendo falado em detalhes por que não acredito que os Evangelhos gnósticos nos dizem algo que valha a pena sobre a verdadeira Maria Madalena, permita-me dizer agora que os próprios Evangelhos canônicos fazem dela uma personagem fascinante. Pessoalmente, eu não tenho dúvida de que ela foi uma figura decisiva na comunidade cristã primitiva, e não tenho o menor problema em acreditar que ela ostentava o título de apóstolo.

Nós também precisamos nos defrontar com o verdadeiro mistério de como os Evangelhos tratam a aparição de Jesus a Maria, e o que aconteceu com essa idéia na Igreja primitiva. No relato mais antigo da Ressurreição, escrito por Paulo na década de 50 [do século I], Maria não é mencionada e Pedro é quem tem a primeira visão após a Ressurreição. No entanto, todos os Evangelhos fazem de Maria a estrela da narrativa (a versão que temos de Marcos está inacabada, mas não há dúvida de que ele pretendia encerrar com uma aparição [de Jesus] às mulheres. Portanto, será que Paulo: a) não conhece a tradição de Maria Madalena? b) não crê nela? ou c) julga que ela não merece ser incluída porque Maria é uma mulher? Se a resposta é a), quando e como uma tradição aparentemente tão antiga tem início?

Seria fácil acreditar que a primeira história relatasse uma aparição após a Ressurreição a Maria, que era duplamente questionável por ser uma mulher que tinha um registro de distúrbio da personalidade (nossa terminologia moderna referente ao fato de sete demônios terem sido expulsos dela). Nesse caso, logo em seguida a Igreja tentaria completar sua ação, ao registrar a primeira aparição a Pedro e esquecer toda a história de Maria. Não resta dúvida de que o crítico pagão Celsus considerava Maria Madalena uma falsa testemunha. Mas, na realidade, é o contrário! As histórias sobre Maria evoluem separadamente dos relatos petrinos; no entanto, quem pode dizer nesse estágio se elas surgiram antes, depois ou em paralelo? Estudiosos do século XIX como Renan e Strauss encontraram a origem da idéia da Ressurreição nas "visões subjetivas, primeiro das mulheres junto ao túmulo e depois de outros discípulos, influenciados por seu intenso amor a Cristo e seu estado mental excitado".

Em suma, por que Maria Madalena estaria de fato lá, a menos que houvesse uma tradição antiga e completamente insuperável que lhe desse prioridade em toda a história da Páscoa? Mas, se havia, por que ela não está em Paulo? Nesse caso, um problema poderia relacionar-se com o conflito (ou, pelo menos, com a falta dele) entre as tradições da Galiléia e de Jerusalém, ou, em outros termos: Pedro *versus* Maria. Eis uma sugestão: talvez os discípulos galileus tivessem seu próprio conjunto de idéias e tradições, com Pedro como herói, e foi isso o que Paulo descobriu quando visitou a Palestina. Mas a Igreja na área de Jerusalém lembrava-se de Maria Madalena como sua heroína e assegurou que sua história fosse parar nos Evangelhos. E quem sabe se ela também não foi uma figura proeminente na Igreja nessa região?

Por fim, eu penso que as fantasias recentes sobre Maria Madalena na verdade desviaram a atenção do radicalismo do cristianismo primitivo, o que afetou questões de gênero tanto quanto quaisquer outras. Isso é algo que nós, ocidentais, não percebemos, mas que os leitores na Ásia e na África compreendem, porque eles estão mais familiarizados com sistemas sociais tradicionais. Para mim, uma das partes mais intensas do Novo Testamento é a cena na qual Jesus conversa com a mulher samaritana junto ao poço, e, ao fazê-lo, passa por cima de inúmeros tabus e restrições. Agora pense nisso de uma perspectiva asiática moderna. Não era apenas na Palestina antiga que a interação de Jesus com a mulher samaritana junto ao poço teria cruzado fronteiras aceitas, ou que a ativa participação da mulher no diálogo teria parecido ousada. Precisamos olhar além de Maria Madalena, para outras interações de Jesus com mulheres, e fazer isso com base em material histórico confiável, não em fantasias de alguns séculos mais tarde.

Em que o senhor se opõe a toda a controvérsia em torno de Dan Brown e das pessoas que ele aponta como inspiração para seus livros – gente como Lynn Picknett (A revelação dos templários) *e Henry Baigent e seus colegas (*O Santo Graal e a linhagem sagrada*)? Trata-se de heresia, simples ignorância ou mera ficção?*

Pessoas como Baigent, Brown e Picknett são escritores populares que não têm absolutamente nada a ver com os estudos eruditos sérios, e não deveriam ser discutidos juntamente com estudiosas como Elaine Pagels ou Karen King. Dan Brown, em particular, é um romancista, e, como tal, não tem compromisso algum com a verdade histórica. Embora eu pessoalmente não goste de seu estilo de escrever, ele sem dúvida impressionou milhões de pessoas, e nesse sentido desejo-lhe boa sorte (como se ele precisasse de meus votos de boa sorte). Minha preocupação com a obra de Brown é que ele apresenta uma visão do cristianismo em completo desacordo com qualquer visão vagamente ortodoxa da fé, e seu ponto de vista da grande conspiração da Igreja incita um sentimento anticatólico bastante radical.

Por isso, minha resposta seria um apelo por coerência. Se obras de arte pretendem ofender as pessoas, que todos estejam igualmente sujeitos à ofensa. Não escolhamos um grupo – como a Igreja Católica – para ataque, enquanto todos os outros ficam isentos. Com toda a honestidade, eu não acredito na proibição de livros, porque sou quase um absolutista da Primeira Emenda. Mas tenhamos a mesma oportunidade de afronta.

Então, em vez de obterem suas idéias especulativas sobre Jesus, Maria Madalena e o cristianismo "revisionista" de escritores como Dan Brown, para onde as pessoas deveriam voltar-se?

Eu adoraria ver editores da atualidade reimprimirem obras clássicas especulativas sobre Jesus e a Igreja primitiva escritas há cem anos por George Moore, Frank Harris, Robert Graves e outros. Os livros e as histórias são excelentes por si mesmos. E as pessoas ficariam impressionadas de ver como poucas coisas novas ali existiam de fato. E eu ficaria encantado se as pessoas que lessem tais obras fossem correndo ler o conto "O Jardineiro", de Kipling.

Maria Madalena: um retrato herético*

Por John Lamb Lash

Existe uma ironia despercebida em ação em todos os estudos eruditos modernos sobre o gnosticismo, escreve John Lash neste ensaio que leva a uma profunda reflexão. Em seu próprio tempo e ambiente, os

* Este artigo é uma versão condensada de um ensaio em três partes escrito para Metahistory.org, um *site* dedicado à crítica de sistemas de crenças e que apresenta uma vasta gama de escritos sobre Maria Madalena, Sofia e Gnose.

ensinamentos e práticas gnósticos foram condenados como heréticos por padres da Igreja como Irineu e Agostinho. De fato, o gnosticismo representava uma ameaça tão crítica para o cristianismo romano que os padres da Igreja primitiva insistiam na proibição dos escritos gnósticos a fim de poderem impor seu sistema doutrinário sem objeção, crítica ou oposição – e eles quase tiveram êxito.

Mas a questão básica de se o gnosticismo era mesmo, ou não, uma heresia, tendo em vista ser um sistema de crença negativo e perigoso, é pouco discutida no nosso próprio tempo. Ironicamente, diz Lash, os estudiosos hoje em dia tendem a considerar o gnosticismo valioso apenas pelo que ele revela sobre o cristianismo primitivo, e *não* pelo que ele diz por seu próprio mérito. A maior parte do que aprendemos a respeito dessa antiga heresia visa explicar e, em certos aspectos, realçar o sistema de crença que o esmagou.

Lash, autor de quatro livros, e co-fundador e principal escritor do *site* Metahistory.org, descreve a si mesmo como um "estudioso eclético independente". Ele vê na figura de Maria Madalena uma oportunidade de recuperar as características heréticas genuínas do gnosticismo. Ele afirma que seu próximo livro, *Not in His Image: Gnostic Vision, Sacred Ecology, and the Future of Belief*, trará de volta "a visão sofiânica dos Mistérios". No que talvez seja um dos pontos de vista mais radicais em *A verdadeira história de Maria Madalena*, Lash traça o perfil de Maria como uma *gnostikos* pagã, ou seja, uma mestra com pontos de vista antisalvacionistas, um contraste surpreendente com o retrato comum dela como simplesmente uma devota seguidora de Jesus. Neste ensaio, a companheira de Jesus emerge como uma herege fiel às suas origens gnósticas, e não como uma cúmplice da mensagem cristã da salvação.

O romance *O código Da Vinci*, de Dan Brown, despertou interesse pela figura outrora marginal, e possivelmente herética, de Maria Madalena. Aparecendo por meio de uma brecha na psique coletiva, uma revelação está tomando forma, com Madalena no seu centro de vibração. Mas uma revelação de quê? A quem? Com que objetivo? Independentemente do que mais possa causar, esse reconhecimento generalizado de Madalena promete mudar a forma como Jesus é visto, e talvez até mesmo o modo como a salvação é alcançada. Assim que é incluída na história do Salvador, Madalena altera essa história. A presença da notória prostituta é assimilada na imaginação coletiva em três níveis de impacto cada vez mais profundos:

Nível um, no qual surge uma história alternativa da vida de Jesus.

Nível dois, no qual vêm à tona os até então desconhecidos antecedentes da vida de Jesus, incluindo fatores pagãos e não cristãos.

Nível três, no qual a Paixão de Cristo se transforma na paixão dos Amantes, e os arquétipos colidem como placas tectônicas.

Nível um: A vida alternativa de Jesus

No primeiro nível de impacto, Maria Madalena introduz uma história alternativa sobre a vida de Jesus. O principal incidente é o encontro no jardim na manhã da Páscoa, quando ela vê Jesus em sua forma "ressuscitada". Os estudiosos debatem as várias passagens nos Evangelhos que talvez se refiram a ela ou não, mas são unânimes em que esse episódio se refere a ela. O encontro alude a uma profunda cumplicidade entre Jesus (ou o "Cristo" em seu aspecto divino, sobre-humano) e a mulher que, conforme nos dizem, o confunde com o jardineiro. Os textos gnósticos não descrevem esse encontro, mas claramente afirmam que Maria Madalena, apesar de ser uma mulher mortal, era a igual e a contraparte do Senhor Ressuscitado. Na *Pistis Sophia*, em que Madalena conversa com o Senhor após a ascensão dele, ela é chamada de "a mulher que sabia Tudo". Diz-se que o fragmentário Evangelho de Maria registra em suas próprias palavras um ensinamento sobre a natureza humana.

Em termos gnósticos (ou seja, em termos heréticos), Madalena representa o elemento divino no gênero humano tanto quanto Jesus o representa. E ela fala sobre o gênero humano a partir da inspiração divina que possui uma autoridade igual à dele.

O código Da Vinci tem pouco a dizer a respeito da mensagem de Madalena. Em vez disso, brinca com a controversa afirmação de que ela é a esposa de Jesus e, mais importante, a mãe de seus filhos. Aqueles que rejeitam essa história afirmam que ela é uma distorção, ou uma clara mentira, ou que não está em conformidade com os fatos históricos (como se o Novo Testamento pudesse ser tomado como fato!), blasfema contra a divindade de Jesus, etc. Os que endossam a história sustentam que ela apresenta um ponto de vista mais humano de Jesus, inclui mulheres nos acontecimentos que deram origem ao cristianismo e apresenta um modelo de espiritualidade com equilíbrio dos sexos. Sejam quais forem os argumentos prós e contras, pôr Madalena em cena muda aquilo em que *estamos dispostos a acreditar* sobre a principal personagem da história, que pode defensavelmente ser considerada a principal figura da história humana.

As crenças essenciais que incitam o comportamento humano raramente são transmitidas de maneira direta, em linguagem simples e franca. Antes, são codificadas em histórias, manuscritos, narrativas. O efeito que as crenças exercem sobre nós pode ser mais bem compreendido quando reconhecemos como elas estão codificadas na forma de histórias, pois é *por meio da identificação com uma história* que adotamos crenças e as incorporamos à nossa identidade. Na história convencional de Jesus, está codificada a crença de que a atividade sexual é uma questão grosseira e desagradável da carne, na qual nenhum Filho de um Deus cristão haveria de se conspurcar. Na fé cristã, a sexualidade não só causa, mas também caracteriza nossa separação do Divino. Essa crença foi preparada de antemão na história da Queda no Antigo Testamento. Ao descobrirem sua sexualidade, Adão e Eva são expulsos do Paraíso (isto é, do estado de bem-aventurança produzido pela presença direta de Deus, o Divino). O Novo Testamento codifica a crença de que Jesus, por ser divino, não podia entregar-se – e não se entrega – à prática de relações sexuais.

No primeiro nível de impacto, a história alternativa põe em destaque a sexualidade do homem Jesus. No que se refere a essa questão delicada, a história alternativa de Jesus divide-se em duas linhas de enredo distintas. Ao longo de uma linha corre o enredo da linhagem sagrada apresentado por Baigent, Lincoln e Leigh em *O Santo Graal e a linhagem sagrada* e transformado em ficção por Dan Brown. Todos os elementos desse enredo presumem que a sexualidade de Jesus teve um resultado biológico: filhos dele que Maria Madalena deu à luz. Essa linha de enredo codifica a crença de que Jesus era de uma natureza especial, mais que humano, ou talvez a plena encarnação divina, e portanto sua linhagem genética deveria ser considerada sagrada, santa, divina. O enredo do *Sangreal* reafirma a antiga crença na descendência de seres humanos de origem divina. Essa é a base da teocracia, ou seja, do governo pelos deuses ou seus descendentes. Codificada na história alternativa de Jesus, essa crença fornece a base para a espalhafatosa teoria da conspiração sobre uma sociedade secreta cujos membros pretendem restaurar a teocracia na Europa ao revelarem a linhagem perdida de Jesus e Madalena.

Ao que parece, tudo isso são tolices bastante sensacionais. Porém, algo mais sensacional ainda tem de ser revelado, pois a história do *Sangraal/Sangreal* não é a única linha de enredo que pode originar-se da Madalena gnóstica de carne e osso. Nem sequer é a linha de enredo mais provável. Afirmar que Jesus tinha relações sexuais com uma mulher pode parecer afrontoso para muitas pessoas, mas há outra afronta à espera: a afirmação de que ele o fez não para procriar, mas por puro prazer. Essa proposição nos conduz ao segundo nível de impacto, no qual encontramos os antecedentes pagãos da história de Jesus, que foram removidos do Novo Testamento e em grande parte ignorados por Baigent, Brown e outros.

Nível dois: A história da espiritualidade pagã

A procriação pertence ao plano declarado do Deus Pai. No Antigo Testamento, Jeová encoraja os hebreus a se reproduzirem e se espalharem por toda a Terra. Até hoje, a Igreja Católica condena a contracepção por dois motivos: porque as relações sexuais por prazer são um pecado e porque os seres humanos não têm o direito de interferir na função procriadora que nos foi dada pelo Criador. Muito antes de a Igreja definir essas doutrinas e pô-las em vigor, os pagãos (isto é, os não cristãos) no mundo clássico divertiam-se a valer com a sexualidade licenciosa e isenta de culpa. Os gnósticos (*gnostokoi*, "aqueles que conhecem as coisas divinas"), em particular, tinham firmes pontos de vista sobre a liberação sexual.

Aqui a segunda linha de enredo, a história menos contada, desvia-se bruscamente do enredo da linhagem sagrada adotado de forma indiscriminada por Dan Brown e que atualmente deslumbra o mundo inteiro. Ligar Jesus a uma conspiração teocrática pode funcionar sensacionalmente bem na ficção, mas na verdade o material textual da *descendência gnóstica* sobre Madalena e Jesus não sustenta essa linha de enredo, pois os gnósticos se opunham ao ponto de vista cristão da divindade humana que informa o programa teocrático. Em outras palavras, ao rejeitarem a divindade humana (a Encarnação, teologicamente falando), os gnósticos se opunham à própria noção de teocracia. Como o enredo da linhagem sagrada pode depender de fontes gnósticas quando os gnósticos rejeitavam todas as pretensões de descendência teocrática?

Alguns textos de Nag Hammadi rejeitam categoricamente a Encarnação e a Ressurreição, as duas principais marcas da divindade de Jesus. O Evangelho de Filipe, que contém a famosa descrição de Jesus beijando Madalena, afirma que "aqueles que dizem que vão morrer primeiro e depois ressuscitar estão equivocados", e *O segundo tratado do grande Seth* condena a Encarnação como um embuste, "uma imitação dos verdadeiros iluminados", que leva as pessoas a abraçar "a doutrina de um homem morto". Para os gnósticos, o que é divino no gênero humano não é o sangue ou sequer o espírito desencarnado, mas o *nous*, a inteligência divina que nos vincula à Deusa Sofia, cujo nome significa "sabedoria". De acordo com o mito gnóstico da criação ensinado nos Mistérios, Sofia primeiro criou o gênero humano (o *Anthropos*) como uma façanha de sua própria imaginação (*Ennoia*), e em seguida se transformou no planeta Terra (*Gaia*), tornando-se ela mesma o ambiente para a Humanidade manifestar sua faculdade divina, o *nous*. A Humanidade é divina *por causa do dom natural dessa faculdade*, e Jesus não é exceção, embora ele possa ter sido considerado um notável mestre do *Anthropos*, ou seja, do gênero humano autêntico, em termos gnósticos. (Mesmo que fosse assim, o Jesus gnóstico não pode ser identificado com o Jesus quase histórico do Novo Testamento, porque as palavras atribuídas a *esse* Jesus contêm muito pouco da mensagem do *Anthropos*.)

A teologia antrópica dos gnósticos foi o auge da espiritualidade pagã, o ponto alto de um antigo legado que antecedeu em muito o cristianismo. (James Robinson, chefe da equipe de tradução dos textos de Nag Hammadi, afirma que o gnosticismo era um movimento rico e muito difundido no mundo pagão, não um mero desenvolvimento marginal no seio do cristianismo primitivo, e mais antigo do que sugere a data do material que sobreviveu.) Considerados pagãos e hereges, Jesus e Madalena teriam sido uma dupla de mestres iniciados dos Mistérios, as universidades espirituais do mundo clássico. Como tais, eles teriam ensinado o potencial divino da Humanidade, mas não reivindicado divindade para si mesmos ou para quem quer que fosse. Os ideólogos da Igreja primitiva, que odiavam os gnósticos, acusaram-nos falsamente de reivindicar *status* divino, porém a análise minuciosa dos escritos gnósticos lado a lado com os argumentos patrísticos contra eles revela que essa era uma desinformação maldosa. Conforme explico em meu livro *Not in His Image*, a principal exigência para a iniciação nos Mistérios eram a morte do ego e a transcendência da identidade individual – uma coisa muito diferente, de fato, do auto-engrandecimento a um nível divino. O objetivo da gnose era saber o que os

Deuses sabem, não se tornar Deus em forma humana, nem sequer encontrar Deus no âmago de si mesmo.

Contra o pano de fundo da espiritualidade pagã, Madalena parece muito mais ofensiva do que na condição da esposa fiel de Jesus e da dedicada mãe dos filhos dele. Quase tudo o que sabemos sobre ela provém das fontes gnósticas, textos que a retratam como uma vidente consumada, uma mestra iniciada ou *telestes*. Ela deve ter sido uma mulher iluminada enfrentando um mundo em crise espiritual. No início da Era de Peixes (cerca de 120 a.C.), alguns mestres pagãos emergiram do anonimato dos cultos dos Mistérios e tomaram a si uma missão pública a fim de discorrerem sobre a controvérsia dominante daquela época. Despertada pela divulgação pública da precessão dos equinócios por Hiparco, por volta de 150 a.C., essa controvérsia estava centrada em uma única e crucial pergunta: o destino humano é predeterminado, ou cada um de nós pode ser conduzido na vida a um caminho de nossa própria escolha? Naquele período de tremenda agitação, uma espécie de febre da Nova Era alastrou-se pelo Império Romano. Muitas pessoas esperavam que um messias viesse trazer justiça social; outras, como os *zaddikim* do mar Morto, aguardavam o fim do mundo e a salvação sob a forma de arrebatamento por extraterrestres em carruagens resplandecentes. Descritos como iniciados gnósticos (judeus ou não), Jesus e Madalena teriam estado comprometidos com a tarefa da liderança espiritual, ajudando pessoas de todas as classes sociais a encontrar seu caminho contra os ditames do destino.

Era um momento de tremenda promessa, no qual poderia ter acontecido uma grande mudança em prol da humanidade. Em vez disso, o que aconteceu foi que o cristianismo romano assumiu o controle da vida social e espiritual do mundo clássico, e a oportunidade de consumar o verdadeiro potencial do *Anthropos*, moldado na visão sofiânica dos gnósticos, foi negada, transformada em heresia e violentamente reprimida. O assassinato da mestra gnóstica Hipátia em 415 d.C. assinala o mergulho do mundo ocidental na Idade das Trevas.

O perfil pagão de Jesus e Madalena, fortemente corroborado por evidência histórica e textual, destrói por completo o enredo da linhagem sagrada. Mesmo que Jesus e Madalena tenham tido relações sexuais, eles não tiveram filhos. Existem poucas questões unânimes nos estudos eruditos sobre a gnose, mas todos os estudiosos concordam neste ponto: os gnósticos rejeitavam a procriação por julgá-la conluio com o Demiurgo, uma pseudodeidade demente que identificavam com

Jeová; mas eles abraçavam a sexualidade prazenteira e desinibida tanto como uma celebração da inocência humana quanto como uma forma de ioga espiritual. O Evangelho de Filipe descreve como os iniciados se unem sexualmente no *nymphion* ("câmara nupcial"), a fim de executarem um rito sacramental que os envolve em um casulo protetor luminoso. Para os gnósticos, assim como para seus homólogos asiáticos, os adeptos do tantra, o êxtase sexual era um arrebatamento divino que produzia iluminação e os imunizava contra formas negativas de pensamento ou contra entidades psíquicas intrusivas. O sexo orgiástico era uma prática espiritual fundamental em alguns grupos gnósticos, tais como os Ofitas, ou "adoradores da serpente". Ophis, a serpente divina, era idêntica à Kundalini da tradição asiática. Se Jesus e Madalena foram iniciados pagãos, conforme a evidência gnóstica indica, eles não tiveram filhos, mas devem ter praticado sexo tântrico. Epifânio de Salamina, um convertido cristão que se infiltrou em uma seita gnóstica em torno de 335 d.C., deixou um relato pornográfico de tais práticas em seu *Panarion*. Parece ter havido muitos estímulos e jogos preliminares no sexo sacramental pagão. Epifânio cita uma passagem perdida das Perguntas de Maria (*Panarion* 26.8.2-3), na qual Jesus encontra Madalena para uma brincadeira na encosta de uma montanha e a instrui nos detalhes aprazíveis do sexo oral.

O sofisticado hedonismo espiritual dos gnósticos era, e ainda é, muito mais ameaçador para as crenças convencionais em Jesus do que o perfil familiar de Madalena como esposa e mãe. Mas até agora esse aspecto perigoso e incerto da carreira da prostituta sagrada permanece relativamente desconhecido, e o enredo da linhagem detém um monopólio sobre o papel de Madalena.

Nível três: A história dos Amantes

O dossiê secreto de Epifânio é capaz de gerar um choque considerável, é claro, mas ainda não estamos no ponto de impacto mais profundo causado pela figura de Maria Madalena. Levado ao terceiro nível, o enredo dos mestres gnósticos transforma-se em um dos mais poderosos arquétipos que a humanidade conhece: os Amantes.

Baigent, Brown e outros ignoraram o fato de que os textos gnósticos chamam Madalena de a companheira (*koinonos*) de Jesus, nunca de sua esposa. Portanto, as fontes gnósticas básicas para a história alternativa não podem ser usadas para corroborar a afirmação de casamento. Madalena é a consorte (*paredros*) de Jesus, comparável à *maithuna* ou parceira sexual-espiritual no tantra asiático. Originalmente, a *paredros* era uma suma-sacerdotisa que acasalava com um aspirante a rei a fim de testar a aptidão dele para governar com ternura e força (as duas características essenciais de um bom amante). Ela literalmente ungia o candidato com os fluidos sexuais dela. O termo grego *christos* é uma tradução do hebraico *mashias*, "messias, o ungido". Nos Apócrifos do Novo Testamento (uma coleção de textos que não pertencem à biblioteca de Nag Hammadi), o livro Atos de João descreve uma dança mística executada por Jesus na Última Ceia. Tradicionalmente, Madalena é a mulher com o vaso de alabastro que unge os pés de Jesus – não para que ele possa morrer na cruz, mas para que possa dançar e comemorar o milagre de estar vivo. A "dança de roda de Jesus" apresenta um vívido contraste com o melodrama brutal da Crucificação, que João, a testemunha íntima, descarta como uma alucinação sadomasoquista. Isso é gnosticismo radical, apresentando Madalena como uma figura herética igual a Jesus. O livro Atos de João era tão ameaçador para a Igreja Romana que, durante séculos após os Mistérios terem sido suprimidos, cópias dele eram procuradas e queimadas, junto com aqueles que as possuíam.

Uma lenda medieval afirma que Maria Madalena foi para Provença, no sul da França. Essa lenda não é de origem gnóstica, mas tampouco corrobora o enredo da linhagem sagrada. Considerando o perfil herético da prostituta sagrada, o exílio de Madalena pode ser imaginado de uma forma bem diferente da que se presumiu no enredo de Baigent e Brown. A intenção dela poderia ter sido perpetuar não uma linha de parentesco, mas *o ideal de união espiritual no amor carnal*, seguindo as práticas gnósticas descritas no Evangelho de Filipe e celebradas na dança ungida dos Atos de João. O vínculo do amor ardente, quando inclui uma dimensão espiritual autêntica, sacramenta a pessoa amada no coração do amante e une os dois mediante uma força que transcende a morte. A imortalidade deles reside na paixão de um pelo outro e garante que ficarão unidos após a morte.

Essa linguagem pode soar extravagante, porém está em completa harmonia com o arquétipo dos Amantes Divinos, o poderoso conjunto de imagens que encontramos no terceiro nível do impacto de Madalena. Na estrutura da crença tradicional, Jesus Cristo se adapta ao arquétipo do Salvador, o instrumento divino de redenção, tanto o modelo quanto o avalista da vida eterna. O Salvador é um bode expiatório, uma vítima inocente que morre pelos pecados de outrem. Portanto,

Jesus encarna o arquétipo da Vítima Divina. A crença em Jesus e a confiança em sua missão dependem de aceitá-lo como o reflexo humano do arquétipo da Vítima, mas a inclusão de Madalena na história de Jesus apresenta uma opção empolgante: imaginar Jesus Cristo como Amante, e não como Vítima.

Sem dúvida, o arquétipo do Salvador-Vítima exerce um tremendo poder sobre a imaginação humana, mas os Amantes têm igual poder, ou um poder superior. Na psique humana, esses dois arquétipos colidem como placas tectônicas, uma das quais decerto avançará sobre a outra, mais cedo ou mais tarde. Com a apresentação de Maria Madalena no mundo inteiro como uma figura fundamental na vida de Jesus, o arquétipo dos Amantes foi tectonicamente erguido. Se ele continuar a subir, acabará sobrepondo-se à outra placa.

Na verdade, historicamente falando, ele já começou a fazê-lo. No século XII, a região do sul da França onde se diz que Madalena desembarcou após a morte de Jesus assistiu ao florescimento de um rico movimento espiritual, cultural e literário, o Culto do Amor. Essencial a esse movimento era a poesia trovadoresca que exaltava uma mulher misteriosa, a Dama a quem se chamava de Domna, abreviatura do latim *domina*, forma feminina de "senhor, mestre". Por uma surpreendente inversão, os trovadores viam o "Senhor" não no Salvador sacrificado, mas em uma mulher encantadora cuja beleza inspirou algumas das maiores obras literárias que o mundo conheceu. Em *Tristão e Isolda*, escrito por Gottfried von Strassburg por volta de 1210 d.C., o poeta compara a paixão de Tristão e Isolda com o sacramento do pão e vinho. O amor espiritual deles é tão forte *na carne* quanto a Presença de Cristo na eucaristia (um dogma declarado pelo Quarto Concílio de Latrão, em 1215). Essa mudança momentosa da fé religiosa para a fé romântica aconteceu porque o arquétipo dos Amantes havia superado o Salvador, alterando para sempre o papel de Jesus Cristo na imaginação humana.

O profundo impacto psicoespiritual que produziu o culto do amor romântico não veio de Jesus, mas de sua consorte e contraparte, Maria Madalena. A mensagem dela é sobre a divindade da paixão humana e seu poder de transcender a morte. Essa mensagem, que poderia ser considerada a heresia suprema, não sobreviveu em palavras escritas, mas na figura e na mística de uma prostituta e herege. Parafraseando um *slogan* muito citado na década de 1960, Madalena *é* a mensagem.

CAPÍTULO 4

Maria Madalena: marginalizada, reduzida a prostituta e "colocada em seu lugar"

Ao longo do tempo, Maria passou da condição de uma importante discípula, cujo status *superior dependia da confiança que o próprio Jesus havia depositado nela, à condição de uma prostituta arrependida, cujo* status *dependia da carga erótica de sua história e da atribulação de sua consciência angustiada. [...] de uma mulher que desafiava as presunções misóginas dos homens a uma mulher que as confirmava.*

— James Carroll

Apenas uma forma de cristianismo [...] emergiu vitoriosa dos conflitos dos séculos II e III. Essa única forma de cristianismo decidia qual era a perspectiva cristã "correta"; decidia quem podia exercer autoridade sobre a fé e prática cristãs; e determinava quais formas de cristianismo seriam marginalizadas, descartadas, destruídas. Também decidia os livros que entrariam para o cânone das Escrituras e quais livros seriam rejeitados como "heréticos", por ensinarem falsas idéias. [...]

— Bart Ehrman

O homem possui a grande vantagem de ter um deus que endossa o código que ele redige; e visto que o homem exerce uma autoridade soberana sobre as mulheres, é particularmente auspicioso que essa autoridade lhe tenha sido investida pelo Ser Supremo.

— Simone de Beauvoir, *O segundo sexo*

Inversão de papéis: a luta para reintegrar Maria

Entrevista com Ann Graham Brock

O cristianismo parece ter nascido não só em luta contra o *status quo* de dois mil anos atrás, mas também com rivalidade e luta pelo poder e controle dentro do movimento, praticamente desde seus primórdios. Esse espírito litigioso parece ter tido menos a ver com as palavras de Jesus do que com uma competição por autoridade. Depois da ascensão de Jesus, quais de seus seguidores mais próximos podiam chamar a si mesmos de discípulos? Quem seria considerado digno de difundir a mensagem de Jesus como apóstolo?

Por direito, parecia que Maria Madalena seria um dos principais candidatos: afinal de contas, ela fora escolhida para ser a portadora – a "apóstola" – da mensagem mais importante de todas: a Ressurreição de Jesus.

Então, o que aconteceu? Por que ela não recebeu o título de Apóstola no Novo Testamento? Foi uma decisão política, afirma a estudiosa Ann Graham Brock, tomada pelos redatores dos Evangelhos canônicos para favorecer o papel de Pedro e rebaixar o de Maria Madalena. Brock, autora de *Mary Magdalene, the First Apostle: The Struggle for Authority* explica isso desta forma: "Os critérios segundo os quais os vários autores cristãos primitivos atribuíam autoridade apostólica a certos seguidores de Jesus e não a outros nos primeiros documentos cristãos fornecem vislumbres da política de várias facções da Igreja primitiva."

Nesta entrevista, Brock resume suas descobertas. Parece que, mesmo antes de Maria Madalena ser oficialmente considerada prostituta no século VI, ela era marginalizada, apesar do que muitos estudiosos hoje acreditam ser suas relações estreitas com Jesus e seu papel crucial como testemunha da Ressurreição dele.

Na verdade, muito pouca coisa na Bíblia nos diz quem Maria Madalena era, e as únicas informações que temos aparecem nos quatro Evangelhos canônicos do Novo

Testamento. A senhora poderia discorrer um pouco sobre como ela é descrita em cada um dos Evangelhos? Por que a senhora crê que existem diferenças entre eles?

No que se refere a Maria Madalena, os Evangelhos do Novo Testamento nos oferecem algumas semelhanças importantes, mas também algumas diferenças interessantes. Todos os quatro mencionam Maria Madalena (e isso é mais do que podemos dizer a respeito de alguns discípulos do sexo masculino), e, com uma única exceção, sempre que os textos se referem a um grupo de mulheres, eles a citam primeiro. Mais importante, todos os quatro Evangelhos retratam Maria Madalena (junto com as outras mulheres em certos casos) como escolhida para ser a primeira testemunha da Ressurreição.

Todavia, apesar de todas as semelhanças, existem algumas diferenças significativas. As descrições de Maria Madalena nos Evangelhos diferem por várias razões, em parte porque os vários redatores deles haviam recebido tradições um pouco diferentes, porém, ainda mais importante, porque tinham diferentes interesses ou objetivos ao escreverem. A política da Igreja também tinha certa influência significativa. Por exemplo, dos quatro Evangelhos, três descrevem Maria Madalena sozinha, ou com todas as mulheres, recebendo a incumbência de ir contar aos outros a Boa-nova, mas Lucas não. Em vez disso, ele é o único a mencionar uma aparição individual do Jesus ressuscitado a Simão (Pedro), o discípulo a quem o Evangelho de Lucas confere ainda maior distinção do que todos os outros Evangelhos.

Dessas várias descrições, há uma que a senhora julgue mais acurada? Ou mais importante?

As duas melhores descrições de Maria Madalena são as que se encontram em Mateus e João. O que me agrada no Evangelho de Mateus é a forma como ele nos fornece um dos relatos mais completos e inclusivos: sempre que existem múltiplas tradições acerca de Maria, ele fornece todas as narrativas, em vez de escolher uma tradição em detrimento de outra. Por exemplo, uma antiga tradição comum na época nos diz que um anjo ou anjos aparecem a Maria Madalena e às mulheres (aparições registradas em Marcos 16:1-8, Mateus 28:1-8 e Lucas 24:1-12), ao passo que outra nos informa que o próprio Jesus apareceu a Maria Madalena (com registro em Mateus 28:9-10 e João 20:14-18), mas Mateus nos fornece um equilíbrio ao registrar ambas as tradições – primeiro o anjo e depois Jesus.

Contudo, talvez o texto mais valioso para os estudos sobre Maria Madalena seja o de João, porque ele começa a conferir a ela o reconhecimento e a importância que sua figura parece ter obtido historicamente. Esse Evangelho concentra-se de maneira mais exclusiva nela junto ao sepulcro (sem nem ao menos mencionar as outras mulheres) e o faz com as descrições mais detalhadas das aparições após a Ressurreição. João fornece uma longa descrição do encontro dela com Jesus após a Ressurreição, no qual ele chama Maria pelo nome, ela o reconhece, e ele então lhe dá instruções. Além do mais, esse Evangelho é o único que em seguida nos fornece o diálogo no qual ela encontra os demais discípulos e lhes diz: "Eu vi o Senhor."

Em seu livro Mary Magdalene, The First Apostle, *a senhora afirma que a Igreja tem negado a Maria seu título legítimo. O que capacitava alguém a ser um apóstolo? Maria Madalena não satisfazia os critérios? Havia outros motivos para que ela fosse "desqualificada"?*

Nas igrejas cristãs primitivas, circulavam várias definições de "apóstolo", mas, apesar das diferenças nessas definições, todas elas tinham um fio comum, ou seja, a correlação entre ser um apóstolo e ver uma aparição de Jesus após a Ressurreição. Na verdade, as epístolas de Paulo deixam essa correlação clara quando ele reivindica seu apostolado ao afirmar que teve uma visão do Cristo ressuscitado. Paulo escreve, por exemplo: "Eu não sou um apóstolo? Eu não vi o Senhor ressuscitado?" (1 Cor 9:1).

O único Evangelho que não descreve Maria Madalena como possuindo as premissas para ser uma apóstola é o Evangelho de Lucas. Eu explico no meu livro por que talvez seja mais que coincidência o fato de a descrição de Maria nesse Evangelho parecer significativamente diferente de suas descrições na maioria dos outros relatos. Só esse Evangelho a apresenta como alguém possuído por sete demônios e que, portanto, precisava ser curado por Jesus. Só esse Evangelho rebaixa ainda mais o papel dela, e o das demais mulheres junto à cruz, acrescentando outros conhecidos na cena da crucificação e até mencionando-os primeiro. E quando as mulheres, citadas afinal pelo nome, narram esse milagre aos discípulos, os homens julgam o testemunho delas "palavras tolas, desvario". Mais importante, o Evangelho de Lucas não faz referência à aparição de Jesus a Maria Madalena após a Ressurreição e não descreve nenhuma incumbência a ela, quer de um anjo, quer de Jesus. Se examinarmos atentamente o texto, podemos encontrar em Lucas uma relação perceptível entre as formas como o autor adapta as tradições para aumentar a importância de Pedro e, ao mesmo tempo, rebaixar a posição de Maria Madalena.

Em muitos dos escritos sobre Maria Madalena, hoje, nós com freqüência a vemos ser tratada como "a apóstola dos apóstolos". Isso não é uma contradição? Como ela obteve esse título se ele não é mencionado nessas histórias bíblicas?

Embora nós não saibamos a origem exata, Hipólito, bispo e mártir de Roma, pode ter sido quem abriu o precedente para esse título com a seguinte citação relacionada com Maria Madalena e as outras mulheres: "Para que os apóstolos do sexo feminino não duvidem dos anjos, o próprio Cristo veio até elas, a fim de que as mulheres fossem apóstolas de Cristo e, pela sua obediência, reparassem o pecado da antiga Eva. [...] Cristo manifestou-se aos apóstolos (do sexo masculino) e disse-lhes: '[...] Fui eu que apareci a essas mulheres e fui eu que quis enviá-las a vós como apóstolas'" (*De Cantico* 24-26, CSCO 264, 43-49). Portanto, aqui, Hipólito confirma o papel das mulheres como apóstolas de Cristo, e como Maria Madalena foi a pessoa que recebeu essa honra primeiro (e exclusivamente em João), ela veio a ser conhecida como *apostola apostolorum*.

Então é correto dizer que o gênero é um problema no âmago desses conflitos? O que a rivalidade entre Pedro e Maria significa em um contexto político e social? E onde mais vemos as mulheres sendo "atacadas" dessa forma?

Decerto não queremos simplificar demais a situação a ponto de dizer que o gênero é o único problema, mas parte do conteúdo dos diálogos sem dúvida indica que o gênero era um fator importante. Entretanto, precisamos tomar cuidado com as conclusões a que podemos chegar a partir desses confrontos. Não podemos supor, por exemplo, que essas controvérsias entre Pedro e Maria necessariamente ocorreram num contexto histórico, mas é grande a possibilidade de que aqueles cristãos primitivos que olhavam para Pedro e aqueles que olhavam para Maria Madalena como uma autoridade tenham entrado em conflito uns com os outros. Essas histórias descrevem essas tensões e, muito embora não saibamos a causa exata delas, elas podem ter tido alguma relação com a liderança das mulheres e seu verdadeiro lugar no movimento, em particular porque a questão de gênero aflora em quase todos os diálogos em que há controvérsia.

Por exemplo:

1) Você encontra tais referências no Evangelho de Tomé, um texto do século I ou II com 114 sentenças de Jesus que raras vezes distingue os discípulos individualmente pelo nome (apenas sete contemporâneos de Jesus, e destes apenas cinco, têm suas falas reproduzidas no texto: Tomé, Simão Pedro, Mateus, Maria e Salomé). Num desses casos, Pedro se queixa especificamente de Maria e inclui as mulheres ao fazê-lo, dizendo: "Manda Maria deixar-nos, pois as mulheres não são dignas da vida" (Evangelho de Tomé 114). Observe que ele não desafia apenas Maria diretamente, dizendo: "Manda Maria deixar-nos, pois *ela* não é digna da vida."

2) No Evangelho de Maria, Pedro se opõe à visão de Maria, e mais uma vez sua descrição inclui uma referência ao gênero: "Ele [Jesus] realmente falou com uma *mulher* sem o nosso conhecimento (e) não abertamente? Devemos todos nos voltar e ouvi-la?" (Evangelho de Maria 16-20). (É interessante que, em compensação, a objeção de André no texto não gire em torno da pessoa de Maria, mas se baseie, em vez disso, em argumentos teológicos. Ele diz: "Pois decerto esses ensinamentos são idéias estranhas.")

Além disso, 3) na *Pistis Sophia* I, Pedro se queixa de Maria com as palavras: "Meu Senhor, não conseguimos suportar esta *mulher*, que tira de nós a oportunidade e não deixa nenhum de nós falar, mas fala muitas vezes" (*Pistis Sophia*, Livro 1, cap. 36), e 4) na *Pistis Sophia* IV, Pedro volta a queixar-se: "Meu Senhor, manda as mulheres pararem de perguntar, para que nós também possamos perguntar" (*Pistis Sophia*, Livro IV, cap. 146).

Embora essas narrativas indiquem contestações à autoridade de Maria, as histórias de controvérsia explícita também retratam que Maria tinha certo apoio entre os outros discípulos. Por exemplo, Levi defende Maria depois dos ataques de Pedro com as palavras: "Decerto ele [Jesus] não queria mostrar que ela é *mais digna* do que nós" (PRyl 463, recto 15-16). Levi reage à contestação de Pedro: "Se o Salvador a considerou digna, quem és tu na verdade para rejeitá-la? Pois decerto, por conhecê-la, ele a amava muito" (PRyl 463, verso 5-8). De modo análogo, a versão em copta desse texto reflete esse tipo de apoio: "Se o Salvador a considerou digna, quem és tu para desdenhá-la? Decerto o Salvador a conhece muito bem. É por isso que ele a amava mais do que a nós" (Evangelho de Maria 18, 10-15).

Esse tipo de controvérsia acerca da liderança das mulheres prosseguiu por séculos a fio e continua a ser um tema explosivo mesmo em congregações hoje em dia.

Quais eram as implicações da luta por autoridade entre Pedro e Maria? Como sucedeu que as mulheres, vistas como membros plenos no tempo de Jesus, no espaço de alguns séculos estavam quase inteiramente sob o jugo da Igreja patriarcal?

Não há dúvida de que houve uma competição por autoridade na Igreja primitiva. Até mesmo Paulo teve de defender seu lugar legítimo. Parece que nos estágios iniciais do cristianismo as mulheres possuíam um papel mais importante como líderes, sobretudo porque as primeiras igrejas com freqüência se reuniam na casa delas. As mulheres, naturalmente, ajudavam a servir o ágape – a refeição comum de companheirismo e caridade – e a comunhão que seguia, porque isso estava acontecendo em sua casa e domínio. Essa participação feminina é coerente com a descrição da atribuição de poderes por Jesus a figuras do sexo feminino em todas as narrativas dos Evangelhos (vide, por exemplo, o tratamento que ele dispensa à mulher samaritana junto ao poço em João 4). Para mim, é extremamente interessante que, quando refletimos sobre todas as narrativas e todas as sentenças no Novo Testamento que recebemos relacionadas com Jesus, não encontremos uma única sequer na qual ele diga às mulheres que se calem. Sua capacidade de investir de poderes tanto mulheres quanto homens pode ter sido parte do que transformou o cristianismo primitivo em tamanha ameaça ao *status quo* e à sociedade patriarcal tão caros aos romanos.

Com o tempo, a poderosa mensagem do cristianismo continuou a alcançar mais e mais pessoas, tantas que as reuniões acabaram ficando tão grandes que tiveram de se transferir para edifícios do governo chamados basílicas. Foi a essa altura que as mulheres foram relegadas às margens da autoridade e até silenciadas. A perda das lembranças ou tradições de fortes exemplos femininos a serem seguidos no cristianismo primitivo só trouxe benefícios para aqueles que competiam pelo mesmo tipo de autoridade ou *status*. Na minha opinião, caracterizar essa luta por autoridade como uma ampla "conspiração organizada" contra Maria Madalena e as mulheres é uma generalização excessiva e gritante. Tenho certeza de que ela não era assim tão bem organizada, embora fosse eficaz. Sem dúvida, o rebaixamento do *status* de Maria Madalena favoreceu aqueles que desejavam que as mulheres fossem menos visíveis em sua liderança, porque, em parte por causa do exemplo delas, outras mulheres vinham reivindicando um precedente para a autoridade para pregar ou divulgar as boas-novas. Com a depreciação dela como uma prostituta, sua posição de liderança obviamente acabou solapada e desvalorizada.

Em seu livro, a senhora entra um pouco em detalhe sobre as formas em que julgava que Maria Madalena havia sido rebaixada: como testemunha, como apóstola e como exemplo a ser seguido. A senhora pode nos dar alguns exemplos?

Existem vários exemplos das formas pelas quais o papel de Maria Madalena tem passado ao longo dos anos. Nós já discorremos rapidamente sobre as formas por que as identificações errôneas de Maria Madalena como prostituta rebaixaram sua reputação como uma figura com autoridade e liderança. Outra forma pela qual sua posição é rebaixada aparece em certas traduções da história da Ressurreição em siríaco e copta que substituem Maria Madalena pela Maria, a Mãe, na cena final no jardim com o Jesus ressuscitado. Uma substituição dessas não deveria ser considerada de maneira leviana, porque ser a primeira testemunha da Ressurreição trazia consigo uma grande dose de autoridade. A versão em copta dos Atos de Filipe em grego também apresenta uma substituição, dessa vez de Pedro por Maria como a pessoa que acompanha Filipe em sua viagem missionária. Esses são apenas alguns dos exemplos das várias formas como o papel dela passou por distorções, substituições ou mesmo omissões completas. Recuperar seu papel como testemunha, líder e apóstola é essencial para se obter um tratamento de gênero mais justo dentro do cristianismo.

Qual é sua posição na incessante discussão acerca de se Maria Madalena era casada ou não com Jesus? E, por mais interessante que possa ser, esse debate obscurece algum aspecto de Maria Madalena no qual é mais importante se concentrar?

Se tivéssemos provas irrefutáveis de que Jesus foi casado, então Maria Madalena seria de longe a candidata mais provável. Todavia, não possuímos tais provas. Existem aqueles que vêm afirmando já há algum tempo que, como Jesus era um judeu devoto, era de esperar que as pessoas tivessem a expectativa de que ele se casasse. Uma afirmação dessas, contudo, é excessivamente generalizada, porque, embora fossem grandes as expectativas de que os homens judeus da idade de Jesus se casassem, nós não precisamos ir muito longe para encontrar exceções a essa regra, incluindo um de seus próprios parentes, João Batista, bem como Paulo de Tarso e vários outros líderes cristãos primitivos da época.

Embora de muitas formas Jesus possa muito bem ter sido um judeu devoto, por outro lado, também é evidente que ele se deparou com situações nas quais precisou reinterpretar as regras (como a cura que praticou no sábado) ou teve de questionar certas práticas (como a sua purificação do Templo).

Minha reação inicial à pergunta sobre o casamento dele com Maria Madalena é me indagar por que é tão difícil para as pessoas imaginarem que ela simplesmente pode ter sido uma figura extraordinária e importante por seus próprios méritos, junto com Pedro, Tiago e os outros primeiros discípulos. O que eu acho mais problemático sobre unir Maria Madalena a Jesus dessa forma é o fato de atribuírem com tamanha freqüência um caráter sexual ao relacionamento deles. No passado, Maria Madalena foi erroneamente descrita como uma prostituta arrependida e agora, muito embora tenham feito dela uma "mulher honesta" pelo menos, ela ainda é um ser sexual, e não uma líder espiritual. Não é possível que Maria Madalena tenha sido uma discípula extraordinária que de fato compreendia o que Jesus estava ensinando sem necessariamente ter tido uma união física de verdade com ele?

O que poderia significar para a história cristã e para o cristianismo, hoje, se a interpretação dos ensinamentos de Jesus por Maria Madalena houvesse prevalecido em vez da de Pedro?

Na verdade, é difícil dizer quanto da interpretação dos ensinamentos de Jesus por Maria Madalena ainda permanece conosco hoje, já que de fato não sabemos como era a interpretação dela. Eu penso que no mínimo podemos conjecturar que haveria menos controvérsia hoje em relação à liderança e à contribuição legítimas das mulheres à Igreja se o papel de Maria Madalena tivesse sido mais reconhecido. O resultado poderia ter sido uma Igreja mais igualitária, que ordenaria regularmente mulheres para o serviço, porém creio que é difícil dizer mais do que isso.

No entanto, uma das perguntas mais importantes que poderíamos fazer é por que não encontramos entre os cristãos um reconhecimento mais universal do *status* de Maria Madalena como um dos primeiros apóstolos. É importante examinarmos os motivos da resistência, mesmo hoje em dia, às evidências de que dispomos de que as mulheres muitas vezes tomavam a dianteira na criação do cristianismo.

A competição por livros sagrados e pelas doutrinas religiosas que não tivemos a oportunidade de conhecer

Entrevista com Bart D. Ehrman

Quando eu entrei no curso de pós-graduação, tinha a fantasia do cristianismo primitivo como uma era de ouro: unificado, simples e puro. Uma espécie de país bíblico de brincadeira.

— Elaine Pagels

A crença comum em relação ao desenvolvimento do cristianismo é a de que havia uma cadeia ininterrupta de sabedoria que começou com Jesus, foi transmitida aos apóstolos e, por sua vez, recebida pelos sucessores dos apóstolos na Igreja organizada - anciãos, ministros, padres e bispos. De que havia uma organização, uma fé, uma prática, todas combinadas para "assegurar a unidade e a uniformidade da fé e prática cristãs", nas palavras de Karen King. Essa ortodoxia foi ratificada pelo cânone do Novo Testamento, pelo Concílio de Nicéia e pelos rituais da Igreja cuidadosamente proscritos.

Nas últimas décadas, contudo, uma vasta gama de estudos eruditos mostrou-nos que o cristianismo primitivo, embora monoteísta, de modo algum era monolítico. Não existe uma narrativa única, dominante. Na verdade, os primeiros séculos do cristianismo podem ser mais bem descritos como um grande rebuliço religioso, com várias tradições orais, escrituras alternativas, Evangelhos perdidos, cultos de mistério e outros ensinamentos, todos competindo por aceitação e primazia.

Entre os líderes que se dedicam ao trabalho pioneiro de estudar as correntes secundárias dessa era está Bart D. Ehrman, presidente do Departamento de Estudos Religiosos da Universidade da Carolina do Norte, em Chapel Hill. Ehrman é uma autoridade na vida de Jesus e na propagação de seus ensinamentos nos primeiros séculos após a sua morte. Esse é o assunto de um de seus livros anteriores, *Lost Christianities: The Battle for Scripture and the Faiths We Never Knew*, e de seu livro atual, *Peter, Paul, and Mary Magdalene*.

Nesta entrevista, Ehrman discorre sobre os fios alternativos mais importantes do que nós agora chamamos de cristianismo (termo inexistente até o século II). Com o tempo, essas outras seitas passaram a ser vistas como uma ameaça à ortodoxia que se difundia. Idéias rivais eram na realidade sistematicamente declaradas heresias e em seguida reprimidas ou marginalizadas pela Igreja triunfante.

Ehrman acolhe bem o interesse popular pelos primórdios do cristianismo, impulsionado por *O código Da Vinci*, que ele chama de "excepcionalmente inteligente para este gênero". No entanto, ele gostaria de colocar as coisas nos devidos lugares e mostrar que a verdadeira história do cristianismo primitivo está tão repleta de lutas, intrigas, perfídia e revelações surpreendentes quanto qualquer livro de suspense da atualidade.

O senhor trouxe à luz formas pelas quais a fé cristã passou por mudanças à medida que essa nova teologia e seu corpo de documentos deixaram a Terra Santa no tempo de Jesus para se transformarem na religião oficial de facto *do Império Romano vários séculos mais tarde. O que, na verdade, são algumas dessas mudanças? Até que ponto essas diferenças são drásticas ou triviais?*

O cristianismo mudou de uma religião judaica do outro mundo – na qual o fim dos tempos está próximo e as pessoas não deveriam viver de acordo com os valores de sua sociedade, e sim se abnegarem em preparação para o Reino vindouro – para uma religião gentia deste mundo. Esta última não dava ênfase ao fim iminente de todas as coisas e, em vez disso, ensinava que é importante trabalhar com o mundo a fim de convertê-lo, de modo que as pessoas pudessem ter vida depois de morrerem. Algumas pessoas afirmavam que o cristianismo que acabou triunfando era uma religião completamente diferente daquela que começara em Jerusalém após a morte de Jesus – que ela é, na verdade, uma religião diferente daquela do próprio Jesus! Desse ponto de vista, o cristianismo é menos a religião que Jesus ensinou (a religião *de* Jesus) do que a religião que proclama Jesus (a religião *sobre* Jesus). Eu diria que essas diferenças são claramente enormes.

Os assim chamados Evangelhos gnósticos, encontrados próximo à cidade egípcia de Nag Hammadi, obtiveram justificadamente muita atenção. Qual foi a implicação mais importante dessa descoberta, da sua perspectiva?

A "descoberta" mais importante dos tempos modernos foi a de que o cristianismo primitivo era extremamente diverso – muito mais diverso do que os estudiosos precedentes jamais poderiam ter imaginado. O que nós aprendemos dos Evangelhos gnósticos é que havia grupos de cristãos que acreditavam numa enorme variedade de coisas que a maioria das pessoas hoje nem sequer chamaria de cristãs. Por exemplo, algumas acreditavam que o mundo é um erro cósmico, criado por uma deidade inferior, secundária, e não pelo Senhor Deus Todo-Poderoso; que Cristo na verdade não sofreu na cruz; que o caminho para a vida eterna não é por intermédio da crença na morte de Jesus, mas por meio da compreensão de seus ensinamentos secretos. Essas e muitas outras crenças eram aceitas por pessoas que se consideravam cristãs, que afirmavam estar seguindo os ensinamentos de Jesus e seus apóstolos e que tinham livros para *provar* isso – livros supostamente escritos pelos próprios apóstolos. Acima de tudo, as descobertas de Nag Hammadi abriram nossos olhos exatamente para quão diversos os cristãos primitivos na verdade eram.

As pessoas que lêem os Evangelhos gnósticos em tradução inglesa freqüentemente ficam muito confusas. Os Evangelhos estão repletos de idéias muito estranhas à corrente dominante do pensamento religioso ocidental. Considerando que muitos grupos diferentes foram englobados sob uma rubrica – a de "gnósticos" – existe um corpo de pensamento único e coerente expresso nesses documentos?

Os livros causam confusão não só em tradução inglesa, mas também no original em copta! Os autores desses livros não pensavam como a maioria de nós. Vários deles eram muito orientados pela metafísica e pelos mitos. Eles não estavam interessados em expor verdades proposicionais fáceis de entender, mas estavam fascinados pela poética da existência e pelos mistérios deste mundo e de como viemos a habitá-lo.

Dito isso, creio que ajuda ter um entendimento conceitual do que os sistemas gnósticos envolviam, conforme eu tento mostrar em outro dos meus livros, intitulado *Lost Christianities*. Em suma, os gnósticos acreditavam que este mundo não era um bom lugar, e sim que era o resultado de um desastre cósmico. Alguns de nós não pertencem a este lugar, diziam, mas são espíritos do mundo superior que caíram numa armadilha ou foram aprisionados nestes corpos materiais. A meta das religiões gnósticas é nos ensinar como escapar. Podemos escapar às armadilhas materiais deste mundo adquirindo o conhecimento secreto (em grego, *gnosis*) de quem realmente somos, de onde viemos, de como chegamos aqui e de como podemos regressar. A salvação, então, vem para aqueles que aprendem a verdade sobre si mesmos, e esses livros gnósticos – muitos deles confusos demais, na verdade – são tentativas de nos ajudar a atingir um autoconhecimento mais pleno. Quando nós entendermos isso, então poderemos ser libertados.

A tentativa de chegar a um autoconhecimento mais pleno é sem dúvida uma aspiração intemporal. Ela existia antes do tempo de Jesus e continua a existir nos espiritualistas da Nova Era. Portanto, o que teria transformado em irrelevante aquilo em que os gnósticos acreditavam? Por que eles – e todas as outras seitas cristãs primitivas – se extinguiram?

Embora houvesse uma variedade de motivos históricos e culturais, a maioria desses grupos provavelmente se extinguiu porque foi atacada – atacada com êxito, sob pretextos teológicos – e foi muito menos eficaz em suas próprias campanhas de propaganda. Eles não conseguiram recrutar novos convertidos, ao passo que os grupos ortodoxos criaram uma forte estrutura, fizeram campanhas por cartas e empregaram outros meios para propagar seus pontos de vista – e a retórica deles convenceu as pessoas.

Mas o que de fato assegurou a vitória foi a conversão do imperador romano Constantino ao cristianismo. Naturalmente, ele se converteu ao tipo de cristianismo dominante naquela época. Uma vez que Constantino se converte a uma forma ortodoxa de cristianismo, e uma vez que o Estado tem poder, e o Estado é cristão, este começa a reivindicar sua influência sobre o cristianismo. Assim, no fim do século IV, existe de fato uma legislação contra os hereges. Dessa forma, o império que costumava ser inteiramente anticristão se torna cristão. E ele não só se torna cristão, como também tenta ditar a forma que o cristianismo deveria assumir.

As ramificações dessa mudança nos acontecimentos são enormes, é claro. Elas mudaram todo o modo de o mundo ocidental entender a si mesmo, e o modo como as pessoas entendiam alguma coisa. Pense no conceito de culpa simplesmente; se alguns outros grupos tivessem vencido, as coisas poderiam ter sido completamente diferentes.

Dan Brown está certo quando insinua que os verdadeiros "hereges" podem ter sido os romanos, que transformaram uma religião dos oprimidos – na qual as mulheres recebiam papéis de destaque e à qual remontam certas crenças profundamente antimaterialistas – na religião oficial do Império Romano, caracterizada pela hierarquia, pelo patriarcado e pela política?

Não é verdadeiro dizer que foi Constantino quem de uma vez por todas alterou a religião – transformando-a de uma religião favorável às mulheres numa religião patriarcal –, quem decidiu que Jesus seria Deus, quem escolheu os livros que seriam incluídos no Novo Testamento. Ele não fez nenhuma dessas coisas. Elas já tinham sido feitas (ou viriam a ser feitas mais tarde, no caso da formação do cânone) décadas – bem mais de um século, na verdade – antes de Constantino entrar em cena. Mas essas mudanças sem dúvida aconteceram. No início, o cristianismo concedeu um papel e uma autoridade elevados às mulheres, que por fim foram oprimidas e silenciadas. Ele começou como uma religião do outro mundo e tornou-se uma religião que abraçava os valores e as normas do mundo. Ele começou opondo-se ao Estado e a tudo o que ele simbolizava, e veio a abraçar o Estado e a ser abraçado por ele. No fim do século IV, o cristianismo teria sido praticamente irreconhecível para os cristãos no início do século I.

Em geral, alguns eminentes estudiosos da religião pensam que as mulheres, e Maria Madalena em particular, tinham um papel importante e muito visível nessas seitas. Existem indícios disso nos Evangelhos alternativos? Existe uma tendência perceptível nesses Evangelhos em relação à forma como as mulheres eram tratadas na Igreja?

Os cristãos ortodoxos não eram os únicos que oprimiam as mulheres, insistindo no silêncio e na submissão delas. Também podemos encontrar tendências semelhantes em outras formas de cristianismo. Dito isso, é surpreendente que alguns grupos gnósticos fossem conhecidos por sua ênfase nas mulheres e por seu ponto de vista de que as revelações secretas que trazem salvação poderiam ocorrer tanto às mulheres quanto aos homens. Serve de testemunha o Evangelho de Maria, o único que recebeu o nome de uma mulher e sobreviveu à Antigüidade, no qual toda a questão é que Jesus revelou a verdade a Maria Madalena, e explicitamente *não* aos discípulos do sexo masculino!

Pecadora penitente, santa apostólica: nasce o culto de Maria Madalena

*Por Katherine Ludwig Jansen**

Parece-me que cada período cria uma Maria Madalena que satisfaz suas necessidades e anseios. O período medieval criou uma Maria Madalena pecadora, cuja vida era uma lição de esperança e arrependimento. Mas ela também era uma santa, uma pessoa que foi uma poderosa apóstola e pregadora. Esses aspectos da santa refletiam e refratavam as necessidades sociais da Idade Média. O interesse de nosso próprio período em Maria Madalena é alimentado por necessidades e anseios muito diferentes. O movimento feminista, que deu origem à história das mulheres, permitiu-nos redescobrir nossas antepassadas históricas, entre elas Maria Madalena. Os estudos da espiritualidade – históricos e outros – nos permitiram formular perguntas que nos levaram a uma melhor compreensão da função do culto dos santos em diferentes contextos históricos. Os estudos concentrados com mais rigor em Maria Madalena nos ajudaram a ver como a espiritualidade é expressada de formas diferentes no tempo e no espaço. Os estudos de gênero levaram-nos a perguntar se é possível delinear a espiritualidade e a expressão religiosa femininas a partir de seus equivalentes masculinos. E, por fim, as políticas religiosas não deveriam ser esquecidas. A questão atual da ordenação de mulheres na Igreja Católica sem dúvida estimulou novas pesquisas sobre o papel de Maria Madalena na Igreja primitiva.

A nova Madalena do papa Gregório

É importante lembrar que as representações de Maria Madalena se desenvolveram com o tempo, um longuíssimo tempo, desde o período cristão primitivo até nossos dias. Essas representações são produtos de sua era e, para entendê-las plenamente, temos de entender o contexto que as originou. No fim da Antigüidade (os séculos IV e V), a era dos padres da Igreja, havia decerto interesse em

* Katherine Ludwig Jansen, professora adjunta de História na Universidade Católica, é autora de *The Making of the Magdalen: Preaching and Popular Devotion in the Later Middle Ages.*

Maria Madalena, porém, defensavelmente, não mais do que em qualquer outra figura bíblica – o interesse estava lá apenas até onde se referia aos comentários das Escrituras nos quais estavam envolvidos autores patrísticos como Agostinho de Hipona e Ambrósio de Milão. Não havia um claro consenso sobre a identidade de Maria Madalena, e havia até confusão à medida que os padres da Igreja lutavam para harmonizar os discordantes relatos da vida dela nos Evangelhos.

Nosso primeiro testemunho escrito no qual a figura de Maria Madalena se tornou a pecadora santa, ou, em termos mais precisos, o enxerto bem-sucedido da pecadora anônima de Lucas (Lucas 7:37-50) na figura bíblica de Maria de Magdala, vem do início da Idade Média, um período que os historiadores em geral demarcam como se estendendo de 500 a 1000. Em 591, o papa Gregório I, também conhecido como Gregório, o Grande, fez uma homilia em Roma que estabeleceu por séculos a fio uma figura definitiva de Madalena: a de pecadora e santa.

Ora, precisamos lembrar que o período no qual Gregório viveu foi uma época de grande incerteza. O Império Romano havia desmoronado no século anterior, e com ele liderança política, administração e serviços sociais eficazes. A Roma da época de Gregório estava abalada pela devastação causada pelas guerras godas e pela peste; além disso, os longobardos ou lombardos, uma feroz tribo germânica que havia conquistado a maior parte do norte da Itália, continuavam a ameaçar os portões da Cidade Eterna. Em um período de grande incerteza e desordem, Gregório, o Grande, sempre o bom pastor, tentava criar um pouco de certeza para seu rebanho devastado. Por meio da exegese das Escrituras, ele tentava impor um tipo de ordem e estabilidade a uma pequena parte deste mundo caótico e em desagregação. A "nova Madalena" criada pelo bispo de Roma era a obra de um pastor sitiado satisfazendo as necessidades de seu rebanho sitiado, o qual provavelmente havia feito perguntas sobre a identidade de Madalena. Assim nasceu a figura da santa pecadora que o início do período medieval legou para o mundo cristão. A autoridade de Gregório foi tão grande na Idade Média e mais além que sua santa híbrida foi em grande parte aceita no Ocidente. Sempre vale a pena mencionar, contudo, que a Igreja bizantina jamais aceitou essa fusão.

Da ficção pia à Lenda de ouro: Maria Madalena na Provença

A imagem de Madalena pregando na Provença pode ser remontada a uma lenda do século XI, originária de Vézelay, que tentava explicar a presença da santa no sul da França. Essa lenda, conhecida pelos estudiosos como *vita apostolica* (vida apostólica), começou a circular no Ocidente. Conforme narrava a lenda, quando teve início a primeira onda de perseguição aos cristãos, Maria Madalena e seu grupo – incluindo Marta e Lázaro, entre outros – foram expulsos de Jerusalém. Foram postos em um barco sem remos e lançados à deriva no mar. Pela providência divina, foram parar na praia, na Provença, onde se dispersaram para pregar a nova fé cristã. Maria Madalena evangelizou primeiro em Marselha, depois em Aix-en-Provence, onde por fim se retirou para viver como uma eremita solitária na região despovoada nas proximidades. Por volta do século XII, essas ficções pias, que a princípio surgiram para dar mais autenticidade ao novo santuário de peregrinação em Vézelay, cujo nome era uma homenagem a ela, eram agora consideradas os fatos biográficos da vida de Maria Madalena. Nos meados do século XIII, essa lenda havia a tal ponto se tornado parte de sua "biografia oficial" que foi incluída no livro mais popular sobre o santos, *A lenda de ouro*, de Tiago de Voragine, um "*best-seller*" medieval, superado apenas pela Bíblia. Na Idade Média, as pessoas acreditavam que agora tinham todas as provas de que precisavam para crer que Maria Madalena havia evangelizado a Provença e lá passado os últimos trinta anos de vida. Ou seja, tudo estava ao redor delas: nos sermões que ouviam pregar, na arte que viam nas paredes das igrejas, nos hinos que ouviam cantar e nas preleções religiosas que liam ou ouviam sobre os santos. Não podemos censurar as pessoas da Idade Média por acreditarem nessas ficções pias, mas nós, modernos, faríamos bem em lembrar que os indícios da carreira apostólica de Maria Madalena na Provença não são anteriores ao século XI.

"Fermentação magdaleniana" ou Semeando as sementes da devoção

Embora a Provença e a Borgonha tivessem os mais importantes locais de peregrinação dedicados a Maria Madalena na Idade Média, não deveríamos pensar que a devoção à santa se restringisse à França. Temos indícios de que o seu culto começou já no século VIII na Grã-Bretanha: o monge e historiador da Igreja Beda registrou o dia santo dela em seu calendário litúrgico, escrito em cerca de 720 d.C. Existem outros testemunhos encantadores, mas espalhados, de devoção à santa em outros lugares, no início da Idade Média, porém o século XI é que foi a verdadeira era da "fermentação magdaleniana", conforme Victor Saxer, historiador francês de Maria Madalena já falecido, a denominou de forma tão memorável. Como vimos, esse foi o período que produziu o culto em Vézelay e os textos lendários a ele associados que circulavam em relação à devoção lá centrada. Não obstante, eu diria que só no século XIII, a era dos frades mendicantes (as ordens franciscana e dominicana), é que a devoção a Santa Maria Madalena foi de fato internacionalizada. Ambas as ordens eram devotadíssimas à santa. São Francisco moldou sua devoção ao Cristo sofredor na fidelidade de Maria Madalena ao Senhor, o que pode ser visto em muitas representações visuais de Francisco do período, nas quais ele substitui Maria Madalena ao pé da cruz. A ordem dominicana, por outro lado, era tão devotada à santa, em especial ao seu aspecto apostólico, que a designaram patrona de sua ordem. Os frades disseminaram sua devoção à santa por meio de suas campanhas de pregação, e como as ordens haviam sido fundadas na Itália, essas campanhas foram primeiramente direcionadas aos grandes centros urbanos do Centro e do norte da Itália. É claro que a Maria Madalena deles não era meramente a Maria de Magdala das Escrituras, ela era a santa penitente que o papa Gregório criara no século VI agora combinada com a santa lendária – a "apóstola da Provença" – que Vézelay construíra no século XI. Além de ser parte da rotina dos frades, os sermões eram os meios de comunicação de massa da época. E era mediante a pregação que o conhecimento de Maria Madalena chegava às pessoas comuns em toda a Europa.

Os frades tiveram grande sucesso em plantar as sementes do culto a Madalena na Itália: por toda a península, igrejas, conventos e mosteiros foram consagrados à santa. Por volta do século XIV, o nome "Maddalena" havia se transformado em um nome popular para mulheres religiosas e leigas, em particular na Toscana. E doadores – religiosos e leigos – encomendavam capelas, pinturas de painéis e retábulos para comemorar sua devoção a diferentes aspectos da santa. A situação no sul da Itália, porém, era bastante diferente. A parte sul da península havia sido governada desde 1266 por estrangeiros: a Casa de Anjou francesa. Significativamente, era a mesma dinastia que governava a Provença e cujo herdeiro, Carlos II, redescobrira os restos mortais de Maria Madalena em 1279. E como as pessoas no sul da Itália se irritavam sob o domínio de seus governantes franceses, elas ficaram indiferentes a

Maria Madalena, que consideravam muito associada à dinastia angevina. Portanto, embora encontremos muitas instituições, conventos, igrejas e capelas com o nome de Maria Madalena no sul da Itália, sobretudo em Nápoles, a capital do reino angevino, eles não eram monumentos encomendados pelos cidadãos do reino. Em sua maioria, foram fundados por membros da família angevina ou seus estreitos colaboradores. Assim, no sul da Itália, creio que podemos identificar uma política de santidade na qual o culto de Madalena era encarado com suspeita como uma importação estrangeira e impregnado demais da política angevina para criar raízes durante o tempo que a família governou a parte sul da península Itálica, conhecida como o reino de Nápoles.

O legado dela: *apostolorum apostola*

O título "apóstola dos apóstolos" (*apostolorum apostola*) é um título honorífico que parece ter passado a ser comumente usado em referência a Santa Maria Madalena no século XII. Muitos dos maiores teólogos do período – entre eles Hugo de Cluny, Pedro Abelardo e Bernardo de Clairvaux – usavam o título quando se referiam a Maria Madalena. É claro que o título se refere à posição privilegiada de Maria Madalena por haver testemunhado primeiro o Cristo ressuscitado (em três dos quatro Evangelhos) e recebido dele a ordem de transmitir a boa-nova de sua Ressurreição aos outros discípulos. É significativo o fato de que o título não era só textual, mas visual. Nesse período surgiram imagens, em particular iluminuras, que representavam Maria Madalena pregando para os outros discípulos. Como já vimos, por volta do século XII as lendas que associavam a santa a um ministério apostólico na Provença já estavam em circulação, elegendo-a apóstola da Provença. É possível que a circulação dessas lendas tenha inspirado a criação do título "apóstola dos apóstolos". As origens do título provavelmente permanecerão obscuras para sempre, perdidas nas brumas do tempo; o que sabemos é que escritores e pintores continuaram a descrever Maria Madalena como "apóstola dos apóstolos" durante a Idade Média. E ainda que teólogos e canonistas proibissem as mulheres de pregar em público, em geral Maria Madalena era isenta desse preceito. Ela era representada pregando em sermões, literatura religiosa, peças sacras e no material visual, em que mais de uma vez foi representada pregando em um púlpito.

O título e a imagem resistiram durante todo o período medieval, mas caíram vítima das reformas levadas a cabo em conseqüência do Concílio de Trento, convocado no século XVI a fim de responder às críticas feitas por reformadores protestantes à Igreja Católica. Uma dessas críticas tinha como alvo o culto dos santos, dos quais muitas biografias eram ridicularizadas pelos reformadores protestantes por terem sido exageradas pela lenda. Assim, os reformadores católicos reagiram decretando que as biografias do santos daí em diante deveriam ser historicamente o mais acuradas possível e que todos os acréscimos lendários deveriam ser removidos. Como vimos antes, os fatos bíblicos da vida de Maria Madalena haviam sido exagerados pela lenda, e quando a lenda foi eliminada, lamentavelmente ocorreu o mesmo com o título "apóstola dos apóstolos". Ainda que o título tivesse sido inspirado pelas Escrituras, nem o protestantismo nem o catolicismo do período eram hospitaleiros à idéia de mulheres religiosas pregando para homens.

Parece-me que o título de "apóstola dos apóstolos" é um dos legados mais importantes que o mundo medieval nos deixou em relação à santa. Ele sintetiza a tremenda importância do fato de Maria Madalena, uma mulher, ter sido escolhida para testemunhar a Ressurreição de Cristo e, além disso, de ter sido a ela que Cristo concedeu o privilégio de anunciar a Ressurreição, o dogma fundamental da fé cristã. A meu ver, isso constitui uma forte evidência, baseada nas Escrituras e na tradição, que apóia os argumentos a favor da ordenação de mulheres na Igreja Católica. É neste último caso que as preocupações do nosso tempo coincidem em parte com representações medievais da santa: tanto naquela época como agora a figura de Maria Madalena, apóstola dos apóstolos, é um símbolo de tremenda importância, poder e inspiração.

As controvérsias sobre Maria Madalena

Por Arne J. de Keijzer

Ela era a "mulher pecadora"?

Muitos dos colaboradores de *A verdadeira história de Maria Madalena* mencionam o agora infame sermão do papa Gregório, o Grande (540-694), no qual ele fundiu duas outras mulheres – Maria de Betânia e a "mulher anônima da cidade, que era uma pecadora" – com Maria Madalena. De uma só vez, ele desferiu o que é considerado por muitos estudiosos modernos o golpe de misericórdia em uma seqüência que via as mulheres cada vez mais marginalizadas por causa do que era percebido como uma ameaça delas à "única verdadeira fé". Seu sermão pôs fim a uma adiantada discussão sobre a identidade de Maria Madalena na época e colocou o bom nome dela em uma caixa rotulada como "pecadora penitente". A caixa não seria reaberta por 1.378 anos.

Existem muitas explicações possíveis para as ações de Gregório. Talvez, conforme acreditam alguns estudiosos, a infeliz fusão tenha sido feita de boa-fé, a fim de simplificar elementos bíblicos complexos em uma era de incerteza teológica e política. Por exemplo, alguns dos bispos da Igreja achavam que os vários Evangelhos, junto com um amplo debate entre mestres sobre o que ensinar, criaram confusão demais. Ou, conforme outras pessoas dizem, foram parte de uma conspiração dos padres da Igreja para eliminar os últimos vestígios do poder feminino. Seja qual for a motivação, essa condenação de Maria Madalena como prostituta e penitente rapidamente se tornou um ponto de referência para a teologia católica. Gregório declarou que a leitura no púlpito para marcar o dia santo de Maria Madalena, 22 de julho, seria dali em diante de Lucas 7, que diz o seguinte:

> [...] Uma certa mulher da cidade, uma pecadora, quando soube que ele estava à mesa na casa do fariseu, levou um vaso de alabastro com ungüento, e se pôs atrás de Jesus, a seus pés. Chorando, molhava os pés de Jesus com suas lágrimas e os enxugava com os próprios cabelos; e beijava-lhe os pés e os ungia com o ungüento. Ao ver isso, o fariseu que o convidara disse consigo mesmo: "Se este homem fosse profeta, bem saberia quem é a mulher que o toca e de que tipo ela é, pois é pecadora." (7:36-9)

Em 591, o papa Gregório, em sua Homilia 33, expôs sua interpretação desses versículos como segue:

> Aquela a quem Lucas chama de mulher pecadora, a quem João chama de Maria, nós acreditamos ser a Maria da qual sete demônios foram

> expulsos, de acordo com Marcos. E o que significavam esses sete demônios senão todos os vícios? [...] É claro, irmãos, que antes a mulher usava o ungüento para perfumar sua carne em atos proibidos. O que ela então expunha de maneira mais escandalosa estava agora oferecendo a Deus de uma forma mais digna de louvor. Ela havia cobiçado com olhos mundanos, mas agora, mediante a penitência, estes são consumidos com lágrimas. Ela expôs os cabelos para realçar o rosto, mas agora seus cabelos enxugam suas lágrimas. Ela havia pronunciado coisas orgulhosas com sua boca, mas, ao beijar os pés do Salvador, agora colocava a boca nos pés do Redentor. Por esse motivo, por cada deleite que experimentara dentro de si, ela agora se imolava. Ela transformou a grande quantidade de seus crimes em virtudes, a fim de servir a Deus inteiramente em penitência, apesar de ela ter desprezado Deus.

Em grande parte em razão da pressão de dentro da Igreja, o Vaticano finalmente aboliu essa interpretação de Maria Madalena em 1969, sem um pedido de desculpas e nem ao menos um pronunciamento oficial. O Concílio Vaticano II simplesmente mudou a leitura para o dia santo como parte de uma reforma geral do calendário da Igreja relacionada com a forma como muitos santos deviam ser lembrados. O missal e o calendário romanos agora ordenavam que a leitura fosse mudada de Lucas 7 para o Evangelho de João, Capítulo 20, versículos 1-2 e 11-18.

> 1 No primeiro dia da semana, sendo ainda escuro e de madrugada, Maria Madalena foi ao sepulcro e viu que a pedra fora removida.
> 2 Então correu e foi até Simão Pedro e o outro discípulo, a quem Jesus amava, e lhes disse: "Tiraram o Senhor do sepulcro e não sabemos onde o colocaram."
> 11 Mas Maria permaneceu chorando junto à entrada do sepulcro. Enquanto chorava, abaixou-se e olhou para dentro do sepulcro,
> 12 E viu dois anjos vestidos de branco, sentados onde estivera o corpo de Jesus, um à cabeceira e o outro aos pés.
> 13 Eles lhe perguntaram: "Mulher, por que choras?" Ela lhes respondeu: "Porque levaram o meu Senhor e não sei onde o colocaram."

> 14 Tendo dito isso, voltou-se e viu Jesus em pé, mas não o reconheceu.
> 15 Jesus lhe perguntou: "Mulher, por que choras? A quem procuras?"
> Ela, supondo ser o jardineiro, respondeu: "Senhor, se o tiraste, dize-me
> onde o puseste, e eu o levarei."
> 16 Jesus lhe disse: "Maria!" Voltando-se, ela lhe disse em hebraico:
> "*Rabbuni*", que quer dizer "Mestre".
> 17 Jesus lhe recomendou: "Pára de agarrar-te a mim, pois ainda não subi
> a meu Pai, mas vai até meus irmãos e dize-lhes: Subo para meu Pai e
> vosso Pai, para meu Deus e vosso Deus."
> 18 Maria Madalena correu para anunciar aos discípulos que tinha visto o
> Senhor e que ele lhe dissera essas coisas.

Desse modo, o papa Paulo VI revogou a interpretação de seu predecessor e transformou Maria Madalena de pecadora arrependida na pessoa que emerge dos Evangelhos como crucial à história da Ressurreição – e também por seus próprios méritos.

Ela era casada com Jesus?

> *Veja bem... o maior encobrimento da verdade na história humana. Jesus Cristo não só era casado, como também era pai. Minha querida, Maria Madalena era o Vaso Sagrado. Ela era o cálice que carregava a linhagem real de Jesus Cristo. Ela era o ventre que gerava a linhagem, e a videira da qual brotava o fruto sagrado!*[1]
>
> — Dan Brown, *O código Da Vinci*

> *Eu penso que o interesse recente em transformar Maria Madalena na Sra. Jesus ou na amante de Jesus, em parte, tem mais a ver com Jesus do que com Maria Madalena. Para ser um homem de verdade, ele precisa ter uma mulher. Trata-se de outra forma de usar uma mulher para refletir sobre um homem.*
>
> — Jane Schaberg

[1] Tradução livre. (N. do E.)

Embora O código Da Vinci *tenha provocado fascínio pelo* status *conjugal de Maria Madalena, essa mulher muito mal compreendida do Novo Testamento fez muito mais do que ficar em casa assando biscoitos de tâmara.*
— Denise Flam

A questão de se Maria e Jesus eram casados sem dúvida tem inspirado um debate muito animado (e fascinante). No entanto, ela tende a obscurecer uma questão muito mais profunda, que vai ao âmago da mensagem cristã: a divindade de Jesus.

Como o filho de Deus tornado conhecido nos Evangelhos canônicos, ele é divino, e, apesar de ser tentado, eleva-se acima dos pecados e fraquezas do gênero humano. Na Epístola aos Hebreus do Novo Testamento (4:15), ele "foi provado em tudo como nós, com exceção do pecado". Isso parece incluir atividade sexual.

Se Jesus, porém, é casado, ele volta a ser uma pessoa, um "mero" profeta – embora um profeta radical e único. Ou, como nas palavras de uma personagem de *O código Da Vinci*, "um grande e poderoso homem, mas um homem não obstante. Um mortal". Defensavelmente, o lado positivo dessa transformação do Jesus divino em um simples mortal também encerraria para sempre a profunda ambivalência das pessoas dentro de uma cultura monástica em relação à sexualidade.

O espectro de opiniões dos especialistas sobre essa questão é amplo, para dizer o mínimo. Alguns crêem que a questão em si é heresia; que não há o menor indício dessa união no Novo Testamento ou nos Evangelhos alternativos. Alguns não a excluem. Outros acham-na improvável – mas possível. E, ainda para outros, ela é uma "coisa óbvia". Quanto ao "homem comum", uma pesquisa realizada pelo *website* religioso Beliefnet.com descobriu que, ao serem perguntados se Jesus era casado, 41% dos entrevistados responderam "É claro que não", 23% disseram "Sim, ele era casado, com Maria Madalena", 5% disseram "Sim, mas nós não sabemos com quem", e 31% disseram "Não importa".

Nossa própria pesquisa, apresentada como uma "provocação de reflexão", reúne opiniões de uma ampla gama de estudiosos, teólogos e especialistas – um bom ponto de partida para mais investigação intelectual.

Não, Jesus e Maria não eram casados

Como era de esperar, as vozes mais fortes que apóiam essa posição são de católicos. Greg Jones, erudito e reitor católico, resume a questão: "Não existe nenhuma base, factual, histórica ou nas Escrituras, para se afirmar que Maria e Jesus se casaram, conceberam filhos, beijaram-se ou sequer seguraram a mão um do outro."

Richard P. McBrien, professor de Teologia na Universidade de Notre Dame, concorda com Jones, citando três motivos: primeiro, os Evangelhos não fazem menção a um casamento. Segundo, havia uma tendência antierótica presente no cristianismo primitivo. Terceiro, "quando São Paulo invocou seu próprio direito de casar-se, por que não recorreu ao casamento de Jesus para apoiar seu argumento?" No entanto, McBrien diz: "Ter sido casado não teria comprometido a divindade de Jesus." E é apenas uma questão de lógica que, *se* ele tivesse se casado, teria sido com Maria Madalena.

"Você está brincando?", pergunta Kenneth Woodward, colaborador da *Newsweek* e escritor que com freqüência escreve sobre religião. Woodward acredita que Maria Madalena é vítima de uma "completa transformação cultural", de um "projeto para um certo tipo de estudos eruditos feministas ideologicamente comprometidos".

Darrell Bock, especialista em assuntos bíblicos do Seminário Teológico de Dallas, crê que a idéia de um casamento é não só completamente errada, mas também é uma posição que cheira a conspiração. Todo o debate, diz Bock, reflete "uma tentativa de – e eu vou usar este termo de propósito – relegar o cristianismo a um nível igual ao das outras religiões". O casamento reduziria Jesus a "uma grande figura religiosa, uma entre muitas, em vez de ser uma figura única que é unicamente divina".

Surpreendente, talvez, os estudiosos e os teólogos conhecidos por desencadear críticas contundentes do que chamam de novos "estudos eruditos feministas revisionistas, ideologicamente comprometidos" na verdade concordam com seus adversários teológicos sobre este assunto controverso. Por exemplo, eles evidentemente debateriam com a estudiosa feminista Katherine Ludwig Jansen, da Universidade Católica da América, que escreveu: "A única evidência de que dispomos que documenta a existência dela é a que está contida no Novo Testamento." E, como muitos de seus colegas, ela sustenta que não existe uma palavra sequer no Novo Testamento sobre essa união.

Susan Haskins, em seu livro *Mary Magdalene: Myth and Metaphor*, diz que sim, que ela era a companheira de Jesus e também "a principal discípula, a primeira apóstola e amiga querida de Cristo". Mas Haskins também acredita que as imagens sexuais veiculadas na Bíblia e nos Evangelhos gnósticos são só "uma metáfora para a reunião de Cristo com a Igreja que ocorre na câmara nupcial", e são "simbólicas do amor de Cristo pela Igreja". Então eles eram mesmo casados? Haskins descarta essa proposição por considerá-la bizarra.

Esther de Boer, que, como muitos de seus colegas, também é altamente crítica em relação ao patriarcado da Igreja Católica, não leva em conta a teoria de que a expressão "companheira íntima", do Evangelho de Filipe, dá a entender que Jesus e Maria Madalena eram casados, ou mesmo amantes. "Não precisamos entender esses 'beijos' em um sentido sexual, mas em um sentido espiritual", afirma ela. "A graça que trocam aqueles que se beijam os faz renascer."

Não, mas...

Bruce Chilton, que recentemente escreveu uma biografia de Maria Madalena (vide excerto no Capítulo 3), diz que não há nenhuma indicação de que eles eram casados e nenhum motivo para nos ocuparmos teologicamente com isso, mesmo que fosse esse o caso. "Eu penso que é perfeitamente plausível dizer que eles talvez tenham tido um relacionamento sexual um com o outro. Todavia, ao se fazer tal asserção, também é prudente distinguir isso da afirmação de que, portanto, eles eram casados. Nenhum deles era muito bom candidato ao casamento [em virtude da tradição familiar judaica da época]."

Possível, talvez até provável, mas sem dúvida não inequívoco

John Spong, bispo episcopal aposentado e autor de *Born of a Woman* diz que um casamento entre Maria Madalena e Jesus é "provável", uma conclusão a que ele chega com base no mau tratamento histórico dispensado às mulheres pelo cristianismo. "A negatividade em torno da idéia de que Jesus poderia ter sido casado é cada vez mais estranha no nosso tempo. Ela reflete o resíduo daquela profunda negatividade cristã para com as mulheres que ainda contamina a Igreja." Spong conclui que, apesar de não haver nenhuma prova, a Bíblia apresenta um "argumento cumulativo que insinua que Jesus bem poderia ter sido casado, que Maria Madalena, como a mulher fundamental na história dos Evangelhos em si, era a esposa de Jesus, e esse registro foi suprimido mas não destruído pela Igreja cristã antes de os Evangelhos serem escritos".

Lynn Picknett e Clive Prince, em seu livro *A revelação dos templários,* uma das principais fontes de *O código Da Vinci*, de Dan Brown, escrevem: "Existem indícios de que Madalena era a esposa de Jesus – ou, pelo menos, sua amante." Ela considera o silêncio sobre o assunto "muito estranho", visto que os judeus pensavam que o celibato "era impróprio", e que Jesus e seus discípulos poderiam ter "causado um alvoroço entre as autoridades [...] pelo temor do homossexualismo". Na opinião de Picknett, porém, o silêncio dos Evangelhos sobre o assunto poderia ter outra interpretação. "Ele poderia ter tido uma parceira sexual que não era sua esposa, ou ter consumado uma forma de casamento não reconhecida pelos judeus."

Talvez sim, talvez não, mas não importa

Jane Schaberg, autora de *The Resurrection of Mary Magdalene,* acredita que a forma como o Evangelho de Filipe descreve o relacionamento entre Maria Madalena e Jesus, embora ambígua e enigmática, é extremamente importante e profunda. Essa ambigüidade invalida duas alternativas que aceitam as noções patriarcais do corpo feminino: 1) que todo relacionamento homem-mulher deve envolver relações sexuais; e 2) que "os relacionamentos homem-mulher 'sagrados' ou 'espirituais'" não devem". O problema do casamento é uma obsessão, crê Schaberg, e não um problema útil.

Gerald O'Collins, professor de Teologia na Pontifícia Universidade Gregoriana, em Roma, afirma que essas teorias foram formuladas porque "vendem bem". E acrescenta: "É uma boa matéria para romances, e é sensacional, mas degrada a verdadeira Maria Madalena [...]."

Elizabeth Clare Prophet, autora de *Mary Magdalene and the Divine Feminine*, descreve a si mesma como uma pioneira "na espiritualidade prática, incluindo o uso do poder criador do som para o crescimento pessoal e a transformação do mundo". Ela concorda em que o debate sobre o casamento deles não capta o ponto fundamental. "Seja o que for que tenha acontecido entre eles, talvez não esteja escrito nos livros de história, e eu não professo para conhecer a mim mesma, mas isso não teria importância para mim. De maneira alguma aviltaria o Salvador se ele tivesse se casado com Maria Madalena e tido filhos, porque seu poder e magnitude não estão baseados na forma que ele escolheu para se relacionar com ela."

É claro que eles eram casados!

Os especialistas em Maria Madalena nos quais Dan Brown se baseou para propor sua teoria da linhagem sagrada são, é claro, a favor desta proposição. Margaret Starbird, uma dessas fontes, acredita que as Escrituras corroboram sua teoria de que Jesus era o marido de Maria Madalena, uma teoria que ela publicou pela primeira vez em seu livro *Maria Madalena e o Santo Graal*.[2]

Thimothy Freke e Peter Gandy, em *Jesus and the Lost Gospels*, escrevem: "No Evangelho de Lucas, Maria esfrega os cabelos nos pés de Jesus. De acordo com a lei judaica, apenas o marido tinha permissão para ver os cabelos soltos de uma mulher, e se uma mulher soltasse os cabelos na presença de outro homem, isso era um sinal de impropriedade e motivo para divórcio obrigatório [...]. Esse incidente, então, pode ser visto como retratando Jesus e Maria como marido e mulher ou como amantes libertinos com pouco respeito pelos escrúpulos morais."

Para Laurence Gardner, autor, músico, historiador e templário, a questão já foi resolvida nos Evangelhos canônicos. Em *O legado de Madalena*, ele escreve: "Os Evangelhos (todos os quatro) sem dúvida afirmam que Jesus era casado."

A mais enérgica proponente da teoria do "sim, eles eram casados" talvez seja Barbara Thiering, uma estudiosa australiana cuja especialidade são os Manuscritos do mar Morto. Thiering escreveu que, pelo costume tradicional dos essênios, "no início do ministério de Jesus, ele e Maria Madalena passaram pela primeira cerimônia, dando início ao casamento experimental". Nada menos que às seis da tarde de terça-feira, 6 de junho do ano 30 d.C. Além do mais, Thiering afirma que "na época da crucificação, Maria estava grávida de três meses, e o casamento definitivo, que criava laços, foi realizado".

[2] Publicado originalmente com o título *The Woman with the Alabaster*, em 1993. (N. do E.)

Não só casados, mas com descendentes que transmitiram a linhagem real

Curiosamente, os autores de *O Santo Graal e a linhagem sagrada*, que processaram Dan Brown em um tribunal de Londres por "plagiar" sua tese da linhagem (eles perderam a causa), acreditam que existem muitos argumentos a favor de o casal ter tido relações sexuais e descendentes, mas não chegam a ponto de afirmar que eles foram inequivocamente casados.

Margaret Starbird crê que Maria Madalena estava grávida na época da crucificação, porém, tendo de fugir da perseguição, deu à luz uma menina no Egito antes de mãe e filha seguirem para a França. Foi essa filha quem, segundo os que acreditam na lenda, se tornou a primeira numa linhagem de reis franceses, a qual, conforme insistem *O código Da Vinci* e histórias parecidas, continua até hoje.

Barbara Thiering estende sua teoria do "sim, eles eram casados" ao "fato" de que tiveram três filhos: uma filha (Tamar), nascida em 33 d.C. (após a crucificação), e dois filhos, um nascido em 37 d.C. (Jesus Justus) e um nascido em 44 d.C. (Tiago). Thiering baseia essa análise no que chama de *pesher* dos Manuscritos do mar Morto – *pesher* significando "interpretação" no sentido de "solução" em hebraico. O motivo por que Jesus pôde ter tido mais dois filhos após a crucificação, afirma ela, foi que ele sobreviveu ao suplício e em seguida participou intensamente da criação da Igreja cristã. E mais: Thiering "descobriu" que após o cisma da Igreja primitiva, em 44 d.C., "Maria abandonou o casamento, por acreditar que Jesus havia se desviado das verdadeiras idéias religiosas". Jesus acabou desposando uma mulher chamada Lídia em 50 d.C., com quem teve mais dois filhos.

A tese de Laurence Gardner é basicamente a mesma de Thiering com relação ao número de filhos, mas acrescenta uma filha e vê uma conseqüência diferente para a família. "Em 53 d.C., Jesus Júnior foi oficialmente declarado príncipe herdeiro na sinagoga de Corinto." Ambos os irmãos vão parar na Provença com a mãe, onde Jesus Justus se torna pai e dá ao filho o nome de Jesus III. A filha Tamar parece terse casado com São Paulo em Atenas, em 53 d.C., crê Gardner.

Dois autores britânicos, Tom Kenyon e Judi Sion, relatam que, embora seja certo que Maria Madalena foi para a França, também é provável que ela tenha ido à Grã-Bretanha. Estendendo essa tese, Ani Williams, cantora da Nova Era que pratica a "medicina do som" e lidera peregrinações ao longo da trilha de Maria Madalena, afirma que em sua viagem à Grã-Bretanha ela foi acompanhada por José de Arimatéia, que para lá levou o Santo Graal e o enterrou na abadia de Glastonbury. Também existe a tese de Graham Phillips, um "pesquisador de mistérios históricos", em seu livro *The Chalice of Magdalene*.

O que concluir? Sem registros escritos da época em que Jesus e Maria viveram, não pode haver uma resposta definitiva. Talvez, a exemplo de tantos outros aspectos da história de Maria Madalena, ela tenha agido da forma que nós queríamos que ela agisse.

Ela era o "discípulo amado" e o verdadeiro autor do Evangelho de João?

Há dois mistérios no Evangelho de João que têm exasperado os estudiosos desde os primórdios do cristianismo. Um é o nome da pessoa a quem João se refere apenas como o "discípulo amado" (em termos mais literais, "o discípulo a quem Jesus amava"). O outro é a questão sobre quem na verdade escreveu esse texto; ao contrário de Mateus, Marcos e Lucas, nenhum autor ou autores foi identificado. Quem seria João? Alguns propuseram a teoria de que a resposta a ambas as perguntas é uma só: Maria Madalena.

Suposições acerca da autoria estenderam-se do discípulo João de Zebedeu a Lázaro de Betânia, passando por João Batista. Nenhum deles é o candidato certo, diz Ramon K. Jusino, um estudioso católico, professor primário e autor de "Mary Magdalene: Author of the Fourth Gospel?", um ensaio de ampla circulação. Em grande medida, ele está convencido de que o Quarto Evangelho foi de fato escrito por Maria, e de que era ela o discípulo amado. Ele não está sozinho. A respeitada estudiosa Esther De Boer chamou Maria Madalena de "uma séria candidata" ao discípulo amado no Evangelho de João, e, em um argumento altamente nuançado, a estudiosa da Bíblia Sandra Schneider faz o mesmo.

Jusino baseia parte de suas alegações em inferências dos Evangelhos gnósticos de Maria e Filipe. Ambos retratam Maria Madalena como *a)* uma discípula e *b)* a discípula a que "Jesus amava mais do que aos outros". Portanto, não é uma interpretação forçada inferir que João estava falando sobre Maria Madalena, afirma Jusino. Ele acredita que ela na verdade foi a fundadora da comunidade cristã primitiva e começou a acumular os ensinamentos de Jesus, que mais tarde viriam a ser incluídos numa segunda versão de João, intensamente revisada. Nenhum líder da comunidade cristã primitiva poderia apoiar o fato de que Jesus talvez tenha tido uma mulher como discípula, crê Jusino, por isso a solução foi apagar o nome dela, substituindo-o pelo discípulo amado, anônimo e do sexo masculino.

Quanto ao fato de o discípulo amado ser Maria, Jusino baseia sua crença em uma análise textual de duas cenas: a presença de Maria Madalena ao pé da cruz e o túmulo vazio. Essas duas cenas, diz ele, foram estabelecidas bem demais para serem simplesmente suprimidas. Todavia, o redator desejava reivindicar o discípulo amado (do sexo masculino) como testemunha ocular desses acontecimentos. Ele resolveu esse dilema incluindo ambas as figuras, reforçando assim a idéia de que se tratavam de duas pessoas distintas. Mas Jusino nota incoerências estruturais no texto, corroboradas por outros estudiosos, que, afirma ele, indicam a inserção pelo redator de outra pessoa nas cenas. Essa versão refundida é que se transformou no Quarto Evangelho canônico, conhecido como o Evangelho de João.

Ann Graham Brock, especialista na evolução do movimento cristão primitivo, tem suas dúvidas. "Muito embora eu esteja aberta a muitas possibilidades", diz Brock, "e tenha passado anos à procura de vestígios do legado de Maria Madalena, devo confessar que até agora não fui persuadida de que Maria Madalena é a autora de João. Na verdade, esse Evangelho exibe mais interesse nas contribuições das mulheres do que qualquer dos outros três Evangelhos canônicos. [...] Maria Madalena é de fato muito importante para o Evangelho de João; no entanto, esse interesse não é um indício suficiente para que se possa afirmar que Maria Madalena é a autora. Eu teria de averiguar mais."

Na conclusão de seu artigo controverso, porém pesquisado de forma minuciosa, Jusino admite que a busca do verdadeiro autor do Quarto Evangelho continua a ser uma boa história policial. No entanto, existem pistas em toda parte, afirma ele, e decerto existem documentos esperando para serem descobertos e que confirmarão o que ele firmemente acredita: que Maria de Magdala é o discípulo amado e o autor do Quarto Evangelho.

O mormonismo e Maria Madalena

*Por Maxine Hanks**

O mormonismo talvez seja a única religião cristã que, desde a sua origem, abraçou a crença de que Jesus foi casado e teve filhos. A idéia não é nova para os mórmons, que crêem que o casamento é necessário à divindade, ou à mais elevada "exaltação" no céu.

Essa idéia foi ensinada por Joseph Smith, o fundador do mormonismo, de acordo com seus colaboradores mais próximos (chamados de "apóstolos"), que relataram os ensinamentos privados de Smith após sua morte. Ao que parece, Smith jamais ensinou publicamente ou divulgou qualquer coisa específica sobre a esposa ou os filhos de Jesus. E a Igreja de Jesus Cristo dos Santos dos Últimos Dias jamais confirmou oficialmente uma crença no casamento de Jesus. Na verdade, ela negou publicamente que isso algum dia tenha feito parte da doutrina da Igreja. Todavia, a idéia de um Jesus casado é conhecida no mormonismo como uma doutrina antiga, sagrada, circunspecta e popular.

A crença mórmon no casamento de Jesus, na verdade, diz pouco sobre Maria Madalena e mais sobre a linhagem de Jesus. Smith identificou pelo menos duas pessoas como sendo "descendentes diretos de Jesus Cristo". Smith também insinuou o mesmo a seu respeito. Seis meses após a morte dele, Brigham Young afirmou que a alegação críptica de Smith de que "nenhum homem conhece a minha história" aludia à sua linhagem sagrada. "Vocês ouviram José dizer que as pessoas não o conheciam. [...] Algumas supuseram que ele quis dizer Espírito, mas era a relação de sangue."**

Noções de uma linhagem eleita são muito fortes no mormonismo. Smith escreveu em 1835: "A ordem desse sacerdócio foi confirmada para ser passada de pai para filho, e justificadamente pertence aos descendentes literais da família eleita, a quem as promessas foram feitas." (Doutrina e Alianças 107:40) Em 1858, Brigham Young

* Maxine Hanks é escritora, palestrante e teóloga feminista, cujo livro, *Women and Authority*, valoriza a teologia e a história feministas no mormonismo. Ex-mórmon e missionária da Igreja de Jesus Cristo dos Santos dos Últimos Dias, ela tornou-se gnóstica em 1996.

** Todas as citações de Brigham Young são de *Dynasty of the Holy Grail: Mormonism's Sacred Bloodline*, de Vern Swanson, 2006.

disse: "Oculto no sangue de muitos mórmons corre o sangue de Israel, vindo de numerosas direções, incluindo o do Salvador. Mas é especificamente pelo divino direito de sangue de Jesus Cristo, por intermédio de Joseph Smith Jr., que todos os membros da Igreja são herdeiros legítimos da promessa."

Os primeiros mórmons acreditavam que Jesus se casou a fim de preservar sua linhagem e sacerdócio. O apóstolo Orson Hyde disse: "Jesus era o noivo nas bodas de Caná da Galiléia. [...] Dizemos que foi Jesus Cristo quem se casou, para que produzisse vínculos de sangue por meio dos quais pudesse ver sua descendência antes de ser crucificado." O sobrinho de Smith, o presidente da igreja, Joseph F. Smith, disse que Jesus se casou para cumprir "toda a lei de Deus".

Entretanto, os mórmons também levaram a idéia um passo adiante, insinuando que Jesus foi casado com mais de uma mulher. O sobrinho de Smith também disse que "Maria e Marta demonstraram um relacionamento muito mais íntimo do que o de meras crentes [em Jesus]". Os apóstolos de Smith com freqüência citavam as irmãs de Betânia como esposas de Jesus, junto com Maria Madalena. Orson Hyde afirmou: "Maria, Marta e outras eram suas esposas, e [...] ele gerou filhos."

Levando em consideração um messias com várias esposas, o próprio Smith casou-se com 34 mulheres. A doutrina mórmon inicial da poligamia parecia ligada à idéia de que Jesus era casado. A revelação de Smith sobre a poligamia dá a impressão de que é proveniente de Jesus Cristo:

> Eu, o Senhor, legitimei [...] o princípio e a doutrina de que eles tenham muitas esposas e concubinas. [...] Revelo a vós uma nova e duradoura aliança [...] a menos que obedeçais à minha lei, não podereis obter esta glória [...] de que onde eu estiver vós também estareis. [...] Recebei [...] a lei do meu Sacerdócio Sagrado. (1843, Doutrina e Alianças 132)

Parece que os primeiros mórmons acreditavam 1) que Jesus era casado e que suas esposas eram provavelmente Madalena, Marta e Maria de Betânia; 2) os descendentes de Jesus preservaram sua linhagem e sacerdócio reais; e 3) Joseph Smith era um descendente de Jesus, herdando sua linhagem e seu sacerdócio, junto com outros mórmons. Quando eu era mórmon, ouvi esses ensinamentos muitas vezes; o foco da fé na genealogia produzia mapas genealógicos como o que mostrava a linhagem da minha família "remontando a Jesus Cristo".

Onde Joseph Smith aprendeu tudo isso? A maior parte de seus ensinamentos era atribuída a seu chamado profético. Ele também explorou uma variedade de tradições espirituais, incluindo idéias judaicas, cristãs, gnósticas, herméticas, místicas, mágicas e maçônicas. O mormonismo combinou tradições cristãs e esotéricas, criando uma nova visão na qual a ortodoxia e a heresia foram reunidas em uma fé.

No entanto, Smith e seus apóstolos não usavam termos esotéricos como *graal*; eles usavam linguagem bíblica. Assim, a concepção de Jesus pelos mórmons é mais bíblica do que a adotada dos conhecimentos esotéricos. Os mórmons tinham uma necessidade de entender a poligamia – como um povo eleito chamado para restaurar a linhagem sacerdotal de Jesus, o Messias.

Smith imaginava Jesus como um Deus ressuscitado e a poligamia como a lei de Deus. Ele também imaginava o mormonismo como a restauração do "cristianismo original", conforme vivenciado por Jesus; portanto, o mormonismo restauraria as práticas de Jesus, incluindo o casamento.

O mormonismo repetia um curioso padrão do cristianismo primitivo: Joseph Smith era um mártir religioso e sua esposa, Emma, tinha uma alta posição de líder. Contudo, o principal apóstolo, Brigham Young, conseguiu levar a maioria dos crentes consigo. Um padrão semelhante é atribuído a Jesus, Maria Madalena e Pedro – um padrão arquetípico do rei ferido ou agonizante, que sobreviveu por intermédio de uma companheira chorosa ou deslocada e de um sucessor agressivo hostil a ela.

As concepções dos primeiros mórmons reverenciam Madalena como testemunha e esposa de Cristo, embora os ensinamentos mórmons formais digam pouco sobre ela ou sobre sua importância como testemunha ou como apóstola. As implicações do papel dela são desconhecidas. Todavia, o mormonismo possui um cânone aberto de "revelação contínua" que convida a novos *insights*, inspiração e interpretação. Isso permite que crenças do passado mudem, reconhecendo a necessidade humana de evoluir e a responsabilidade divina de melhorar.

Depois de 1890, a prática mórmon da poligamia terminou, e mesmo a doutrina foi mudada por líderes da Igreja. No entanto, o ensinamento esotérico de alguns sobre o fato de Jesus ser casado jamais foi refutado. O que *foi* negado é que algum dia tenha sido doutrina. Em 2006, a Igreja de Jesus Cristo dos Santos dos Últimos Dias divulgou esta declaração: "A crença de que Jesus Cristo era casado nunca foi doutrina oficial da Igreja. Ela não é nem sancionada nem ensinada pela Igreja. Embora seja verdade que nos meados do século XIX alguns líderes da Igreja expuseram suas opiniões sobre o assunto, ele não era então, nem é agora, doutrina da Igreja."

CAPÍTULO 5

Mesa-redonda sobre Maria Madalena

Maria Madalena é um modelo a ser seguido de apostolado feminino, liderança, coragem, fidelidade, força [...].

— Susan Haskins

Para mim, Maria Madalena é uma profetisa. A continuidade dessa voz profética é que a faz ficar apenas ligeiramente fora da tradição cristã que a torna uma figura fascinante e enigmática.

— Deirdre Good

Ela é um elo de ligação entre todas as partes de nossas vidas, [...] e talvez em sua ausência ela esteja mais presente do que quando está fisicamente diante de nós.

— Diane Apostolos-Cappadona

Para mim, Maria Madalena não é uma deusa. Ela não é uma figura de santidade tão profunda a ponto de ser inacessível. Ela é mais como uma irmã. Ela teve bons e maus momentos e encontrou o que estava procurando. Essa é a minha Maria Madalena.

— Lesa Bellevie

Eu penso que podemos considerar Maria Madalena santa, que podemos considerar a imagem dela renovada, que podemos considerá-la não uma prostituta ou que podemos considerá-la a apóstola dos apóstolos. E ainda podemos trancá-la em uma caixa e perceber poucas implicações para os papéis das mulheres nas práticas religiosas contemporâneas ou no movimento social mais amplo.

— Jane Schaberg

Mesa-redonda sobre Maria Madalena*

Foi um acontecimento extraordinário. No início de 2006, quando estávamos reunindo todas as várias partes do projeto editorial para *A verdadeira história de Maria Madalena*, convidamos seis das mais importantes especialistas em Maria Madalena do mundo para uma mesa-redonda sobre as principais questões, temas, debates e controvérsias dos estudos sobre Maria Madalena no contexto do século XXI.

Cada uma das seis especialistas tem escrito, feito palestras e lançado livros exaustivamente sobre Maria Madalena e assuntos relacionados: o Jesus histórico, o movimento cristão primitivo, o gnosticismo e outras tendências alternativas dentro do cristianismo, escrituras alternativas, o papel das mulheres na Igreja primitiva, arte, arqueologia, cultura desde a era bíblica até os nossos dias, e muitos outros tópicos no nexo de gênero/espiritualidade/religião/mito/arquétipo. Havia uma atmosfera única na sala quando essas especialistas, todas brilhantes, com conhecimentos profundos sobre temas antigos e modernos, entusiasmadas por suas idéias e pontos de vista, se envolveram numa absorvente discussão umas com as outras, uma discussão que fluiu de maneira espontânea.

De diferentes formas, cada uma das participantes da mesa-redonda evocou uma fascinante força emocional e uma complexidade intelectual que refletiam anos de trabalho pioneiro para entender Maria Madalena e desenvolver novas idéias sobre os acontecimentos de dois mil anos atrás e o que eles implicaram para a imagem que temos dela.

As especialistas que se reuniram para essa interessante mesa-redonda foram:

Katherine Kurs, moderadora, membro da Faculdade de Estudos Religiosos do Eugene Lang College da New School University. Seu livro *Searching for Your Soul* foi considerado um dos melhores livros sobre religião/espiritualidade de 1999.

* Nós gostaríamos de agradecer o apoio e a cooperação da Hidden Treasures Productions, Inc., que filmou o evento e o transformou numa versão em DVD, também chamada *Secrets of Mary Magdalene*.

Elaine Pagels, professora da cadeira Harrington Spear Paine de Religião na Universidade de Princeton e autora de *Os evangelhos gnósticos*, livro premiado e *best-seller*, e também de *Além de toda crença*.

Susan Haskins, historiadora da arte e da cultura, autora do *best-seller Mary Magdalene: Myth and metaphor* agora em sua segunda edição.

Lesa Bellevie, fundadora e *webmaster* de Magdalene.org e autora de *The Complete Idiot's Guide to Mary Magdalene*.

Deirdre Good, professora do Novo Testamento no Seminário Teológico Geral, em Nova York, e organizadora de *Mariam, the Magdalene, and the Mother*.

Diane Apostolos-Cappadona, professora adjunta de arte e cultura na Universidade Georgetown, autora de *A Dictionary of Christian Art* e curadora da exposição "In Search of Mary Magdalene: Images and Traditions".

Jane Schaberg, professora de Estudos Religiosos e de Estudos Femininos na Universidade de Detroit Mercy e autora de *The Resurrection of Mary Magdalene: Legends, Apocrypha, and the Christian Testament*.

KURS: *Sejam todas bem-vindas. Nós temos uma oportunidade maravilhosa, hoje, de partilhar e trocar idéias sobre um assunto de entusiástico interesse para muitos: Maria Madalena. Às vezes, parece que sua força é auto-suficiente, e, outras vezes, que é gerada por intermédio da companhia que ela nos tem feito através dos séculos. E, sem dúvida, ela significou coisas diferentes para pessoas diferentes, dependendo do ponto de vista delas. Mas me permitam começar fazendo uma pergunta um pouco pessoal. Quem é Maria Madalena para vocês?*

PAGELS: Como historiadora, presumo que ela era uma seguidora de Jesus no período inicial, que ela provavelmente era eminente e que era notório que era próxima de Jesus, que era uma mulher independente, sem ligação com uma companhia masculina a não ser Jesus, talvez, e que ela então se transformou no foco simbólico da enorme quantidade de controvérsias sobre a participação das mulheres, a exclusão das mulheres, a inclusão da sexualidade, a exclusão da sexualidade e a peculiaríssima constelação de idéias em torno desses tópicos nos últimos dois mil anos.

BELLEVIE: Eu tendo a ver Maria Madalena como foi identificada pelos gnósticos no século III, ou seja, como a noiva simbólica de Cristo, que representa o desejo humano de conhecer Deus. Portanto, eu acho inspirador o fato de ela ser uma figura tão complexa. As pessoas de carne e osso têm vidas complexas; ela sentiu as verdadeiras emoções humanas e teve uma vida humana de verdade, por isso eu a identifico como uma de nós. Essa é a Maria Madalena para mim.

GOOD: Para mim, Maria Madalena personifica uma presença tenaz diante do desespero completo e absoluto, quando parece não haver esperança, nem vida, nem futuro. O testemunho silencioso de Maria Madalena é importante hoje. Nós vivemos num mundo após o 11 de setembro, no qual às vezes não podemos enterrar os corpos porque eles não estão lá. Maria Madalena nos lembra de que, na ausência dos corpos daqueles que amamos, nossa presença é crucial, e é a única presença da qual brota a esperança.

SCHABERG: Minha vida espiritual e minha vida como estudiosa estão emaranhadas, por isso eu gosto de pensar na figura de Madalena como um historiador pensaria, como uma pessoa de verdade, que viveu e que, penso eu, tem mais direito do que Paulo de ser a fundadora do cristianismo, por ser a principal testemunha da Ressurreição. Mas eu não gosto de pensar nela como silenciosa. Eu penso nela como uma antiga profetisa. Ela havia sido silenciada, porém não está mais em silêncio.

APOSTOLOS-CAPPADONA: De certa maneira, minha resposta é paralela à sua, Jane, mas a linguagem é um pouco diferente, tendo em vista que todos nós vivemos ou agimos de uma forma esotérica, filosófica ou erudita, e também de uma forma cotidiana. E de algum modo Maria Madalena une os limites ou as partes dessas duas esferas. Encontramos nela uma fonte de investigação intelectual, de interesse histórico e acadêmico, e ao mesmo tempo ela está sempre surgindo na minha vida – estou de férias e de repente ela aparece numa obra de arte que eu não sabia que estava ali, ou a encontro noutro livro, de modo que ela age entre as esferas da minha vida o tempo todo. De certo modo, creio que é muito parecido com o que Jane diz sobre si mesma e Maria Madalena, mas penso que também há uma sensação de que precisamos pensar nela de muitas formas. Ela é um elo de ligação entre todas as partes das nossas vidas, entre todos os aspectos do nosso ser, e talvez em sua ausência ela esteja mais presente do que quando está fisicamente diante de nós.

HASKINS: Para mim, Maria Madalena é a figura nos Evangelhos que parece incorporar todos os elementos do feminino que estiveram perdidos por tanto tempo. Ela é forte, corajosa, destemida e independente. Eu acho que essas características são o que deveria incorporar o feminino, ou o que o feminino deveria incorporar, e é assim que eu a vejo: como uma poderosíssima mensagem ou símbolo para as mulheres. Em fins do século XX e no início do século XXI, Maria Madalena transformou-se numa figura dinâmica de feminilidade, uma figura excitante, bela, ardente. Ela não é a mulher que sabíamos que era bela, mas que estava sempre chorando por causa de seus pecados; agora ela não está se deixando intimidar. Nos Evangelhos, ela encontra o Jesus ressuscitado e, em certo sentido, representa a força, a coragem e a fidelidade das mulheres e sua relação com o divino. Ela uniu-se a essa figura divina, e isso talvez seja algo que a maioria das mulheres gostaria de ser capaz de fazer: vivenciar uma sensação de inteireza, gerada a partir dessa união de si mesma com Jesus ou o divino.

BELLEVIE: Ela é de fato um forte símbolo do indivíduo em busca da união com o divino, como a noiva simbólica de Cristo. E a linguagem da noiva e do noivo teve aplicação tanto ao indivíduo quanto ao cristianismo em termos coletivos, a um grupo de pessoas em busca de comunhão com Deus. Portanto, trata-se de uma linguagem incrivelmente poderosa e sensual, que faz lembrar a mulher no Cântico dos Cânticos à procura de seu amado.

SCHABERG: Para o nosso tempo, Maria Madalena é uma figura de ação – uma figura que simboliza o engajamento, o voto correto, o ato de informar-se e começar a se mexer. Ela representa uma fusão do erótico com o espiritual e o intelectual. Ela é como uma Tina Turner ou uma Dixie Chick – ela simboliza algo que tem importância no tempo em que vivemos.

A garota "cheia de charme" do nosso tempo

KURS: *Estudiosos, teólogos, paroquianos e outros vêm debatendo o papel de Maria Madalena há séculos. E interpretações radicais dela como a noiva de Jesus existem há pelo menos um século. A descoberta e a tradução dos Evangelhos gnósticos alternativos, em 1945, criaram um rebuliço entre os especialistas, mas, de modo geral, o público não entrou no debate. Agora, de repente, Maria Madalena está diariamente nas notícias, em sermões de todas as religiões e em documentários de TV. Por quê? O que é responsável por esta súbita onda de interesse? Com certeza, não é simplesmente* O código Da Vinci, *ou é?*

PAGELS: O que me surpreende é que nós temos novas informações sobre Maria Madalena de textos muito antigos, como o Evangelho de Maria, *Pistis Sophia* e os Evangelhos de Filipe e Tomé. Nunca tivemos isso antes. Parte do material está disponível há algum tempo, mas só agora é que muitas pessoas estão ouvindo falar dele.

HASKINS: Sim, o papel das mulheres na corrente dominante dos Evangelhos do Novo Testamento tem sido tradicionalmente visto como desprezível e sem importância, em parte por causa das traduções dos textos principalmente por estudiosos do sexo masculino. Os recentes estudos eruditos femininos têm sido extraordinários, por descobrirem novos papéis baseados em Maria Madalena, ou baseados não em Maria Madalena, e sim numa fusão dela com outras mulheres nos Evangelhos, o que revela um lugar dinâmico para as mulheres tanto dentro quanto fora da Igreja hoje. Ela é um modelo de apostolado feminino, liderança, coragem, fidelidade, força – há 25 anos, jamais teríamos pensado em Maria Madalena em termos desses papéis de extraordinária importância. É muito estimulante que essa criatura dinâmica tenha vindo a simbolizar esses novos papéis femininos, em antagonismo à posição à qual ela fora relegada há cerca de dois mil anos.

BELLEVIE: Essa nova perspectiva de ver Maria Madalena como uma "criatura dinâmica" – como você acabou de descrevê-la de maneira apropriada, Susan – também nos lembra do motivo por que não a vimos dessa forma até comparativamente pouco tempo atrás. Estou falando do patriarcado do cristianismo tradicional e da concomitante perda da crença "pagã" no sagrado feminino. O cristianismo com certeza não inventou o patriarcado, mas por volta da Idade Média havia uma grande quantidade de mitos que haviam se desenvolvido em torno da idéia de um princípio feminino perdido. Carl Jung escreveu sobre isso, seus discípulos escreveram sobre isso, Joseph Campbell observou isso na mitologia – havia muitas histórias circulando durante aquele período primitivo. Talvez os romances sobre o Graal, bem como parte do folclore feminino perdido, como Cinderela e suas muitíssimas variantes, estejam todos falando sobre o princípio feminino perdido. O que está acontecendo hoje é que as pessoas estão interpretando essas histórias medievais de um princípio feminino perdido como uma expressão da perda de Maria Madalena, especificamente como a noiva de Jesus. Eu penso que o que está ocorrendo na moderna mitologia sobre a perda de Maria Madalena pode ser ainda outra expressão dessa perda geral que estamos sentindo pela desvalorização dos princípios femininos.

SCHABERG: Eu concordo que existem muitos motivos para a chamada mania de Madalena, uma das quais muito se deve ao fato de que estamos em meio a uma nova fase do movimento feminista, e os estudos eruditos feministas muito têm feito para criar concepções revisionistas da história. Os estudos religiosos são um aspecto importante dessa linha de erudição.

Outro motivo é a informação erudita que nos diz que a imagem de Maria Madalena como prostituta foi uma distorção – essa idéia já penetrou na imaginação popular e contribuiu para essas outras interpretações da figura dela. A insatisfação com a política e as escamoteações da Igreja, como a crise de pedofilia, faz com que muitas pessoas fiquem desconfiadas de qualquer tipo de encobrimento da verdade pela Igreja, e isso contribuiu para as idéias de Dan Brown sobre códigos misteriosos e negócios secretos. Eu também penso que a imaginação popular está muito insatisfeita com o fato de que religião e sexualidade, em termos cristãos, em todo o caso, não formaram uma boa parceria; precisamos de novas opiniões semelhantes a essas. As igrejas, e poderíamos dizer a religião em geral, suprimiram as habilidades de liderança das mulheres, a história das mulheres em papéis de liderança e as metáforas femininas para o sagrado e o divino. Essa é uma bola de neve que está rolando, e não será detida.

Além disso, infelizmente, existe também outro motivo: a figura tornou-se comercial. Você pode ganhar dinheiro com Maria Madalena. Ela é como um brinquedinho, como uma Barbie.

GOOD: Mas não percamos de vista a perspectiva positiva. Maria Madalena tem sido um modelo a ser seguido para muitas mulheres ao longo de toda a tradição cristã. Infelizmente, temos poquíssimos registros dos pensamentos e orações dessas mulheres, mas temos livros de orações e textos litúrgicos que nos dizem algo sobre Maria Madalena na vida de orações dos indivíduos. Eu acho que hoje Maria Madalena também desempenha um importante papel como portadora do anúncio da Boa-nova. Na verdade, para mulheres que serão ordenadas sacerdotisas na tradição episcopal, à qual pertenço, Maria Madalena é um importante modelo.

BELLEVIE: Sim, tudo isso está acontecendo numa época na qual estamos num clima social em que as pessoas podem fazer circular idéias que outrora eram consideradas heréticas, e as mulheres estão dotadas de poderes para desafiar o *status quo*. Muitas pessoas estão reconhecendo que existe um desequilíbrio de sexos embutido na estrutura do cristianismo, e Maria Madalena transformou-se no foco dessa controvérsia. Como seguidora de Jesus, Maria Madalena talvez tenha tido tanta autoridade para ensinar quanto os seguidores de Jesus do sexo masculino, e as pessoas estão perguntando: "Por que as mulheres foram excluídas de muitas posições de liderança no cristianismo?"

Apostolos-Cappadona: O fascínio do público por Maria Madalena não é novo, é claro. Entre os fenômenos interessantes relacionados com Madalena – e eu uso o plural "fenômenos" intencionalmente – estão essas explosões de interesse por ela. É como se ela ficasse latente por certos espaços de tempo, e de repente, para qualquer parte que você olhe, há novas lendas e imagens, e todo o mundo está falando sobre ela. Tivemos esse tipo de explosão na França do século XIII, na arte italiana durante o Renascimento. Existem diferentes períodos em que isso acontece, e, em geral, pode ser associado a algum tipo de fenômeno cultural ou teológico.

Uma explosão recente desse tipo na verdade antecedeu a publicação do romance *O código Da Vinci*, de Dan Brown. Se você estiver à procura de material sobre Madalena, ou *Magdalenia*, como eu às vezes me refiro a esse material, você descobrirá que grande parte dele apareceu mais ou menos por volta do ano 2000. Embora eu conheça pessoas que achem que sim, eu não concordo que esse material teve qualquer relação com o fervor do milênio, porque, em vez disso, ele procede do interesse de estudiosas feministas na ordenação de mulheres. Ao procurarem apoio para um ministério de mulheres, elas fizeram a pergunta que perdura: "Quem era Maria Madalena?"

Contudo, na minha opinião, o movimento em torno de Maria Madalena obtém uma atenção extraordinária por causa do 11 de setembro, embora a associação esteja baseada não no ato terrorista em si, mas antes em suas conseqüências. Para aqueles que perderam familiares ou amigos num dos edifícios ou nos acidentes de avião, a terrível realidade era a de que talvez não houvesse um corpo para prantear. Talvez você não tivesse um corpo para enterrar – você tinha, antes, um túmulo vazio. E, quando confrontados com um túmulo vazio, nós sempre nos voltamos para Maria Madalena. Ela é quem está ao pé da cruz, ela é quem está junto ao sepulcro vazio. Ela é quem espera e quem então é presenteada, não apenas com a graça das lágrimas, não só com a sua conversão, mas com a primeira visão do Cristo ressuscitado, com a confirmação de nova vida. Essa confirmação é a essência da fé.

Maria Madalena de acordo com os Evangelhos

KURS: *Vamos recuar um pouco. Vocês descreveram como o* status *de Maria Madalena passou por uma transformação extraordinária, mas, como base para comparação, vamos voltar o olhar para os textos "originais". Neles está a Maria Madalena conforme descrita no Novo Testamento. Mas mesmo neles os autores de Mateus, Marcos, Lucas e João nos contam histórias ligeiramente diferentes. E, com a recente descoberta do que se tornou popularmente conhecido como Evangelhos gnósticos, as diferenças são até mais pronunciadas. Ajudem-nos a compreender esses vários pontos de vista que nos foram transmitidos a partir dos séculos I, II e III, e digam-nos como eles moldaram nosso ponto de vista moderno.*

GOOD: Observem que no Novo Testamento cada um dos Evangelhos é introduzido como "O Evangelho segundo". Ele é segundo Mateus, Marcos, Lucas ou João. Em outras palavras, existe apenas um Evangelho, mas aqui estão apresentadas quatro versões diferentes dele. O meu jeito de considerar isso é que a multiplicidade está no âmago da mensagem do Evangelho; não há uma mensagem homogênea. Uma vez que as pessoas decidiram que a diversidade está sacramentada no princípio do Evangelho, mesmo quando o cânone limita os Evangelhos a quatro, podemos dizer que fora do cânone, de um ponto de vista histórico, temos muito mais de quatro Evangelhos. O de Maria é um desses Evangelhos fora do cânone; o de Filipe é outro. No século IV, há a *Pistis Sophia*, outro texto repleto de material sobre Maria Madalena. Quando levamos todo esse material em consideração, de um ponto de vista histórico, temos essa estimulante variedade de textos além dos quatro Evangelhos do Novo Testamento.

PAGELS: Para dar um exemplo das diferenças dentro dos Evangelhos canônicos, alguns dos textos dizem que ela foi uma mulher a quem Jesus curou, que ela viajava e, ao que tudo indica, fazia parte do círculo de seguidores de Jesus. Quando eu li o Evangelho de Lucas, as mulheres e os discípulos estavam separados; portanto, é evidente que Maria não era uma discípula. Mas existe uma ambigüidade a respeito dela, porque ela é descrita em todos os Evangelhos do Novo Testamento como a primeira, ou uma das primeiras, a ver Jesus ressuscitado dos mortos, e isso é muito importante. Noutro contexto, isso poderia significar que ela teria sido um apóstolo se fosse homem.

SCHABERG: No Evangelho de Marcos, cujo fim original é em 16:8, embora existam outros finais, que foram acrescentados com o passar dos séculos, Maria não tem uma visão, e ela e as outras mulheres fogem do sepulcro e não dizem nada a ninguém porque estão com medo. Fim. Em todos os Evangelhos, Maria Madalena está junto à cruz. Em Lucas não há aparições para ela, nem incumbências. Em alguns dos Evangelhos – Marcos, João e Mateus –, ela recebe a ordem para ir contar a visão que teve, ao passo que em Lucas não. E em Lucas, quando ela relata a visão, suas palavras são consideradas delirantes, frenéticas, febris, mas o leitor sabe que não é assim.

KURS: *Nós sabemos que a corrente dominante da Igreja, em sua luta para definir a ortodoxia, considerou os textos gnósticos heresia e tentou destruí-los. Apresentem-nos esses Evangelhos, que incluem os Evangelhos de Maria, de Filipe, de Tomé e muitos outros.*

PAGELS: Os textos que chamamos de Evangelhos gnósticos foram descobertos no Alto Egito em 1945, quando um aldeão árabe cavava em busca de fertilizante num dos lados de uma montanha. Ele encontrou um vaso enorme, em cujo interior havia 12 ou 13 livros antigos contendo Evangelhos, muitos dos quais nós não conhecíamos. Sabíamos que no mundo antigo tinha havido muitos Evangelhos, mas alguns foram enterrados, destruídos ou queimados por líderes da Igreja que os consideravam uma heresia abominável. Nunca soubemos antes o que os hereges haviam dito, sabíamos apenas que eles eram detestáveis. E então nós finalmente os ouvimos falar com suas próprias palavras.

GOOD: Um desses Evangelhos, o de Maria, é o relato de sua visão do Jesus ressuscitado. Quando ela relata a visão aos discípulos, alguns deles ficam alarmados com o fato de que essas coisas pudessem ter sido ditas a ela, e não a eles, enquanto outros a apóiam e querem ouvir mais sobre a visão. Infelizmente, faltam seis páginas nesse texto gnóstico, mas o que podemos dizer, com base no início e no fim, é que Maria consola os discípulos em sua dor e os encoraja com as palavras da visão. No fim do texto, ela estimula os discípulos a sair e, conforme o texto literalmente diz, "assumir o ser humano perfeito" e anunciar a Boa-nova. É assim que termina a incumbência, com todo o Evangelho de proclamações.

PAGELS: Hoje em dia existem pessoas que se autodenominam cristãos gnósticos, em parte porque adoram os ensinamentos desses textos, que nos fazem lembrar dos ensinamentos místicos judaicos ou budistas. Eles abrangem a idéia de que podemos descobrir a fonte divina se a procurarmos dentro de nós. Eu conheci um bispo gnóstico do sexo feminino, uma bela cubana, que disse que fora iniciada nos mistérios de Maria Madalena na França, onde essa tradição remonta há muitos séculos. Ela lidera uma igreja gnóstica na Califórnia. O movimento cristão hoje em dia é muito mais amplo do que o que chamamos de tradição ortodoxa. Nós pensávamos que sabíamos sobre Jesus e os discípulos, e tudo aquilo em que antes acreditávamos vem desse conhecimento. Agora, porém, nós vemos uma perspectiva muito mais ampla. Temos textos como o Diálogo do Salvador, no qual Maria Madalena, junto com Mateus e Tomé, é uma importante discípula. Fala-se dela como a mulher que entendia todas as coisas. Esse entendimento não é um processo intelectual, é uma sabedoria do coração, e é isso o que esses chamados gnósticos estão procurando. Não se trata de uma abstração, e sim de profundidade espiritual e sabedoria divina. Essa outra série de fontes dá ensejo a muitas perguntas que os padres da Igreja não queriam que fossem feitas.

KURS: *Os padres da Igreja fizeram perguntas sobre como interpretar corretamente os textos que eles adotaram, ou seja, os Evangelhos de Mateus, Marcos, Lucas e João. Como todos nós que estudamos religião ainda fazemos, porque esses textos ainda contêm muitos enigmas. Mas comecemos com o que poderíamos considerar o âmago da questão numa discussão sobre Maria Madalena: o papel dela na Ressurreição, que revela muito sobre seu* status *– ou sobre a falta dele – entre os discípulos e o conseqüente desenvolvimento do cristianismo primitivo.*

PAGELS: Existem apenas duas figuras no Novo Testamento que se diz terem tido visões individuais de Jesus após a Ressurreição. Uma é Pedro, e a outra, Maria. Ora, se ela fosse homem, ter-se-ia suposto que era um discípulo ou um apóstolo, um dos representantes de Jesus. Sua visão tê-la-ia qualificado. É importante observar que ter uma aparição após a Ressurreição é uma base para reivindicar autoridade, e é a autoridade dela que está realmente em questão.

Mas encontramos muita coisa no Novo Testamento que tenta desqualificar Maria e assegurar-se de que saibamos que, muito embora ela tenha visto Jesus e tenha sido uma dessas figuras com um privilégio enorme – apenas ela e Pedro –, ela não é uma discípula. A experiência dela não tem importância; ela é uma mulher, por isso não pode prestar depoimento num tribunal sob a lei judaica da época, e portanto tem de ir até os discípulos, e eles legitimam se Jesus de fato ressuscitou, porque o testemunho dela é considerado insignificante.

BELLEVIE: Está sendo realizado um excelente trabalho relacionado com a questão do testemunho da Ressurreição por Maria Madalena. Eu julgo que, se puséssemos um homem nesse papel, o quadro seria muito diferente; se um homem tivesse sido a primeira testemunha da Ressurreição e tivesse ido informá-la aos discípulos, ele provavelmente seria apontado como o principal apóstolo. Eu penso que o fato de ela ser mulher ainda influencia a forma como é vista.

PAGELS: O que é surpreendente é o contraste entre o tratamento das mulheres nos textos canônicos e não canônicos, porque em Lucas e nos outros Evangelhos, há as mulheres e há os discípulos. E as mulheres não são os discípulos e os discípulos não são as mulheres. Mas quando examinamos o Evangelho de Tomé, o Evangelho de Maria, o Evangelho de Filipe e o Diálogo do Salvador, Maria aparece não só como um dos discípulos, e sim como um dos discípulos mais importantes. As tradições que afirmam que Pedro é o discípulo mais importante costumam difamar Maria, e, em geral, as tradições que valorizam Maria vêem Pedro como uma personagem bastante negativa. Portanto, parece haver essa rivalidade articulada ou expressa entre Pedro e Maria sobre qual deles é o discípulo predileto ou mais próximo de Jesus e a quem ele confiou sua revelação. Num dos escritos, chamado Sabedoria da Fé, Pedro se queixa a Jesus de que Maria fala o tempo todo; ele acha que ela deveria calar a boca e não dizer nada, mas nesse texto Jesus a estimula a falar. Podemos ver por que isso não faz parte do cânone. Isso não faz parte da tradição católica. Se você tem uma Igreja que afirma que apenas homens são escolhidos por Jesus para serem sacerdotes e mestres, você certamente não quer um Evangelho que diga que Maria Madalena não só não era prostituta, mas uma grande discípula, especialmente amada por Jesus.

SCHABERG: Nós também temos aquela cena no jardim, conforme contada em João 20, com seus elementos eróticos. O tema erótico quase sobrepuja a idéia de que essa é uma testemunha do Jesus ressuscitado.

PAGELS: O que você acha daquela cena? Ela me deixa intrigada.

SCHABERG: Eu comecei a notar que Madalena costuma estar em posição inferior na arte. O Jesus ressuscitado está em pé, e às vezes Maria Madalena está na verdade estendendo a mão para a virilha dele. Como sabemos, existe a idéia de que ela queria agarrar-se ao corpo, e isso, penso eu, é uma seriíssima má interpretação em termos visuais. Não que não haja elementos eróticos na cena, mas ela foi reduzida a eles.

PAGELS: Muitas pessoas afirmaram que essa cena insinua que Maria era algum tipo de testemunha ou uma apóstola, e eu na verdade penso que João está dizendo o contrário. No Evangelho de João, Jesus fala com

Maria e de repente ela o reconhece e diz "*Rabbuni*", que significa "meu mestre". E, naquele momento de reconhecimento, há um instante muito terno. Ele diz: "Não me abraces, porque ainda não subi para o meu Pai." É uma bela cena, verdadeiramente inesquecível. E muitas feministas adoram essa história; elas dizem: "Vejam, João nos mostrou que Jesus prefere Maria Madalena e a trata com muita consideração."

Eu penso que João está fazendo algo muito mais insidioso, embora eu deseje que elas tivessem razão. O que ele na verdade está dizendo é: eu sei que Maria Madalena foi a primeira testemunha da Ressurreição; então, por que eu não a considero uma discípula? Se fosse homem, ela naturalmente seria um discípulo. A resposta a isso é o que Jesus diz a Maria no jardim; é isso o que João inventa. Quando Maria vê Jesus, ele diz: "Não me toques, porque ainda não subi para o Céu", e isso quer dizer que ele não recebeu o poder para outorgar a ela. Na cena seguinte, ele sobe para o Céu, recebe o poder divino de seu Pai e sopra o Espírito Santo sobre seus discípulos. Maria Madalena não é incluída.

Portanto, essa história demonstra o oposto do que alguns de nós desejam que ela demonstrasse. Ela mostra que Maria, apesar de ser a primeira a ver o Jesus ressuscitado, não é uma discípula. Porque ela não está presente quando ele transmite o poder do Espírito Santo aos discípulos e os transforma em discípulos. Eu penso que é uma interpretação bastante errônea o fato de Maria ser exaltada nessa passagem. Na verdade, eu acho que João está mostrando por que a tradição ortodoxa se recusa obstinadamente a permitir que Maria seja considerada uma discípula.

SCHABERG: Eu interpreto essa cena de uma forma muito diferente. Eu comecei a observar algumas relações entre essa cena, na qual ela recebe a ordem para ir contar que Jesus disse "Eu estou ascendendo", e o relato de Elias e Eliseu, no qual Elias está prestes a ser arrebatado e Eliseu, seu discípulo, tenta retê-lo. Então Elias diz a Eliseu: "Se me vires ascender, terás uma dupla porção do meu espírito." Portanto, é assim que eu a interpreto. Mas eu acho que você está certa, da maneira que João 20 está redigido, eu suspeito de que existiu uma fonte que foi manipulada – não perdida, mas adulterada. Maria foi transformada numa mulher muito ignorante, em contraste com a chamada Maria Madalena gnóstica. Em João, Maria não sabe onde o corpo está, ela não sabe quem Jesus é, ela não sabe nada.

GOOD: No entanto, no Evangelho de João, diz-se que Maria Madalena é uma pregadora, em particular porque recebe de Jesus a incumbência de ir contar aos irmãos: "Eu estou ascendendo." Estas são as palavras de Jesus – "Subo para meu Pai e vosso Pai, para meu Deus e vosso Deus" –, e assim isso se torna sua missão apostólica. Ora, em versões ilustradas dessa passagem, ela prega para os confusos discípulos, que estão nos bastidores em algum lugar parecendo mistificados e até em grande sofrimento. O dedo dela está em riste, e ela anuncia com ênfase a boa-nova da Ressurreição enquanto eles olham incrédulos. Existem outros textos não canônicos nos quais Jesus diz a Maria Madalena que vá até Pedro e lembre-o do que Jesus disse a ele, porque Pedro corre o risco de esquecer isso. Portanto, é muito interessante que o papel de Maria jamais esteja em dúvida como pregadora e como apóstola, a partir do século I em diante, pelo menos nos textos.

APOSTOLOS-CAPPADONA: A ironia, para mim, é que o cristianismo ortodoxo oriental jamais vê, pelo menos em termos canônicos, Maria Madalena como outra pessoa a não ser como a "santa igual aos apóstolos" – não como a apóstola, não como a apóstola dos apóstolos, e sim como a santa igual aos apóstolos. Ela é a testemunha, ela é a mirófora – a portadora do mito –, aquela que traz o ungüento. Ela não é, na verdade, uma mulher decaída, não é a grande pecadora, não é nenhuma dessas fusões tão cruciais para o cristianismo ocidental. Em vez disso, ela vai pregar em Roma antes de Pedro, e prega para o imperador, de acordo com a tradição ortodoxa oriental. Ela faz tudo isso, e no entanto temos mulheres ocupando cargos de autoridade eclesiástica na Igreja Ortodoxa? Vemos mulheres tendo uma voz autorizada na ortodoxia oriental? Se ela foi uma pioneira, nenhuma mulher seguiu o seu exemplo. Por isso minha preocupação é que tentar recuperar quem quer Maria seja nas tradições cristãs ocidentais, na expectativa de que ela então dê às mulheres uma importante voz eclesiástica, não dê necessariamente nenhum resultado, por causa da história do cristianismo ortodoxo oriental.

BELLEVIE: Eu acho que a maior lição que nós podemos aprender com Maria Madalena é indireta; ela tem a ver com o modo como pensamos sobre o cristianismo primitivo e sobre como ele veio a ser o que é hoje. Acabamos constatando que o cristianismo primitivo era muito diverso, havia muitas idéias circulando sobre a história cristã e sobre Maria Madalena. Muitas pessoas agora estão sendo informadas sobre essas diferentes concepções de Maria Madalena e perguntando: por que eu não sabia disso? Por que eu não conhecia essas outras versões da história? Portanto, as pessoas estão realmente se envolvendo com sua religião e sua espiritualidade, ao passo que antes elas talvez tenham sido um pouco complacentes. Essa é uma grande vantagem da atual popularidade de Maria Madalena.

Maria Madalena como a pecadora arrependida

KURS: *Falemos sobre a associação de Maria Madalena com a prostituição. Existem indícios históricos disso? De onde veio essa idéia? Trata-se de uma imagem muito carregada que persistiu. E, sem dúvida, é uma imagem que aparece com freqüência na representação visual, bem como na tradição oral.*

PAGELS: Eu julgo que é importante dizer claramente o que é evidente a partir das fontes. Nós sabemos que não há nada no Novo Testamento que a identifique como prostituta. Só mais tarde, séculos mais tarde, é que algumas pessoas dentro das tradições da Igreja associaram Maria Madalena com a história de uma prostituta que se arrepende e limpa com os cabelos os pés de Jesus. E essa associação é agora quase automática para muitas pessoas que cresceram com a tradição cristã, mas ela simplesmente não existe no Novo Testamento.

HASKINS: Essa distorção é baseada na história em Lucas de que sete demônios foram expulsos de Maria Madalena. Nós não sabemos o que esses sete demônios eram, mas, se você examina os Evangelhos, os demônios expulsos dos homens não são a sua sexualidade – eles são depravação, doença mental, etc., não a sexualidade. Mas, no caso de Maria Madalena, os demônios são os sete vícios, e a Igreja insiste nisso. Esses demônios, esses pecados, são a luxúria, a vaidade, a lascívia dela.

Mais ou menos do século VII em diante, Maria Madalena fora vista como uma pecadora arrependida numa Igreja que, a partir dos séculos II e III, estava se transformando numa hierarquia eclesiástica masculina. O desenvolvimento de idéias sobre a divindade de Jesus, e sobre seu nascimento de uma virgem, começou a se refletir na figura de Maria Madalena, que até aquela altura era apenas uma discípula de Jesus. No fim do século VI, o papa Gregório, o Grande, decidiu que o pecado dela, já que ela devia ser uma mulher arrependida, era a sua sexualidade. Isso está em oposição à virgindade de Nossa Senhora. Para se ter uma mulher redimida, ela teve de rejeitar sua sexualidade.

Os sermões que nós lemos são sempre sobre a beleza de Maria Madalena, sobre seus cabelos, que seduziam os homens, sobre seus olhos, que seduziam os homens, sobre seu corpo, que seduzia os homens. E agora, aos pés de Cristo, ela era essa pessoa que secava os pés dele com seus cabelos, que beijava os pés dele com seus lábios, que estava prostrada no chão. Ela se tornou um símbolo da mulher arrependida. Foi uma atitude extremamente negativa para com as mulheres, e era isso, que Maria Madalena representava. Ela era propaganda para a Igreja contra as mulheres. Num afresco italiano do século XIV, Maria está em pé, usando um traje maravilhoso, porém aberto dos lados; e um pregador dominicano vituperava que Cristo abrira seu lado para a redenção da Humanidade, ao passo que Maria Madalena abrira seu lado para os olhos dos homens. Essa forma voyeurística e misógina de ver a figura de Maria Madalena era uma mensagem muito poderosa dirigida às mulheres. Ela era usada em sermões como o modelo de arrependimento para todos os pecadores, mas em particular para as mulheres.

GOOD: Algumas pessoas, talvez até mesmo cristãos hoje em dia, acham que prestar atenção a uma prostituta na tradição cristã é uma perda de tempo, e que muitos dos textos que nos fornecem informações sobre Maria Madalena são posteriores, não originais, secundários, não canônicos. Portanto, por que se incomodarem? Eu simplesmente diria a essas pessoas que é importante se perguntar sobre 50% da raça humana. Metade da raça humana são mulheres, e nós precisamos considerar o modo como elas são reconhecidas na tradição cristã, o modo como elas desempenham papéis importantes ou mesmo complementares. Maria Madalena oferece uma possibilidade de compreender isso de uma maneira física, corpórea, real e tangível.

A associação de Maria Madalena com a prostituição e com os membros da sociedade desalentados e desprezados – em particular as mulheres em albergues na Idade Média e até mesmo no século XIX e em certos lugares da Europa hoje – desempenhou um importantíssimo papel na elevação do nível de cuidado e hospitalidade que deve ser oferecido como injunção para os cristãos. Por isso, quando nós pensamos em Maria Madalena como uma prostituta, não deveríamos descartar tão depressa esse aspecto da tradição. É fácil demais dizer: está bem, o Novo Testamento não fornece evidências de prostituição, e portanto ela não tem relação alguma com Maria Madalena. Na verdade, muitas mulheres, muitas pessoas desprezadas, tiveram acesso à tradição cristã por intermédio da associação de Maria Madalena com a mulher "decaída", por isso devemos nos lembrar de não depreciar essa imagem tão depressa.

SCHABERG: A compreensão feminista da prostituição é variada. Há algumas estudiosas feministas que olhariam de forma muito positiva para o uso da própria sexualidade pelas mulheres e para o lucro que elas auferem com a própria sexualidade, ao passo que outras pessoas considerariam isso uma escolha trágica, nem sequer uma escolha. Mas o fato de Maria Madalena ter sido associada com isso é algo que nós, como feministas, não deveríamos esquecer, porque é de interesse para o bem-estar das mulheres, para os aspectos positivos da sexualidade feminina e para o lucro que se tem com as mulheres, com a ofensa das mulheres.

O mosaico de Maria Madalena

KURS: *Com o passar dos séculos, as idéias das pessoas a respeito de Maria Madalena e de quem ela era mudaram imensamente, em parte por causa da confusão sobre a sua identidade. Isso está refletido na história da arte. Diane, conte-nos sobre as várias representações dela e sobre o que elas nos dizem acerca das atitudes religiosas da época.*

APOSTOLOS-CAPPADONA: Em momentos diferentes da história cristã, nós temos maneiras diferentes de entender Maria Madalena – como a mulher decaída, como a apóstola dos apóstolos, como a primeira testemunha da Ressurreição e, nas diferentes formas como ela é descrita em dramas litúrgicos –, com os cabelos cobertos, com os cabelos à mostra, como a pecadora aos pés de Jesus, ao pé da cruz. Há um exagero e uma ampliação da história dela à medida que viajamos através da história. Um mosaico de Madalena é criado para nós pelo papa Gregório quando ele combina várias mulheres das Escrituras, cujos nomes são mencionados ou não – mulheres com certas ações semelhantes, como a de ungir os pés, a de carregar óleo, a de pecar –, e as transforma numa só. As feministas contemporâneas podem dizer que temos de nos livrar desses atributos negativos, que temos de voltar à pureza do texto, que temos de separar todos esses outros papéis e chegar à essência do que as Escrituras dizem que ela é. Quando essa tentativa foi feita no passado, as congregações, a comunidade se rebelaram.

Nós já falamos sobre as várias formas como a imagem dela foi difamada, e isso está refletido em centenas de obras de arte famosas através dos séculos. No entanto, em certos aspectos, essa é a resposta fácil. Também existe uma maneira mais complexa de considerar a forma como ela foi retratada de modo mais geral. Se estivéssemos pesquisando cuidadosamente a história das imagens e as histórias sobre Maria Madalena, veríamos as muitas formas como ela personifica a plenitude da experiência humana: nosso processo de envelhecimento, nossas fraquezas, nossa bondade e nossas forças, nossa existência como pecadores, como santos, como penitentes. Ela sem dúvida foi uma pessoa que tinha paixões e emoções e que obviamente amou. O mistério sobre ela é o motivo por que ela não era casada. Na nossa maneira de ver o mundo, ser casado e ter um filho é provavelmente a coisa mais apaixonada e romântica que os seres humanos fazem. Então, aqui, nós temos essa figura que de certa forma encarna a sensualidade feminina, paixões e sentimentos sobre espiritualidade e devoção, e no entanto temos esse enigma. Onde está o marido? Onde está o filho?

Nós temos de parar e perguntar: quais são as diferentes características do amor, as diferentes paixões, como elas são definidas, em diferentes épocas da história, e quem é a mulher que tanto ama, mas não toca? Quem é a mulher que encarna tanto a feminilidade, a ponto de ser a protetora dos perfumistas, dos fabricantes de luvas, dos joalheiros, dos costureiros, de todas essas coisas que fazem a mulher, em certo sentido, feminina? Nós temos de recuar por um instante e perguntar a nós mesmos sobre os diferentes conceitos do amor. Nosso sentimento moderno de paixão é algo muito distinto do que era nos primeiros séculos do cristianismo ou no período medieval. *Paseo*, a palavra da qual se originou *paixão*, significa "sofrer". No nosso conceito de amor, o nível mais baixo é o erótico. O próximo nível do amor envolve preocupação com outra pessoa. O nível mais elevado do amor é quando entramos em algum tipo de união com Deus.

Que nível do amor Maria Madalena personifica? Provavelmente todos, se considerarmos as muitas Madalenas que existem. Onde está o filho? Bem, eu não acho que tenha havido um filho; eu não acho que esse tipo de relacionamento existiu com a pessoa que nós conhecemos como o Jesus de Nazaré histórico. O problema sempre foi o fato de que Maria Madalena era uma mulher independente, e, como uma mulher independente, ela não precisava de um filho, não precisava de um marido. Ela precisava que sua paixão, seu amor, fossem consumados de outras maneiras. E ela consuma essas paixões nas lendas, histórias e imagens nas quais se torna a pregadora, a missionária, a evangelista, a curandeira, a mulher que faz milagres. Ela é a mulher que cria condições para que outras mulheres tenham seus filhos. São essas as coisas que atraem as pessoas para ela.

HASKINS: Deixem-me acrescentar uma cronologia política às mudanças negativas na imagem dela. Maria Madalena começou a ser transformada numa prostituta arrependida a partir de um período muito antigo do cristianismo. Nós temos todos esses padres cristãos primitivos tentando imaginar os papéis dessas várias Marias nos Evangelhos até que, em 591 d.C., o papa Gregório, o Grande, decidiu que Maria Madalena, essa testemunha corajosa e fiel da Ressurreição, também era duas outras mulheres, agora fundidas numa pecadora arrependida.

A história se complica ainda mais quando Maria Madalena fica associada com a crescente ênfase no celibato na Igreja, o que em 1100 se torna a doutrina de que os padres não têm permissão para se casar, e ao mesmo tempo temos a crescente idéia da virgindade de Nossa Senhora, da importância da penitência e da divindade de Cristo sendo criada pela idéia da virgindade de sua mãe. Assim, Maria Madalena se transforma numa figura eremítica e no símbolo de penitência. Em 1215, o sacramento da penitência foi estabelecido, e todos os cristãos tinham de ir à igreja, se confessar e comungar. Maria Madalena era o símbolo tanto da penitência quanto da comunhão, mas então ela é associada com uma *persona* completamente nova e torna-se o símbolo da concupiscência, que é o que a mulher encarnava. Os sermões sobre ela discorriam sobre sua concupiscência, sua vaidade, sua vida mundana.

Maria Madalena: prostituta ou sra. Jesus?

KURS: *O tema da concupiscência decerto continua a girar em torno de Maria Madalena. Mas, defensavelmente, ele foi "elevado" à esfera da tradição da deusa sagrada. Graças a* O código Da Vinci, *bem como às obras populares de escritoras como Margaret Starbird, Merlin Stone e Lynn Picknett, e à influência da cultura popular e do pensamento da Nova Era, foi-nos oferecida uma perspectiva que diz que, em vez de Maria Madalena ser uma "simples" prostituta, ela é um símbolo do sagrado feminino – uma tradição que inclui a prostituta sagrada, ritos sexuais sagrados e o casamento sagrado. Por que nós não organizamos um pouco isso, começando com a noção pré-cristã do casamento sagrado, ou* hieros gamos, *em grego, e em seguida rastreando essa noção através das histórias dos Evangelhos?*

BELLEVIE: Em algumas das religiões pré-cristãs da Mesopotâmia, havia cultos da fertilidade com uma espiritualidade que girava em torno da saúde e do bem-estar da terra, e também do conceito da alma da comunidade. Portanto, *hieros gamos*, ou o ritual do casamento sagrado, era um ritual no qual uma mulher assumia a identidade de uma deusa e o homem era talvez um rei sagrado ou tinha um papel simbólico de realeza; eles eram casados, de maneira simbólica ou literal, e sua união trazia benefícios diretos para a terra e para o povo que eles representavam. Agora há esta noção, nas obras de Margaret Starbird e de alguns outros autores, de que as cenas de unção nos Evangelhos – em todos os quatro Evangelhos – fazem lembrar os rituais de *hieros gamos* que ocorriam na Mesopotâmia, muito embora não haja indícios claros de que esses rituais tenham ocorrido em absoluto no Império Romano do século I. Esses autores afirmam que as pessoas estavam tão familiarizadas com esse conceito que, quando lessem a cena da unção de Jesus, elas interpretariam o simbolismo do *hieros gamos* nela.

SCHABERG: A idéia por trás do *hieros gamos* é a de que as relações sexuais entre um homem e uma mulher refletem as relações sexuais entre um rei e uma rainha celestes no reino divino. Portanto, em *O código Da Vinci*, no qual temos o traseiro do avô subindo e descendo enquanto ele está tendo uma relação sexual com alguém, e a neta vê aquilo, o que eles estão fazendo é uma reencenação do ritual pagão. Eles estão praticando uma relação sexual sagrada no sentido de que ela supostamente reflete a relação sexual divina. Isso não seria ótimo?

APOSTOLOS-CAPPADONA: Aqueles que acreditam que a unção é alguma forma de *hieros gamos* estão considerando Lucas 7:36-50, em que a mulher se ajoelha aos pés da figura mais elevada, da figura com autoridade. Parece alguma ação que uma esposa poderia praticar para o marido. Essa é a cena retratada no filme *Jesus de Nazaré*, de Zeffirelli – Anne Bancroft a representa com muita choradeira, prostração, lágrimas e elegância. É uma cena de gratidão: a pecadora é perdoada, ela é grata e muito amada. Esse é o momento do qual todos se lembram.

Pagels: Existe uma ironia nisso, por mais que se relacione com o cristianismo, tanto naquela época quanto hoje. As imagens tradicionais de Maria Madalena produzidas pela Igreja com freqüência a descreviam como prostituta, ao passo que as fantasias contemporâneas de Maria a retratam como a esposa e amante de Jesus. Ambas as imagens são erotizadas, mas de maneiras diferentes. Existe a boa ou a má imagem. O que encontramos em histórias antigas é bastante diferente. Em vez de ser erotizada na fantasia masculina, ela é vista como uma discípula de Jesus, como alguém que assume um papel importantíssimo. Ela é muito próxima de Jesus e recebe visões e ensinamentos especiais que ele transmite apenas a ela. Ela não só é mais amada do que qualquer outra mulher, bem como também mais do que os outros discípulos. A idéia de que ele confiou a ela ensinamentos especialmente secretos e profundos é algo ainda mais passível de objeção pelas igrejas, creio eu, do que a idéia de que ela era uma prostituta ou uma amante.

Schaberg: Eu penso que o interesse recente em transformar Maria Madalena em sra. Jesus ou na amante dele tem mais a ver com Jesus do que com Maria Madalena. Ela existe para dizer algo sobre a sexualidade de Jesus naquelas formas de interpretação, muitas das quais estão nos romances. Se ele quer ser um homem de verdade – ou seja, não um homossexual –, ele precisa ter uma mulher. E essa é outra maneira de usar uma mulher para refletir sobre um homem.

Kurs: *Falando de sr. e sra. Jesus, se voltarmos o olhar para alguns dos textos antigos, para os textos que não foram incluídos no Novo Testamento – o Evangelho de Filipe, o Evangelho de Tomé, a* Pistis Sophia *–, essas imagens de união extática estão lá. Parece que elas têm estado conosco há milhares de anos, corporificando a busca para unir-se com Deus.*

Pagels: Às vezes esse desejo é expresso em formas sexuais. Eu estou pensando numa passagem no Evangelho de Tomé na qual outra das mulheres fala com Jesus e lhe pergunta, numa linguagem bastante sexual: "Quem és tu, homem, que sentaste no meu sofá e comeste da minha mesa?" E ele parece censurá-la, dizendo: "Eu não vou responder a essa pergunta da forma como tu a fizeste. Eu sou aquele que vem do que é o mesmo." Eu acho que ele está se referindo à criação primordial, anterior ao homem e à mulher, e que está dizendo: eu venho do que precede o gênero, minha identidade não é mais que a de um homem, assim como a tua não é mais que a de uma mulher, num nível espiritual. Ela vai além disso, até uma identidade que é encontrada em Deus além do gênero. Portanto, essa é outra maneira de imaginar uma espécie de união.

KURS: *E aquelas afirmações bastante provocadoras de que Maria era beijada na boca por Jesus? Como devemos entender isso?*

PAGELS: Na verdade, isso está no Evangelho de Filipe, e é claro que dá origem a maneiras irrefletidas de abordar o assunto na ficção: "A companheira do Senhor era Maria Madalena, e ele a amava mais do que os outros apóstolos e a beijava na [...]", e então o texto se interrompe, e as pessoas usaram "boca", porque a palavra copta preencheria essa lacuna, mas não sabemos. E, com efeito, mais adiante, o texto parece ser menos sensacional em termos sexuais e mais o tipo de linguagem mística que encontramos nas tradições judaica e budista. A utilização de imagens sexuais fala do beijo como a forma como os cristãos iniciados concebem e dão à luz, e esse é o chamado beijo da paz; após serem batizadas e receberem a Eucaristia, as pessoas beijam umas às outras, e dão à luz novos cristãos dessa forma. Essa é uma transformação do ato sexual procriador num ato espiritual procriador, que acontece no batismo.

APOSTOLOS-CAPPADONA: Nós também temos de inserir o beijo num contexto cultural e perguntar o que esses termos e ações significam dentro das atitudes sociais da época. Como você dizia, ele pode ser o beijo da paz ou pode representar a troca de idéias, trazendo os iniciados para o seio da comunidade, ou renascimento.

KURS: *Vocês estão insinuando que o beijo não é tão erotizado quanto nós o fazemos parecer?*

PAGELS: No contexto do Evangelho de Filipe, o erótico é freqüentemente usado como metáfora: as imagens sexuais são entendidas como a manifestação de um vínculo espiritual. Quando você lê Filipe, você tem a sensação de que o amor que Jesus e Maria sentem um pelo outro possui características eróticas – o amor erótico como expressão do amor divino é uma parte importante desses textos. As imagens sexuais sempre fizeram parte da tradição mística. Quando as pessoas falam sobre o amor divino, elas muitas vezes falam sobre a noiva e o noivo. Os místicos da Igreja Católica também, como São João da Cruz, dizem estar apaixonados por Deus. O Cântico dos Cânticos é sobre o amor sexual, mas é considerado uma imagem de como Deus ama os seres humanos. O amor erótico e o amor divino estão unidos de uma forma que não encontramos na tradição ortodoxa, que costuma separá-los de maneira bastante categórica.

KURS: *A interação entre o amor erótico e o amor divino certamente continua aparecendo nas imagens de Maria Madalena. Na verdade, Susan, eu acho que você cunhou uma expressão bastante concisa: "pornografia pia". Você pode nos dizer o que isso significa?*

HASKINS: A pornografia pia basicamente se refere às imagens que obtemos de Maria Madalena a partir de cerca do século XVI em diante; a partir desse ponto, ela é pintada ou esculpida como uma mulher nua. Essa convenção origina-se da lenda de que ela foi para o sul da França e viveu numa caverna, onde tirou a roupa e deixou os cabelos crescerem até cobrirem seu corpo. Ela orava e jejuava, e todos os dias os anjos desciam e levavam-na ao céu para a refeição celestial. Durante o Renascimento, a imagem veio a relacionar-se mais com a sua nudez do que com qualquer outra coisa, e algumas dessas imagens são pornográficas de um modo muito explícito. Ela é a carne personificada, ou a carne da mulher personificada, mesmo quando está lendo, mesmo quando está pregando.

APOSTOLOS-CAPPADONA: Quer ela seja retratada lendo, quer esteja no jardim, quer esteja estendida numa rocha, nós temos de inserir essas imagens no contexto cultural dos períodos históricos nos quais elas foram criadas. Com freqüência, embora nem sempre, ela é representada de uma forma voyeurística. Nós temos de olhar para as representações e conversar sobre o que está acontecendo naquela época. O que as pessoas estão pensando não só a respeito de Maria Madalena, mas em termos do corpo, do gênero humano? O que elas estão pensando sobre a sexualidade? O que elas estão pensando sobre a base do cristianismo? É a Encarnação como a corporificação do espírito?

SCHABERG: A questão é: o que elas estão pensando sobre o corpo feminino? Na verdade, é: o que os *homens* estão pensando sobre o corpo feminino?

KURS: *Então, que papel o corpo de Maria Madalena desempenhou em diferentes períodos?*

APOSTOLOS-CAPPADONA: Eu creio que ela começa a ser mostrada nua e lendo ao mesmo tempo em que Jerônimo é representado nu e lendo. Isso é provavelmente encontrado pela primeira vez na obra de Adrien Isenbrandt (1510-1551). Existem paralelos se você examina a história da iconografia de Jerônimo e de Madalena. Quando Jerônimo está lendo pela primeira vez no deserto, ele está vestido; e as primeiras imagens de Madalena lendo no deserto mostram-na vestida. Depois Isenbrandt começa lentamente a despi-la. Um seio é exposto, enquanto Isenbrandt expõe parte do peito de Jerônimo. Por fim, as vestes de Jerônimo se reduzem a uma tanga.

KURS: *Eu estou ouvindo vocês dizerem que, mesmo com a série de diferentes imagens visuais que nós temos de Maria ao longo do tempo, elas ainda têm nuanças eróticas e ainda nos são transmitidas por homens.*

HASKINS: Sim, mas você tem de inseri-las em seu contexto. As pinturas do século XVI estavam sendo feitas quando o corpo feminino era um corpo ideal. Maria Madalena era descrita como uma beleza ideal. Ela era uma Vênus em trajes de aniagem, que é como um historiador da arte a descreveu. Portanto, embora ela fosse retratada como a imagem da mulher ideal, ela também tinha essa outra *persona* que a Igreja lhe acrescentara.

Após a ruptura com os protestantes, Maria Madalena tornou-se uma arma de propaganda para a Igreja Católica, que tinha um novo foco no sacramento da penitência. Àquela altura, ela se transformara na pessoa arrependida nua; antes, ela não estivera nua, mas agora ela estava nua e arrependida. E essa transformação tem a ver com a lenda de sua ida para o sul da França e com a correlação entre vaidade e roupas e verdade nua e crua. Ao se converter e voltar-se para Deus, ela passou a ter uma alma e um corpo puros, e sua nudez era um símbolo da verdade para a qual ela se voltara.

Maria Madalena havia se convertido a Cristo, ela renascera, ela estava nua, mas também há uma questão acerca dos motivos dos patronos, que na maior parte eram homens aristocratas. Usando uma linguagem bastante vulgar, ela era uma *pinup*. Algumas pessoas encomendavam pinturas dela inteiramente nua, apenas com um pouco de cabelo cobrindo-a. Houve um pintor cujo retrato de Maria Madalena hoje em dia apareceria na terceira página de um jornal britânico – a terceira página é aquela na qual saem todas as imagens de mulheres nuas. Ela não traz sequer um pedaço de pano no corpo, apenas um cacho de cabelos encobrindo o seio. E no ano seguinte esse pintor tornou-se padre. A distinção entre o sagrado e o profano... bem, não existe muita distinção, na verdade.

A Maria Madalena de *O código Da Vinci*

KURS: *Eu suponho que seja inevitável que conversa alguma sobre Maria Madalena consiga escapar a* O código Da Vinci. *As pessoas querem saber: será que Dan Brown se saiu bem? O relato alternativo da história é mais acurado do que o que nos foi transmitido dos púlpitos e nas salas de aula?*

GOOD: Por um lado, nós somos muito gratas a Dan Brown por colocar Maria Madalena nas tradições do cristianismo primitivo e somos gratas porque ele estimula as pessoas a ler textos não canônicos, nos quais Maria Madalena desempenha um papel importante. Contudo, o uso que ele próprio faz desses textos é muito limitado. Brown só permite que Maria Madalena apareça associada a Jesus. Ela jamais tem sua própria voz, nós jamais ouvimos seu próprio testemunho profético de Jesus.

SCHABERG: A Maria Madalena de Dan Brown me deixa realmente irritada. Ela não é apenas a sra. Jesus, ela é uma esposa rebaixada, e há muitas partes em que ele se refere a ela como o vaso. Até que ponto é possível rebaixá-la mais?

GOOD: Em *O código Da Vinci*, Dan Brown faz um relato extraordinário que inverte o que nós conhecemos dos textos não incluídos no cânone: ele transforma textos como o Evangelho de Maria e o Evangelho de Filipe em documentos históricos. Por quê? Porque eles contêm evidências de um casamento entre Jesus e Maria Madalena. Ora, isso vira de cabeça para baixo toda obra erudita produzida durante dois mil anos. O que nós até agora pensamos ser o caso é que é provável que os Evangelhos do Novo Testamento – Mateus, Marcos, Lucas e João – estejam estreitamente vinculados a tradições históricas, e nesses Evangelhos nós encontramos não um casamento entre Jesus e Maria Madalena, e sim Maria Madalena junto com outros discípulos como uma seguidora de Jesus. Ela tem um vislumbre, um conhecimento e uma faculdade particular de se lembrar desse papel como discípula e seguidora e, subseqüentemente, como apóstola. Ora, por que Dan Brown inverte o que conhecemos dos textos não canônicos? Porque isso condiz com o seu argumento de um ponto de vista ficcional. Ele apenas dá destaque a textos nos quais podemos ver um casamento entre Jesus e Maria Madalena e ignora os outros. Se você quer examinar dois textos a fim de apresentar argumentos específicos, você pode fazê-lo, mas por que não examinar todos os textos e perguntar: "Qual é a evidência cumulativa?"

Maria Madalena como uma mulher independente

KURS: *Dan Brown e todos os demais interessados na discussão sobre Maria Madalena têm uma grande dívida para com as estudiosas feministas, como vocês mesmas, que têm se esforçado muito, nos últimos vinte a trinta anos, para pesquisar nos textos e nas evidências visuais o que veio a ser chamado de "passado usável". Que lição deveríamos tirar da história sobre Maria Madalena nesse contexto? Por um lado, eu ouço essa noção da pornografia pia, que discutimos há alguns minutos, e, por outro, a de uma mulher forte, independente, espiritual. Maria Madalena é um modelo para o feminismo e para a Igreja?*

HASKINS: Eu penso nela como uma arma de propaganda contra as mulheres, em particular em relação a essas imagens da assim chamada prostituta arrependida. A fim de se transformar numa mulher santa, ela tem de abdicar da sua sexualidade e tornar-se assexuada, e a Igreja criou sua imagem para esse fim.

SCHABERG: Mas eu acho que grande parte do pensamento feminista acerca da prostituição é hesitante em desconsiderar o fato de que algumas prostitutas, na verdade, afirmam que estão exercendo opções de usar sua sexualidade, ao passo que outras feministas pensam nas prostitutas como vítimas. Também é interessante... disseram-me que muitos grupos de prostitutas são muito ligados a essa lenda de Maria Madalena, a prostituta.

APOSTOLOS-CAPPADONA: Aos olhos delas, ela é uma mulher independente que está se impondo no mundo, um mundo no qual as possibilidades são limitadas.

BELLEVIE: Muito embora a identidade como prostituta seja uma ficção – e hoje se reconhece que não existe nenhuma base nas Escrituras para essa identidade –, se eliminarmos essa potente tradição a respeito de Maria Madalena, será que não estaremos eliminando uma mulher com a qual algumas pessoas são capazes de se identificar de outras formas valiosas? É bastante interessante que ainda estejamos dispostos a vê-la dessa forma em algumas circunstâncias; muitas organizações de ajuda ainda são reconhecidas sob o patronato de Maria Madalena. Ao mudar a designação dela num calendário, a Igreja Católica não vai mudar assim tão rápido uma opinião que persistiu por 1.400 anos. Trazemos isso conosco, e eu penso que em alguns aspectos isso pode ser saudável, porque algumas pessoas ainda têm essa noção de tentar viver de acordo com o padrão a que a Virgem Maria foi alçada, e ninguém consegue viver de acordo com esse ideal. Tradicionalmente, Maria Madalena tem sido uma figura para a qual as mulheres podem olhar e pensar: "Bem, se Jesus a amava, ele pode me amar", e isso ainda está ocorrendo. As pessoas ainda estão se identificando com ela dessa forma.

HASKINS: A idéia que eu tenho de uma Maria não reconstruída é a da figura dos Evangelhos conforme a conhecemos, sem todos os acréscimos e as outras figuras que se fundiram com ela, como a pecadora de Lucas e Maria de Betânia. A Maria não reconstruída é uma figura dinâmica que é líder dos discípulos nos Evangelhos.

SCHABERG: Eu concordo com que ela deveria ser vista como uma figura dinâmica, mas, da minha perspectiva, não vejo muita utilidade nessa idéia de apóstola dos apóstolos. Ela não leva a lugar nenhum. Pronunciamentos da Igreja Ortodoxa do Oriente ou do Vaticano podem afirmar que ela é um importante apóstolo dos apóstolos, sim, mas ela ainda é mantida em seu compartimento. Sua importância como apóstolo dos apóstolos não significa nada em termos de oportunidades de liderança para as mulheres contemporâneas.

APOSTOLOS-CAPPADONA: Da maneira que eu reconstruo a figura histórica de Maria Madalena, ela é uma mística profética, uma pessoa importantíssima nos primórdios do cristianismo, ou do que viria a ser o cristianismo. Eu gosto de pensar que o que estou fazendo como estudiosa feminista é o que outras estudiosas feministas estão fazendo em outras áreas; eu estou interessada na reconstrução e no reentendimento da história, em olhar de novo para o passado e suprir suas lacunas de modo que possamos participar de um movimento mundial por mudança social que nos faça progredir para sociedades justas com todas as mulheres e crianças, que constituem a maioria dos pobres, e com homens não pertencentes à elite.

HASKINS: No século XX, as pessoas, sobretudo as mulheres, viram Maria Madalena como um modelo porque ela era forte e independente.

Maria Madalena fazia o que queria fazer, ela não era forçada a fazer nada. De acordo com os Evangelhos, ela seguiu suas idéias até o fim e foi recompensada por sua fidelidade ao encontrar o Cristo ressuscitado. E agora podemos vê-la com uma espécie de sagrado feminino que está dentro de todas as mulheres, e muitas mulheres querem ter essa figura da deusa ou esse sagrado feminino como uma força capacitadora que as guia para fazer o que julgam ser certo.

SCHABERG: As interpretações feministas de Maria Madalena são muito mais que interpretações que dariam uma rasteira naqueles que resistem à ordenação de mulheres ou à liderança feminina em círculos religiosos. O que a reconstrução feminista da história está tentando fazer é trabalhar pela reforma das estruturas sociais no mundo inteiro. Essa é uma coisa muito mais perigosa do que a ordenação pura e simples.

PAGELS: O que nós vemos é uma Maria Madalena que as feministas do presente estão tentando inventar. Essa é uma pessoa – uma pessoa representativa e simbólica – que tem sido parte da tradição desde o começo. É como ter uma fotografia na qual uma das imagens principais foi removida com um aerógrafo, e agora estamos vendo que essa imagem tem estado lá desde o começo. E nós vemos que ela faz parte da tradição que conhecemos.

KURS: *É evidente que a Igreja não conseguiu reprimir Maria Madalena. Sua presença persiste. Obrigada por terem vindo aqui hoje falar sobre ela, pensar sobre ela e fazê-la estar entre nós.*

CAPÍTULO 6

O mosaico Maria Madalena

A pessoa tinha cabelo ruivo sedoso, delicadas mãos fechadas e uma insinuação de seio. Era, sem dúvida... feminina... Sofia não conseguia tirar os olhos da mulher ao lado de Cristo. A Última Ceia *deveria ter 13 homens. Quem é essa mulher? (...) "Ninguém percebe isso", disse Teabing. "Nossas idéias preconcebidas desta cena são tão poderosas que nossa mente bloqueia a incongruência e supera nossos olhos."*

— Dan Brown, *O código Da Vinci*[1]

Há algo sobre Maria Madalena como uma prostituta arrependida que permite a pintores e artistas manter a voluptuosidade e a sensualidade dentro da tradição cristã tornando-a arrependida.

— Karen L. King, *The Gospel of Mary of Magdala*

A profunda ambivalência acerca da sexualidade que têm aqueles mergulhados em uma cultura monástica não (...) permite a eles pensar sobre quão desejável essa ex-prostituta deve ter sido após sua conversão. Ela freqüentemente é retratada nua nos rochedos escarpados de La Sainte-Baume. Seu cabelo longo e lustroso cobrindo as partes de seu corpo que a modéstia convencionalmente exige que sejam cobertas é um clássico da iconografia no Ocidente até hoje, fazendo de Maria Madalena a Lady Godiva da espiritualidade cristã

— Bruce Chilton, *Mary Magdalene: A Biography*

[1] Tradução livre de *Secrets of Code.*

Revisitando "O lírio escarlate": Maria Madalena na arte e na cultura ocidentais

*Por Diane Apostolos-Cappadona**

> O importante de sua história é que ela amou tanto Cristo que se arrependeu de seu passado e passou a aceitar a mortalidade da carne e a imortalidade da alma. Mas a forma como os retratos são pintados contradiz a essência dessa história. É como se a transformação de sua vida produzida por seu arrependimento não tivesse ocorrido. O método de pintura é incapaz de reproduzir sua renúncia. Ela é pintada como se fosse, antes de qualquer coisa, uma mulher desfrutável. Ela ainda é o submisso objeto de sedução da pintura.
>
> John Berger, *Modos de ver*

Nenhum personagem feminino na história da arte cristã experimentou tantas transformações visuais e de interpretação quanto Maria Madalena. Sua imagem na arte cristã, como seu retrato na Cristandade, foi moldada e remoldada continuamente por mudanças culturais e teológicas ao longo de dois mil anos de história cristã. Por intermédio de um estudo de suas múltiplas metamorfoses como santa e pecadora na arte cristã – desde seus primeiros dias, passando pela época medieval, a Renascença, a Reforma, a Contra-Reforma, o Iluminismo e a época romântica,

* Diane Apostolos-Cappadona é historiadora cultural especializada em arte religiosa e leciona na Universidade de Georgetown. Sua pesquisa da iconografia de Maria Madalena começou quando estudava na Universidade George Washington, onde o dr. Laurence Pereira Leite, professor emérito de história da arte, tornou-se seu mentor em arte e cultura cristãs. Seu primeiro trabalho publicado sobre essa intrigante mulher bíblica foi "Images, Interpretations and Traditions: A Study of the Magdalene", in *Interpreting Tradition: The Art of Theological Reflection*, org. Jane Kopas (Chico: Scholar Press, 1984, p.109-23). Este ensaio, que incorpora as pesquisas posteriores de Susan Haskins, Katherine Ludwig Jansen e outros estudiosos, é uma revisão do trabalho original. A referência a Maria Madalena como "o lírio escarlate" diz respeito a um dos mais criativos romances bíblicos sobre ela.

até as eras de "*Angst*"[2] e Aquário – podemos ver um reflexo de nossa própria compreensão contemporânea de religião e espiritualidade.

A iconografia fundamental de Maria Madalena é a de uma bela mulher com longos cabelos sedosos que segura um vaso de ungüento com o qual está pronta para ungir os pés de Jesus na casa dos fariseus ou seu corpo crucificado (Figura 2). Muitas representações populares a apresentam como alguém que está em profunda penitência contemplativa, freqüentemente com uma caveira, um crucifixo ou um açoite, símbolos de sua conversão de pecadora a santa. Quando ela é retratada em meditação silenciosa e olhando para um espelho, isso não é uma reversão a seu narcisismo anterior, e sim uma introspecção interior, uma observação de sua própria alma e sua transformação. Com freqüência, na arte cristã, ela é representada em uma série de estados físicos e emocionais, como uma mãe solitária, desgrenhada e doentia ou como uma mulher mais velha tresloucada à beira da morte. Independentemente do tema da obra, Maria Madalena tipicamente veste roupas cujo simbolismo cromático é claro – variações de laranja simbolizam sua existência terrena anterior, ao passo que o violeta significa sua penitência e seu sofrimento. Seu manto vermelho denota amor em todas as suas gradações, do familiar ao pessoal, do egocêntrico ao comunitário.

Belos cabelos longos e sedosos são uma característica básica de Maria Madalena, representando seu duplo papel de ungir Jesus de Nazaré e de pecadora arrependida e convertida. O cabelo tem uma série de qualidades na arte cristã. Na cultura mediterrânea clássica pré-cristã, cabelo acobreado ou vermelho implicava uma característica venérea – assim visualmente a reafirmando como a adúltera sem nome que depois passa a ser identificada como uma prostituta. Por mais ambíguo que possa parecer, o cabelo também representa energia e fertilidade. Uma cabeleira representa *élan vital*,[3] *joie de vivre* e energia espiritual. Naquela época, cabelos bonitos e abundantes significavam evolução espiritual. As representações de Maria Madalena com longas madeixas sedosas confirmavam sua evolução espiritual, principalmente depois da experiência da conversão.

[2] Vocábulo alemão que significa sentimento de ansiedade, preocupação ou insegurança; angústia. (N.dos T.)

[3] Na terminologia de Bergson (1859-1941), força ou impulso criador de natureza espiritual que, ao perpassar e reorganizar a matéria, origina o processo evolutivo da vida. (N. dos T.)

Em todo o mundo mediterrâneo clássico, as jovens solteiras usavam cabelos longos e soltos, um estilo que se tornou sinônimo de visualizações de amor sagrado, ao passo que as cortesãs usavam o cabelo trançado ou em coque no alto da cabeça, significando amor profano. Os longos cabelos sedosos soltos de Maria Madalena denotavam simultaneamente esses hábitos culturais e os escritos dos primeiros padres da Igreja e a *Litania dos Santos*, na qual ela é invocada como virgem.

Os primeiros artistas cristãos não investigaram as questões relacionadas à identidade de Maria Madalena, ou como, por determinação papal, um grupo de mulheres das Escrituras foi fundido em uma única mulher a partir de então conhecida como Maria Madalena, pecadora e santa. A idéia básica desses artistas era dizer que a santa não era importante como *indivíduo*, e sim como testemunha do milagre ou de outros episódios da vida de Jesus de Nazaré. A arte cristã inicial estava preocupada com expressões e confissões de fé, incluindo o desejo de salvação do próprio artista, não com criatividade artística ou inovações teológicas.

É difícil, se não impossível, encontrar representações identificáveis de Maria Madalena no que foi a fase seguinte da arte religiosa: cristã inicial ou bizantina.* Em vez disso, os artistas se voltaram para representações daqueles milagres nos quais ela mesma desempenhou um papel, em especial a Ressurreição, ou aquelas histórias das Escrituras envolvendo a mulher sem nome, como *A unção em Betânia* e a *Mulher flagrada em adultério*. A partir do século IV, sarcófagos de Milão e Servanne, retábulos de marfim de Milão e Munique, as portas de madeira de Santa Sabina, em Roma, e mosaicos de San Apollinare Nuovo, em Ravena, comprovam o antigo interesse artístico em uma figura feminina que nós podemos identificar como Maria Madalena. O Códice Rabula do século VI inclui algumas representações inconfundíveis dela na companhia de Maria de Nazaré na Crucificação, no túmulo vazio e na aparição do Cristo elevado (Figura 3).

Depois da homilia do final do século VI, do papa Gregório I, que transformou Maria Madalena em uma pecadora penitente, as primeiras manifestações da arte medieval dão início à história visual da Maria Madalena composta, ou aquilo que eu chamo de "o mosaico magdaleniano". Provas visuais encontradas em diferentes meios, de mosaicos e afrescos a iluminuras de manuscritos e gravuras, confirmam a

* Ver meu ensaio "On the Visual and the Vision: The Magdalene in Early Christian and Byzantine Art and Culture" em *Mariam, The Magdalen, and the Mother* org. Deirdre Good (Bloomington: Indiana University Press, 2005, p.123-49).

então comum identificação artística de Maria Madalena com a pecadora sem nome convertida. Representações das variadas cenas de unção são aglutinadas à medida que Maria Madalena passa a ser identificada com outras untadoras anônimas. Essa aceitação visual de Maria Madalena com a pecadora arrependida e com Maria de Betânia, irmã de Lázaro e Marta, consolidou a imagem composta das Escrituras estimulada por Gregório. Essa confusão de histórias das Escrituras e imagens cristãs produziu uma compreensão popular de quem foi Maria Madalena e do que ela representou para a comunidade cristã.

A Idade Média

Durante a Idade Média, Maria Madalena começa sua transformação visual de "ponta" no drama cristão de figuras santas femininas na arte românica e gótica em um importante indivíduo independente – uma heroína por seus próprios méritos. As representações de Maria Madalena ganharam destaque nos ciclos narrativos e litúrgicos das catedrais medievais, de arcos gravados ou pintados a afrescos de parede e esculturas de portais. Juntamente com essa transformação artística, Maria Madalena começou a ser alvo de devoção como santa penitente e foi fundida à outra prostituta-tornada-santa reformada, Maria do Egito, que teve uma vida de penitência no deserto egípcio (Figura 4).

A Idade Média foi uma época de grande fé individual e comunal que reconhecia o poder do pecado e exigia penitência. Como a grande peste do século XIV, salientada pela conveniência diária de sofrimento, miséria e fragilidade da vida humana. Sendo a "grande pecadora" que recebeu perdão, amor e a primeira "visão" da Ressurreição, Maria Madalena passou a simbolizar, para seus colegas pecadores, encorajamento e conforto cotidianos (Figura 5).

A Idade Média também testemunhou uma explosão da Cristandade, simbolizada pelas Cruzadas, as peregrinações, os dramas litúrgicos, ou representações da Paixão, e a espiritualidade franciscana. Maria Madalena tinha grande destaque nas montagens itinerantes, particularmente como personagem principal nas cenas das Lamentações e da Ressurreição (Figura 6). Um resultado artístico imediato dessas montagens foi a mudança em seu cabelo – não mais cobertas por um manto ou um véu, suas belas madeixas deslizavam livres sobre seus ombros. Esse esforço teatral para humanizar a iconografia anterior da santificada e matronal Maria Madalena a tornou visualmente atraente para o público.

Textos lendários e teológicos se mostram fontes importantes para essas metamorfoses medievais da imagem de Maria Madalena. Ela, por exemplo, se tornou o símbolo de amor, humildade e penitência para a emergente tradição espiritual franciscana. *Meditations on the Life of Christ*, do suposto Bonaventura, incluía muitas referências importantes a Maria Madalena. Vários analistas medievais reafirmaram a lenda que revelava a verdadeira identidade do casal de noivos no casamento em Caná: Maria Madalena e João, o Evangelista. Simultaneamente, outros autores medievais, incluindo Tiago de Voragine, tentaram negar essa revelação da identidade dos noivos ou qualquer vinculação dele a Maria Madalena em *A lenda de ouro*. Os sermões de Bernard de Clairvaux sobre o Cântico dos Cânticos, especialmente o Sermão 57, seguiram a tradição de Orígenes em seu *Comentário sobre o Cântico dos Cânticos*, relacionando a noiva da narrativa de Caná a Maria Madalena, como a untadora de Jesus de Nazaré. A Madalena matronal rapidamente desapareceu da consciência cristã à medida que passou a ser a fusão simbólica do amor terreno com o amor espiritual, de *eros* com *agape*. Assim, a Cristandade medieval produziu uma Maria Madalena transformada de matrona santificada na bela heroína da virtude cristã.

As mais importantes devoções medievais a Maria Madalena, porém, talvez tenham sido as surgidas na França medieval. Maria Madalena, ou *Marie-Madeleine*, como ela é conhecida, tornou-se missionária cristã da França e santa penitente *extraordinaire*.* Lendas elaboradas de sua pregação e de seus milagres por todo o sul da França produziram uma veneração especial (Figura 7). No século XIII, foi construída uma capela dedicada a ela no local de um arruinado Templo a Diana de Éfeso em Marselha. Sua viagem lendária de Jerusalém a Provença é datada entre 34 e 40 d.C. Segundo a tradição, ela pegou um barco sem velas ou remos e atravessou o Mediterrâneo com sua irmã Marta, seu irmão Lázaro, Maria Salomé, Maria Jacó, o bispo Maximino, Sara, a Egípcia, e 82 discípulos. Eles desembarcaram em Stes. Maries-de-la-Mer, onde as outras Marias e Sara permaneceram, enquanto Marta

* As tradicionais fontes históricas, como o estudo em dois volumes de Victor Saxe sobre Maria Madalena e a história francesa, *The Digby Magdalene*, e *A lenda de ouro*, de Tiago de Voragine, foram complementadas com a pesquisa que eu fiz em Camargue e Provença em outubro de 2005.

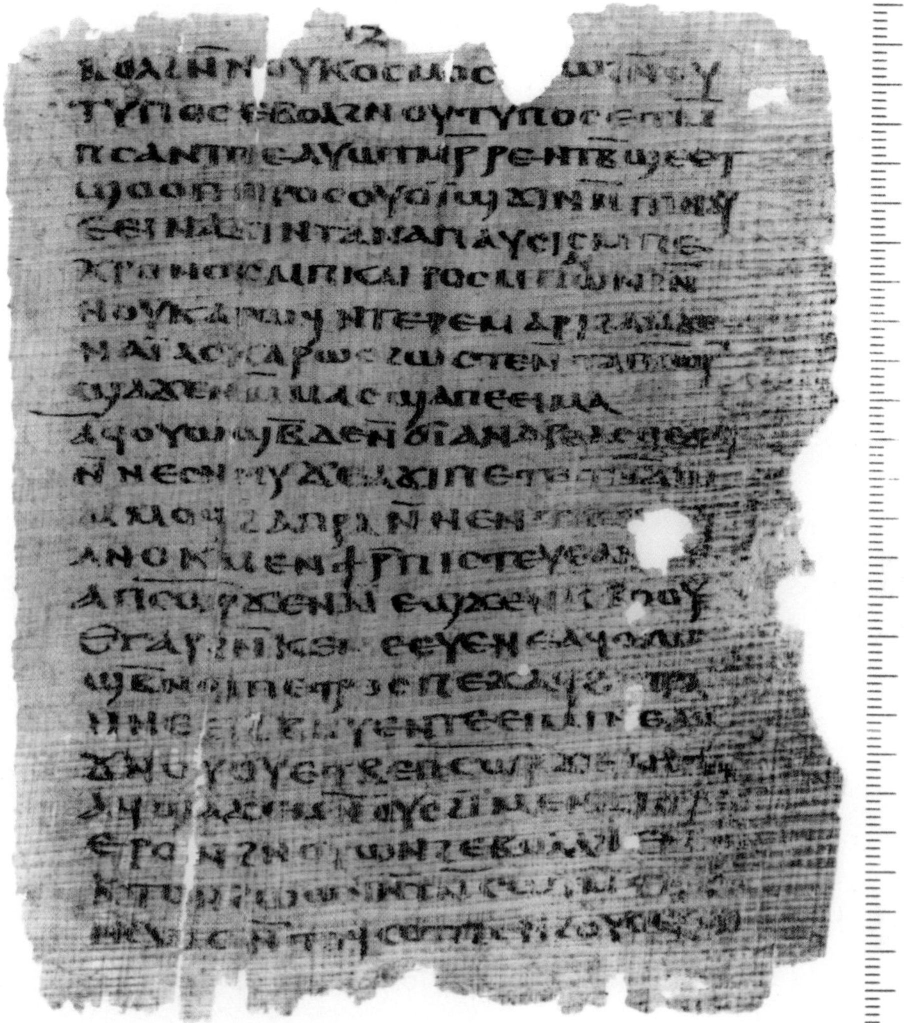

FIGURA 1: Página manuscrita original, em copta, do Evangelho de Maria. Nela, Madalena termina de contar minuciosamente as palavras que Jesus havia falado apenas com ela. André se mostra descrente, e Pedro pergunta, contrariado: "Ele falou com uma mulher em particular sem nós sabermos? Devemos virar-nos e ouvi-la? Ele a escolheu em vez de a nós?" Maria pergunta diretamente a Pedro se ele acha que ela está "dizendo mentiras", e a página termina com Levi indagando a Pedro: "[...] se o Salvador a fez digna, quem és tu, de tua parte, para rejeitá-la?" Vide os Capítulos 1 e 3 para mais comentários sobre esse Evangelho alternativo.

O Evangelho de Maria (Papyrus Berolinensis), século V d.C., escrita copta. Papiro bizantino, 13,5cm x 10,5cm. Inv. P 8502, fragmento 17. (Bild-archiv Preussischer Kulturbesitz [Arquivo Visual da Fundação da Herança Cultural Prussiana]/Art Resource, Nova York. Foto: Jörg P. Anders)

FIGURA 2:
Carlo Crivelli (1435/40-1493),
Santa Maria Madalena, políptico,
detalhe, Collegiata di S. Lucia,
Montefiore dell'Aso, Itália.
(Foto: Scala/Art Resource, Nova York)

FIGURA 3: *Crucificação* e *As mulheres junto ao sepulcro*, c. 586 d.C., dos Evangelhos de Rábula, Zagba sobre o Eufrates, Síria. MS. Plut. 1,56, f. 13r., Biblioteca Laurenziana, Florença. (Foto: Scala/Art Resource, Nova York)

FIGURA 4, ACIMA: Jean Fouquet, *Maria Madalena no banquete de Simão*, c. 1445, de *Les Heures d'Étienne Chavalier*, Mss. fr. 71, Musée Condé, Chantilly, França.

FIGURA 5, PÁGINA AO LADO: *Maria Madalena*, sem data, Domenico, Pistóia, Itália. (Foto: Scala/Art Resource, Nova York)

FIGURA 6: Fra Angelico, *Noli Me Tangere*, c. 1440-45, Museo di S. Marco, Florença. (Foto: Scala/Art Resource, Nova York)

FIGURA 7: Lucas Moser, *Altar de Madalena*, folhas fechadas, 1523, paróquia de Tiefenbronn, Alemanha. (Foto: Erich Lessing/Art Resource, Nova York)

FIGURA 8: Masaccio, *Crucificação*, início do século XV, Museo Nazionale di Capodimonte, Nápoles, Itália. (Foto: Scala/Art Resource, Nova York)

FIGURA 9: Lucas Cranach, o Velho, *Cristo e a adúltera*, meados da década de 1540, The Metropolitan Museum of Art, Nova York, The Jack and Belle Linsky Collection. (1982.6-.0.35)

FIGURA 10: El Greco, *Madalena penitente*, sem data, Museu de Belas-Artes (Szépmûvészeti Muzeum), Budapeste, Hungria. (Foto: Erich Lessing/Art Resource, Nova York)

FIGURA 11: Arnold Böcklin, *Maria Magdalena beweint den toten Christus* (Maria Madalena pranteia o Cristo morto), 1867, Kunstmuseum [Museu de Arte], Basiléia, Suíça. (Foto: Erich Lessing/Art Resource, Nova York)

FIGURA 12: William Etty, *Mulher nua contemplando um crânio e um crucifixo* (estudo de Madalena), meados do século XIX, Victoria and Albert Museum, Londres. (Foto: Art Resource, Nova York)

FIGURA 13: Max Beckmann, *Cristo e a mulher flagrada em adultério*, 1917, The Saint Louis Art Museum, St. Louis, Legado de Curt Valentin.

A

B

FIGURA 14: Dois fragmentos da Tapeçaria do Exílio, c. 150-180 d.C., região mediterrânea. (Foto Jeremy Pine)

FIGURA 15: Reprodução da Tapeçaria do Exílio como teria parecido quando estava inteira. (Desenho e foto: Jeremy Pine)

FIGURA 16: *A Bíblia dos pobres* (Biblia Pauperum), século XV, edição fac-similar da British Library Blockbook, com tradução e comentários de Albert C. Labriola e John W. Smeltz. Com permissão da Biblioteca Britânica (C.9.d.2). (Foto: Biblioteca Britânica, Londres)

viajou para Tarancón, Lázaro para Marselha e Maria Madalena para "*La Sainte-Baume*" (ou Gruta Sagrada) após evangelizarem a região. Ela permaneceu lá entre trinta e 33 anos, dependendo da fonte da lenda, e levou uma vida ascética - de oração e subidas diárias ao monte St. Pilon, onde os anjos a acalmavam com sua música celestial e davam a ela a eucaristia. Embora tenha surgido uma polêmica sobre se suas relíquias "autênticas" estão em Vézelay ou em Saint-Maximin-la-Sainte-Baume, suas catedrais e sua gruta se tornaram locais de peregrinação para reis franceses e seus séqüitos.

Maria Madalena começou a assimilar – e não apenas na França – as características das deusas virgens clássicas, como Diana de Éfeso, que protegiam as mulheres, especialmente na fertilidade, na gravidez e no parto, e também crianças pequenas. Talvez a mais significativa lenda francesa que fortaleceu a prevalência de Marie-Madeleine sobre Diana de Éfeso seja a da concepção e nascimento milagrosos do filho de uma rainha francesa antes estéril. Esse milagre logo foi seguido pela ressurreição da rainha após sua morte no parto ou por afogamento, dependendo de qual versão da lenda devota você lê ou ouve, como *The Digby Magdalene* ou *A lenda de ouro*. Altares medievais e montagens litúrgicas se somaram a lendas populares para confirmar que Maria Madalena já não era apenas uma personagem no drama da salvação – tinha se transformado em uma heroína.

Provas dramáticas de seu novo *status* no final da Idade Média podem ser encontradas, literalmente, aos pés das catedrais. Aquelas imagens de Maria Madalena vistas como parte dos mistérios da salvação que anteriormente tinham sido colocadas nos portais de entrada foram retiradas e transferidas para o interior das mesmas catedrais para decorar janelas, paredes e retábulos de altares. Com essa mudança, aqueles que rezavam no interior da estrutura eclesiástica descobriram uma nova proximidade com Maria Madalena.

A Renascença

A Renascença, com a reafirmação cultural do humano, viu as representações artísticas de Maria Madalena ganharem merecida fama. Sua popularidade era então enorme. Não estando mais limitada por estruturas narrativas, a iconografia de Maria Madalena se expandiu para incluir os motivos de pecadora, testemunha, penitente, enlutada, untadora e santa padroeira. Por exemplo: do final da Idade Média até o início da Renascença, Maria Madalena foi representada aos pés da cruz e no contexto das seqüências das Escrituras relativas à "mulher caída" que ungiu a cabeça e os pés de Jesus de Nazaré. Há poucas dúvidas de que os artistas consideravam essas duas mulheres – Maria de Magdala e a untadora anônima – uma só mulher. Assim, essa orientação artística refletiu e alimentou as lendárias associações de Maria Madalena para a fé cristã. Do ponto de vista artístico e espiritual, tal identificação tinha motivos práticos, se não profundos – expressão visual do poder e do significado da morte expiatória de Jesus de Nazaré para a humanidade decaída. Assim, a postura encolhida daquela mulher atormentada e "decaída" aos pés da cruz oferecia aos cristãos uma associação visual com a promessa de redenção (Figura 8).

Tais representações mostram duas imagens das Escrituras do que passou a significar Maria Madalena: primeiramente, a mulher se ajoelhando aos pés de Jesus de Nazaré – os mesmos pés que ela antes tinha ungido e secado com seu longo cabelo sedoso – é, ao mesmo tempo, um trocadilho visual com sua natureza "decaída"; em segundo lugar, como aquela que está de pé como uma sentinela ou atalaia, um lendário trocadilho lingüístico com *migdol*, junto ao corpo de Jesus de Nazaré quando ele está pendurado na cruz. Essa imagem dela se ajoelhando aos pés de Jesus se tornou a principal convenção artística para Maria Madalena, uma associação que remonta ao século V da arte ocidental.

Durante o final da Idade Média, o tema de *Noli me tangere* – representações do Cristo elevado a Maria Madalena após a Ressurreição em João 20:17 – começa a surgir na arte, para florescer na Renascença.* Esse motivo artístico iria anunciar a crescente importância de Maria Madalena (Figuras 5 e 6). Mais ainda, a espiritualidade cristã influenciada por Francisco de Assis estabeleceu firmemente o simbolismo tanto medieval quanto teológico de Maria Madalena como *o* símbolo feminino de penitência, humildade e amor. Sua popularidade se fortalecia com os desejos de indivíduos cristãos de compreender e experimentar o perdão. Maria Madalena era a grande pecadora que tinha se arrependido e fora perdoada por Jesus de Nazaré, e que depois se tornou sua discípula devotada e acabou sendo a primeira pessoa a

* Para uma introdução à história e ao simbolismo desse motivo iconográfico, ver meu ensaio "Mary Magdalene: First Witness", em *Sacred History Magazine* 2, 3 (maio/junho de 2006), p.30-3.

quem ele apareceu após a Ressurreição.* Enquanto os dramas litúrgicos enfatizavam essa imagem de Maria Madalena, artistas como Duccio, Giotto e Fra Angelico (Figura 6) davam expressão artística ao *Noli me tangere* em seus afrescos e altares.

Dado o interesse da Renascença no humano, a ligação dela com "a prostituta curada" permitia a apresentação do corpo feminino, muitas vezes parcial ou inteiramente despido. Representações artísticas de belas Madalenas são abundantes no contexto da pedagogia cristã, ou os ensinamentos sobre a penitência, e freqüentemente como o "motivo" para o retrato feminino.

Pós-Renascença

O período histórico tradicionalmente identificado como o da Reforma e da Contra-Reforma foi uma época de intensa espiritualidade emocional, sobretudo no Sul, onde a filiação ao catolicismo romano tinha renovado o apelo e a popularidade de Maria Madalena. As artes desse período histórico são identificadas pela descrição estilística portuguesa de "barroco" para "pérola de forma irregular" e, dadas as divisões religiosas na Europa, foram posteriormente categorizadas regionalmente como barroco do Norte e barroco do Sul. Por sua natureza, a arte barroca do Norte se afastou da arte cristã tradicional que era identificada como "católica romana"; ainda assim, imagens pedagógicas de personagens bíblicos como Maria Madalena caíam nas categorias de mulheres de moral em oposição a mulheres imorais (Figura 9). Contudo, os pintores barrocos do Sul exaltaram Maria Madalena, que, juntamente com Pedro, tornou-se uma defensora simbólica do "Sacramento da Penitência". Esse sacramento foi atacado tão vigorosamente pelos Reformistas quanto era defendido pelos teólogos católicos romanos.

Os artistas barrocos do Sul popularizavam os motivos da Madalena penitente no deserto, a Última Comunhão de Maria Madalena e a Madalena contemplativa. Eles destacaram a natureza sensual e voluptuosa de Madalena por intermédio da

* Ver meu ensaio "'Pray with tears and your request will find a hearing': On the iconology of the Magdalene's Tears", em *Holy Tears: Weeping in the Religious Imagination*, org. Kimberly C. Patton e John Stratton Hawley (Princeton: Princeton University Press, 2005, p.201-28).

utilização de cores, luzes naturais, vestes drapejantes e poses provocantes. Na mente católica, porém, essas imagens preservavam o impacto religioso e a motivação espiritual que, de fato, as tinham inicialmente produzido. Muitos artistas barrocos do Sul representam Maria Madalena como uma jovem bonita com longos cabelos sedosos que veste um traje revelador, talvez diáfano, e que contempla chorosa o seu destino (Figura 10). Sua nudez simbolizava não devassidão, e sim a inocência e a pureza do espírito humano após ter experimentado o arrependimento e o perdão. A popularidade de Maria Madalena se devia em parte à sua posição de defensora da fé, uma cruzada simbólica pela tradição católica romana, que prometia a salvação por intermédio dos mistérios dos sacramentos da Igreja.

A Europa do século XVIII viu o crescimento da ciência e o declínio da religião no que passaria a ser conhecido como a era do Iluminismo. A chamada secularização da cultura ocidental teve efeitos em todos os aspectos da vida, incluindo as artes. As representações de Maria Madalena evidenciam essa crescente divisão à medida que ela, por um lado, começa a ser uma personalidade importante na espiritualidade cristã e, por outro, um símbolo de prostituta curada na arte, na literatura e na fala popular. Nos séculos XVII e XVIII, seus descendentes artísticos freqüentemente substituíam sua antiga imagem na literatura e nas artes, passando a representá-la como "a rameira (com um coração de ouro)" – honesta ou depravada, boa ou má, patética ou cômica.

Vários movimentos artísticos do século XIX recuperaram o interesse visual em Maria Madalena. Um primeiro renascer de sua iconografia começou na França, com a restauração da monarquia Bourbon e o restabelecimento do culto em Sainte-Baume, em 1822. Simultaneamente, o movimento romântico descobriu que a imagem ficcionalizada de Maria Madalena como a grande heroína da história cristã era particularmente atraente. Movimentos artísticos cripto-religiosos, como a Irmandade Pré-rafaelita e os Nazarenos, demonstraram uma especial afinidade por representações dramáticas da imagem composta de Maria Madalena (Figura 11). Enquanto pintores como Paul Baudry, William Etty e Jean-Jacques Henner reconfiguraram a iconografia da "Madalena penitente" em um álibi para o nu feminino, as imagens dos simbolistas destacaram uma importante metamorfose artística em sua imagem: ela era então representada como *femme fatale*. Ela é transformada de modo semelhante ao que tinha sido feito com outras grandes figuras femininas como Judite, Salomé e Cleópatra. A ênfase no cabelo abundante, no corpo andrógino e na acentuada sexualidade caracteriza a iconografia básica da imagem da *femme fatale* que se desenvolve no século XIX (Figura 12).

No final do século XX sua imagem se tornou um pára-raios para a sensualidade e o erotismo, à medida que a palavra "Madalena" se transformou em sinônimo de prostituta na Inglaterra vitoriana, e sua história foi altamente sexualizada, como demonstrado pela popular peça de teatro francesa *L'Amante du Christ* (1888).[4] Representações artísticas como as de Jean Béraud, Alfred Stevens e James Ensor apresentaram a pseudo-inocência de "pinturas de salão", ao passo que pintores do final do século XIX e início do século XX, como Félicien Rops, Auguste Rodin, Lovis Corinth e Eric Gill criaram imagens de "nus ambíguos" de Madalenas em poses de corporalidade tão chocante que chegaram ao erotismo blasfemo.

Os artistas do século XX continuaram a produzir imagens de Maria Madalena abstratas, fragmentadas e nostalgicamente figurativas, à medida que ela se tornou modelo para "todas" em uma era de *angst* e ansiedade. Como seus antigos colegas cristãos, artistas modernos como Paul Cézanne, Max Beckmann, Rico Lebrun e Pablo Picasso não estavam mais interessados em discernir a verdadeira identidade dessa mulher das fontes das Escrituras do que em retratar os valores culturais e o significado emocional embutidos em seu papel de prostituta arrependida transformada em santa (Figura 13). Artistas feministas mais recentes como Kiki Smith e Marlene Dumas, porém, retomaram o longo cabelo sedoso de Madalena como uma ligação visual entre sua *persona* histórica e seu significado para as mulheres contemporâneas. A série de Dumas representa uma fusão do sagrado (arte cristã tradicional) com o secular (a beleza comercial do final do século XX), enquanto a obra de Smith é uma discussão visual do instinto de sobrevivência feminino mesmo face à degradação e à repressão.

Reflexões finais

A popularidade de Maria Madalena ao longo dos últimos vinte séculos se baseia nas bem-sucedidas transformações de sua imagem que foram produzidas e refletiram

[4] A amante de Cristo. (N. dos T.)

as mudanças na espiritualidade cristã e secular. Essas reinterpretações se basearam em seu significado arquetípico e em tentativas artísticas de representar esse significado em uma linguagem que falasse imediatamente a cada nova geração. Nenhuma imagem de Maria Madalena revela ou expressa a totalidade do que ela foi para os crentes cristãos, embora as muitas Madalenas sejam independentes, elas interdependem umas das outras.

Seu apelo se consolidou em nível pessoal e devocional ao longo de toda a era cristã, algumas vezes com grande intensidade. Por mais enigmática que possa ser sua imagem, ou por mais interessados que estejam os estudiosos, é sua constante popularidade na coletividade cristã que confirma sua significância religiosa. Ela se tornou a imagem clássica da natureza redentora e transformadora do amor cristão. O cristão mediano se encontra mais próximo de aceitar a realidade de conceitos de outro modo abstratos de perdão e pecado como experiências humanas concretas quando a imagem de Maria Madalena passa a representar a realização da experiência humana em sua jornada de pecadora a santa.

Mais ainda, em sua jornada através dos séculos Maria Madalena se transformou em um mosaico de significados: ela foi, alternadamente, prostituta, deusa, pregadora, mística, contemplativa, miraculosa e musa inspiradora de artistas e escritores, bem como do fiel cristão. Várias dessas imagens, especialmente as de prostituta e musa, podem a princípio parecer referências inadequadas à santa Maria Madalena. Sua fusão com a adúltera sem nome de João 7:53-8:11 e a anônima untadora de Lucas 7:36-50 levou à sua transformação final em *a* prostituta arrependida. Ela simboliza a fraqueza humana quando seus pecados são reconhecidos e ela é redimida pelo amor gratuito de Jesus de Nazaré. Nesse sentido, aquilo que de outro modo pareceria profano se transforma em metáfora de transformação espiritual. Da mesma forma, a Madalena musa inspiradora de artistas e escritores pode parecer uma curiosa expressão de espiritualidade – sobretudo no contexto de algumas das representações mais sensuais. Mas tal inspiração, mesmo quando produz uma obra de arte secular – ou romances controvertidos como *A última tentação de Cristo* ou *O código Da Vinci* —, acaba resultando na visibilidade e no reconhecimento da religião.

De sua forma única, Maria Madalena incorpora várias das imagens e características paradoxais da "mulher" no contexto das tradições cristãs. Ela, por exemplo, tem sido caracterizada como promíscua, virginal, destrutiva, criadora, pudica e maternal. Estudos mais aprofundados de sua "feminilidade" irão aumentar nossa compreensão do papel da mulher nas tradições cristãs e na cultura ocidental enquanto cada grande reinterpretação de Maria Madalena explica *aquela* compreensão cultural particular da mulher e de seu papel social.

Maria Madalena passou no teste do tempo e da História para surgir como uma personagem central do século XXI, à medida que reinterpretações artísticas afirmam que ela simbolizou uma Humanidade identificável e falível que continua a receber, sem merecer, a graça de Deus. É Maria Madalena que permite a possibilidade *daquela* graça inteligível e a realidade *daquela* graça palpável para o fiel mediano.

Interpretando a Tapeçaria do Exílio: uma obra de arte fala ao longo de 18 séculos

Por Jeremy Pine

Um dos óbvios desafios ao tentar compreender Maria Madalena como personagem histórica é que há pouquíssima informação legítima sobre sua vida que seja de sua própria época ou de algum tempo próximo a ela. Um volume bastante significativo de lendas e doutrinas sobre Maria Madalena parece ser um projeto de redação criativa da época medieval. E, embora a Idade Média tenha sido há muito tempo, foi há apenas mil anos, não dois mil anos. Embora haja muitas histórias, especialmente no folclore francês, sobre Maria Madalena fugindo da Terra Santa para o sul da França em um pequeno barco sem leme ou vela depois da crucificação, a maioria dessas histórias tem um milênio de idade, não dois.

Pouco depois da publicação de nosso *Os segredos do código,* em 2004, recebemos um *e-mail* de um camarada curioso que dizia ter um fragmento de tapeçaria que retratava Maria Madalena fugindo para a França em um barco. Ele nos disse que o fragmento de tapeçaria tinha sido testado e datado como tendo cerca de 1.800 anos. Se aquele fragmento realmente tivesse 1.800 anos de idade, e se ele realmente retratasse Maria Madalena fugindo em um barco, ele seria o relato mais antigo conhecido dessa história por uma margem de mais de um milênio.

A história parecia bastante improvável. Soava como se tivesse sido inventada por alguém que tinha passado tempo demais lendo *O código Da Vinci*. Mas nós estávamos intrigados. E fizemos algumas verificações. Descobrimos que aquele homem interessante com aqueles fascinantes fragmentos de tapeçaria era conhecido de alguns diretores de museus muito sofisticados como "o maior especialista do mundo em têxteis himalaios". Descobrimos que pessoas muito importantes no Metropolitan Museum of Art de Nova York o tinham em alta conta. Então encontramos com ele pessoalmente e ouvimos histórias ainda mais fascinantes sobre as relíquias e artefatos que ele tinha descoberto. A informação sobre o fragmento de tapeçaria que ele partilhou conosco, se verdadeira, se autentificável, se sua interpretação era correta, era de certa forma tão significativa quanto a descoberta dos Evangelhos gnósticos ou de outros documentos da Antigüidade que alteraram o curso dos estudos modernos. Porque o que ele nos estava dizendo era não apenas que o fragmento de tapeçaria fornecia um antigo relato da fuga de Maria Madalena para a França, mas que ele também fornecia a mais antiga representação conhecida de Jesus em uma obra de arte.

Ao preparar os livros da coleção *Os segredos*, nós geralmente não fazemos pesquisa básica. Não fazemos testes de laboratório, não financiamos trabalho de campo nem projetos de pesquisa. Nós procuramos as pessoas com os pontos de vista mais interessantes, inovadores e importantes, e as encorajamos a partilhar suas idéias com nossos leitores. Com isso em mente, apresentamos a vocês Jeremy Pine e a fascinante experiência do que ele chama de "Tapeçaria do Exílio".

Pine é um antiquário norte-americano que viveu em Katmandu, Nepal, durante 35 anos. Especialista em têxteis antigos, ele teve a oportunidade de examinar e pesquisar milhares de peças antigas, incluindo tecidos de lã, sedas e tapeçarias. Entre 1993 e 1995, Pine foi diretor de expedições do Instituto de Ciências de Moscou e do Instituto Estatal de História da Cultura de São Petersburgo. Nessa função, ele comandou três expedições a Tuva para escavar tumbas antigas para o museu Hermitage. Os dois últimos anos foram passados no pouco conhecido e remoto vale da Montanha de Prata, ou Mongün Taiga, ao norte da fronteira da Mongólia. Casado, pai de dois filhos, Pine se aposentou recentemente para se tornar curador em tempo integral da Tapeçaria do Exílio e de seus tesouros.

"Veja o que está à sua frente e o que está oculto será revelado."

Evangelho de Tomé

A Tapeçaria do Exílio é uma tapeçaria oval de felpa. Hoje em dois fragmentos, ela originalmente teria medido aproximadamente 120 centímetros de alto a baixo.* Dois X multicoloridos formam os sete compartimentos da peça. No compartimento superior direito há uma figura ruiva, com um halo, em um barco azul (todos os barcos desse período ou descrições de barcos nesse período têm essa forma), com uma marca na testa. No compartimento superior esquerdo há uma figura semelhante, mas com metade do tamanho, também com a marca na testa. O compartimento esquerdo contém uma figura de cabelo escuro que não é divina (não tem halo), mas que leva uma "carga extra" no barco. Há no compartimento inferior direito uma figura semelhante, com a diferença de que dois patos nadam ao lado do barco. As figuras nos cantos inferiores esquerdo e direito também têm a marca.

Quatro máscaras de leão adornam os quatro cantos do compartimento central em forma de diamante no qual podemos ver o cabelo e o halo duplo da figura principal.** Acima e abaixo há flores. Uma margem externa multicolorida teria contornado toda a tapeçaria.

Para interpretar a composição dessa tapeçaria primeiramente é necessário determinar sua época. Isso foi feito com datação por carbono-14. Tendo sido testada duas vezes, estamos certos de que ela é autêntica. Os testes também nos deram

* Não é possível dizer, a partir do que resta da tapeçaria, se a figura de Jesus no compartimento central também estava em um barco ou em alguma outra posição. Ao compor a reprodução (ver Figura 15), nós o colocamos em um barco por uma questão de simetria. As implicações das várias posições possíveis são tema para outra discussão.

** As máscaras de leão superior e inferior são evidentes. Contudo, as orelhas e os olhos das duas máscaras na esquerda e na direita permanecem no pé do fragmento A (ver Figura 14).

razoável certeza de que ela foi produzida na segunda metade do século II, ou talvez início do século III.

As figuras de cabelos vermelhos de fato determinam uma origem oriental, e o estilo artístico é tão greco-egípcio que a região do Mediterrâneo surge imediatamente como local onde teria sido produzida. Então, para compreender a tapeçaria, precisamos estudar o que estava acontecendo no mundo mediterrâneo no século II.

No século II, a cruz ainda não tinha sido adotada como um símbolo de Cristo. O X, porém, era um símbolo, já que X é a primeira letra da palavra *Cristo* em grego. Um X em um círculo era chamado de "o Monograma de Cristo". A base da composição da tapeçaria são os dois X dentro de um oval. Isso, mais as quatro máscaras de leão nos cantos do diamante formado por eles, sugere que a figura central na Tapeçaria do Exílio é Jesus Cristo, o Leão de Judá (Apocalipse 5). Embora restem apenas o cabelo e os halos, essa é a mais antiga imagem preservada de Jesus Cristo.

Se a figura central é Jesus, então quem são os ruivos divinos acima? Uma boa parcela das pinturas da Madona com a Criança retrata uma ou as duas com cabelos vermelhos. Mas não é provável que a figura ruiva menor seja Jesus menino se ele é representado no compartimento central com cabelos castanhos. A única outra ruiva de destaque na história de Jesus Cristo é, claro, Maria Madalena. Também há a história de seu exílio na Gália em um barco sem remos, leme e velas que fazia água. Em muitas esculturas e pinturas, ainda existentes em igrejas da Europa, Maria Madalena é mostrada chegando à costa em um barco azul. A tapeçaria não nos conta se o barco fazia água, mas, fora isso, ela se ajusta ao padrão da lenda.

Naquela época, os escravos eram marcados na testa, assim como o gado é marcado. Era um costume dos primeiros cristãos colocar uma marca em suas testas, para se mostrarem como escravos de Cristo. Essa "marca de Cristo" é evidente na testa da figura de Maria Madalena, assim como nas outras. Ao mesmo tempo, o halo dourado ao redor dela e do barco mostra que ela é divina.

Há outra figura ruiva divina no compartimento superior esquerdo. Essa figura parece ter, intencionalmente, cerca de metade do tamanho da outra. Significaria então que essa figura era uma criança?

Há igrejas dedicadas à chegada de Maria Madalena na França, e diversos santuários na França alegam abrigar de suas relíquias até acontecimentos importantes de seus anos de exílio. A lenda de seu exílio na França tem muitas variações e, em algumas, ela é acompanhada por filho ou filhos, cujo pai, presumivelmente, é Jesus.

Essa é a base para a história da "descendência real" de Jesus e Maria Madalena. Ninguém parece negar que ela foi para o exílio ali. A controvérsia sempre foi "quem seguiu com ela?".

O grupo de cristãos que utilizou essa tapeçaria deveria se sentir muito próximo da família sagrada. O exílio de Maria Madalena como tema básico nos diz que, de seu próprio ponto de vista, eles tinham alguma ligação legítima com a história.

Na metade do século II, a história nos oferece pelo menos duas possibilidades. Havia os *desposyni* (pertencentes ao Senhor), que eram os descendentes de Cristo. Hoje se considera que isso significaria os primos, meios-irmãos e irmãs de Jesus, e seus descendentes. A tapeçaria data de mais de cem anos após a crucificação, portanto haveria muitos ramos de *desposyni* ao redor do Mediterrâneo nessa época, com cada indivíduo na posição de líder de sua própria seita. Se havia quem se considerasse descendente de Jesus e Maria Madalena, eles teriam se incluído nesse grupo.

A Tapeçaria do Exílio provavelmente foi tecida como um altar. Não há registro de que os cristãos gnósticos tivessem construído igrejas ou rezado nelas. Eles se encontravam em diferentes lugares. Presumivelmente, a tapeçaria, ao ser desenrolada, consagraria o local. Se os fiéis eram *desposyni*, então a figura menor no canto superior esquerdo poderia muito bem ser Sara (cujo nome significa "princesa" em hebraico). Em algumas versões da lenda de Maria Madalena ela chega à Gália com uma filha chamada Sara. Nesse caso, os dois patos na base da peça ganhariam maior significado, já que na época os patos podiam ser um símbolo da união sagrada, a "aliança" na peça.

Naquela época havia outra interessante seita de cristãos no Mediterrâneo, os carpocratianos. Estudiosos chamaram Carpócrates de "pai do gnosticismo". Famosos no século II, Carpócrates e seus seguidores provocaram a ira da Igreja Ortodoxa. Irineu (c.115-202), bispo de Lyons, e Clemente de Alexandria (160-215) se queixaram de que Carpócrates, entre outras iniqüidades, escravizou um presbítero de Alexandria a fim de conseguir uma cópia do Evangelho secreto de Marcos. Carpócrates teria pregado a heresia de que Jesus era filho de José, e era um homem. Ele ordenou sacerdotisas. Ao mesmo tempo, os carpocratianos teriam feito imagens de Cristo e outros, "algumas delas pintadas e outras de diferentes materiais". De fato, os carpocratianos são os únicos cristãos que com certeza fizeram imagens naquela época, já que fazê-lo ainda era proibido pelo Segundo Mandamento (Êxodo 20:4). Carpócrates chegou mesmo a alegar ter consigo um retrato de Jesus Cristo pintado pelo próprio Pôncio Pilatos. Mais ainda, ele alegou ter recebido seus ensinamentos em uma "linha" contínua desde Maria Madalena, Marta e Salomé.

Há, portanto, uma forte possibilidade de que Carpócrates tenha tido algo a ver com a concepção da tapeçaria, dadas as evidências históricas. Se foi assim, então a figura no canto superior esquerdo pode muito bem ser a filha, Sara. Contudo, há uma pequena possibilidade de que ela também seja Salomé ou Marta,* tendo sido então santificada pelos carpocratianos. O fato de que há dois X no trabalho também pode sugerir o dualismo presente nas filosofias gnósticas da época. A igualdade era o princípio central de Carpócrates; igualdade entre homem e mulher, rico e pobre, e assim por diante. Essa poderia ser outra razão para o formato oval da Tapeçaria, já que então ninguém de pé ou sentado ao redor dela estaria "na cabeceira", basicamente a mesma intenção da Távola Redonda de Artur.

Quem são as pessoas de cabelos escuros não divinas nos barcos de baixo, com a marca de Cristo em suas testas? A lenda nos conta que alguns parentes acompanharam Maria Madalena no barco que fazia água. Talvez os dois sejam Lázaro e José de Arimatéia, carregando o Graal e outras "bagagens" de acordo com a lenda. Em todas as obras de arte posteriores essas duas figuras provavelmente seriam santificadas.

As flores no alto e embaixo provavelmente são rosas. Poderiam ser símbolos para *sub rosa*, ou secreta, no caso da flor superior, e possivelmente *super rosa*, ou não secreta, no caso da inferior. Um significado possível é que seus ensinamentos eram de dois tipos: secretos e públicos. De fato, muitos estudiosos contemporâneos interpretam o Novo Testamento como os ensinamentos públicos da Cristandade, e muitos dos evangelhos alternativos, ou gnósticos, como os ensinamentos secretos. São muitos os significados da rosa. Finalmente, as faixas multicoloridas dos X e a borda externa em arco-íris só podem ser símbolos para o paraíso, ou o Reino do Céu.

Seja a Tapeçaria do Exílio *desposyni*, carpocratiana ou de outra seita gnóstica, ela conta a história do exílio de Maria Madalena. Sendo uma obra de arte, ela não foi editada, traduzida de um idioma para outro ou reconcebida para se adequar a algo, como costuma acontecer com a palavra escrita. O surgimento dessa peça de evidência documental levanta questões em muitos níveis – histórico, filosófico e teológico. O que aprendemos interpretando a composição da tapeçaria é que ela é a

* Mulheres que teriam acompanhado Maria Madalena à França, em alguns relatos.

mais antiga imagem de Jesus Cristo. É também a mais antiga imagem de Maria Madalena. Como um dos primeiros sinais da Cristandade, a Tapeçaria do Exílio nos dá *prova* de uma coisa. A "lenda" da fuga e do exílio de Maria Madalena na Gália não é um mito romântico medieval. A história já era conhecida *pelo menos* mil anos antes, muito próximo da época em que teria acontecido.

A história secreta de Maria Madalena codificada em um poema épico do século XVII

Por John M. Saul

Se você pensa que a codificação e a decodificação de mensagens secretas sobre Maria Madalena como sendo o Santo Graal são áreas apenas de escritores contemporâneos, o ensaio seguinte, de John M. Saul, mostra que você deveria pensar uma segunda vez. Saul inicia os leitores em um inacreditável clube esotérico – o punhado de estudiosos modernos conhecedores da obra de Pierre de Saint-Louis, um obscuro poeta francês. O poema épico do século XVII de Pierre de Saint-Louis sobre Maria Madalena contém acrósticos, duplos sentidos e alusões intrincadas que, sugere Saul, podem indicar uma sensação do poeta de que Maria Madalena era mulher de Jesus e mãe de uma linhagem real.

John Saul tem um ph.D. em geologia do Instituto de Tecnologia de Massachusetts (MIT, sigla em inglês). Há mais de trinta anos ele estava entre aqueles que faziam os primeiros estudos sobre as histórias e lendas a respeito de Maria Madalena na cidade francesa de Rennes-le-Château. Ele se lembra dessa época como sendo um momento em que muitas pessoas achavam que grandes "segredos" seriam encontrados em alguma das cavernas de calcário da região. "Maria Madalena era pouco debatida em 1974 e todos esperavam, ou mesmo acreditavam, que 'o tesouro do Templo de Jerusalém' ou o 'tesouro templário' fosse descoberto em uma das cavernas." Saul posteriormente contribuiu para a pesquisa do livro fundamental *O santo Graal e a linhagem sagrada*, que despertou grande parte do moderno interesse internacional nas lendas francesas sobre Maria Madalena ser mulher de Jesus e mãe de seus filhos, sobre os reis merovíngios, os Cavaleiros Templários, o Priorado de Sião, etc. Muitos desses temas despertaram grande atenção depois da publicação do romance de Dan Brown *O código Da Vinci*, em 2003. Embora Saul tenha participado da pesquisa para *O santo Graal e a linhagem sagrada*, ele não concorda com seus autores quanto a muitas coisas, inclusive se as informações fornecidas por Pierre Plantard, o suposto "grão-mestre" da versão do século XX do Priorado de Sião, são confiáveis.

No seguinte ensaio, Saul dá sua visão pessoal das questões presentes em *O santo Graal e a linhagem sagrada* e *O código Da Vinci* no que dizem respeito a Maria Madalena e Jesus, e então discorre sobre o muito estranho "Poema da Madalena", escrito por Pierre de Saint-Louis mais de três séculos atrás.

Quando crianças, e talvez adultas, muitas pessoas sonharam em descobrir algo que ninguém mais sabia, um grande segredo de algum tipo. No século XVII um frade carmelita descalço fez exatamente isso. Ele descobriu, ou pensou ter descoberto, um segredo realmente grande. Há indícios, porém, de que as coisas não ficaram boas para ele depois disso.

Quando *O santo Graal e a linhagem sagrada* foi publicado, abordou esse mesmo segredo secular, um suposto casamento entre Jesus e Maria Madalena. De acordo com seus autores, um filho, ou filhos, pode ter sido o fruto desse casamento, com a linhagem subseqüente sendo protegida por um grupo de "guardiões do Graal". Então, vinte anos depois, o herói do romance de Dan Brown, *O código Da Vinci,* se descobre na pista dos atuais descendentes desse casamento.

Mas por que esses autores modernos se fixaram em Maria Madalena, a suposta mulher decaída que tinha mudado de vida na presença de Jesus? Por que evocar essa santa cujo ícone é uma taça ou outro recipiente coberto – normalmente considerado a "taça do Graal" – seguro logo abaixo do peito? Quais foram as fontes de informação ou inspiração para esses autores modernos?

Por mais estranho que pareça, foi apenas no ano 591, meio milênio depois da morte de Maria Madalena, que ela foi definitivamente identificada como uma prostituta arrependida. Foi apenas com a *Homilia* 33 do papa Gregório, o Grande, que sua reputação foi transformada. Maria Madalena e sua reputação, assim, mereceram um destino talvez único na história. Quem hoje, mesmo um papa, poderia convincentemente macular a reputação de uma mulher que tinha vivido quinhentos anos antes declarando-a prostituta, arrependida ou não? Quem teria motivos para isso? Verdadeiro ou falso, para quem isso teria feito diferença tanto tempo depois?

Recentemente, o possível significado desse curioso fragmento de história foi revelado: o objetivo teria sido negar legitimidade aos filhos de Madalena. Pois Maria Madalena era judia (assim como Jesus) e, de acordo com a lei judaica, os filhos de prostitutas eram considerados bastardos. Esses filhos e seus descendentes nunca poderiam fingir ser "Rei dos judeus" ou rei de quaisquer outros.

Esse princípio legal pode ter eliminado muitos problemas potenciais para reis e papas na Europa cristã da Idade Média. Pois se alguém, em algum lugar, *conhecido ou não*, era um descendente legítimo de Jesus - do verdadeiro sangue de Cristo —, o que os impediria de reclamar o direito ao poder? E a Igreja de São Pedro poderia então manter legitimidade?

De acordo com *O código Da Vinci*, em que a principal personagem feminina é chamada de "Princesa", há um grupo secreto chamado "Priorado de Sião", que protege e mantém a linhagem de Maria Madalena, a *real e legítima* linhagem de Maria Madalena. Dan Brown apresenta esse grupo como "uma organização real". Vinte anos antes, os autores de *O santo Graal e a linhagem sagrada* também tinham estudado o Priorado de Sião e chegado às mesmas conclusões.

O ponto de partida para uma investigação sobre o Priorado de Sião foi um texto quase incoerente registrado pela Biblioteca Nacional francesa (a *Bibliothèque Nationale*) em 1967 sob o título *Dossiers Secrets d'Henri Lobineau* (código 4°Lm[1].249). Seu conteúdo inclui várias longas genealogias com um grande número de nomes, conhecidos e obscuros; breves referências a antigas migrações de povos obscuros; brasões, muitos dos quais obviamente tinham sido produzidos para a ocasião; e os nomes dos grão-mestres de sociedades secretas. Citado pelos autores de *O santo Graal e a linhagem sagrada*, o *Dossiers Secrets* na verdade não se refere a Jesus ou Maria Madalena. Ainda assim, ele insinuava de forma clara que os primeiros reis da França, os merovíngios, descritos como "nossa primeira raça de reis", tinham ascendência bíblica. De acordo com o próprio *Dossiers*, *esse* é o "segredo" que o Priorado de Sião tinha protegido nos últimos séculos.

O código Da Vinci, que é um romance, não pode ser considerado uma fonte confiável para um estudo histórico. Também não o *Dossiers Secrets*, que estabelece uma agenda para o dia muito esperado em que a França irá restaurar sua monarquia sagrada. Mas o *Dossiers* contém muitas informações válidas, algumas das quais seriam extremamente difíceis de descobrir, mesmo para um pesquisador de talento com acesso a uma grande biblioteca. Esse é um enorme problema para qualquer um que esteja interessado no Priorado de Sião e em temas relacionados. Pois Pierre Plantard (1920-2000), que, de acordo com um grande número de indícios, *deve* ser a pessoa por trás do moderno Priorado de Sião e também do *Dossiers Secrets*, *não* era um pesquisador de talento. Ele era simplesmente o pretendente a um trono não existente, um aluno não intelectual que foi sistematicamente descuidado com os fatos e cuja incompetência geral certa vez o levou à prisão por um breve período. Em síntese, ele era um fanfarrão. Mas Plantard, que a partir de 1989 passou a se chamar "Pierre Plantard de Saint-Clair", de algum modo tinha conseguido informações históricas negadas ao restante de nós.

O santo Graal e a linhagem sagrada difere de *O código Da Vinci* e de *Dossiers Secrets*. Ele não é um romance, nem tem a intenção de apresentar uma agenda pessoal ou secreta. Seu objetivo é sugerir as possibilidades históricas que surgem da leitura das falsificações de Plantard em conjunção com a percepção de que o termo "Santo Graal" vem de "Sangreal", palavra de origem desconhecida que, se dividida depois do "g", produz *sang réal*, significando "Sangue real". Mas a quem pertencia a linhagem sagrada em questão? Pierre Plantard? Os Saint-Clairs? "Reis perdidos" de origem merovíngia? Descendentes da tribo bíblica de Benjamin, como sugerido no *Dossiers*? Uma suposta linha descendente de um casamento em Caná de Maria Madalena e Jesus? No final, os autores de *O santo Graal e a linhagem sagrada* tentam combinar todas essas linhagens, rejeitando apenas a do fanfarrão *Monsieur* Plantard. Seus esforços resultam em uma visão da história ocidental em que praticamente qualquer acontecimento de algum interesse pode ser hipoteticamente ligado a lutas envolvendo supostos descendentes de Jesus e Maria Madalena.

Dan Brown, os autores de *O santo Graal e a linhagem sagrada* e mesmo Pierre Plantard (apesar de suas alegações) não estavam traçando uma verdadeira genealogia. Em vez disso, cada um deles estava estudando uma *antiga tradição real* que, todos eles concordam, tinha, havia muito, e ainda tem, a capacidade de influenciar os rumos da história.

Idéias dessa corrente de tradição circulam bem antes de nossa própria época e foram expressas no século XVII pelo obscuro poeta Pierre de Saint-Louis em seu *La Magdeleine au Desert de la Sainte-Baume en Provence* [A Madalena no deserto de Sainte-Baume e na Provença] (Lyon, 1668, 1694, 1700; Haia, 1714; e edição sem data nem local de publicação). Quase no início dessa extravagância poética cuidadosamente composta de mais de duzentas páginas, recebemos uma "aula de história" e uma "lição de gramática" na qual a musa do autor, que tinha sido identificada como Maria Madalena, "CONJUGA" com "o VERBO", isto é, com Jesus. Théophile Gauthier (1811-1872), prolífico crítico, autor e editor francês, descreveu o poema como "de sua própria forma tão completo quanto a *Ilíada* ou a *Odisséia* [...] Parece impossível para qualquer um voluntariamente compor versos tão estranhos [...] e a aflição literária [do autor] não é uma aflição comum, e sim estudada, especial e consciente. Esse poema, com seus versos *abracadabrant*,[5] é o mais excêntrico que já apareceu em qualquer dos idiomas do mundo". Simone de Reyff, especialista contemporânea na literatura francesa do século XVII, acrescenta que seu autor tinha a reputação de perfeccionista. *Abracadabrant* ou não, Pierre de Saint-Louis evidentemente escreveu com precisão o que pretendia.

Pierre de Saint-Louis parece ter nascido em 5 de abril de 1626 em Valréas, um de pelo menos dois filhos de Jacques Barthélemy e Anne Canal. Ele abandonou seu nome secular de Jean-Louis ("Ludovic") Barthélemy ao se tornar carmelita descalço, em 1651. De acordo com uma entrada de catálogo da biblioteca de Viollet le Duc, Pierre de Saint-Louis vivera em Aygalades, perto de Marselha, até ser nomeado regente do College de Saint-Marcelin, em Dauphiné. O catálogo também conta uma história segundo a qual o autor ingressou na ordem dos carmelitas e escreveu seu poema após a morte de uma noiva chamada Madeleine.

Obras de Pierre de Saint-Louis circularam em forma de manuscrito durante um longo tempo, talvez décadas, e pelo menos um dos manuscritos preservados aparentemente nunca foi cuidadosamente examinado. (Voltaire menciona Pierre de Saint-Louis em sua *Lettre à Thiriot* [Carta à Thiriot], 7 de fevereiro de 1738.)

[5] *Abracadabrant* significa aquilo que tem caráter cabalístico, mágico ou misterioso. (N. dos T.)

Não se sabe por que, o ano da morte de Pierre de Saint-Louis é registrado alternadamente como: "por volta de 1670", "1672", "1673", "1677?", ou, como deve ser mais provável, 1683 ou 1684. Ele teria morrido "em desgraça" em "Pinet, na Suíça", embora uma aposta melhor quanto ao local em questão possa ser a instituição carmelita em Eyzin-Pinet, ao sul de Lyon. Tem-se a forte impressão de que algo em relação à sua morte foi escondido e de que alguns dos detalhes biográficos que eu dei não resistiriam a uma investigação, como a questão da noiva Madeleine, por exemplo. Teria ela realmente existido?

Grande parte do que sabemos, ou achamos que sabemos, sobre Pierre de Saint-Louis vem de um artigo de "Follard", na edição de julho de 1750 do *Mercure de France*. Mas um historiador frustrado, Jean de Servières, escreveu na resenha "Provincia" (Marselha, 1925): "Não sabemos por que os editores do *Mercure de France* esperaram tanto – 23 anos! – antes de publicar a carta biográfica de Follard [sobre Pierre de Saint-Louis], nem os motivos para finalmente publicarem-na." E quem exatamente era "Follard"? Nicolas-Joseph Folard (1664-c.1736), um religioso de Nimes cujo nome chegou a nós grafado com apenas um "l", parece ser o único candidato a autor, mas nem o estilo nem a escolha do tema parecem seus.

Ao abordar *La Magdeleine au Desert de la Sainte-Baume en Provence* em seu grande compêndio em dois volumes, *Monuments inédits sur Sainte-Marie Madeleine en Provence...* [Monumentos inéditos sobre Santa Maria Madalena na Provença] (Paris, 1848), E.-M. Faillon diz que "esta obra, pela qual o autor pagou com cinco anos de vigílias, permaneceu nas prateleiras das livrarias durante uma década, totalmente ignorada. Depois da morte do autor, o estoque foi resgatado da poeira por um jesuíta chamado 'P. Berthet' (ou 'Nicole') e esgotou imediatamente. O livro então precisou ser reimpresso [...]".

Escrevendo sobre a decisão de relançar uma edição em 1714, Servières conta que "um número infinito de pessoas tinha escrito para Lyon de todas as partes pedindo exemplares, mas em vão. Eles tinham acabado havia muito".

Desde o início o poema é estranho, começando com uma dedicatória a "Madame de la Blache, Gabrielle de Levi", cujo nome parece judaico, mas que segundo Pierre de Saint-Louis seria de uma família que descendia da Virgem Santa.

O autor previne os leitores de que eles irão encontrar vários tipos de jogos de palavras e, ao criar anagramas, ele utiliza "Magdelaine" e "Madeleine". Entre seus anagramas mais fáceis está um que produz *Je mets ici la grande Amante* ("Aqui eu coloco *la grande Amante*"). Então, freudiano antes do tempo, ele apresenta a gruta de Sainte-Baume, perto de Toulon, na qual segundo os relatos lendários Maria Madalena teria vivido, como uma "gruta aterrorizadora" (Livro XI).

Além de aulas de história e gramática, os leitores de *La Magdeleine au Desert de la Sainte-Baume en Provence* tomam conhecimento de um eco que, ao ser perguntado como a posteridade iria se lembrar da "Maria" chorosa, responde "*marrie*", palavra que significa "triste", mas que simultaneamente evoca "casada". Então, no Livro IV, um verso compara a Maria enlutada a "*une mer*", e de modo similar na morte ela é chamada "*La Mer morte*" (Livro X), com as palavras significando "mar" e "Mar Morto", mas pronunciadas da mesma forma que "mãe" e "mãe morta".

Individualmente, muitas dessas questões curiosas podem ser "descartadas", embora com dificuldade cada vez maior à medida que um número superior delas fica claro e explicações se somam a explicações anteriores. Mas uma passagem do Livro X foi escrita com um cuidado tão grande que parece impossível encontrar qualquer explicação que não se baseie na tradição de uma linhagem real descendente de Maria Madalena. Após fazer diferentes referências aos reis da França, o autor evoca uma descrição iconográfica comum da Madalena segurando uma "Taça Graal", o misterioso objeto que tradicionalmente teria preservado o Sangue de Jesus. O poeta então orienta:

> *Touchez cette Urne icy, la morte [Maria Madalena] vous l'aprête,*
> *Que ce beau pot en main, soit vôtre pot-en-tête.*

Em português ficaria assim:

> Toque esta Urna que a mulher morta preparou para você,
> Que essa bela taça na mão se torne seu pote na testa (*sic*).

Então, comparando Maria Madalena com uma fênix que se ergue das cinzas (Livro X), chamando-a de *excellente Princesse* (Livro XI) e fazendo referências a reis da França do século XVII, chamados de "potentados" (Livro X), Maria – como a "Amante fiel [...] de uma casa obscura [*maison obscure*]" (Livro XI) – é descrita como uma beneficiária que [dinasticamente?] serviu e re-serviu (Livro XI). Nesse ponto, pode ocorrer ao leitor – que provavelmente não tinha visto sentido imediato em "*pot-en-tête*" – que a semelhança entre "*pot-en-tête*" e "*potentat*" (potentado) não é gratuita.

La Magdeleine au desert de la Sainte Baume en Provence, Poëme spirituel & Chrêtien [A Madalena no deserto de Sainte-Baume na Provença, poema espiritual e cristão] – com o título variando ligeiramente de uma edição para outra – é um livro que exige mais de uma leitura. Uma primeira leitura de um "capricho espiritual" nas páginas introdutórias não numeradas, por exemplo, não tinha parecido caprichosa, espiritual, inspiradora ou interessante. (Um crítico chamou essas páginas de "bastante insípidas".) Mas aqui e ali nesse "capricho" de 16 versos encontramos palavras em itálico, embora sem nenhum motivo óbvio: "[...] Casamento [...] Não [...] Clandestino [...] Fruto [...]." Então, em comum com os autores do século XX, mas com a "negabilidade" exigida pelas circunstâncias, Pierre de Saint-Louis tinha se referido ao "fruto" de um conhecido casamento legítimo.

No final de sua obra, Pierre de Saint-Louis despede-se de Maria Madalena, seu "Vaso" sobre quem muito mais ainda podia ser dito em uma história que não tem "fim nem começo", e informa aos seus leitores que tinha pelo menos "exposto" sua "Essência" (*l'Extrait*). "Essência" aqui pode ser lido como "sumário". Mas o autor era talentoso demais para ter escrito desajeitadamente e sem sentido em "expor o sumário de um Vaso". Em vez disso, parece que ele tinha cuidadosamente evocado a descendência de Maria Madalena, a *excellente Princesse* que tinha passado as duzentas páginas anteriores na companhia de Jesus.

Pierre de Saint-Louis escreveu outro longo manuscrito cuja publicação não foi permitida pelas autoridades da Igreja. A explicação foi a de que com dois livros desse mesmo autor, "o mundo ficaria rico demais".

Uma pintura de Maria Madalena, hoje atribuída a Leonardo da Vinci

Por Dan Burstein

Das muitas novas visões sobre Maria Madalena reveladas por este livro, uma das mais interessantes diz respeito a pintura da Renascença de Maria Madalena, que recentemente foi exibida publicamente na Itália pela primeira vez em mais de cinqüenta anos. Anteriormente, historiadores da arte sempre tinham atribuído a pintura a um mestre menor da Renascença, Gianpietrino, que era conhecido por ter sido aluno de Leonardo da Vinci. A suposição sempre fora a de que Leonardo poderia ter supervisionado o trabalho.

Mas, então, Carlo Pedretti, talvez o maior especialista vivo em Leonardo - um homem que dedicou quase toda a sua vida a estudá-lo —, anunciou, após muita reflexão: "Estou inclinado a acreditar que é muito mais do que uma supervisão do aluno pelo mestre." Esse retrato impressionante e voluptuoso de Maria Madalena acabaria sendo apresentado em uma exposição em Ancona, Itália, em outubro de 2005, com a nova suposição de que era, na verdade, um Leonardo.

Se essa Maria Madalena é um Leonardo, teria sido a primeira vez que Leonardo a teria pintado - a não ser que se aceite a "tese de *O código Da Vinci*" de que Maria Madalena é retratada à direita de Jesus na *Última Ceia* de Leonardo. A maioria dos historiadores da arte profissionais e especialistas em Leonardo rejeita a idéia de uma mensagem didática codificada de Leonardo na *Última Ceia* sobre Maria Madalena ser a mulher de Cristo e um Santo Graal metafórico. Quando questionados sobre o personagem de aparência feminina junto a Jesus, estudiosos tradicionais costumam destacar rapidamente que os pintores da Renascença italiana freqüentemente retratavam o jovem João, o Amado, como o único dos apóstolos sem barba e com aparência bastante feminina, e algumas vezes até mesmo adormecido. Isso supostamente era feito de modo a acentuar sua juventude.

Carlo Pedretti é um dos muito poucos historiadores da arte que dá algum crédito a como o personagem da *Última Ceia* parece feminino. Durante a curiosidade mundial inicial com *O código Da Vinci* em 2003-4, Pedretti concedeu diversas entrevistas em que, mais do que qualquer outro historiador da arte sério, deixou a porta aberta para a possibilidade de que a figura na *Última Ceia* fosse uma mulher. Ele nunca falou ou insinuou que era Maria Madalena. Mas, ao conceder uma certa dose de ambigüidade em relação ao gênero da pessoa sentada à direita de Jesus, ele disse muito.

Se a pintura de fato é um Leonardo, então, não surpreendentemente, esse gênio criador pintou uma Maria Madalena como ninguém. Sua Maria Madalena é terrena, sensual, de seios nus, e explicitamente erótica - mas sem pudor, sem arrependimento, sem culpa. Ela é tão belamente pintada e tão misteriosa quanto a *Mona Lisa*, mas, diferentemente da *Mona Lisa*, ela se comunica diretamente, abertamente, sem mistério.

Se eu quisesse escrever um romance sobre essa pintura, eu começaria com a suposição de que, como Leonardo sabia e compreendia tanto sobre o futuro (afinal, ele projetou máquinas voadoras, submarinos e automóveis, e teve as primeiras idéias sobre a teoria da complexidade e do caos), ele também sabia algo sobre o passado antigo. E o que esse quintessencial humanista da Renascença sabia sobre o passado era que os seres humanos eram mortais e não divinos, e que Jesus e Maria Madalena eram seres humanos comuns, talvez marido e mulher. Mais ainda, ele talvez tenha imaginado que enfatizar a sensualidade de uma mulher atraente – sem as restrições de moralidade, pecado, culpa e penitência religiosos – poderia ser a forma certa de pintar a bela mulher que era metade de uma união holística arquetípica masculina e feminina. Essa Maria Madalena é impressionante por sua humanidade e por seu humanismo, o que não surpreende, considerando-se que Leonardo é provavelmente o maior humanista do último milênio.

O mistério de Leonardo, a conspiração da qual ele fazia parte, o segredo de que ele tinha conhecimento não têm nada a ver com o chamado Priorado de Sião ou com qualquer absurdo do gênero. O grande segredo de Leonardo – sua heresia – pode ter sido simplesmente compreender que ser humano é ser sagrado, que dar, viver e festejar a vida é o maior dever da Humanidade, e que nesse processo as mulheres têm um papel muito especial e, portanto, muito sagrado a desempenhar.

CAPÍTULO 7

A Maria Madalena da lenda e da doutrina

Nenhum outro personagem bíblico — incluindo Judas e talvez até mesmo Jesus — teve uma vida pós-bíblica tão vívida e bizarra na imaginação humana, na lenda e na arte.

— JANE SCHABERG, *The Resurrection of Mary Magdalene*

[Após desembarcar em Marselha] Quando a abençoada viu as pessoas se reunindo no santuário para oferecer sacrifícios aos ídolos, ela se aproximou, com modos calmos e a face serena, e com palavras bem escolhidas os exortou a abandonar o culto aos ídolos e pregou Cristo a eles fervorosamente. Todos os que a ouviram admiraram sua beleza, sua eloqüência e a doçura de sua mensagem [...] e não espanta que a moça que tinha dado beijos tão devotos e belos nos pés do Salvador exalasse o perfume da palavra de Deus mais profundamente do que os outros eram capazes.

— TIAGO DE VORAGINE, "Readings on the Saints", século XIII

Mitologizando Maria Madalena: *A lenda de ouro*

*Por Tiago de Voragine**

A lenda de ouro é um dos principais textos da Idade Média e retrata as vidas dos santos em uma série de histórias – algumas aparentemente factuais, outras obviamente ficcionais e algumas inteiramente sensacionalistas. Depois da Bíblia, *A lenda de ouro* é considerado pelos estudiosos o livro mais lido e copiado de todos os tempos. No final da Idade Média, ele tinha sido traduzido para todos os idiomas europeus

* Tiago de Voragine, *A lenda de ouro,* © 1993 Princeton University Press, edição em brochura de 1995. Reproduzido com a permissão da Princeton University Press.

ocidentais. Em sua introdução a uma das traduções, Richard Hamer, professor de língua inglesa medieval e literatura na Faculdade Christ Church, em Oxford, escreve que "o enorme sucesso do livro, como comprovado por sua ampla disseminação e utilização, e sua 'derrota', nessas condições, para possíveis rivais, provavelmente se deve sobretudo ao fato de que ele fornece exatamente o tipo e volume adequados de informação necessária".

Há 182 histórias em *A lenda de ouro*, todas escritas pelo frade dominicano Tiago de Voragine entre 1259 e 1266. Provavelmente, nenhuma teve maior impacto na forma como a reputação de um santo foi transmitida para os tempos modernos que seu relato fervoroso da vida de Maria Madalena. Como era de esperar, a fusão feita pelo papa Gregório entre Maria Madalena, Maria de Betânia – irmã de Lázaro e Marta — e a pecadora sem nome do Evangelho de Lucas está nele, mas também é abordada sua viagem para a França, e seu histórico de riqueza, o berço de ouro e até mesmo o fato de ser "proprietária" da cidade de Magdalum. Também há importantes menções a ela sucumbir aos "prazeres da carne". Mas, no final, Jesus a ama, aceita e defende.

A lenda de ouro não é a base para a história do Santo Graal, nem para a posterior teoria de Jesus e Maria Madalena serem casados. Em vez disso, ele a mostra como uma casta transgressora sexual arrependida cuja opção pela vida sagrada a tornou a mais santa e poderosa dos seguidores de Cristo depois de sua morte.

Santa Maria Madalena

O cognome de Maria "Madalena" se deve a Magdalum, nome de uma de suas propriedades ancestrais. Ela era bem-nascida, descendente de uma linhagem nobre. O nome de seu pai era Syrus, sua mãe se chamava Eucharia. Com seu irmão Lázaro e sua irmã Marta, ela era proprietária de Magdalum, de cidade fortificada a três quilômetros de Genesaré, além de Betânia, não distante de Jerusalém, e ainda de uma parte considerável da própria Jerusalém. Eles, porém, tinham dividido os bens entre si de modo que Magdalum pertencia a Maria (daí o nome Madalena),

Lázaro tinha a propriedade de Jerusalém e Betânia era de Marta. Madalena se dedicava inteiramente aos prazeres da carne, Lázaro se devotava às artes militares, enquanto a prudente Marta cuidava das propriedades de seu irmão e sua irmã, e supria as necessidades de seus homens de armas, seus servos e dos pobres. No entanto, após a ascensão de Cristo, eles venderam todos os seus bens e colocaram o resultado aos pés dos apóstolos.

Madalena, então, era muito rica, e os prazeres sensuais andam de mãos dadas com a grande riqueza. Renomada por sua beleza e riqueza, ela não era menos conhecida pela forma como entregava seu corpo ao prazer – tanto que seu verdadeiro nome foi esquecido e ela normalmente era chamada de "a pecadora". Enquanto isso, Cristo estava pregando aqui e ali e ela, guiada pelo desejo divino, correu para a casa de Simão, o leproso, onde, descobriu, Cristo fazendo uma refeição. Sendo uma pecadora, ela não se misturou aos honrados, ficou para trás e lavou os pés do Senhor com suas lágrimas, enxugou-os com seus cabelos e os ungiu com um precioso ungüento. Por causa do extremo calor do sol, as pessoas daquela região se banhavam e se ungiam regularmente.

Então Simão, o fariseu, pensou consigo mesmo que, se aquele homem era um profeta, nunca permitiria que uma pecadora o tocasse; mas o Senhor o criticou por sua honradez orgulhosa e disse à mulher que os pecados dela estavam perdoados. Essa é a Madalena a quem Jesus deu tantas graças e a quem ele conferiu tantas provas de amor. Ele retirou sete demônios dela, deixou-a inteiramente apaixonada por ele, incluiu-a entre seus amigos mais próximos, foi seu hóspede, deixou-a tomando conta da casa em suas viagens e esteve gentilmente a seu lado todo o tempo. Ele a defendeu quando o fariseu disse que ela era impura, quando sua irmã insinuou que ela era preguiçosa, quando Judas a chamou de perdulária. Vendo seu choro, ele não conseguia conter as lágrimas. Por amor a ela, ele devolveu a vida a seu irmão quatro dias depois de morto, por amor a ela, ele livrou sua irmã Marta do problema de perda de sangue com o qual sofrera por sete anos e, em consideração a seus méritos, ele deu a Martilla, criada de sua irmã, o privilégio de pronunciar aquelas palavras memoráveis: "Bendito seja o fruto do ventre que o gerou."

No trecho seguinte, Maria viajava para a Provença com seu irmão, sua irmã e outros cristãos, incluindo Maximino, que iria se tornar Bispo de Aix. Nós acompanhamos seu desembarque na França e a conversão da Terra por Maria.

Cerca de 14 anos depois da Paixão do Senhor e de sua ascensão ao paraíso, quando os judeus já tinham havia muito matado Estevão e expulsado os outros discípulos das terras da Judéia, os discípulos partiram para as terras de várias nações e lá espalharam a palavra do Senhor. Na época, estava com os apóstolos um dos 72 discípulos de Cristo, o abençoado Maximino, a cujos cuidados Pedro confiara Maria Madalena. Na Diáspora, Maximino, Maria Madalena, seu irmão Lázaro, sua irmã Marta, Martilla – a criada de Marta –, o abençoado Cedônio, que tinha nascido cego e sido curado pelo Senhor, e muitos outros cristãos foram levados pelos ímpios até um barco sem piloto ou leme e mandados para o mar, de modo que poderiam afundar, mas pela vontade de Deus acabaram desembarcando em Marselha. Lá não encontraram ninguém disposto a abrigá-los, portanto se refugiaram sob o pórtico de um santuário pertencente ao povo da região. Quando a abençoada Maria Madalena viu as pessoas se reunindo no santuário para oferecer sacrifícios aos ídolos, ela se aproximou, com modos calmos e a face serena, e com palavras bem escolhidas os exortou a abandonar o culto aos ídolos e pregou Cristo a eles fervorosamente. Todos os que a ouviram admiraram sua beleza, sua eloqüência e a doçura de sua mensagem [...] e não espanta que a moça que tinha dado beijos tão devotos e belos nos pés do Salvador exalasse o perfume da palavra de Deus mais profundamente do que os outros eram capazes.

Após Maria Madalena evangelizar a França, recolheu-se ao deserto para se dedicar à contemplação. Ela viveu lá trinta anos sem comida ou água, sobrevivendo de uma refeição celestial fornecida por anjos. No trecho a seguir, acompanhamos seus últimos dias na Terra e sua ascensão celestial.

Havia um sacerdote que queria levar uma vida solitária e construiu para si uma cela a alguns quilômetros da moradia de Madalena. Certo dia o Senhor abriu os olhos desse sacerdote e, com olhos dele, ele viu os anjos descendo até o local já mencionado onde a abençoada Maria Madalena vivia e como os anjos ergueram ao Céu e uma hora mais tarde a trouxeram de volta a seu lugar com bênçãos divinas. Querendo descobrir a verdade sobre essa visão maravilhosa e, devotamente confiando sua alma a seu Criador, ele correu com ânsia e devoção para o lugar já citado [...]

Ele gritou: "Eu suplico a você pelo Senhor, se você é um ser humano ou alguma criatura racional vivendo naquela caverna, me responda e diga a verdade sobre você!" Depois que ele tinha repetido isso três vezes, a abençoada Maria Madalena respondeu a ele: "Aproxime-se e poderá descobrir a verdade sobre o que quiser." Tremendo, ele tinha percorrido a metade do caminho entre eles, quando ela disse: "Você se lembra do que os Evangelhos dizem sobre Maria, a notória pecadora, que lavou os pés do Salvador com suas lágrimas e os secou com seus cabelos e recebeu o perdão por todas as suas iniqüidades?" "Eu me lembro", respondeu o sacerdote, "e mais de trinta anos se passaram desde então, e a Santa Igreja ainda acredita e confessa o que você disse sobre ela." "Eu sou aquela mulher", disse ela. "Por trinta anos tenho vivido aqui ignorada por todos, e como você teve a permissão de ver ontem, todos os dias sou erguida sete vezes por mãos angélicas, e me descobri merecedora de ouvir com os ouvidos de meu corpo o alegre júbilo dos anfitriões celestes. Agora, como me foi revelado pelo Senhor que eu logo deixarei este mundo, por favor, procure o abençoado Maximino e informe a ele que no próximo ano, no dia da ressurreição do Senhor, no momento em que normalmente se levanta para as matinas, ele deverá ir sozinho à igreja, e lá ele me encontrará presente e acompanhada por anjos." Ao sacerdote a voz soava como a voz de um anjo, mas ele não viu nenhum.

O bom homem correu até o abençoado Maximino e cumpriu sua missão. São Maximino, feliz, agradeceu intensamente ao Salvador e, no dia marcado, na hora marcada, foi sozinho à igreja e viu a abençoada Maria Madalena em meio ao coro dos anjos que a tinham levado até lá. Ela estava suspensa a uma altura de dois cúbitos do piso, de pé entre os anjos e erguendo as mãos em louvor a Deus. Quando o abençoado Maximino se aproximou dela, ela se virou para ele e disse: "Aproxime-se, padre, e não se afaste de sua filha." Quando ele chegou mais perto dela, como lemos nos livros do próprio abençoado Maximino, o semblante da dama era tão radiante, por causa de suas contínuas e diárias visões dos anjos, que era mais fácil olhar diretamente para o sol do que para o seu rosto.

Todo o clero, incluindo o padre já mencionado, foi convocado, e a abençoada Maria Madalena, vertendo lágrimas de contentamento, recebeu o Corpo e o Sangue do Senhor das mãos do bispo. Ela então se deitou em frente aos degraus do altar e sua alma mais sagrada migrou para o Senhor. Após ter expirado, um odor de doçura tão poderoso tomou a igreja que, durante sete dias, todos aqueles que ali entravam o percebiam.

Roubo sagrado: os ossos sem repouso de Maria Madalena

Por Katherine Ludwig Jansen

O culto de Maria Madalena que iria varrer a França e o restante da Europa nos séculos XI, XII e XIII surgiu pela primeira vez no século IX, quando registros começaram a mostrar a invocação de orações especiais para celebrar seu dia de festa, que acontecia todos os anos em 22 de julho. Indícios físicos de um culto de Maria Madalena podem ser vistos no século X, quando uma igreja na Inglaterra alegou ter uma relíquia da santa e um altar foi dedicado a ela na Alemanha. No século XI, missas eram dedicadas a Maria Madalena e sinais de devoção a ela podiam ser encontrados por toda parte.

Isso sempre foi mais evidente no sul da França, onde seu culto floresceu plenamente em meados do século XI, quando Geoffrey, abade da grande igreja românica de Vézelay, na Borgonha, alegou estar de posse de relíquias de Maria Madalena. Até a igreja do mosteiro de São Maximino, na Provença, alegar em 1279 que ela, sim, tinha o corpo de Maria Madalena em uma cripta, Vézelay foi um importante local de peregrinação – sobretudo depois de 1050, quando o papa Estêvão publicou uma bula papal reconhecendo a alegação da igreja.

O que tornava as relíquias tão importantes para os devotos na Idade Média? Por que a demanda era tão grande que uma igreja as roubava de outra? O que isso tinha a ver com Maria Madalena e que aspecto da lenda de Maria Madalena fazia essas pessoas quererem "tocar"? Como esse período se encaixa no mosaico crescente da imagética de Madalena?

Fizemos essas perguntas a Katherine Ludwig Jansen, que dedicou boa parte de sua carreira ao estudo do tratamento dado a Maria Madalena na época medieval. Jansen é professora adjunta da Universidade Católica da América e autora de *The Making of the Magdalen: Preaching and Popular Devotion in the Later Middle Ages*. "As relíquias podem ser vistas como pontos de contato entre o mundo sobrenatural e o natural", escreve Jansen, "representando a extensão concreta e tangível da santidade neste mundo." Até hoje, é dito que as relíquias de Maria Madalena existem e ainda são veneradas por estabelecerem uma conexão entre o reino espiritual e o mundo material.

Desde os primeiros dias da Cristandade, os devotos veneraram relíquias sagradas como uma forma de atrair a atenção e os favores dos santos, buscando ajuda contra doença, pobreza, perigo iminente e desafios do cotidiano. As relíquias podem ser vistas como pontes entre os mundos sobrenatural e natural, representando a extensão concreta e tangível da santidade neste mundo.

O primeiro registro escrito da veneração de relíquias está em *Atos de Policarpo de Esmirna*, que foi martirizado por volta do ano 156. No século V, os ossos de pessoas santas que não eram mártires também começaram a ser amplamente venerados. No século VIII, um concílio da Igreja decretou que nenhuma igreja podia ser consagrada sem uma relíquia. Quatro séculos depois, o direito canônico estabeleceu que todo altar precisava conter uma relíquia.

Em função de suas vidas sagradas, acreditava-se que os santos deviam ser glorificados no céu, enquanto seus restos físicos davam acesso à sua proteção. Venerar relíquias de um santo significava pedir a proteção ou o patronato – espiritual ou temporal – daquele santo. E essa proteção se manifestava da forma mais espetacular em milagres como a cura de doenças, o resgate de perigos físicos e a solução de contendas. As pessoas acreditavam que esses milagres eram uma manifestação do poder de Deus, operando por intermédio das relíquias dos santos.

A lógica da proteção dos santos na época medieval era baseada na economia da troca. Os vivos conquistavam a proteção dos mortos santificados suplicando a eles com serviços ou presentes; reciprocamente, os santos tinham deveres para com seus suplicantes. Eu destacaria que essa rede de patronos e clientes não era muito diferente do relacionamento patrono-cliente no mundo romano ou da relação senhor-vassalo no mundo feudal. Assim, a utilização de relíquias refletia uma visão do mundo sobrenatural como uma rede social de intercessores que ligavam os cristãos vivos a Deus. Como parte da sólida estrutura social dos mundos antigo e medieval, os juramentos legais eram feitos mais freqüentemente sobre relíquias que sobre a Bíblia.

As relíquias eram tão importantes no mundo medieval que um tráfico ativo, embora um tanto irregular, cresceu para atender às necessidades dessa economia do sagrado. Esse fenômeno foi brilhantemente explicado na obra de Patrick Geary, *Furta Sacra: Thefts of Relics in the Middle Ages*, no qual ele explica a lógica dessa economia de relíquias roubadas com objetivos devotos (*furta sacra*). De modo interessante, a maioria da Cristandade ocidental acreditava que as relíquias de Maria Madalena tinham sido objeto de um roubo sagrado. No século XI, de modo a responder pela chegada das relíquias de Santa Maria Madalena à grande abadia românica de Vézelay, começou a circular uma ficção devota, que iremos chamar de "a lenda de Vézelay". Essa lenda reza que no ano 749, durante o reinado de Luís, o Devoto, o conde Girart, fundador do mosteiro de Vézelay juntamente com o abade Heudo, enviou um monge a Aix-en-Provence para resgatar os restos da amada discípula de Jesus, ameaçados pelos invasores sarracenos. Quando o monge, chamado Badilo, chegou à Provença, encontrou morte e devastação em toda parte. Exceto, milagrosamente, no mausoléu de Santa Maria Madalena. Reconhecendo o sepulcro pelos relevos escultóricos que mostravam os acontecimentos de sua vida de acordo com a narração dos Evangelhos, Badilo abriu a tumba e encontrou o corpo da santa intacto e preservado, as mãos cruzadas sobre o peito. Como se isso não fosse o bastante para convencê-lo, um outro sinal autentificou sua vítima: um perfume doce sobrenatural – um cheiro que só poderia exalar de alguém que tinha morrido no odor da santidade – saiu da tumba assim que ela foi aberta.

Ansioso com a tarefa que estava à sua frente, Badilo teve na noite seguinte uma visão ainda mais impressionante: uma mulher vestida de branco incandescente, que lhe assegurou que sua missão tinha a aprovação de Deus. Fortalecido por esse encontro místico, Badilo partiu com os ossos de Maria Madalena no dia seguinte para a Borgonha, onde foram recebidos com grande alegria, rezas e uma cerimônia adequada ao advento de uma santa. No dia 19 de março as preciosas relíquias foram instaladas na abadia de Vézelay e desde então grandes sinais e maravilhas ocorreram no santuário, provando a todos que o Senhor favorecia a santa e seu novo local de veneração na Borgonha. Portanto, no final acreditava-se que tinha sido um *furtum sacrum* – um roubo sagrado – que levara Maria Madalena, a santa penitente, a repousar na abadia de Vézelay.

Estudiosos modernos observaram que a lenda de Vézelay está repleta de anacronismos históricos, dos quais os mais importantes são a confusão e a localização no tempo dos governantes carolíngios, para não falar da própria data de fundação de Vézelay. Mas a precisão histórica não era o ponto. A lenda foi escrita não apenas para festejar, mas para justificar a alegação de Vézelay de ter a posse dos restos terrenos de Maria Madalena, alegações que circulavam pelo menos desde 1037, data que marca a posse de Geoffrey, um grande devoto de Madalena, como abade de Vézelay. Em 1050 o papa Leão IX publicou uma bula papal nomeando Maria Madalena como um dos santos titulares de Vézelay, colocando-a no alto de uma lista já bastante grande que incluía a Virgem Maria, Pedro e Paulo, entre outros. Significativamente, essa foi apenas a primeira de uma longa relação de bulas papais confirmando a ligação de Maria Madalena com Vézelay; a seguinte foi publicada em 1058, quando ela foi confirmada como a única padroeira de Vézelay. Mais importante ainda, a bula também confirmou a venerável alegação de Vézelay de ter em sua posse as relíquias.

Vézelay logo se tornou um templo de peregrinação dedicado à santa. Durante toda a Idade Média, participar de uma peregrinação era uma das expressões mais populares de devoção religiosa no cristianismo. O desejo de visitar e venerar locais sagrados está intimamente ligado à veneração de relíquias sagradas, que, se adequadamente adoradas, tinham o poder, segundo se acreditava, de produzir milagres. As relíquias de Maria Madalena logo adquiriram a reputação de milagrosas. Seus primeiros milagres registrados em Vézelay foram operados em benefício de prisioneiros que tinham invocado a santa para livrá-los do cativeiro.

Aqueles que acreditavam que tinham sido beneficiados por essas intercessões acabavam indo em peregrinação a seu santuário em Vézelay para agradecer pela graça recebida. E levavam consigo os grilhões de ferro com os quais eram presos no cativeiro e os deixavam no santuário como ex-votos – os testemunhos silenciosos de milagres recebidos. Um cronista relatou que os ferros se tornaram tão numerosos que o abade Geoffrey fez com eles uma grade com a qual cercou o altar principal.

Deixando de lado milagrosas fugas da prisão, os outros milagres de Maria Madalena em Vézelay consistiam principalmente em curas. O auge da glória de Vézelay deve ter acontecido em 1146, quando Bernard de Clairvaux pregou a Segunda Cruzada ali, na Páscoa, na presença do rei Luís VII e da rainha Eleanor da Aquitânia. A multidão era tão grande e tão fervorosa que um palanque desabou quando São Bernardo estava entregando insígnias de cruzados a todos os ansiosos para tomar parte na cruzada. Cronistas do acontecimento atribuíram à intercessão da patrona de Vézelay o fato de ninguém ter ficado ferido.

Vézelay, deve-se notar, também se tornou um destino internacional de peregrinação, em parte por estar bem localizada, ao longo de uma das principais rotas de peregrinação que levavam os fiéis cristãos da Alemanha e do Oriente para o santuário de Santiago de Compostela, no norte da Espanha. Após se deterem em Vézelay para venerar as relíquias de Santa Maria Madalena, eles podiam então prosseguir rumo ao sul e venerar no santuário de São Leonardo antes de ir a Santiago. Os populares santuários de São Martinho, em Tours, e Saint Foy, em Conques, não seriam difíceis desvios da estrada que levava de Vézelay a Compostela. De fato, em meados do século XI, os peregrinos que se dirigiam a Conques, criaram uma devoção a Maria Madalena que tinham aprendido em Vézelay. A presença de relíquias de santos festejados dava poder e prestígio aos santuários de peregrinação e às cidades e regiões em que estavam localizados. E de modo semelhante ao comércio turístico de hoje, o comércio da peregrinação também ajudava a estimular a atividade econômica da região que alegava ter relíquias milagrosas.

O auge de Vézelay foi relativamente curto, já que em 1279 o corpo não consumido de Maria Madalena foi "redescoberto" na cripta de São Maximino em Aix-en-Provence. Ele foi achado por Carlos II de Anjou, conde da Provença e príncipe de Salerno, que tinha claro interesse em colocar as relíquias da santa sob sua própria jurisdição. Para defender sua posição, ele e seu círculo argumentaram que o roubo sagrado cometido pelo monge Badilo na verdade nunca tinha acontecido. Eles sugeriram que Badilo identificara o corpo equivocadamente. Ele não tinha levado o corpo de Santa Maria Madalena, como alegavam os monges de Vézelay; na verdade, roubara os restos de um certo Santo Sidônio. As relíquias de Maria Madalena, alegavam eles, permaneciam em repouso na cripta. Eles também produziram provas materiais: um antigo fragmento de pergaminho com as palavras AQUI REPOUSA O CORPO DA ABENÇOADA MARIA MADALENA tinha sido encontrado entre os restos mortais da santa.

Esse foi um grande golpe para a reputação de Vézelay, um *coup de grâce* do qual nunca se recuperou. A partir de então os peregrinos transferiram sua fidelidade (e seu dinheiro) para o novo santuário de São Maximino, onde a santa logo começou a realizar milagres, registrados por Jean Gobi, o Velho, em sua coleção de milagres, compilada por volta de 1315. Desde o final do século XIII, sob o patrocínio dos condes Angevin, da Provença, e da ordem dos dominicanos, o culto de Maria Madalena floresceu em Aix-en-Provence.

Ao longo dos séculos, a sorte do santuário de Maria Madalena no sul da França mudou bastante; ainda assim, todo dia 22 de julho os peregrinos, agora acompanhados por turistas e adeptos da Nova Era, tomam o rumo da basílica inacabada de Aix-en-Provence para venerar a santa cuja presença por mais de novecentos anos levou poder, prestígio e não pouca sensualidade à região.

"Eu não sei se ela *estava* lá, mas ela *está* aqui": uma peregrinação a Maria Madalena no sul da França

Por Elizabeth Bard

A lenda da vida de Maria Madalena se consolidou no século VI por intermédio dos escritos de Gregório de Tours (*c.* 538-594), o historiador galo-romano e poderoso bispo de Tours. Aficionados por *O código Da Vinci* irão se deliciar em saber que a principal obra de Gregório foi sua *Historia Francorum* (História dos francos) em dez volumes, principal fonte contemporânea da história merovíngia — os mesmos merovíngios cujos reis, de acordo com o romance de Brown, eram da linhagem real resultante do casamento de Maria e Jesus.

Há muitas variações da história sobre como Maria Madalena acabou passando seus últimos dias na Provença, mas elas geralmente giram em torno de sua fuga de Jerusalém por medo de perseguição e partindo da Palestina (ou do Egito) em um barco sem leme, velas ou remos, acompanhada de sua filha e de algo entre três e meia dúzia de companheiros. Ventos favoráveis, correntes e, presumivelmente, a intervenção divina fizeram o barco vagar por Creta, Grécia, Sicília, Itália, Malta, Sardenha, Córsega, Marrocos e todos os outros lugares ao longo da costa do Mediterrâneo até tocar solo perto de Marselha, no sul da França. Lá ela iria viver seus dias pregando e meditando em algumas poucas aldeias escolhidas. Depois vieram as relíquias, os dias de festa, as lojas turísticas, as padarias vendendo *navattes* e *madeleines* e as estalagens e os cafés onde os peregrinos fatigados podiam permanecer.

No ensaio anterior, Katherine Jansen ofereceu um fascinante histórico das relíquias e da cidade de Vézelay. Para oferecer uma viagem especializada guiada pelo que resta da França de Maria Madalena, enviamos Elizabeth Bard, jornalista, especialista em arte e guia particular no Louvre, para percorrer os pontos principais do roteiro e falar sobre as camadas de lenda, mito, obra de arte, relíquias e comércio que o peregrino do século XXI pode encontrar.

Qualquer viagem seguindo os passos de Maria Madalena na França começa nos cruzamentos de história e lenda. O papel de destaque de Maria Madalena no *best-seller O código Da Vinci* não é a primeira experiência dela com a polêmica. A disputa entre Vézelay e Provença por suas relíquias é uma das grandes extravagâncias da história eclesiástica, repleta de abades maquinadores, partes de corpos apodrecidos e "roubos sagrados". A viagem também revela locais de excepcional beleza e tranqüilidade — um adequado vínculo espiritual com a santa que, mesmo hoje, continua a ser um modelo de vida contemplativa.

Vézelay

A cidade de Vézelay fica aninhada nas gentis montanhas verdes da Borgonha. Atualmente, caminhando pela estreita rua principal a caminho da basílica consagrada a Maria Madalena, passando por butiques e restaurantes requintados que servem o famoso vinho da região, é difícil imaginar que há novecentos anos essa era uma metrópole agitada de dez mil habitantes e um dos locais mais importantes da Cristandade. No auge de sua fama nos séculos XI e XII, Vézelay todos os anos atraía dezenas de milhares de peregrinos para ver as relíquias de Maria Madalena.

Sua ligação com a basílica, bem como com o sul da França, é basicamente fruto do período medieval — lendas cujas sombras e suposições remontam aos primeiros dias do cristianismo. Há motivos tanto espirituais quanto céticos para esse entusiasmo medieval por Maria Madalena. Ter sua igreja ligada a uma santa que conhecera Jesus em vida era um charme poderoso. Saúde, riqueza, vitória na batalha e perdão pelos pecados podiam ser alcançados, se você tivesse o intercessor adequado com o divino. Se a França não podia se orgulhar dos restos de um dos 12 apóstolos, como a cidade espanhola de Santiago de Compostela alegava ter o corpo de São Tiago, Maria Madalena, a mais importante seguidora de Jesus, vinha logo em segundo lugar. Para alguns, ela superava todos eles; tendo sido a primeira pessoa a ver o Cristo ressuscitado, ela é freqüentemente chamada de "apóstola dos apóstolos".

Também há considerações mais terrenas. Durante os séculos XII e XIII, quando foram escritas muitas das duradouras versões da lenda de Maria Madalena, relíquias — e as peregrinações que elas inspiravam — eram um grande negócio. Um crânio ou um dedo certificado pelo papa podia atrair multidões comparáveis às de uma EuroDisney medieval. Os devotos viajavam de cidade em cidade para ver os corpos (ou partes e pedaços) de vários santos; todos eles precisavam ser alimentados, alojados e entretidos durante sua estada. A basílica de Vézelay fica convenientemente localizada na mais importante rota européia de peregrinação que liga o Norte e o Leste da Europa a Santiago de Compostela, na Espanha. Subindo a colina em direção à basílica, ainda é possível ver as vieiras, símbolo de São Tiago, cravadas na calçada para marcar o caminho. Eu me aproximei da basílica com doses iguais de ceticismo e excitação.

A basílica original, dedicada à Virgem Maria, começou como mosteiro e convento do patrimônio do conde de Rousillion e sua esposa, Berthe. O casal tinha perdido seu único filho e herdeiro e decidira doar sua fortuna à Igreja. Em 863, a propriedade foi doada a Roma com o intuito de obter proteção papal e isenção de impostos. Já não estando mais sob a autoridade local, a igreja esteve em conflito constante com senhores locais e a coroa francesa. Em 1120 a igreja foi destruída em um incêndio que matou mais de mil membros da congregação, atingidos pelo teto de madeira.

A basílica que surgiu (*c.* 1145) das ruínas daquele incêndio é uma das maravilhas da arquitetura românica — uma construção que atravessa os séculos. Os monges e freiras que hoje vivem em Vézelay gostam de dizer que a construção é feita de pedras e luz. Caminhar pela abadia é uma viagem, literal e espiritualmente falando, da escuridão à luz.

Quando se entra pela primeira vez na abadia, descobre-se em um sombrio aposento quadrado chamado nártex. Na linguagem da arquitetura medieval, os quatro cantos do quadrado representam coisas terrenas, portanto imperfeitas: os quatro elementos, os quadrantes da bússola, os quatro humores (sangue, fleuma, bile amarela e bile negra). Era onde os peregrinos tiravam a poeira da viagem, então dormiam e comiam na galeria superior. No auge da fama da basílica, cerca de oitocentos monges ensinavam o catecismo ali, utilizando a escultura de um Cristo triunfante no tímpano central para instruir seus alunos. Abaixo do tímpano, uma imagem de São João Batista recebe os peregrinos.

As enormes portas internas da abadia se abrem para um mundo diferente. Agora estamos no mundo do círculo, que representa o espiritual, o perfeito – a vida sem fim que é a promessa central do cristianismo. A luz do sol banha a nave da igreja, com seus arcos arredondados e faixas de pedras negras e brancas alternadas. Em um feliz acidente do processo de construção, o coro no final da igreja é uma construção gótica posterior (*c.* 1160). As janelas maiores e dois arcos afilados do estilo gótico nos levam, estrategicamente, à luz.

Os arquitetos dos períodos românico e grego eram extremamente preocupados com o simbolismo aritmético, o que fica claro em toda a basílica. No segundo nível do coro é possível ver 14 nichos, separados por colunas redondas, representando Cristo e seus discípulos na Última Ceia. (Jesus, ao centro, tem um nicho duplo encimado por uma cruz, simbolizando sua natureza dual de Deus e homem.) Se você observar o segundo nicho à esquerda, verá uma única coluna quadrada – representando Judas, o terreno e imperfeito, entre as colunas redondas que representam seus amigos mais iluminados.

Além de peregrinos cristãos e turistas curiosos, também há muitos peregrinos "esotéricos" em Vézelay. O período medieval também viu o surgimento de muitas ordens secretas ou de iniciados. Talvez seus rituais persistam. Entre os visitantes que vi em Vézelay estavam duas jovens de pé, uma de cada lado da nave – sibilando ou soprando uma para a outra. Embora a livraria oficial da basílica venda apenas material cristão ou turístico, a loja ao lado oferece títulos sobre auras, xamanismo, Cabala e os sempre presentes Cavaleiros Templários.

Os grandes projetos arquitetônicos e espirituais realizados em Vézelay não teriam sido possíveis nem necessários sem o objeto da devoção dos peregrinos: as relíquias de Maria Madalena. Para justificar sua alegação, Vézelay fez uma manobra que teria grande impacto na sorte da basílica e nas lendas que cercam Maria Madalena. Após um período de decadência no início do século XI, Vézelay experimentou um renascimento financeiro e espiritual sob um certo abade Geoffrey – e sua santa padroeira escolhida, Maria Madalena.

Antes da chegada de Geoffrey, em 1037, não havia menções específicas a Maria Madalena em relação a Vézelay. Mas em 1058 o papa Estevão IX declarou-a única padroeira de Vézelay e colocou o selo oficial na alegação da abadia de posse de suas relíquias. Parece que Geoffrey teria feito gestões políticas junto a Sua Santidade para garantir essa honra.

Para reforçar a alegação, a basílica divulgou a história de um *furta sacra*, ou "roubo sagrado", que teria levado o corpo dela a Vézelay. De acordo com a história, no século VIII um monge chamado Badilon tinha sido enviado à Provença pelo conde de Rousillion para salvar os ossos de Maria dos invasores sarracenos.

A história parece ter funcionado. O negócio de peregrinação estava em alta, e o fogo era mantido aceso com histórias de milagres realizados por Maria Madalena mediante a veneração de suas relíquias. A santa teria quebrado os grilhões de prisioneiros, curado doentes e mesmo ressuscitado os mortos. O lugar se tornou tão importante que São Bernardo pregou a Segunda Cruzada em uma plataforma de madeira construída na encosta do monte (a igreja não era grande o bastante para receber a multidão).

Tudo isso foi feito sem que se visse um único osso. Os fiéis iam ver um túmulo, mas nunca foi mostrado um corpo. Para responder aos céticos que especulavam como seu corpo poderia estar na Borgonha, Vézelay oferecia uma resposta tautológica: "Tudo é possível para Deus, que faz o que quer." Os peregrinos, ao que parece, tinham de confiar apenas na fé.

No século XIII essa resposta claramente não estava adiantando. As peregrinações estavam diminuindo e Vézelay decidiu produzir uma solução definitiva. Na noite de 4 para 5 de outubro de 1265, o corpo de Maria Madalena foi "redescoberto" na tumba em que ele supostamente repousava desde o "roubo sagrado" de Badilon. O termo medieval para a descoberta de relíquias é *invenção*, que nesse caso é mais do que apropriado. Foi produzido um cofre de metal contendo relíquias cuidadosamente embrulhadas em seda e, para fechar a idéia, uma boa quantidade de longos fios de cabelo.

Para maior confirmação da autenticidade das relíquias, a basílica contou com a ajuda de "São Luís", o particularmente devoto rei Luís IX. Luís era um entusiasta tanto de Maria Madalena quanto de Vézelay, e também tinha uma excepcional coleção particular de relíquias. Em 1267, na presença de Luís e de convidados de honra, as relíquias foram "trasladadas", ou transferidas, do cofre de bronze para um de prata. O rei pegou uma boa parcela para sua própria coleção e, no seu entusiasmo, deu uma parte para a multidão. Vézelay ficou com um braço, um maxilar e três dentes.

Esses acontecimentos teatrais tinham o objetivo de assegurar a alegação de Vézelay de propriedade das relíquias de uma vez por todas, mas a história não durou muito tempo. Em 1279, os monges de São Maximino iriam alegar que tinham eles próprios "redescoberto" as relíquias de Maria Madalena na Provença – no final derrotando Vézelay em seu próprio jogo.

Infelizmente, não restam muitas evidências dessa intriga para o visitante moderno. Em 1567, durante as guerras religiosas, a basílica foi saqueada, e as relíquias, queimadas por exércitos protestantes. Hoje, na cripta de Vézelay, um relicário suspenso por três figuras de ouro – um monge, um anjo e um rei – contém uma única costela. Essa costela, parte do corpo distribuído por Luís em 1267, foi devolvida a Vézelay no século XIX pela catedral de Sens.

Sem a atração despertada pelas "verdadeiras" relíquias, a fama da abadia diminuiu e, no século XIX, tinha sido inteiramente abandonada – árvores cresciam no piso e pedras despencavam do teto. A igreja corria o risco de desmoronar quando um jovem arquiteto, Eugène Viollet-le-Duc, recebeu a missão de restaurá-la. Após seu sucesso em Vézelay, ele iria restaurar a Notre Dame de Paris.

A basílica e o monte que a cerca foram declarados Patrimônio Mundial pela Unesco, em 1979.

Marselha

Apesar de todo o sucesso de Maria Madalena em Vézelay, sua lendária ligação com a França realmente começa na cidade de Marselha. Foi lá que ela teria desembarcado após ser forçada a fugir de Jerusalém e ficar à deriva em um barco sem leme.

Dependendo de quem você lê, esse barco lotado também levava diversos outros personagens do Novo Testamento, Maria de Betânia (cuja identidade foi fundida com a de Maria Madalena) – Marta, Lázaro, Maria Jacó, Maria Salomé, a criada Sara e São Maximino –, todos os quais receberam o crédito por terem de algum modo convertido a Gália pagã ao cristianismo.

Quando você chega à moderna Marselha, a primeira coisa que percebe é sua dependência da água. Os monumentos e o comércio da cidade acompanham os contornos do porto como cracas grudadas no fundo de um navio. O mar tem papel de destaque em quase todas as lendas francesas sobre Maria Madalena, e os habitantes locais que vivem junto ao mar e nele ganham a vida têm uma afinidade especial com a santa que flutuou até sua costa. A padaria mais famosa de Marselha, La Four des Navettes, fundada em 1781, é especializada em um longo e fino confeito semelhante a uma bisnaga com um sulco no centro chamado *navatte*, feito de modo a lembrar os pequenos barcos de pesca que ainda são vistos no porto atualmente.

A gruta de Sainte-Baume

A lenda nos diz que, depois de pregar as "boas-novas" em Marselha e nas comunidades próximas, Maria Madalena se retirou para uma caverna nas montanhas, onde viveu como eremita durante trinta anos. Ela sobreviveu sem comida, sem água e sem roupas – apenas um coro de anjos do céu que davam a ela sustento espiritual. Esse modelo de vida contemplativa teria grande influência nas ordens monásticas do período medieval, e muitas das imagens de Maria Madalena na arte ocidental retratam esse capítulo de sua história. Freqüentemente coberta apenas pelos cabelos – como uma *lady* Godiva bíblica –, ela é apresentada em pensamentos profundos, algumas vezes com uma vela ou contemplando um crânio, símbolos da mortalidade.

Subindo a nauseante estrada da montanha em um automóvel 4x4, é impossível deixar de pensar em como uma mulher sozinha com um burrico teria se virado aqui. A gruta fica no alto do penhasco; para chegar a ele, tomamos um caminho de madeira: le Chemin des Roys (o caminho dos reis). Luís XIII fez esse trajeto em 1622 para rezar por um filho que mantivesse a linhagem real. O pedido foi atendido, e o filho, Luís XIV, veio por sua vez em 1660 com sua mãe, Ana da Áustria.

A igreja propriamente dita não é mais que uma caverna natural, hoje fechada com uma fachada de pedra. Entrando na gruta, sente-se imediatamente o frio da pedra, ouve-se a água pingando do teto. Reza a tradição que haveria um santuário cristão ali desde o século V, quando os peregrinos eram enviados por Jean Cassien, que fundou a basílica de São Vitor em Marselha.

Como todos os locais franceses ligados a Maria Madalena, há pelo menos muitos séculos entre os "acontecimentos" de sua vida e os primeiros registros históricos de atividade cristã. A localização exata da ermida de Maria Madalena parece ter sido feita no período medieval. O local foi dedicado à Virgem Maria até cerca de 1170. Tudo isso não parece ter incomodado alguém.

A Revolução Francesa e o "Terror" que se seguiu não foram favoráveis a tradicionais locais de peregrinação como esse — particularmente considerando seu patrocínio real. Pouco resta no interior da igreja da gruta que date de antes do século XIX. Há uma estátua do século XV da Virgem Maria, escondida no tronco oco de uma árvore, que foi preservada pelos moradores locais.

No fundo da gruta há uma pedra, hoje encimada por uma estátua de Madalena reclinada, que está sempre seca, apesar da umidade da caverna. Os peregrinos identificaram essa pedra como a cama de Maria e gostavam tanto de arrancar pedaços como suvenires que a pedra acabou cercada por um portão de metal.

Minha peregrinação a Sainte-Baume

Por Jane Schaberg

[...] O caminho é íngreme e rochoso, mas bem conservado; a floresta, densa e silenciosa. Nós podemos ver o local acima de nós, assomando, estonteante, cravado na rocha cinza nua. [...] O monge encarregado nos deixou entrar. Ele nos conta que apenas seis monges vivem ali e nos leva para o interior da caverna.

Faz frio. Sob um altar de pedra bruta há uma estátua feminina de pedra, coberta da cintura para baixo com uma folha de plástico transparente. Ao redor dela se ajoelham estátuas sem cabeça, sem braços, algumas também embrulhadas. É como eu imagino um necrotério, ou uma cena de crime. Junto às paredes brutas pontudas, gotejantes, estão arranjadas, ou não arranjadas, outras estátuas do século XIX; [...] há fios elétricos por toda parte e, estranhamente, círios acesos. Três vitrais berrantes de 1978 e dos anos 1980 (a pecadora arrependida, a refeição de Jesus na casa de Marta, *noli me tangere*) não estão iluminados.

Eu conheço este lugar. É meu pesadelo, o medo das mulheres, o isolamento absoluto. *É* o necrotério, e a cena de um crime. [...]

JANE SCHABERG, de *The Resurrection of Mary Magdalene*
(Continuum Books, 2002)

As janelas de vitrais retratando a vida de Maria Madalena são um acréscimo moderno, concluído na década de 1980 por Les Compagnons du Devoirs, uma associação profissional de artesãos e artífices. Hoje seu *site* na internet está repleto de recomendações destinadas ao desenvolvimento profissional de soldadores, confeiteiros e artesãos, mas eles remontam suas origens lendárias a *Mâitre* Jacques, um dos canteiros que construíram o Templo de Salomão. No período medieval, como parte de um poderoso sistema de guildas, sua história cruza em vários pontos (na lenda e na realidade) com a dos Cavaleiros Templários e a da Maçonaria. O grupo ainda realiza peregrinações anuais a Sainte-Baume.

Hoje a gruta funciona como uma igreja, com missas diárias. No dia em que eu estive lá, um grupo de adolescentes que se preparava para a crisma tinha ido ouvir um sermão sobre Maria Madalena – apresentada como uma amiga leal e seguidora de Jesus, modelo de vida cristã.

Os irmãos dominicanos que mantêm o mosteiro adotam uma postura filosófica quanto à presença de Maria Madalena em Sainte-Baume. Um deles citou Père Vayssière, que foi o guardião de Sainte-Baume de 1900 a 1932: "*Je ne sais pas si elle* est *venu, mais elle* est *la*." ("Eu não sei se ela *esteve* aqui, mas ela *está* aqui.")

Basílica de Santa Maria Madalena, Saint-Maximin-la-Sainte-Baume

Após trinta anos de isolamento, Maria Madalena teria morrido nos braços de São Maximino, que enterrou seu corpo perto de Aix-en-Provence, na aldeia que mais tarde teria seu nome.

Hoje, a basílica de Santa Maria Madalena em Saint-Maximin dá a impressão de uma igreja de paróquia que se transformou em monumento gótico. Construída ao longo de mais de duzentos anos, de 1295 a 1532, é o único exemplo em grande escala do estilo gótico na Provença.

A nave da igreja é dominada por um enorme órgão de tubos. Último de uma seqüência iniciada em 1500, ele foi encomendado em 1772 a Jean-Esprit Isnard. Imediatamente acima do órgão ainda é possível ver o projeto de um vitral. Ele nunca foi concluído por medo de que a umidade interferisse no funcionamento do instrumento. O órgão também pode ter ajudado a salvar a basílica da destruição durante a Revolução Francesa. A tradição local diz que o organista da igreja aplacou as autoridades revolucionárias da região (incluindo Lucien, irmão de Napoleão Bonaparte) apresentando uma versão grandiosa de "La Marseillaise" durante uma visita oficial. A basílica ainda realiza concertos de órgão regulares, bem como um festival de música para órgão no verão.

O púlpito, uma alta construção barroca em madeira, é decorado com cenas da vida de Maria Madalena. Toda a confusão que cerca sua identidade está sintetizada nesses painéis. Nós vemos Maria de Betânia, irmã de Lázaro, sentada junto aos joelhos de Jesus, enquanto sua irmã, Marta, prepara o jantar. Vemos a pecadora anônima mencionada no Evangelho segundo Lucas, a qual lava os pés de Jesus com suas lágrimas e os seca com seus cabelos. Também vemos Maria de Magdala chorando na tumba, pouco antes de ver o Cristo ressuscitado. Todas essas mulheres foram combinadas na personagem popular que hoje imaginamos como Maria Madalena. O púlpito é encimado por nuvens difusas: uma imagem de Maria, carregada por anjos, erguendo-se de sua gruta para receber sustento espiritual.

Apesar de toda essa grandiosidade, a principal atração de Saint-Maximin é a pequena cripta, que abrigaria as "verdadeiras" relíquias de Maria Madalena. Em 1279, Carlos II, duque de Anjou, talvez com ciúmes da riqueza e da proeminência de Vézelay, "redescobriu" as relíquias supostamente removidas pela *furta sacra* de Vézelay. De acordo com a nova história, o roubo sagrado tinha sido um caso de identidade trocada. Badilon levara o corpo errado, e Maria Madalena permanecia intocada em seu local de descanso original.

Quando se entra na cripta atualmente, a primeira coisa que se percebe é um anjo dourado vestindo o que parece um capacete de escafandro. Esse estranho busto contém um crânio e um pedaço de pele milagrosamente preservada supostamente tirado da testa de Maria Madalena. Por que a testa? No Evangelho segundo João, quando Maria é a primeira a ver o Cristo ressuscitado, ela corre para abraçá-lo, e ele diz "Não me toque" (em latim, *Noli me tangere*). Em muitas das pinturas posteriores dessa cena, Maria está ajoelhada em frente a Jesus, e ele se estica na direção de sua testa, ao mesmo tempo para abençoá-la e mantê-la a distância. É possível ver uma pintura dessas, no século XV, na capela de St. Antoine, no lado esquerdo da igreja.

A cripta também contém vários sarcófagos cristãos antigos (do século IV ao século V d.C.), um dos quais seria o de Maria Madalena. Estudos científicos da relíquia revelam apenas que os restos pertencem a uma mulher de origem mediterrânea, baixa estatura, que tinha cerca de cinqüenta anos. A publicação oficial da Igreja diz que é uma pena que a datação por carbono-14 exija a retirada de um pedaço tão grande para os testes. Tradução: preserve o mistério. Qualquer desculpa para manter a esperança viva.

Saintes-Maries-de-la-Mer

Seguindo a costa rumo a Saintes-Maries-de-la-Mer, passamos por um conjunto de charcos, pastos, dunas e planícies de sal conhecido como Camargue. Essa é a região que produz grande parte da famosa *fleur du sel* da França. Montanhas de sal marinho estavam empilhadas ao lado da estrada e bandos de flamingos rosa andavam nos bancos de areia.

Saintes-Maries-de-la-Mer propriamente dita é uma pequena cidade praiana, repleta de placas anunciando lanches, sorvetes e cachorros-quentes. Ela também não tem quase nada a ver com Maria Madalena. As Marias que dão nome à cidade são Maria Jacó e Maria Salomé, duas seguidoras menos conhecidas de Jesus, que também estiveram presentes à crucificação e à abertura de sua tumba. De acordo com a lenda, elas chegaram à Provença de barco juntamente com Maria Madalena, estabelecendo-se nessa aldeia junto ao mar. É a essas duas Marias, mais que à líder de grupo mais famosa, que a cidade é dedicada.

Com janelas pequenas, altas torres e baluartes, a igreja de Saintes-Maries-de-la-Mer lembra mais uma fortaleza militar que uma casa de orações. Com uma fonte de água potável correndo imediatamente abaixo do piso, a igreja foi muitas vezes utilizada como refúgio quando a cidade era sitiada.

Uma lenda conta como, em 869, quando a igreja fortificada estava sendo construída, os invasores sarracenos seqüestraram o arcebispo de Arles, que era responsável pela supervisão do trabalho. Os moradores de Arles rapidamente levantaram o resgate e o arcebispo foi devolvido e cerimoniosamente colocado em seu trono. Apenas depois de os sarracenos terem desaparecido com o dinheiro, o prelado descobriu que o arcebispo tinha morrido durante seu cativeiro e que os sarracenos tinham, com grande pompa e circunstância, devolvido um cadáver ao trono.

Por dentro a igreja é coberta de ex-votos, o mais velho deles datando de 1591. São mensagens de agradecimento em forma de placas de pedra, pinturas ou mensagens por escrito ofertadas pelas pessoas que sentem terem sido curadas ou abençoadas pelas duas Marias ao longo dos anos.

Uma pintura do século XIX mostra um casal curvado sobre uma manjedoura. No céu atrás deles, pousado em uma nuvem, está o barco com as duas Marias. A legenda diz: EX-VOTO DE MARIE MARIAVEL, MILAGROSAMENTE CURADA, 25 DE MAIO DE 1860. Na parede oposta há uma foto de um homem e abaixo dela uma fotografia de seu carro destruído e uma inscrição: A VOCÊ, MARIA CHEIA DE GRAÇA, QUE SALVOU NOSSAS VIDAS.

Em 1448, foram encontrados dois corpos enterrados abaixo da igreja; eles rapidamente foram recolhidos como sendo os restos de Maria Jacó e Maria Salomé. Os corpos, hoje em sarcófagos de madeira, são mantidos em uma galeria superior fechada, e baixados para o altar em determinados dias de festa.

Na cripta da igreja há uma estátua de pele escura de Santa Sara, patrona dos ciganos. A lenda não parece ser precisa quanto à sua origem. Para alguns, ela é a criada negra egípcia de Maria Madalena ou Maria Salomé; para outros, ela é a rainha nativa da Gália convertida pela chegada das duas Marias, em 42 d.C.

A estátua é coberta de brilhantes tecidos coloridos doados por ciganos de todo o mundo. Todos os anos, no dia 24 de maio, milhares de ciganos chegam a Saintes-Maries-de-la-Mer para seguir a estátua em uma procissão até o mar. Refazendo o trajeto de Santa Sara até a água, eu dei as costas às lanchonetes e lojas de suvenires. O mar se quebrando parecia o mesmo de dois mil anos antes, quando começou a viagem lendária daquelas mulheres.

Rennes-le-Château

A cidade de Rennes-le-Château é um cartão-postal de uma cidade cravada no alto dos Pireneus. Também é a origem de um dos aspectos mais bizarros e repletos de conspiração da lenda de Maria Madalena, recontada mais recentemente em *O código Da Vinci.*

Em 1885, um novo pároco chamado Béranger Saunière chegou a Rennes-le-Château. Ele reuniu uma grande fortuna em um período de tempo suspeitamente curto e deu início a uma completa reforma da igreja original da cidade, do século XI. Durante a reforma, ele descobriu o que alegou serem documentos secretos em código, escondidos em um pilar oco do altar. E foi aconselhado a levá-los a Paris para avaliação de especialistas. Lá, entregou-se a um círculo social particularmente dissoluto, lidando com ocultismo e possivelmente tendo um caso com a famosa cantora de ópera Emma Calvé. Depois de seu retorno, sua fortuna continuou a aumentar; ele construiu para si uma casa adorável e uma estranha biblioteca em uma torre debruçada sobre o vale, que ele chamou de Tour Magdala.

Alguns, como os autores de *O santo Graal e a linhagem sagrada* , especularam que a fortuna de Saunière vinha dos cátaros, e que seu texto secreto revelava o casamento de Maria Madalena com Jesus e seus laços de sangue com os reis merovíngios. Outros sugerem que o dono de restaurantes que mais tarde comprou a propriedade aumentou a história para atrair visitantes.

Os padres e monges com os quais eu conversei durante minha viagem estavam bastante certos de que Saunière tinha feito fortuna pela prática da simonia – venda de indulgências e sacramentos – e não com o famoso tesouro enterrado. A igreja propriamente dita tinha sido fechada para o inverno, de modo que um membro da equipe de filmagem desceu a rua para conversar com o então prefeito da cidade. Ele disse que ficaria feliz em abri-la para nós – por mil euros. O espírito empreendedor de *Père* Saunière claramente está vivo e bem.

Onde há fumaça...

Hoje, os locais relacionados a Maria Madalena podem ser vistos como pilares de uma lenda cuidadosamente construída e cultivada – a seguidora devotada, a eremita penitente, a santa milagreira. Mas os próprios locais, apesar de sua história nebulosa, de fato oferecem momentos de descanso e revelação. A caminhada silenciosa ao longo de um caminho de madeira, a ampla visão da Provença, a cripta silenciosa ou a chegada a um altar banhado de luz continuam a incentivar o tipo de contemplação que obedece ao espírito, se não aos fatos.

Permanece a questão: onde há fumaça realmente há fogo? Por que essa igreja, essa cidade, essa caverna? Mesmo o viajante mais cético irá terminar uma viagem como essa pensando se as lendas que chegaram até nós através dos séculos têm pelo menos algum fundo de verdade.

CAPÍTULO 8

Sua história hoje: Maria Madalena na cultura contemporânea

Eu não sei como amá-lo [...] Ele é só um homem, e eu tive muitos homens antes [...] Eu o desejo muito, eu o amo muito.
— Tim Rice, *Jesus Cristo Superstar*

Nós éramos próximos como marido e mulher/ Nós comíamos a comida, nós bebíamos o vinho / Todos se divertindo / Menos você / Você estava falando sobre o fim do mundo.[1]
— U2, "Until the end of the world"

Jesus teve um filho com Maria Madalena/ E ele correu o mundo como o homem antes dele/ O jovem Jesus o criou forte, mãe Maria o criou orgulhoso/ E ele perseguiu o homem que matou seu pai.[2]
— Jefferson Airplane, "*The Son of Jesus*"

Ronronando, Maria Madalena abraçou o homem [e] manteve seu corpo colado ao dela [...] "Amada esposa, eu não sabia que o mundo era tão bonito e a carne tão sagrada. Ela também é filha de Deus, irmã cheia de graça da alma. Eu não sabia que os prazeres do corpo não eram pecaminosos."
— Nikos Kazantakis, *A última tentação de Cristo*

[1] *We were as close as a bride and groom / We ate the food, we drank the wine / Everybody having a good time / Except you / You were talking about the end of the world.* (N. do E.)

[2] *Jesus had a son by Mary Magdalene/ And he rode the land like the man who went before/ Young Jesus raised him loud, mother Mary raised him proud// And he tracked the man who laid his father down.* (N. do E.)

A santa como *vamp*: Maria Madalena na tela

*Por Diane Apostolos-Cappadona**

Mel Gibson, então divulgando seu novo filme, *A Paixão de Cristo*, explicou a entrevistadores de TV: "Eu joguei lama nela; então, mais lama. E quanto mais lama eu jogava, mais bonita ela ficava." Ele estava falando de Monica Bellucci, a atriz que interpretou Maria Madalena em seu filme muito pessoal sobre os últimos dias de Jesus. Contudo, a realidade é que, se conseguirmos entender, verdadeiramente *ver*, o significado da declaração de Gibson, reconheceremos que seu comentário pode ser visto através de uma lente mais ampla, tanto em relação a Maria Madalena em geral quanto à sua apresentação na história do filme. Entre suas muitas metamorfoses na arte cristã e na teologia, Maria Madalena foi transformada de uma santa matronal em uma pecadora, e de pecadora em uma prostituta. Sua integridade pessoal foi questionada e manchada, mas, no momento em que o século XXI entra em sua primeira década, Maria Madalena voltou ao centro das discussões, controvérsias e pesquisas culturais e teológicas. Parafraseando Gibson, temos de reconhecer que a beleza interior de Madalena brilha por meio de todas as acusações, leituras equivocadas e lama lançada contra ela.

Analisando a história do filme, podemos *ver* a transformação de Maria Madalena de matrona santificada em uma *vamp* sedutora e novamente matrona. Começando com uma rápida discussão sobre o que eu chamo de "analogias visuais" e sobre a forma como elas agem no filme religioso, traçaremos a evolução da imagem de Maria Madalena em um grande número de categorias de filmes, incluindo épicos bíblicos, histórias morais e histórias com mensagens religiosas. Esse breve estudo da história de Maria Madalena na tela dará uma noção do poder das imagens e da influência das artes em nossa vida cotidiana.

* Diane Apostolos-Cappadona é professora adjunta de arte religiosa e história cultural no Prince Alwaleed bin Talal Center for Muslim-Christian Understanding e professora adjunta de arte e cultura no programa de estudos liberais da Universidade de Georgetown. Ela há muito estuda como as imagens religiosas são apresentadas nos meios de comunicação de massa, em particular as de Maria Madalena.

Analogias visuais e filme religioso*

Um filme, independentemente de seu tema e modo de apresentação (animação, ação, etc.), é composto de séries de quadros cinematográficos inter-relacionados, "imagens em movimento" que criam um *continuum* de imagens identificáveis e uma história correspondente. A narrativa do filme conta, por intermédio de diálogos e imagens, algo sobre um acontecimento, um lugar ou uma pessoa (ou pessoas), e simultaneamente as imagens e símbolos projetados na tela transmitem mensagens abertas e ocultas. Embora as imagens e a história de um filme sejam construídas pelo cineasta, o *ver* é obra de interpretação de cada espectador isolado: cada um de nós vê um filme ou uma obra de arte de modos diferentes. Nossa visão individual depende dos mundos – culturais, religiosos, sociais, políticos e econômicos – em que fomos socializados e nos quais vivemos. Ver não é algo passivo; é um engajamento ativo dos sentidos humanos com o intelecto e a visão. Ver nos insere na atividade de transmissão de conhecimento. Conhecimento é poder. As imagens têm poder e uma parcela fundamental desse poder é sua capacidade de transmitir autoridade e realidade. Elas são incorporações da memória partilhada que forma a base da identidade social e política de uma comunidade de fé e da iniciação de um indivíduo como membro dessa comunidade.

Nesse meio de comunicação que é o filme, a analogia visual é a fonte primária do poder das imagens. Cada espectador tem uma história com as imagens que vê, e as associações são especialmente profundas quando as imagens são religiosas. São os retratos com os quais fomos socializados quando crianças: são as ilustrações em nossas Bíblias, a arte de nossos cartões de Natal e Páscoa, os gráficos que vemos nos boletins da Escola Dominical e os padrões dos vitrais de nossas igrejas. Muitas

* Minha discussão original sobre o conceito de analogia visual no que diz respeito ao relacionamento entre pintura clássica e cinema pode ser encontrada em "The Art of 'Seeing': Classical Painting and *Ben-Hur*", in *Image and Likeness: Religious Visions in American Film Classics*, John R. May (org.) (Nova York/Mahwah: Palist, 1992, pp.104-16). Uma posterior discussão sobre analogia visual com a evolução das imagens das mulheres em filmes religiosos apareceu em "From Eve to the Virgin and Back Again: The Image of Women in Contemporary (Religious) Film", in *New Image of Religious Film*, John R. May (org.) (St. Louis: Sheed and Ward, 1997, pp.111-27). Minha utilização cuidadosa do termo *ver* ao longo de todo este texto reafirma meu compromisso com a igualdade de imagem e texto, e com a apaixonada defesa de minha ex-aluna Lucinda Ebersole na sétima Cavalletti Conference on Theology and Film de que o filme é um meio visual.

dessas imagens derivam de obras de arte cristãs clássicas, embora outras – incluindo ilustrações de Bíblias do final do século XIX e início do século XX – tenham sido criadas por artistas especificamente para pedagogia religiosa. A arte cristã tradicional desenvolveu suas imagens de personagens bíblicos como Maria Madalena, bem como de acontecimentos bíblicos, como a crucificação, por intermédio de uma série de conhecidos símbolos, costumes, cenários e mesmo caracterizações reconhecíveis produzidos por gestos e expressões faciais. Com o tempo, mediante convenções artísticas, foram desenvolvidos códigos identificáveis: a Virgem Maria veste azul, Judas era ruivo, Jesus aparece no centro da *Última Ceia* e Maria Madalena sempre está sedutoramente bela.

Esses elementos visuais foram transferidos de forma mais ou menos consciente, da arte cristã clássica para o cinema, onde os conhecidos trajes e projetos de cenários, perfis de personagens e toda a atmosfera visual são traduzidos de um meio para outro e criam uma aura de autenticidade histórica. Referências visuais reconhecíveis conferem aos filmes religiosos uma história de memória cultural partilhada e identidade religiosa, levando o espectador a aceitar as descrições criadas pelo cineasta. Assim, nós apreciamos os retratos de Cristo e Maria Madalena feitos por Gibson ou Cecil B. DeMille como sendo "reais", porque suas imagens se ajustam às idéias que temos sobre os personagens, como nós os conhecemos de nossas Bíblias de infância e boletins da Escola Dominical. Freqüentemente as notas do diretor e do produtor – e, no caso de DeMille, fotografias de divulgação e entrevistas – nos revelam os artistas cujas obras influenciaram o desenvolvimento cinematográfico de uma narrativa ou um personagem bíblico específico. Sabemos, por exemplo, que o intenso realismo e as luzes e a composição dramática do pintor barroco Caravaggio influenciaram Gibson e seu fotógrafo na "imagem" de *A Paixão de Cristo*.*

Hoje compreendemos, com base no que algumas vezes é chamado de teoria da resposta, como e por que certas imagens e símbolos são percebidos como sendo

* Ver meu ensaio "On seeing *The Passion*: Is There a Painting in This Film? Or is This Film a Painting?", in *Re-Viewing "The Passion", Mel Gibson's Film and Its Critics*, S. Brent Plate (org.)(Nova York: Palgrave-Macmillan, 2004, p.97-108). Para uma discussão específica sobre a influência da obra de Caravaggio sobre Gibson e seu fotógrafo Caleb Deschanel, ver "A Savior's Pain: Caleb Deschanel", entrevista a John Bailey, ASC, e Stephen Pizzello; Stephen Pizzello e Rachael K. Bosley (orgs.) in *American Cinematographer* (março de 2004), disponível na internet em http://www.thease.com/magazine/index.htm?mar04/cover/index.html-main.

reais, ao passo que outros são rejeitados. De acordo com a teoria da resposta, as imagens e os símbolos religiosos que refletem a memória comunal e formam a identidade social e política de uma comunidade religiosa têm o poder único de moldar nossos "olhos", ou seja, o ponto de vista a partir do qual avaliamos o que vemos. A verdade é que não existe um olho inocente. Nós somos treinados desde a infância a distinguir verdade de ficção, realidade de fantasia, e nossa educação acerca do que é ou não verdade é particularmente reforçada no que diz respeito a questões de fé. Assim, quando podemos identificar personagens por intermédio de seus trajes e lugares por meio de suas paisagens, acreditamos que conhecemos a linha divisória entre história real e fantasia hollywoodiana. Dessa maneira, quando os trajes e os cenários combinam com o que reconhecemos como sendo a "história real" acumulada a partir de nossa exposição à arte cristã, nós nos convencemos de que o que vemos na tela são fatos. O papel da analogia visual, portanto, confirma nossa avaliação cultural das pinturas cristãs clássicas mesmo quando aquelas obras de arte ajudam a construir no crente um processo subliminar e consciente de *ver*.

Maria Madalena vai ao cinema

Pelo menos trinta grandes filmes classificados como épicos bíblicos ou histórias morais apresentam Maria Madalena, mas sua presença também pode ser constatada em outros filmes com uma ampla gama de temas femininos, particularmente o da "mulher decaída" ou o da prostituta de coração de ouro. A condessa Olenska, em *Idade da inocência*, de Martin Scorsese,* é um desses exemplos de uma mulher que vive de modo contrário à moral sexual de sua época, embora ela esteja inserida em uma história secular tendo apenas referências religiosas ocultas ou implícitas.

* Entre outras típicas "mulheres decaídas" de coração de ouro estão os personagens do século XIX Camille e Violetta, e as caracterizações do século XX das garotas do Oeste dourado norte-americano, como "Miss Kitty" e Stella Dallas. Para uma pesquisa sobre essa iconografia, ver Linda Nochlin, "Lost and Found: Once More the Fallen Woman", em seu *Women, Arts, and Power and Other Essays* (Nova York: Harper and Row, 1988, p.57-85). Se eu incluísse essas Madalenas secularizadas dos filmes neste ensaio, o texto poderia se tornar tanto um desvio do tema central de como foi criada uma interpretação tão significativa como a de DeMille, quanto amplo demais em seu escopo, de *Uma linda mulher* de Julia Roberts à *Camille* de Greta Garbo.

Aqui eu escolhi observar brevemente a imagem de Maria Madalena nos épicos bíblicos mais conhecidos e, especificamente, as influências sobre e do retrato dela por DeMille em sua grande obra, *O rei dos reis* (1927).

Em um levantamento introdutório a respeito de Maria Madalena em épicos bíblicos, precisamos reconhecer duas convenções básicas: ela precisa ser representada por uma atriz bonita e é sempre fundida com a "mulher adúltera" do Evangelho de João. Embora as versões cinematográficas de Maria Madalena tenham sido criadas depois do início do estudo bíblico moderno, que é em parte marcado pelas controvertidas teorias de Joseph Ernest Rénan* e da chamada "busca pelo Jesus histórico" dos protestantes, haveria pouca dramaticidade no desenvolvimento de uma personagem Madalena claramente definida pelas fontes das Escrituras. Os mais de trinta grandes épicos bíblicos nos quais eu consigo identificar Maria Madalena basicamente a apresentam como o que chamo de mosaico Madalena, um amálgama de várias mulheres bíblicas, juntamente com várias caracterizações retiradas de diversas fontes históricas. Apenas três filmes – *O rei dos reis* (1927), de DeMille, *A maior história já contada* (1965), de George Steven, e *Jesus de Nazaré* (1977), de Franco Zeffirelli – apresentam uma versão da Madalena em que ela é distinguida da adúltera de João.

Na maioria dos filmes bíblicos nós aprendemos que Maria Madalena é, primeiramente e acima de tudo, uma criatura sedutora cujo papel principal é o de tentação e pecadora; exemplos de filmes assim variam desde o pouco conhecido épico italiano *La Spada e Le Croce* [*A espada e a cruz*] (1959), no qual Yvonne DeCarlo interpreta nossa bela sedutora, ao controvertido *A última tentação de Cristo* (1988), de Scorsese, no qual as tatuagens e os lábios carnudos de Barbara Hershey estabeleceram um novo padrão para as imagens voluptuosas de Maria Madalena, a *A Paixão de Cristo* (2004), de Gibson, com sua Monica Bellucci coberta de lama. Talvez o maior exemplo do mosaico Madalena apareça na refilmagem de 1961 por Samuel Bronston e Nicholas Ray de *O rei dos reis*, em que Carmen Sevilla interpreta Maria

* Joseph Ernest Renan (1832-1892), orientalista e ensaísta francês, escandalizou Paris quando, como professor de hebraico no Collége de France, ensinou que Jesus era um "homem incomparável". Sua pesquisa e seu estudo das Escrituras hebraicas o levaram a enfatizar a humanidade de Jesus em seu livro mais famoso, *Vie de Jésus* [A vida de Jesus]. Suas declarações controvertidas coincidiam com a emergente – e basicamente protestante – "busca pelo Jesus histórico".

Madalena. A cena em que uma multidão apedrejadora persegue Sevilla por uma rua até o gentil Jesus de Jeffrey Hunter surgir para protegê-la nos oferece uma linda tentação cujo vestido cuidadosamente drapeado e as impressionantes jóias destacam suas formas. Algumas das primeiras Madalenas do cinema – Julia Swayne Gordon em *Though Your Sins Be as Scarlet* (1911), Maxine Elliott em *The Eternal Magdalene* (1919) e Asta Nielsen em *I.N.R.I./Crown of Thorns* (1923) – da mesma forma nos fazem perder o fôlego com seus extravagantes trajes de época e suas poses provocantes. No entanto, mesmo quando há respeito às Escrituras na distinção entre Maria Madalena e a "mulher adúltera" sem nome – como ocorre com Joanna Dunham e Shelley Winters em *A maior história já contada* (1965) ou Anne Bancroft e Claudia Cardinale em *Jesus de Nazaré* (1977) –, continua a haver uma ênfase no personagem de Madalena como uma bela mas arrependida "mulher decaída". Decaída do que poderemos nunca saber, mas decaída ela é.

Apresente o filme um personagem composto ou uma Maria de Magdala respeitosa às Escrituras, todas essas versões cinematográficas dependem de obras de arte cristãs clássicas, ganhando autenticidade ao reproduzir seus vestidos freqüentemente considerados curtos, suas jóias e seus penteados elaborados e suas poses e gestos. Os filmes também podem se basear em tradições nas quais a Maria arrependida é então transformada em sua pessoa/*persona*, evidenciada pela simplicidade de seus trajes, ausência de jóias, maquiagem e penteado, e a emoção silenciosa que ela demonstra ao ungir os pés de Jesus (aqui Dunham e Bancroft são os maiores exemplos) ou seu rosto marcado de lágrimas na crucificação (Bellucci e Sevilla). Sem dúvida, a maior de todas as Madalenas cinematográficas foi e ainda é Jacqueline Logan, que, como veremos, estabeleceu um padrão insuperável em *O rei dos reis*, de DeMille.

Maria Madalena como *vamp* e como santa

Nada de prostitutas de rua andrajosas para o grande *showman*: a escalação por Cecil B. DeMille de Jacqueline Logan como Maria Madalena criou tanto uma glamorosa cortesã das telas quanto um exemplo superior de analogia visual dialógica em filmes religiosos. A cena de abertura do épico de DeMille abre caminho para sua sedutora e seu séqüito de escravas magníficas (incluindo Sally Rand com seu famoso leque), ao mesmo tempo em que oferece aos espectadores uma definição padrão de Maria Madalena. Aqui, a analogia visual funciona de duas formas – a arte clássica determina a composição da Madalena de DeMille, e esta subseqüentemente consolida a identidade de Maria Madalena na consciência dos seus espectadores.

A Maria Madalena de DeMille é inicialmente rica, lasciva e elaboradamente adornada. Incomodada que aquele Jesus de Nazaré tenha influenciado Judas Iscariotes, seu cliente predileto, a ponto de ele já não visitá-la com regularidade, a escassamente vestida Jacqueline Logan ordena que sua carruagem de forração de zebra decorada com plumas seja trazida por seu escravo núbio, de modo que ela possa ir se encontrar com Jesus. Claro que inicialmente somos apresentados a uma série de imagens inesquecíveis de Maria Madalena em poses sugestivas com um soldado romano e em seu pórtico enquanto se recorda de seus encontros com Judas. Ela parte para enfrentar Jesus de modo a recuperar "seu Judas", mas em vez disso Jesus a estimula a se arrepender de seus pecados. Em um momento de drama extraordinário, o Jesus de DeMille realiza o mais vistoso exorcismo de Maria Madalena desde as produções medievais da *Magdalene de Digby*. Ela é arremessada para cima e para baixo e se contorce no chão em um grande número de poses enquanto os "sete pecados mortais" saem de dentro dela em um rodamoinho de energia e sons retumbantes. O drama empírico dessa cena de conversão supera a história de amor melodramática entre Maria Madalena e Judas. Ela abandona sua vida de pecado simbolicamente abandonando suas jóias e seus trajes sedutores, que troca por um costume assexuado. A fórmula de DeMille de que a redenção só tem valor dramático se soubermos por que o pecador precisa ser redimido é realizada enquanto acompanhamos sua transformação de Maria Madalena de uma *vamp* lasciva em uma matrona santificada.

Sabemos – tomando por base as fotografias que documentam a produção de *O rei dos reis* e os diários de trabalho, cartas e anotações autobiográficas de DeMille – que ele estava profundamente influenciado pelas imagens que tinha visto quando criança na edição que sua família tinha da Bíblia, que era ilustrada por James Tissot (1836-1902), bem como pelas ilustrações da Bíblia feitas por Gustave Doré (1832-1883). As ilustrações de Tissot continuavam a ser extremamente populares nos

Estados Unidos nas décadas de 1950 e 1960, e um estudo cuidadoso delas antecipa uma progressão dos épicos bíblicos cinematográficos até *A Paixão de Cristo,* de Gibson.* Ironicamente, enquanto a Madalena de DeMille conquista autenticidade por intermédio de uma analogia visual baseada nas ilustrações de Tissot e Doré, ela frustra a imagem de Maria Madalena nas mentes da platéia de DeMille. O que isso significa? Simplesmente que *O rei dos reis* foi um dos filmes mais populares e influentes já produzidos, não apenas em termos de bilheteria, mas em sua persistência ao longo dos anos em sessões em *campi* universitários, igrejas e cinemas por todo o mundo. Louvado em sua época como um retrato preciso da vida de Cristo, a *visão* desse filme deixou uma marca indelével nas mentes de milhares de jovens que assistiram a ele ao longo dos anos 1920 e 1930. Peça a eles para descrever Maria Madalena e veja se você não consegue reconhecer Jacqueline Logan – a garota má transformada em santa! Afinal, ver é acreditar.

A santa como estrela pop

Por Lesa Bellevie

Não há dúvidas quanto ao apelo popular de Maria Madalena em nossa era midiática. Ela tem sido um personagem de destaque em romances, músicas, filmes, na *pop art*, em docudramas de televisão e mesmo em histórias em quadrinhos. Aqueles que a imaginam freqüentemente o fazem de forma selvagem, sem limites – como moderna heroína de ação, noiva acanhada ou anjo caído transformado em vampira.

Mas por que Maria se tornou um personagem de fascínio popular quando a maioria dos personagens religiosos e históricos não conseguiu

* Conversa com Judith F. Dolkart, departamento de pintura e escultura européia, Brooklyn Museum of Art, no dia 21 de julho de 2005. A dra. Dolkart está preparando uma mostra dos guaches originais de Tissot e suas ilustrações do Novo Testamento, "James Tissot: The Life of Christ" (14 de setembro de 2007 a 13 de janeiro de 2008). A série completa, de mais de quatrocentas obras em papel, foi comprada para o Brooklyn Museum of Art por contribuições populares em 1900, após uma exposição circulante internacional dessas imagens extremamente populares.

isso? Será a flexibilidade de seu caráter que dá a ela tanto potencial criativo? Será o drama inerente ao conceito de prostituta arrependida (e bela)? Será a idéia de que ela foi transformada em vilã e mal interpretada por tanto tempo? E, no final, o que estamos procurando nela?

Lesa Bellevie, autora de *The Complete Idiot's Guide to Mary Magdalene* e criadora do *site* www.magdalene.org, arrisca algumas respostas. Como ela deixa claro, o fascínio com a santa predileta da cultura nos últimos dois mil anos continua sólido, em um espectro cada vez maior de meios de comunicação e atingindo públicos em todo o mundo.

Maria, Deus vos recebeu com ascendência celestial!
Ele vos mandou a graça com sinais celestiais.
Serás honrada com alegria e reverência,
Erguida no céu acima das virgens!

— Peça de Digby, *Mary Magdalene*, século XV

Talvez a mais recente grande fonte da febre (ou fervor) Madalena seja o *best-seller* de Dan Brown *O código Da Vinci*. Mas, embora o romance esteja recebendo boa parte do crédito por colocá-la em posição de destaque nos últimos tempos, Maria Madalena não é uma estranha à cultura popular. Ela tem sido uma personagem importante na imaginação do público por mais de oito séculos, e a partir do século XIII foi de tal forma idolatrada que dramas completos foram escritos em sua homenagem. A peça de Digby citada é um fino exemplo de espetáculo assim. Exigindo um grande elenco, vários cenários, palcos e maquinário, ela é uma produção imensa e muito cara. Maria Madalena, com todas as lições que traz consigo, claramente merecia o esforço.

Hoje, como na Idade Média, continuamos a investir energia artística em imaginar Maria Madalena e investigar quem ela poderia ter sido. Em muitos casos, nossos motivos podem ser os mesmos do século XIII: inspirar tanto quanto divertir e debater sobre questões religiosas sem precisar entrar em um local de adoração. Dramas sobre Maria Madalena, então e agora, têm sido formas eficazes de tratar dos assuntos mais proibidos da época e defender ideais emocionais de perdão, amor, penitência e fé. Hoje, Maria Madalena também é uma personagem com quem quase todos podem se identificar; alguém cuja simples humanidade a torna fundamentalmente atraente – e atemporal.

Maria, imaginada

Muitos artistas exploraram a idéia de um relacionamento entre Jesus e Maria Madalena em um contexto secular. A cantora Tori Amos, em seu livro de 2005, *Piece by Piece*, discorre sobre sua crença em que Jesus e Maria Madalena foram um casal. A canção "Marys of the Sea", de seu álbum *The Beekeeper*, é baseada em lendas medievais da viagem de Maria Madalena para a França – freqüentemente citadas pelos defensores de um casamento entre Jesus e Maria Madalena – e mostra a convicção de Amos de que a história é verdadeira. Ela faz uma referência especial à cidade que a autora Margaret Starbird afirmou ser o local do desembarque de Maria Madalena:

Marias do mar,
a noiva perdida chora,
Les Saint Marie de la Mer...[3]

A ópera-rock de Tim Rice e Andrew Lloyd Webber *Jesus Cristo Superstar* abordou o tema em uma época de agitação social e política. Maria Madalena, tendo sofrido mais um "ajuste" para refletir a nova perspectiva que a cultura ocidental tinha das mulheres, surge como uma brincalhona, mas amorosa companheira do Salvador. Inicialmente lançado como disco em 1971, e então produzido na Broadway, ao chegar aos cinemas dois anos depois *Jesus Cristo Superstar* já tinha um enorme número de fãs. Yvonne Elliman teve um grande desempenho como Maria Madalena em todos os três formatos, transformando a canção "I Don't Know

[3] *Marys of the sea/The lost bride weeps/Les Saint Marie de la Mer...* (N. do E.)

How To Love Him" em um compacto *best-seller*. Embora a canção tenha sido muitas vezes interpretada como um reflexo de um ardor estritamente físico, também pode ser considerada representativa da complicada mistura de emoções com que o personagem de Maria luta. Ela incentivou o público a imaginar as áreas dúbias que poderiam existir no relacionamento de Maria Madalena com Jesus, como homem e como messias.

Em 1972, a banda Jefferson Airplane criou uma família terrena e estridente a partir da idéia de que Jesus e Maria Madalena poderiam ter se casado. A canção "The Son of Jesus", do álbum *Long John Silver*, porém, não se detém na questão da união. A partir da existência de um filho, a música nos conta que "Jesus o criou forte" e "Maria o criou orgulhoso". Entrando no verdadeiro objetivo da letra, descobrimos que a missão pessoal do filho de Jesus era vingar a morte do pai.

No romance de 1951 de Nikos Kazantzakis, *A última tentação de Cristo*, Jesus é tentado com a idéia do que poderia ter tido – a vida de um homem mortal comum – quando está pendurado na cruz. É fundamental a presença de Maria Madalena, com quem ele se casa em sua alucinação antes de rejeitar a tentação e levar a cabo a sua missão de sacrifício. Kazantzakis descreve o primeiro encontro imaginado de Jesus com Maria Madalena:

> Ela tomou sua mão. Seu véu carmim deslizou enquanto caminhava apressadamente sob os limoeiros floridos e logo repletos de frutos. Seus dedos, entrelaçados com os do homem, estavam queimando, e sua boca tinha o cheiro de flores de limoeiro. Sem fôlego, ela parou por um momento e olhou para Jesus. Ele encolheu os ombros, pois tinha visto seus olhos girarem sedutoramente, astuciosamente, como os olhos de um anjo. Mas ela sorriu para ele.

Em 1988, o livro de Kazantzakis foi adaptado para o cinema pelo diretor Martin Scorsese e enfrentou protestos que foram de manifestações pacíficas a coquetéis molotov de cinéfilos nos Estados Unidos e na Europa. Muitos consideraram ofensivo o retrato de Jesus como um homem comum, amando como qualquer outro homem, se casando e tendo filhos. O filme foi considerado blasfemo por cristãos de todos os matizes, e alguns cinemas se recusaram a exibi-lo.

Movimento rumo ao divino

Quase vinte anos mais tarde, o formato altamente acessível e o ponto de vista conspiratório de *O código Da Vinci* colocaram a questão em um contexto inteiramente novo, um que talvez seja ainda mais controvertido. Enquanto o Jesus de Kazantzakis tinha sido apenas *tentado* por um casamento com Maria Madalena, o Jesus de Dan Brown de fato se casou com ela. Mais ainda, no romance de Brown, Maria Madalena é mais que esposa e mãe; ela está em pé de igualdade com Jesus como manifestação feminina de Deus. Curiosamente, não apenas Jesus tinha se tornado mais humano no romance de Dan Brown, como Maria Madalena tinha sido elevada a deusa.

Embora talvez estejamos entrando em um novo período de reforma social e religiosa, a "deificação" de Maria Madalena não começou com Dan Brown; é um movimento que tem lentamente ganhado força, com ou sem uma suposta parceria com Jesus. A escritora Marjorie Malvern sugeriu em seu livro de 1977 *Venus in Sackcloth* que as representações artísticas de Maria Madalena ao longo da história têm muito em comum com figuras de deusas como Pandora e Vênus. Em 1983, a obra de Barbara Walker *The Woman's Encyclopedia of Myths and Secrets* revisou radicalmente a história como a conhecemos, escalando Maria Madalena como uma sacerdotisa no templo de uma deusa chamada Mari. Margaret Starbird levou essa idéia ainda mais longe, sugerindo que Maria Madalena deveria ser reconhecida como uma deusa por seus próprios méritos. Agindo assim, Starbird apresentou uma mitologia cristã baseada na reconciliação de masculino e feminino em Deus. Em sua visão, a missão de Jesus era "restaurar o feminino", uma idéia que ela acredita ter sido sistematicamente suprimida por uma Igreja conspiradora.

Somando as idéias de Starbird a outras, Dan Brown parece ter tocado em um ponto fraco dos leitores. Para muitos há um "fundo de verdade" nisso, mesmo face à esmagadora evidência de que sua história é falha. Essa enganadora sensação de autenticidade talvez seja a maior conquista do livro, que simboliza um clima social que merece ser estudado. Parece haver, no enorme interesse pelo livro, mais do que o interesse por conspirações, mais do que desconhecimento da história e mesmo um impulso no sentido de uma espiritualidade da Nova Era. *O código Da Vinci* talvez possa ser uma semente que caiu em terreno fértil, e a crescente veneração a Maria Madalena como uma divindade emergente por seus próprios méritos seja apenas *um* de seus frutos. Como já foi verdade no passado, a Maria Madalena da cultura popular nos serve hoje como um caminho a ser estudado ou ignorado.

Sua má reputação resiste

Há, claro, muito mais da presença de Maria Madalena na cultura popular do que nossa curiosidade coletiva acerca de seu relacionamento com Jesus. Tradicionalmente vista como uma prostituta arrependida que conseguiu a salvação, a identidade de "garota má" de Maria Madalena ainda surge com freqüência na cultura popular. Há muito se reconhece que não há nas Escrituras nada sobre a reputação de rameira de Maria Madalena, mas a Igreja Católica não mudou sua posição oficial quanto a isso até 1969. Naquela época o equívoco estava tão entranhado no pensamento ocidental que parecia improvável que um dia Maria Madalena se livrasse da mancha de impropriedade sexual.

A música popular, em especial, se utilizou muito da imagem de prostituta penitente, sempre com um mínimo de palavras – perfeito para um meio tão breve como a música *pop* moderna.

> Vestida de rameira você tem o sorriso de uma criança
> com a fé de Maria Madalena
> você lava os pés de homens indignos[4]
>
> ME'SHELL NDEGÉOCELLO,
> "Mary Magdalene", *Peace Beyond Passion*, 1996

Mas, longe de ser confinada apenas ao *pop*, Maria Madalena, a mulher escarlate, é presença constante em letras de músicas de todos os gêneros. *Rock*, R&B, *rap*, *country*, *jazz* e mesmo a música clássica se valeram de sua identidade equivocada. Lenny Kravitz, Linda Davis, Patty Larkin, a banda australiana Redrum, a banda escocesa Franz Ferdinand e o grupo norte-americano de *rock* pesado Perfect Circle

[4] *In a harlot's dress you wear the smile of a child/with the faith of Mary MagdaleneYet you wash the feet of unworthy men.* (N. do E.)

fizeram menções a Maria Madalena como pecadora, seja diretamente, seja se referindo a um personagem de mesmo nome. E em "The Girl You Think You See", de seu álbum de enorme sucesso *Anticipation*, Carly Simon se oferece para satisfazer alguém, presumivelmente um amante, sendo uma "Maria Madalena".

Garotas no cinema

O meio cinematográfico dá ao artista mais tempo para caracterizar e dar motivos para a pátina desavergonhada de Maria Madalena. Um desses motivos remonta a João 8. Nessa história do Evangelho, uma mulher flagrada em adultério é levada perante Jesus. Esperando apanhá-la em contradição, as autoridades perguntam a Jesus o que deveriam fazer com ela, já que a lei determinava que ela fosse executada por seu crime. A famosa resposta de Jesus, claro, de que quem não tivesse pecado que atirasse a primeira pedra, salvou a vida da mulher. Não tendo restado ninguém para acusá-la, Jesus diz à mulher que ela estava perdoada e não deveria pecar novamente.

A mulher nessa cena nunca é identificada, mas é freqüentemente associada a Maria Madalena. *A última tentação de Cristo*, de Martin Scorsese, mostra Maria Madalena (belamente interpretada por Barbara Hershey) se encolhendo em meio a uma multidão bárbara antes de Jesus aparecer. Mesmo o grande lançamento de 2004 de Mel Gibson, *A Paixão de Cristo*, conhecido por sua alegação de fidelidade bíblica, apresentava Maria Madalena (Monica Bellucci) como a mulher flagrada em adultério. O personagem urbano Madalena de P. J. Harvey no filme *Book of Life*, de 1998, de Hal Hartley, descreve o alívio que sentiu quando Jesus a poupou da incontestável execução.

Ainda mais comumente, Maria Madalena assume o papel da pecadora anônima de Lucas 7. Enquanto Jesus janta com um fariseu, uma mulher irrompe no aposento e começa a chorar a seus pés. Ela então os seca com seu cabelo e os unge com um caro perfume. Afrontado, o fariseu exclama que se Jesus realmente era um profeta, não deveria permitir que tal mulher – uma pecadora – o tocasse. Mas Jesus declara que aquela mulher tinha demonstrado mais amor por ele que seu anfitrião, e anuncia que seus pecados estão perdoados "porque ela amou muito". Essa cena dramática se repete, com variações, nos quatro Evangelhos, e em nenhum deles Maria Madalena é identificada como a mulher que faz a unção. Mas o fato de que ela foi associada à mulher que faz a unção é um caso de identidade trocada que a perseguiu por mais de mil anos.

O erro produz um cinema dramático. Na minissérie de Franco Zeffirelli de 1977, *Jesus de Nazaré*, a dura Maria Madalena de Anne Bancroft excitou a platéia com a autenticidade que deu a essa cena da unção. Mais recentemente, Maria Grazia Cucinotta deu uma pungente demonstração da conversão de seu personagem na mesma cena do filme italiano para a televisão *Maria Maddalena* (2002). As duas atrizes derramaram muitas lágrimas, outra associação popular a Maria Madalena transmitida a nós desde a Idade Média.

Mas como tantos artistas e escritores *ainda* ignoram a probabilidade de que Maria Madalena na verdade não fosse uma "mulher decaída"? Teria sido porque eles não ouviram nada diferente? Como no caso da própria Maria, provavelmente há mais acontecendo do que o olho pode perceber. Por quase 14 séculos Maria Madalena foi festejada como uma penitente, uma mulher que representou uma alienação e uma reconciliação com Deus ao rejeitar sua (suposta) vida anterior para seguir Jesus. E isso ainda é importante para compreender a salvação como algo possível a *qualquer um*, não importa quão graves sejam seus pecados. Muitas pessoas vêem a Maria Madalena lendária como uma das poucas pessoas nos Evangelhos que parecem verdadeiramente *humanas*. Ela é alguém com quem muitos acham que podem se identificar; uma pessoa que cometeu erros e no final escolheu o caminho certo. Talvez por esses motivos, apesar de uma decisão teológica de oficialmente (mas silenciosamente) modificar sua identidade, sua reputação tradicional continua a ser um atraente e complexo objeto de interesse na cultura popular.

Maria, reimaginada

Sob certos pontos de vista híbridos Maria Madalena se torna algo ainda maior e, eventualmente, mais *estranho*. Em 1999, o escritor e diretor Chris Carter (*Arquivo X*) colocou Maria Madalena em seu drama policial sobrenatural *Millennium*. Em um episódio intitulado "Anamnese", uma garota começa a ter visões da Virgem Maria. Quando as peças não se encaixam, descobre-se que na verdade a mulher nas visões era Maria Madalena. No final, a garota acaba descobrindo que faz parte de uma antiga linhagem, uma descendente de Jesus e Maria Madalena. Dotada de poderes sobrenaturais como resultado de sua ascendência especial, ela descobre que todos os seus movimentos foram vigiados em segredo por protetores da linhagem.

O autor de livros de horror (e ex-seminarista) David Niall Wilson explorou em um livro de 1999, *This Is My Blood*, os temas complexos da redenção, do bem e do mal, inserindo uma Maria Madalena, anjo caído tornada vampira, em uma narrativa revisada da história de Jesus. Por mais incomum que possa parecer, essa não foi a única vez que Maria Madalena apareceu em um contexto vampiresco. Uma recente história em quadrinhos intitulada *Magdalena*, produzida pela editora de quadrinhos norte-americana Top Cow, tem as descendentes de Maria Madalena cumprindo um papel fundamental para o Vaticano: o de guerreiras sobrenaturais. A cada geração uma menina da família é apelidada de "A Madalena" e combate os seres do mal, incluindo vampiros. A série faz tanto sucesso que está sendo produzido um filme *Magdalena*. Por fim, no *cult-movie* de humor *Jesus Christ, Vampire Hunter*, Maria Madalena faz uma aparição como uma especialista em artes marciais chamada Mary Magnum, que mais tarde também se torna uma vampira.

Até que ponto devemos interpretar as aparições de Maria Madalena na ficção vampiresca? Talvez não precisemos procurar além de seu *status* recentemente reconhecido de mulher maligna. Há uma clara idéia de tragédia inerente à sua história, compreendendo-se que seu *status* de "decaída" é inteiramente equivocado. Considerando-se que um dos temas mais populares na ficção vampiresca é a idéia de ser "amaldiçoada" ou "condenada", não é preciso dar um grande salto intuitivo para compreender por que Maria Madalena, neste ponto da história, pode surgir como principal candidata a tal representação. Mais que definhar sob a injúria lançada contra ela, Maria Madalena emerge na cultura popular com uma força do outro mundo e, algumas vezes, com justificada fúria.

Como tal, Maria Madalena está surgindo com freqüência cada vez maior – com ou sem vampiros – como super-heroína de artes marciais. No grande sucesso de 1999, *Matrix*, a principal personagem feminina, Trinity (interpretada por Carrie Ann Moss), era claramente inspirada na lendária identidade de Maria Madalena como objeto amoroso de Jesus. Repleta de referências cristãs, gnósticas e mitológicas, a trilogia *Matrix* se permite o desejo de lembrar Maria Madalena, por intermédio do personagem Trinity, de uma forma como gostaríamos de pensar em nós mesmos: independente, resistente, forte e capaz de ter fé. Não apenas sua presença dá credibilidade emocional ao filme, como Trinity também usa óculos escuros e abre caminho por entre os caras maus juntamente com o personagem salvador do filme, Neo. De fato, na versão da ressurreição de *Matrix*, o salvador não é capaz de driblar a morte sozinho; é a intensidade do amor de Trinity e sua crença nele que o trazem de volta. Virando de cabeça todos os contos de fadas, dessa vez é a princesa que desperta o príncipe com um beijo.

Essas últimas expressões de Maria Madalena são talvez as mais eloqüentes de nossa moderna preocupação com ela. Sua capacidade de inspirar não termina com seu papel nos Evangelhos, nem mesmo com a reemergência popular das lendas de seu casamento com Jesus. Ela está sendo imaginada de formas inteiramente distintas de suas identidades tradicionais e integrada a artes não convencionais. Ela já não é a penitente chorosa ou a carne cobiçada; ela é uma mulher forte, esperta e independente. É capaz de fazer seu *próprio* sacrifício pelo bem dos outros. Será que o fascínio por seus imaginados erros sexuais está finalmente diminuindo? A próxima geração de artistas parece reconhecer que, como Maria Madalena, todos têm segredos constrangedores. Mesmo que continuemos fadados a ver constantes referências ao passado exótico de Maria Madalena, pelo menos finalmente está sendo feita uma nova pergunta. Independentemente do tipo de pessoa que ela era, que tipo de pessoa ela se tornou?

As respostas são surpreendentes.

Pedaço a pedaço: como Maria Madalena, o patriarcado e a sensualidade pecadora influenciaram minha vida e minha carreira

*Por Tori Amos**

Tori Amos é uma pianista, cantora e compositora de fama internacional que foi muito influenciada pela mitologia e pela religião. Ela é uma ávida estudiosa dos Evangelhos gnósticos e utilizou suas leituras

* De *Tori Amos: Piece by Piece*, de Tori Amos e Ann Powers, copyright © 2005 by Tori Amos. Utilizado com a permissão de Broadway Books, uma divisão da Random House, Inc.

para produzir seu álbum de grande sucesso de 2005, "The Beekeeper". (*Beekeeping*, disse ela, é uma fonte de inspiração e fortalecimento femininos.)

Na base de sua crença e de sua inspiração está a figura de Maria Madalena. Para Amos, ela é musa, professora, noiva perdida, prostituta sagrada, símbolo da luta contra o patriarcado na religião e na política e fonte de motivação em sua busca por "uma forma de atingir o orgasmo e manter a espiritualidade intacta". Sua tentativa de integrar pecado e sensualidade é uma grande parcela de sua imagem pública. Sua turnê mundial de "The Beekeeper," por exemplo, foi batizada de "Original Sinsuality Tour" (rebatizada de "Summer of Sin Tour" nos Estados Unidos). Também relacionada a esse álbum, ela publicou uma autobiografia, *Tori Amos: Piece by Piece,* que um resenhista classificou como "Não apenas memórias de estrela [...] é mais como um mapa da alma da transformação de Amos de estrela *pop* em poeta provocadora". Tudo isso e mais é exemplificado por nossos excertos do capítulo intitulado "Maria Madalena: a musa erótica".

– Jesus era feminista, querida.

Aos 19 anos, eu olhei para minha mãe e disse, exasperada:

– Mãe, eu não tenho problemas com Jesus, tá legal? Eu sempre saquei o cara, ainda saco. Você realmente acha que a Madalena teria acalentado a idéia de ele ser um alvo se ele não defendesse os direitos das mulheres e a igualdade no mercado de trabalho?

– Sim, querida, eu compreendo tudo isso, querida, mas você parece estar acalentando muita agressividade em relação à Igreja.

– Claro que eu estou mãe, porra.

– Por favor, não use *porra*, querida.

– Tá legal, mãe. Claro que estou, porcaria. Mas eu estou acalentando uma porrada de ódio contra esses Manipuladores da Autoridade Passivos-Agressivos que constituem o Patriarcado.

– Melhor assim, querida. Articule a ruptura da represa, a ruptura das correntes emocionais que prenderam as mulheres durante séculos – a partir da sua perspectiva de jovem feminista. Utilize sua música para atacar as doenças da estrutura patriarcal, que tem em suas bases uma falha moral cancerosa.

– Ahn? Mãe, você está bem?

– Se eu estou bem? Ah, querida, eu não me sentia tão viva há anos. Graças a Deus por sua geração estar atendendo ao chamado.

Por um momento parecia que minha mãe estava cantando "Sister Suffragette", do filme *Mary Poppins*. Ela estava a toda.

– Em minha própria filha, nas filhas de outras mães por toda a terra, haverá sede de conhecimento. Sim, essa é a forma de abalar as fundações da segregação do Patriarcado. Sua segregação de coração e mente, de atos e conseqüências, de homem e mulher, de poder e imaginação e da paixão e compaixão.

– Uau, mãe. Eu não sei. Eu não tinha idéia de que você ainda tinha isso dentro de você.

E ela olhou para longe. Quando voltou a olhar, segurou minha mão e sussurrou:

– Todas temos isso, mas essas vozes podem se perder e ser enterradas. Aqueles pensamentos que você acabou de ouvir estavam apenas adormecidos em mim. E eles adormecem em todos, querida. Não permita que ninguém diga a você que esses pensamentos morreram. Mas eles ficaram adormecidos. Sua paixão pela Madalena é enorme. Então eu não quero desencorajar você quando digo que a maioria das pessoas nos Estados Unidos simplesmente não está pronta para se abrir para Maria Madalena da forma que você fez. Mas fique atenta.

— Por quê? O que você quer dizer?

— Fique atenta. Atenta contra os perigos. Atenta contra os que transformaram Madalena em vilã, contra seus cruéis caluniadores. E, querida, na maioria dos casos [...] eles sequer saberão quem ela é ou o que ela é. Alguns saberão, mas muitos não.

"Para o bem ou para o mal", costumava me passar um sermão meu pai, "você é uma filha da Igreja cristã". E, sabe o que mais? Essa é provavelmente a afirmação mais precisa que meu pai já fez em relação a quem eu sou como sua filha e a meu relacionamento com a Igreja cristã. Eu me lembro dos diferentes bispos da Igreja metodista sentados para o almoço de domingo de minha mãe e discursando sobre Jesus. Como Paulo, conhecido como São Paulo, aqueles bispos estavam pregando sua própria teologia, em nome de Jesus. Eles, com suas titulações teológicas, lá com meu pai – que depois iria receber seu doutorado da Universidade de Boston. Sim, nós tínhamos um grupo que discutia os Evangelhos na mesa de jantar. Estavam eles pregando a mensagem de Jesus de igualdade de gênero? Não. No entanto, provavelmente a mais patente omissão, para mim, era quando eles se referiam a Jesus como o Noivo.

Então, me acompanhem um pouco. Venham comigo àquele jantar de domingo e ouçam o raciocínio que era apresentado. "Nós pensamos em Jesus como o Pastor, e nós somos as ovelhas". "Nós pensamos em Jesus como a Videira, e nós somos os ramos". E, pessoal – rufar de tambores, por favor. Eu tinha uns 8 anos em 1970, quando essa última afirmação foi feita por um bispo – não era um cara mau: um homem muito gentil. Mas ser gentil não significa que você tem alguma idéia do que está vomitando. Então ele anunciou a "verdade" final de sua trilogia: "E, finalmente, nós pensamos em Jesus como o Noivo e a Igreja cristã como sua Noiva". Engasgo, tosse, tosse, engasgo. Foram minhas batatas-doces regurgitadas com a bile.

– Perdão, senhor – entre goles de água e uma grande força interior, eu recuperei a voz e olhei para aquele homem muito religioso e disse: – Perdão, mas o senhor disse que Jesus se casou?

E o bispo olhou de modo um tanto perturbado para meu pai, que entrou na conversa e respondeu [...] Eu não poderia dizer não de forma *paternalista*, mas com aquele tipo de olhar "Eu conheço meu Jesus pessoalmente". Ele respondeu:

– Nós vemos Jesus como o Noivo casado com a Igreja – e tanto ele quanto o bispo balançaram a cabeça reverentemente. Ah, é, eu disse:

– Mas quem era a noiva de Jesus? – e meu pai respondeu:

– Nós acreditamos que a Igreja cristã é sua Noiva.

– Bem, e quanto a Maria Madalena?

O líder da igreja pareceu um tanto desconfortável, e eu sabia que estava provocando, mas não conseguia evitar. Ele e meu pai iniciaram algum discurso sobre Maria Madalena ser uma pecadora, uma mulher de má reputação que fora salva e abençoada por nosso Senhor e Salvador Jesus Cristo. Ela então desapareceu nos bastidores como se não fosse mais do que um dos muitos seguidores de Jesus.

O que eles estavam dizendo me fez recordar uma foto que eu tinha visto de jovens desmaiando por causa de astros do *rock*. Congela. Pegue a foto. Naquele momento eu me dei conta de que sabia que minha Maria tinha sido reduzida pelo Patriarcado. Eu me dei conta de que ela realmente era a Noiva Perdida. Eles estavam dando duro para me convencer do contrário.[...] O que quer que eu tenha entendido naquele domingo brutal de 1970, eu também me dei conta de que eu fazia parte da pequena minoria que acreditava que a Madalena era uma peça sagrada e importante na emancipação das mulheres cristãs. Eu tinha nascido feminista, mas naquele dia eu soube que tinha de dar o passo seguinte. Eu sabia que meu avatar todo o tempo estivera mais perto de Lisa Simpson que de qualquer outro. Assim que eu compreendi aquilo, eu tinha de dar o grande passo enquanto tinha em minha boca o gosto das batatas-doces azedas regurgitadas. Eu compreendi que a Madalena ainda estava no exílio – mesmo enquanto as mulheres estavam queimando seus sutiãs de costa a costa, eu queimei uma idéia em minha cabeça. [...]

O que é a prostituta sagrada? O que é o espírito sensual? Os mistérios femininos são antigos e antecederam a Madalena em muitos anos. Ela era alguém que tinha percorrido o caminho e integrado seus ensinamentos em seu Ser. [...] Do modo como eu compreendia, muitos dos ensinamentos fundamentais de Jesus que tinham sido revelados em muitas das Escrituras encontradas em Nag Hammadi na verdade dizem respeito a reunir os aspectos do feminino – Sabedoria e Consciência, Sophia e Achamoth – na "Cruz de Luz".

No cristianismo tradicional, a divisão falsa nos deu dois personagens: a Virgem Maria e a Madalena. Claro que na psique elas precisam ser reunidas, não polarizadas, para que uma mulher cristã se sinta completa. A Virgem Maria foi privada de sua sexualidade, mas manteve sua espiritualidade; a Madalena tinha sido despojada de sua espiritualidade, mas manteve sua sexualidade. Cada uma delas precisa da totalidade. Eu chamo isso de "casar as duas Marias".

Há muitas pessoas que vão aos meus *shows* com essa divisão dentro de si. É como se você não pudesse ser considerada um tipo de Mãe Divina e ter o respeito das pessoas à sua volta se você também for a prostituta sagrada. Nós dividimos e conquistamos no mais profundo dos níveis, destacando nosso próprio Ser espiritual de nosso próprio Ser físico. Vamos falar de dor. Eu mesma vivi isso em certo momento. Para fazer sexo, eu tinha de assumir um personagem, pois não podia ser o eu que conhecia e fitá-lo no espelho e expressar todas as coisas diferentes que eu queria. Basicamente, eu não sabia como "*fazer* o que eu simplesmente fazia disfarçada" e então me virar, pegar meus óculos e livros e ir à biblioteca sendo a mesma pessoa. Eu sou essas duas criaturas; elas são uma pessoa; mas estava sendo difícil juntar todos esses pedaços e fazê-los viver juntos como um Ser integrado. E, claro, eu via isso no mundo o tempo todo – os homens procuram suas amantes e depois a esposa. E a esposa se ressente, pois não tem a permissão de experimentar ou expressar aquele seu lado abertamente sexual, e a amante se torna vingativa, pois não tem Natal ou Páscoa.

O piano é a ponte que soluciona isso. A música tem uma qualidade alquímica. E há mais de uma voz no piano. É preciso ter duas mãos. Uma delas pode estar tocando uma melodia celestial enquanto a outra está fazendo exatamente o oposto. A união de profano e sagrado, ou da paixão e da compaixão, acontece exatamente ali, no teclado. Ela restabelece um laço rompido muito tempo antes. Também há muita vergonha da sede inata de paixão, que algumas vezes pode ser classificada como profana, mas a música pode atingir sua realidade; de algo que tinha sido sagrado, mas fora partido.

É isso o que as prostitutas sagradas compreendem. Chamadas de *Hierodulae*, essas sacerdotisas da deusa do amor – quer você a chame de Inanna, Ashera ou outro nome –, essas mulheres sagradas sabiam como transmutar as sexualmente profanas. Se eu sei como elas faziam isso? Não. Mas eu fui ensinada que essas prostitutas sagradas não podiam transmutar nada se elas tivessem "assumido o papel" ou se tornado a projeção sexual do homem cuja companhia elas estavam partilhando. Isso significaria que elas tinham *gnose* de como equilibrar o sagrado e o profano. Elas tinham uma compreensão da sexualidade que vive no inconsciente, que se não for podado e alimentado irá tomar o jardim da pessoa e impedir qualquer crescimento. Terra arrasada. Fim do jogo. Próximo jogador.

Algumas vezes, ao que parece, estamos todos procurando por algo fora de nós, pois há essa rejeição de um pedaço de nossa consciência. Erros podem ser cometidos quando há essa divisão. Muitas pessoas irão dizer que canalizam a Madalena, mas então elas transferem o sagrado para o reino do profano e o deixam ali. Eu fui ensinada que quando você está lidando com arquétipos é preciso se lembrar de que está ligado a uma essência muito mais antiga que você mesmo, cujo caráter precisa respeitar. Nós não somos essas criaturas. Todos nós temos um padrão interno. Você pode ver quando Afrodite está agindo por intermédio de certas pessoas. É um afrodisíaco simplesmente quando elas entram no aposento. Você pode sentir esse cheiro nelas. E não é algo que elas aprendam. Isso é o âmago, vem de dentro. E você não pode dissecar isso ou examinar uma amostra de sangue. Mas se você estiver utilizando esse material e não somar suas lições, e se transformar da forma que os mitos originais descrevem, essa pode se tornar uma situação destrutiva. A sede de paixão pode se tornar viciante e violenta. Isso foi algo que eu demorei muitos anos para aprender.

Se você segue essa trilha, então precisa definir o papel da prostituta sagrada. Você está se encaminhando para uma arena em que as mulheres não assumem a imagem projetada que os homens têm delas durante o sexo. O que quer que o homem queira pensar que essa mulher é, não é tudo o que a prostituta sagrada é em um só segundo. Elas sabem quem são. E elas integraram isso e incorporaram esse conceito a seus corpos, sem sequer uma hipoteca para pagar. Elas são donas. Elas têm de trabalhar para conseguir essa propriedade.

Eu sei que hoje há mulheres que assumiram o título de prostituta sagrada e estão tentando seguir essa trilha. Mas nós estamos falando de algo que aconteceu em uma época em que essas mulheres não eram chamadas de prostitutas: elas eram as *Hierodulae*, ou as Mulheres Sagradas. Seu papel era reverenciado e elas treinavam a vida inteira. Elas eram iniciadas.

Houve muitas outras cantoras criadas por pais religiosos, e então elas foram capazes de possuir sua essência e colocá-la em sua música, a coisa sensual-sexual que elas não tinham o direito de conhecer e desfrutar na vida real acaba se materializando na sua música. Se alguém sabe que você está conscientemente partilhando a coisa sensual-sexual, você será colocada no ostracismo. Você será vista como pecadora. Elvis passou por algo semelhante, se você pensar. Estude as raízes da cultura popular norte-americana, e a história está lá.

Com *Little Earthquakes* eu comecei a enfrentar a divisão entre as Marias, tanto pessoalmente quanto em um sentido mais amplo. Eu continuei a explorá-la na fase *Under the Pink*. Eu achei que assumir o papel de sra. Deus, ou a amante de Deus em uma canção que eu compus chamada "God" (de *Under the Pink*), era para mim um grande passo em reunir as duas Marias dentro do meu Ser. Comecei a perceber que eu precisava das vozes das duas Marias como uma âncora para o arquétipo de sra. Deus que eu estava para incorporar de modo a cantar essa canção. Eu fiz a mim mesma a pergunta que outras pessoas tinham me feito ao longo dos anos: "Defina qual Deus, Tori. Qual Deus é o Deus da canção 'Deus'? Você quer dizer Deus, Deus?" E minha resposta é: "Depende de em quem você pensa que Deus, Deus é."

Em *Os evangelhos gnósticos*, Elaine Pagels escreve:

> De acordo com a Hipóstase dos Arcontes, descoberta em Nag Hammadi, tanto a mãe quanto sua filha objetaram quando "ele se tornou arrogante, dizendo 'Eu sou Deus e não há outro além de mim'. [...] e surgiu uma voz de cima, do reino do poder absoluto, dizendo: 'Você está errado, Samael" [que significa 'deus dos cegos']. E ele disse: 'Se existe algo antes de mim, que apareça a mim!' E imediatamente Sophia ("Sabedoria") esticou seu dedo para a frente e lançou luz sobre a questão, e ela a seguiu até a região do Caos. [...] E ele novamente disse à sua filha: 'Eu sou o Deus de Tudo'. E Vida, a filha da Sabedoria, gritou; ela disse a ele: 'Você está errado, Saklas!'".

Então, para responder à pergunta, esse é o Deus a que me refiro na canção "God". Eu não estou me referindo ao Pai Divino de Jesus, chamado de "Pai sagrado o inteiramente perfeito Antecipado, a imagem do Uno Indivisível, ou seja, o Pai de tudo, por intermédio de quem tudo passou a existir, a primeira Humanidade", mais uma vez de Meyers. Nessa tradução Jesus freqüentemente se refere a si mesmo como "o Filho da Humanidade".

A colmeia, formada de hexágonos, foi fundamental para a peça visual de *The Beekeeper*. Assim que ficou claro que nós estávamos trabalhando dentro de uma estrutura que era feita de seis lados, eu comecei a subdividir o álbum em seis segmentos. Um grande subtexto de *The Beekeeper* é o jardim, embora nossa versão do "Jardim do Pecado Original" se metamorfoseie em "Jardim da Sensualidade Pecadora Original". Nosso jardim é composto de "símbolos arquetípicos de masculino e feminino, o cálice V e o O (lâmina)" (como mencionado por Starbird em seu livro *Magdalene's Lost Legacy*). Ela continua, dizendo: "Essa associação feminina de abelhas era conhecida e honrada em tempos antigos: as sacerdotisas da deusa Ártemis eram chamadas de *melissae*, e Dêmeter era chamada de 'a pura Abelha Mãe'. Em hebraico, o nome de Débora, uma das grandes heroínas do Antigo Testamento, significa 'abelha rainha'."

Nosso jardim sônico para *The Beekeeper* é composto de Desert Garden, Rock Garden, The Orchard, the Greenhouse, Elixirs and Herbs, e Roses and Thorns. É onde acontece a história da sensualidade pecadora original entre masculino e feminino.

"Marys of the Sea" também foi inspirada por *The Gospel of Mary Magdalene*, traduzido do copta com comentários de Jean-Yves Leloup. Esse Evangelho lança muitas luzes sobre o relacionamento interno dos discípulos. A inveja que Pedro sentia de Maria Madalena fica evidente quando, nesse Evangelho, Maria está recontando o que Jesus (o Mestre) tinha ensinado a ela particularmente. Quando ela termina, antes de André (irmão de Pedro) dizer que não acreditava que o Mestre tivesse expressado essas idéias, "[...] e Pedro acrescentou: 'Como é possível que o Mestre tenha falado desse modo com uma mulher, sobre segredos sobre os quais somos ignorantes? Precisamos mudar nossos hábitos e dar atenção a essa mulher? Teria ele realmente a escolhido e a preferido a nós?'"

Depois da explicação de Jean-Yves Leloup dessa citação, que ampliou a minha percepção sobre isso, o Evangelho continua: "Então Maria chorou, e respondeu a ele: 'Meu Irmão Pedro, o que pode você estar pensando? Você acredita que isso não passa de minha imaginação, que eu inventei essa visão? Ou acredita que eu iria mentir sobre nosso Mestre?'"

Nesse momento fica totalmente claro que aquela mulher simplesmente não poderia vencer. Ela não poderia vencer na história, já que ela fora relegada à posição de prostituta. Ela não poderia vencer com seus contemporâneos, muitos dos quais são discípulos, porque eles estão cheios de ciúme de sua intimidade com Yeshua ou Jesus (o Mestre).

Eu decidi destacar a intimidade de Jesus e Maria Madalena na canção "Marys of the Sea". Fui em parte inspirada a fazê-lo por uma citação do Evangelho de Filipe (59.9), que eu cito aqui com base na introdução de Jean-Yves Leloup em *The Gospel of Mary Magdalene*: "No que diz respeito à natureza única e particular de seu relacionamento com Maria Madalena, o Evangelho de Filipe insiste, por exemplo, em que Maria é a companhia especial de Jesus (*koinonos*) [...] 'O senhor amava Maria mais que a todos os discípulos, e freqüentemente costumava beijá-la na boca. Quando os outros viram como ele amava Maria, disseram: por que você a ama mais do que a nós? O Salvador respondeu desta forma: Como pode ser que eu não os amo tanto quanto amo a ela?'"

No início eu sabia que a Madalena era minha professora. Mas eu não conseguia ter a informação, e eu não sabia o caminho. Eu não sabia o que fazer. Então você está lançando suas perguntas no que parece ser um mar silencioso e sem visão, e você sabe que é idiota, porque o mar não pode ser sem visão. Você está procurando sinais o tempo todo. [...] Mas com o que eles se parecem? Então você continua lançando sua linha de perguntas, procurando por pequenos sinais. Mas você precisa de visão de raios X para vê-los. Bem, antes de tudo, eu precisei redefinir o clichê *liberdade para as mulheres*. Eu tinha ouvido mulheres que fazem filmes pornográficos dizerem que eram liberadas. É direito delas. De certa forma, não era diferente do caminho pelo qual eu estava abordando a sexualidade no início da minha carreira. Mas quando estão defecando emocional ou fisicamente em uma mulher, então estamos até aqui de Profano, sem o Sagrado em nenhum lugar por perto. Toda a sensualidade desaparece. É a brutalidade do poder da forma mais cruel. Nós tínhamos esquecido a que aquilo dizia respeito, qual era o êxtase, a aproximação. O sexo passa a dizer respeito a uma pessoa ser submetida ao poder de outra, o que freqüentemente também é o caso da Religião. Eu nunca consegui descobrir se o Sexo está no harém da Religião ou se a Religião está no harém do Sexo.

Eu perguntei a mim mesma: "Há uma forma de chegar ao orgasmo e manter a espiritualidade intacta?" Para mim, esse é o maior orgasmo de todos, que é o que eu acho que experimento quando me apresento. Não literalmente, mas em um sentido artístico. E o que você realmente quer é experimentar isso quando se junta a seu homem ou a seu companheiro físico.

Hoje eu me sinto como se estivesse percorrendo uma linha de Mamãe e da Prostituta Sagrada. É engraçado, pois onde moramos, [minha filha] Tash freqüenta uma escola cristã. Ela chega em casa com idéias acerca de Deus. Outro dia ela me perguntou: "Mamãe, você acredita em Deus?" E meu instinto foi perguntar a ela: "Você quer dizer o Deus por trás de Deus?" E sabe o que eu fiz? Eu disse a mim mesma: "É, T, sai dessa, ela tem apenas três anos e meio. Esse é o seu ponto de vista, não necessariamente o dela." Ela disse que queria rezar. Então, quando eu vejo que o que Tash realmente quer é dar as mãos e dar as graças, "Vamos lá, vamos abençoar tudo". E fazemos isso. Ela reza por absolutamente todos – cães, crianças, sereias, Deus, sra. Deus —, literalmente todos. Nós também estamos entranhados na querida Mãe Terra; ela também reza por ela. Ela compreende o Menino Jesus e compreende que há Deus, mas compreende que há uma Mãe, que, tenho esperança por ela, será as duas Marias unidas. Como as duas Marias nunca foram subjugadas ou divididas no Ser de Tash, então faz sentido que as duas Marias tenham nascido casadas no mundinho dela. A Mãe Terra é soberana. A Mãe Terra despertou suas correntes.

O segredo voluntário

Por Ki Longfellow

Mais que um simples personagem ou mesmo uma musa, Maria Madalena parece, para muitos, uma forma de "ir para casa". Ela é um meio de integrar o criativo e o espiritual de uma forma que atenda aos dois lados – tanto para o criador quanto para seu público-alvo.

Esse certamente é o caso de Ki Longfellow, cujo romance sobre o gnosticismo, *The Secret Magdalene*, foi amplamente elogiado por críticos e estudiosos de religião tanto por sua pesquisa bem embasada quanto por seu estilo literário. Como observou um crítico, "Uma das coisas mais notáveis sobre [o romance] é que ele viaja pela filosofia grega clássica, antigos textos cristãos e literatura gnóstica, e os funde em um mundo inteiramente plausível".

Longfellow acredita firmemente que Maria Madalena era uma mulher completa. Com alegrias e preocupações, grande inteligência e mesmo um senso de humor, que colocava essas características a serviço de sua função de filósofa, professora e profeta. Ela "sabia tudo" – um conceito que está no cerne do ensinamento gnóstico.

Séria em relação ao ato de escrever desde os quatro anos, ela hoje tem dois romances, uma opereta e outras obras importantes publicadas. Mas Longfellow acredita que apenas quando começou a escrever sobre Maria Madalena ela se deu conta plenamente de sua arte e de todas as suas implicações. Como muitos que incluíram Madalena em seus esforços criativos, Longfellow foi consumida por ela, sentindo suas emoções e absorvendo sua sabedoria e sua eloqüência à medida que escrevia sobre ela. Como Longfellow discute aqui, a experiência de escrever *The Secret Magdalene* foi muito mais do que um exercício de ficção criativa. De muitas formas, diz ela, isso deu a ela sua própria gnose pessoal.

Eu escrevi meu primeiro "livro" aos 4 anos; quatro páginas inteiras, ilustradas. Portanto, acho que posso dizer que passei toda a minha vida aperfeiçoando minha habilidade. Falando sério, acho que passei minha vida me preparando para escrever *The Secret Magdalene*.

Antes da Madalena, meus primeiros romances eram flechas lançadas na direção dos alvos habituais: experimentar o sucesso literário, talvez alguma recompensa financeira [...] suficiente pelo menos para ganhar a vida com o talento que tivesse. E, embora eu estivesse interessada nas histórias que contava – freqüentemente satisfeita, e mesmo algumas vezes empolgada com elas —, elas não me eram caras. Apenas quando eu descobri, misteriosa e inexplicavelmente, o desejo de produzir minha própria versão da mulher chamada Maria Madalena é que uma história saiu do fundo do meu coração.

Mas eu não estou sequer segura de que tenha escrito *The Secret Magdalene*. Não totalmente. A voz de Maria Madalena (chamada pelo meu eu romancista de "Mariamne Magdal-eder") é a dela. Claro que todos os romancistas descobrem que as personagens sobre as quais escrevem gradualmente ganham vida própria, agindo e falando de maneiras que talvez não tivessem sido originalmente pretendidas pelo autor. Em *The Secret Magdalene*, porém, eu sentia que era como se as coisas tivessem ido um pouco além disso. Uma certa noção da Madalena parecia fluir através de mim, produzindo páginas recheadas de magia, majestade e sabedoria. Dia após dia, ouvindo sua voz única falando silenciosamente em minha cabeça, o livro surgiu. Eu comecei a esperar por nossa "conversa" diária. Ela começou a me surpreender. Ela dizia coisas inesperadas de forma tão bela e tão simples que eu muitas vezes parava de escrever para apenas apreciar o que aparecia em minha tela. Ela passou a ser mais que um pensamento em voz alta; eu passei a senti-la. Eu experimentei o sonho quando ela o experimentou, eu fui leviana quando ela foi, ardi de curiosidade quando ela ardeu, senti medo quando ela sentiu. Eu passei a admirá-la. Ela se tornou a minha musa. Sua perspicácia, sua inteligência, seu vasto conhecimento, sua absoluta falta de vaidade, sua eventual tolice, seu desespero e seu desamparo e, finalmente, sua grande elegância quando levou uma vida que poucos podiam suportar. Em algum momento, não sei bem qual, me dei conta de que ela tinha me escolhido, pois eu certamente não a tinha produzido. Eu nunca achei que a estava dando de presente ao mundo, e sim que ela se tinha dado de presente a mim.

Eu hoje tenho uma forte suspeita de que tudo o que eu fiz – todos os textos, todas as viagens, os longos anos de aprendizado, todas as pessoas importantes em minha vida – são componentes mágicos do objetivo final de minha existência artística como Ki Longfellow: escrever *The Secret Magdalene.*

Deixem-me explicar o que quero dizer com "do fundo do meu coração". Quando menina, eu tive um momento de gnose. Espontâneo, aparentemente inesperado... mas lá estava. Muitas coisas podem provocar êxtase súbito. No meu caso foi a beleza, uma sensação de beleza que penetrou em minha mente e em meus sentidos, me abrindo para a glória do perfeito, seguro e amoroso cosmos. E eu nunca me "recuperei". Antes desse momento eu tinha tido insinuações, compreendia o verso de arrepiar de Tennyson: "... mas rastreando nuvens de glória viemos." Eu tinha navegado em pequenas arcas de espanto. Depois desse momento, eu não era mais quem eu tinha sido. Eu não estou dizendo que perdi a cabeça, ou que perdi minha noção de eu. Eu definitivamente não estou dizendo que me tornei perfeita ou mesmo melhor. O que estou dizendo é que eu ganhei uma perspectiva espiritual que me permite até hoje encontrar alegria, até mesmo consolo, no que parece, mas não é, a "realidade" comum. Não há nada de comum na realidade.

A gnose tem sido chamada de muitas coisas: Intoxicação silenciosa, Consciência cósmica, Visão divina. William Blake a chamou de "Jerusalém". Walt Whitman, de "Corpo elétrico". Por Emily Dickinson ela foi chamada de... ah, por Emily foi chamada de tantos nomes quanto os poemas que ela escreveu, mas principalmente, acho, "Eternidade". Já Jesus chamou de "O reino de Deus". Ninguém está perdido e ninguém precisa ser encontrado. É a gnose que está perdida e a gnose é que precisa ser encontrada.

Eu sou uma contadora de histórias que, em certa medida, dominou seu ofício. Como contadora de histórias, eu não consigo imaginar melhor forma de redescobrir "Jerusalém" do que por intermédio de Maria Madalena, aquela que os Evangelhos gnósticos chamaram de "A mulher que sabia o tudo".

Mas primeiramente eu teria de encontrá-la e remover de sua face triste a pintura devota de 1.700 anos.

Isso levou sete anos.

A história de Madalena é antiga, uma história que foi contada pelos primeiros gnósticos, e antes deles pelos egípcios, e antes deles pelos sumérios. Como todas as grandes histórias, ela levanta as questões eternas: "Quem somos?", "Por que estamos aqui?", "Onde é *aqui*?" e "O que acontece a nós quando morremos?". Essas certamente foram as primeiras perguntas feitas pelos primeiros seres humanos que olharam para as antigas estrelas.

Como a história de Madalena é uma história universal sobre os mitos que conduzem nossas vidas, eu tomei a trama de Sophia, que é Sabedoria, das histórias dos Evangelhos sinópticos, sempre buscando uma forma de dar voz à minha Mariamne. E acima, abaixo e ao redor da voz da Madalena, também está sendo contada minha história. Há muito de mim mesma na jovem Mariamne; meu próprio entusiasmo juvenil por filosofia e mistérios. Quando Mariamne e sua amiga de infância Salomé se surpreendem com a verdadeira magia e com suas habilidades psíquicas naturais ao brincarem com conjurações e poções, elas estão apresentando um pouco de minha própria experiência e satisfazendo meu próprio interesse em mistério e magia. Quando elas correm pela grande Biblioteca de Alexandria, eu corro com elas. Quando Mariamne se aborrece com desconsiderações, se delicia com algo novo que aprendeu, se desespera, discute um conceito filosófico com alguém como Philo Judaeus, é aterrorizada pelo homem que continha Legiões, sente ciúmes quando Jesus conversa com a mulher junto ao poço, esses também são meus momentos. Nenhuma escritora fica de fora de sua obra. Isso não é possível.

Quanto à vida atual de uma Mariamne real, ela poderia ter sido muito mais e feito muito mais do que hoje imaginamos. Nem todas as mulheres eram presas a homens. Nem todas as mulheres eram pobres e exploradas. Maria Madalena poderia muito bem ter sido rica. Sua riqueza poderia ter chegado a ela de muitas formas. Se ela tinha riquezas, podia muito bem ser independente. Ela também não precisaria ter sido uma sacerdotisa para ser culta. Livros na forma de pergaminhos estavam disponíveis para quem podia pagar. Havia muitas mulheres de posses na sua época, muitas mulheres de grande inteligência, e algumas delas escolheram seguir e sustentar uma série de profetas e homens santos, bem como seus seguidores. Não era preciso que a Madalena fosse casada com Jesus se ela servia a ele dessa forma. Mas, sim, ela poderia ter sido sua esposa. Ou ela poderia ter sido sua discípula mais sábia. Ela também poderia ter sido sua professora. E se você procurar bem fundo, há muitas mulheres brilhantes escondidas atrás de homens famosos.

Eu escolhi fazer Maria Madalena se apresentar tanto em forma masculina quanto feminina em *The Secret Magdalene* por várias razões. Fiz o mesmo com Salomé. Formalidades e discrição exigiam que elas se disfarçassem de homens. Dessa forma elas podiam se movimentar livremente entre colegas do sexo masculino em pé de igualdade. Viver a vida de um homem fez com que elas aprendessem o que é ser o outro gênero, de modo que puderam aumentar sua sabedoria. Assumir o papel masculino também simboliza a antiga idéia de que aquele que busca precisa se tornar "homem" para ouvir os ensinamentos. Quando homem, Maria Madalena é conhecida como João. Como mulher, ela é capaz de ensinar a Jesus, ou Yeshu, como ele seria chamado, suas próprias lições emocionais. Quando pôde ser mulher, Mariamne Magdal-eder foi capaz de se relacionar com ele sexualmente e, ao mesmo tempo, se manter à altura dele, já que ele um dia a tinha aceitado como "homem" – significando capaz de entender. Salomé, como Simão, pôde viajar com João Batista; pôde se tornar seu discípulo favorito. Finalmente, elas são ao mesmo tempo homem e mulher para defender a simples idéia de que todos os seres humanos são ao mesmo tempo homem e mulher e que um não tem precedência sobre o outro.

The Secret Magdalene é minha idéia de um *midrash*, um novo mito feito de um antigo, mas transmitido pela voz extraordinária da Madalena que é minha Madalena, e talvez muito sua própria Madalena, aquela revelada em antigos textos recentemente descobertos. Eu desisti de lidar com esse problema. Deixo isso no sopé da porta da Criatividade. Quando atravessamos essa porta, não interessa mais quem está contando o que a quem... É apenas história, é arte, é revelação. É a obra que interessa.

Durante os longos anos que passei pesquisando sobre Jesus Cristo e Maria Madalena, para não falar de seu tempo (praticamente todos os autores presentes no livro que você está segurando agora contribuíram de alguma forma para *The Secret Magdalene*), descobri fascinantes paralelos entre as tradições misteriosas de muitas culturas antigas e minha própria experiência pessoal de gnose. Essa foi uma revelação que me balançou e transformou minha história da Madalena em um mito universal, um símbolo da busca por conhecimento comum a todos nós. Mas quando eu li os Evangelhos gnósticos descobertos na aldeia egípcia de Nag Hammadi, tomei um choque. O que eu sentia, Maria Madalena *sabia* muito antes de mim. O que eu estava tentando dizer, em *The Secret Magalene*, ela já tinha dito. Foi lá naqueles 11 códices secretos que eu aprendi que ela era chamada de "A mulher que conhecia o tudo". Sentada em frente a meus livros, meus papéis e meu processador de texto, eu desfrutava da revelação. De alguma forma, Maria Madalena estava falando comigo... Como ela sem dúvida fala com qualquer um que volte seus ouvidos para ela.

Juntamente com isso, eu espero ter descoberto na voz de Maria Madalena uma forma de ressuscitar o princípio feminino nas questões humanas e, ainda mais importante em termos espirituais, restabelecer o Princípio da Deusa, como ele normalmente era compreendido e aceito nos tempos antigos. Mais uma vez, o encontro de Mariamne e Jesus em *The Secret Magdalene* exigia que ela usasse o disfarce de um homem, João, o Menor, ou João, o Discípulo Amado, porque, na cultura judaica da época, de outra forma uma mulher nunca poderia estar na companhia privada de um homem que não fosse seu parente. Assim, nesse sentido, o poder do princípio feminino precisou ser revelado a Jesus, por intermédio de João/ Mariamne. Da mesma forma, acredito eu, meu romance serve para produzir uma compreensão da interdependência das forças feminina e masculina, combinadas para criar uma única verdade. A verdade de Deus, ou Fonte, como nosso Lar e direito de nascença, e o princípio feminino como o transbordar da fonte, no jogo criativo da natureza.

Ao longo de séculos, Jesus se tornou Deus, mas a Madalena, uma "mulher decaída". À medida que nos encaminhamos para o início do terceiro milênio, ela também se tornou, não apenas na ficção popular, o "Santo Graal". Mais que deusa e mulher sábia, ela está sendo elevada a salvadora, ao lado do Cristo. Em função disso, eu acredito que, como Jesus, Maria Madalena corre o risco de ficar além do humano, além de nossos poderes de partilhar com ela a descoberta que é gnose, ou "conhecer o tudo". Assim como Jesus não se acreditava Deus, mas nos fez "conhecer" o deus em nós, toda a vida dela foi vivida não para ser chamada de Deusa, mas para que pudéssemos fazer o que ela fez.

No fim, parece que eu escrevi *The Secret Magdalene* em uma tentativa de impedir esse perigo. Maria Madalena conhecia o tudo. Tudo o que ela conhecia todos podem conhecer. Deve haver um motivo para ela ter falado comigo, assim como ela fala para um e outro. Em nossas conversas, era muito claro que ela queria ensinar. Só o que eu fiz foi ajudar da única forma que podia. Eu a escutei.

Maria Madalena, *Superstar*

Por Kathleen McGowan

A história de Kathleen McGowan tem o tipo de final com o qual a maioria dos escritores sonha. Após mais de duas décadas pesquisando e escrevendo sua trilogia *The Magdalene Line*, McGowan começou o processo de procurar um agente. Embora houvesse interesse, não havia a perspectiva de nenhum acordo de publicação, e ela finalmente decidiu publicar por conta própria o primeiro volume da trilogia, *The Expected One*, em março de 2004.

O livro chamou atenção quase imediatamente. Ele acabou nas mãos de um grande agente literário, que levou McGowan a um grande contrato de um milhão de dólares com a editora Simon & Schuster. Já foram vendidos direitos internacionais para 23 idiomas, e o lançamento nos Estados Unidos está marcado para julho de 2006. Enquanto isso, a versão original de publicação independente de seu livro está sendo vendida por cem dólares no *site* eBay.

Nos últimos vinte anos foram publicados muitos romances oferecendo a visão de seus autores de Maria Madalena. O de McGowan pode se transformar no mais conhecido e lido deles – em parte graças a seu talento de escritora, em parte em função de sua própria história pessoal, e em parte graças a este momento específico da nossa cultura, em que as pessoas em todo o mundo e de muitas crenças e círculos acadêmicos começaram a se interessar por esse personagem histórico sobre o qual sabemos tão pouco e imaginamos muito. Para McGowan, que em seu tempo livre está produzindo versões para a TV e para o cinema de seu livro e de sua história pessoal, todo esse novo interesse é apenas a cobertura do bolo. Sua relação com Maria Madalena, que começou quando ela tinha dez anos, não diz respeito a fama e fortuna. Diz respeito a coragem, resistência, fé – e dar ao mundo um sentido de graça, equilíbrio e verdade. Ela sente que, no fim, seus livros são sua contribuição para isso.

A culpa é de Andrew Lloyd Weber e Tim Rice. Foram eles que começaram.

Quando eu tinha dez anos, minha animada e progressista mãe colocou a mim e meus irmãos mais velhos na perua Ford Falcon e partiu para assistir à versão para o cinema de *Jesus Cristo Superstar*. Foi amor à primeira vista para todos nós. Paramos na loja de discos na volta para casa e compramos a versão em vinil da trilha sonora – um álbum duplo caro que estava um pouco acima do orçamento familiar na época, mas nós três imploramos por ele até mamãe concordar.

Naquele verão, nós literalmente gastamos os sulcos daqueles discos colocando-os para tocar em nosso estéreo portátil. Interpretamos a peça inteira do começo ao fim enquanto cantávamos acompanhando a trilha sonora e dançávamos pelo pátio. O ritual aconteceu literalmente todos os dias durante pelo menos um mês. Os meninos dividiam os papéis principais e brigavam para decidir quem seria Jesus e Judas, mas como eu era a única menina e só havia uma personagem feminina, esse papel era só meu. Nós o chamamos de "O verão de Superstar", e eu passei todos os dias de julho em minha recriação de dez anos de idade da devoção de Maria Madalena a Jesus enrolada no poncho vermelho de minha mãe. Até hoje eu faço uma interpretação terrível de Yvonne Elliman cantando "I Don't Know How to Love Him". Com tão pouca idade, eu nunca poderia ter imaginado que tipo de efeito mental e espiritual tinha sido produzido em minha consciência naquele Verão de Superstar.

Corte para o final da adolescência, quando eu evoluí de inexperiente estudante de jornalismo para escritora idealista e ativista. Eu me mudei para a Europa e mergulhei na turbulenta política da Irlanda do Norte durante toda a década de 1980. Foi nesse período que desenvolvi um ponto de vista cada vez mais cético sobre a história escrita e, portanto, aceita. Como testemunha de acontecimentos dramáticos e freqüentemente violentos, eu me dei conta de que em todas as oportunidades a versão noticiada não tinha praticamente nenhuma semelhança com o que tinha acontecido em frente a mim. O relato desses acontecimentos nos meios de comunicação com freqüência era totalmente irreconhecível para mim; essas versões documentadas eram escritas em camadas de tendenciosidades políticas, sociais e pessoais. Meu idealismo juvenil foi destruído e eu me dei conta de que a "verdade" estava perdida para sempre.

Ou não?

Comecei a sentir uma irresistível necessidade de questionar a história. Com tudo o que eu tinha descoberto, eu me dei conta de que estava à beira de uma perspectiva potencialmente radical – de que eu fundamentalmente não confiava em *nada* do que tinha sido escrito como prova histórica!

E a que isso me levava? Eu era uma historiadora que já não confiava na história, uma jornalista que achava que não havia fontes confiáveis disponíveis em bibliotecas ou microfilmes. Onde eu iria encontrar as respostas que estava procurando?

Um histórico familiar de contar histórias que vinha do lado materno irlandês me levou à resposta final: *folclore*. Parece uma palavra bastante antiquada e inofensiva, mas é uma tradição poderosa e de longa duração, tão antiga quanto a humanidade. Minhas próprias experiências na Irlanda reforçaram minha crença na importância das tradições orais e culturais que compõem o folclore e de por que elas freqüentemente são a fonte mais rica de compreensão que temos da experiência humana. Em meus dias em Belfast, entrevistei membros de sociedades políticas secretas e de grupos paramilitares clandestinos. As descobertas mais valiosas sempre saíam de histórias que eram contadas por quem estava do lado de dentro, relatos em primeira mão que incluíam detalhes de acontecimentos e tradições que tinham passado de pai para filho, mãe para filha, por tanto tempo que ninguém conseguia mais lembrar. Nenhuma dessas informações podia ser encontrada impressa em lugar algum. Estava preservada apenas nas mentes dos moradores, por razões não menores do que vida e morte.

Esses acontecimentos localizados nas ruas de Belfast se tornaram meu microcosmo. Se eles eram continuamente reconstituídos e alterados pela grande imprensa, o que isso significava quando aplicado ao macrocosmo da história mundial? Será que essa tendência a manipular a verdade não se tornava maior e mais absoluta quando nós olhávamos cada vez mais para trás no passado, para um tempo em que apenas os mais ricos, altamente educados e politicamente vitoriosos eram capazes de registrar os acontecimentos?

Sendo mulher, eu queria levar essa idéia ainda mais longe. Desde o início dos registros históricos, a imensa maioria do material considerado academicamente pelos estudiosos tinha sido criada por homens de um certo nível social e político. Nós acreditamos na veracidade dos documentos apenas porque eles podem ser "autenticados" como pertencendo a um período de tempo específico. Mas a datação por carbono de tinta e papel não nos diz nada sobre o ponto de vista e os possíveis interesses da mão humana que tinha colocado aquelas palavras no papel. Nós raramente levamos em conta que elas foram escritas em dias mais sombrios, quando as mulheres tinham *status* inferior ao do gado, ou acreditava-se mesmo que elas não tinham alma! Quantas histórias magníficas foram perdidas porque as mulheres que as protagonizaram não foram consideradas suficientemente importantes, ou mesmo suficientemente humanas para merecer menção? Quantas mulheres foram inteiramente eliminadas da história?

E há aquelas mulheres que foram tão poderosas e importantes para governos mundiais que não podem ser ignoradas. Muitas das que encontraram seu lugar nos livros de história foram lembradas como vilãs notórias – adúlteras, maquinadoras, mentirosas e mesmo assassinas. Essas caracterizações eram justas, ou propaganda política utilizada para desacreditar mulheres que tinham ousado afirmar sua inteligência e seu poder? Com essas questões em mente e com minha crescente desconfiança daquilo que fora academicamente aceito como prova histórica, eu comecei a pesquisar e escrever um livro sobre mulheres infames. Eu o intitulei *Maligned and Misunderstood* e comecei a trabalhar com algumas das damas mais famosas da história, como Maria Antonieta e Lucrécia Bórgia.

Foi apenas uma das muitas sincronicidades que iriam mudar minha vida que, em 1993, quando eu estava escrevendo o livro, uma remontagem da ópera-rock *Jesus Cristo Superstar* estreou em Los Angeles. Eu tinha de assistir ao espetáculo pessoalmente, mas na época achava que isso não passava de saudade. Quando a atriz que interpretava Maria Madalena subiu ao palco e eu comecei a cantar junto com ela as palavras que eu conhecia tão bem desde a infância, me dei conta de que em algum nível subconsciente eu tinha sido preparada para entender sua história cerca de vinte anos antes. Mulher adulta, de repente fui esmagada pelo poder e pela importância do legado de Maria. Seria possível que ela tivesse realmente sido mais íntima de Jesus do que qualquer outro seguidor? Ainda assim, a história preservava o seu legado apenas como o de prostituta e mulher decaída. Seria Maria Madalena a rainha das mulheres transformadas em vilãs e incompreendidas da história? Eu estava começando a achar que sim.

Decidi me informar mais sobre esse enigma do Novo Testamento em termos de sua importância como seguidora de Cristo. Eu sabia que as reformas do Concílio Vaticano II tinham tentado corrigir a injustiça cometida contra a reputação maculada de Madalena pelo papa Gregório, o Grande, no século VI, quando ele fundiu sua história com a de uma pecadora não identificada. Esse foi meu ponto de partida. Mas eu descobri que a explicação da Igreja, por mais bem-intencionada que tivesse sido, fora menos eficaz que uma retratação no pé de uma página 38 de uma história que tinha sido manchete durante tantos anos. Meu objetivo passou a ser incorporar a história de Maria Madalena como uma das muitas no contexto de um trabalho que abrangia vinte séculos. Mas Maria Madalena tinha outros planos para mim, e começou a deixar isso claro com uma força irresistível.

Eu posteriormente passei a ser assombrada por uma série de sonhos recorrentes que apresentavam as vidas entrelaçadas de Maria Madalena e Jesus. Acontecimentos inexplicáveis e freqüentemente sobrenaturais me induziram a estudar pesquisas que me levaram a quatro continentes. Embora eu tenha feito meu trabalho corretamente e lido qualquer relato histórico e acadêmico no qual conseguisse colocar as mãos, achei a maioria deles desapontadora. Eles faziam mais perguntas que respondiam, e só me deixavam querendo mais. Eu segui meu coração e meu cérebro explorando o outro caminho de pesquisa que nunca tinha me desapontado – a tradição oral. Meu interesse no folclore de Maria se transformou em obsessão enquanto eu descobria fascinantes tradições culturais antigas que tinham sido preservadas com amor e paixão fervorosa por toda a Europa Ocidental. Fui convidada ao sacrário de sociedades secretas e me encontrei com guardiões de informações tão sagradas que até hoje me espanta que eles, e as informações que eles protegem, existam – e que tenham feito isso por dois mil anos.

O folclore e as tradições da Europa também me deram uma nova visão de alguns dos mistérios de Maria, aqueles que nunca tinham sido explicados de uma forma que eu considerasse palatável no estudo acadêmico tradicional. Foi revelada a mim uma rica e bela versão da história de vida de Maria Madalena – uma que a retrata claramente não apenas como o "apóstolo dos apóstolos", mas como sendo nada menos que a rainha de uma dinastia e esposa legal e amada de Jesus Cristo. Eu acredito do fundo do coração que Maria Madalena foi não apenas um líder da Igreja primitiva, mas a pessoa a quem Jesus confiou essa missão sagrada. Eu conto essa história por inteiro, assim como a história de minha jornada pessoal de descoberta, em meu romance baseado em fatos *The Expected One*.

Além disso, há um tesouro de informações para quem faz uma busca espiritual, a maior parte escrita entre os séculos II e IV, que não foi incluído no cânone da Igreja. Há milhares de páginas a serem descobertas – Evangelhos alternativos, Atos dos Apóstolos e textos diversos que oferecem detalhes e visões da vida e da época de Jesus inteiramente novos para leitores que nunca olharam além dos quatro evangelistas. Eu acredito que o estudo de todo esse material, incluindo o folclore e as tradições da Europa e do Oriente Médio, irá abrir mentes e corações e construir uma ponte de luz e compreensão entre as muitas divisões da Cristandade, e ainda mais.

Detalhes fascinantes sobre a crença na importância de Maria Madalena podem ser encontrados na grande arte da Renascença e depois, com os grandes mestres a retratando repetidamente. A maioria das mulheres nas pinturas alegóricas de Botticelli – como a deusa grávida no centro de *Primavera* e a adorável mulher na concha de *Nascimento de Vênus* – na verdade é de representações de Maria Madalena. Esta Maria é a musa de muitos outros mestres, entre eles Ghirlandaio, El Greco, Poussin e mesmo Salvador Dalí. Ela pode ser encontrada em contos de fadas, canções de ninar ("Maria tinha um carneirinho...") e antigas canções de trovador escritas em homenagem à dama mais virtuosa e lamentavelmente inalcançável. De muitos modos, a moderna ópera-rock *Jesus Cristo Superstar* é uma nova forma de tradição oral – uma forma artística de contar uma história importante por meio da paixão e do poder da música. De fato, desde então eu encontrei centenas de fãs do musical de Weber e Rice que atribuem à música o poder de transformá-los em cristãos praticantes! E, embora o retrato de Maria naquela obra moderna perpetue a idéia infeliz de que ela era uma prostituta, eu também dou a ela o crédito de mostrá-la como uma mulher de grande fé e graça.

Há elementos na história de Maria Madalena como eu a conto que não podem ser corroborados por nenhuma fonte acadêmica imediatamente aceitável. Eles existem como tradição oral e foram preservados em ambientes altamente protegidos por aqueles que durante séculos temeram as repercussões. Minha experiência pessoal anos atrás em Belfast me ajudou a compreender a postura de uma cultura que não coloca suas crenças por escrito porque fazê-lo só irá produzir perseguição, prisão e mesmo morte. Os antigos seguidores de Maria Madalena, conhecidos como cátaros, viviam com medo de retaliações como essas, e por bons motivos: eles foram caçados pela Igreja medieval, brutalmente torturados e executados das maneiras mais horríveis. Mais de um milhão de pessoas foram massacradas no sul da França por sua crença "herética" no papel de Maria Madalena como esposa de Jesus e, posteriormente, a verdadeira fundadora espiritual da Cristandade no mundo ocidental. Os cátaros aprenderam com sofrimento inimaginável que a única forma de sobreviver seria manter seu conhecimento e suas tradições altamente protegidas e secretas. Eles continuam assim até hoje, com sociedades secretas preservando em silêncio a pura fé de seu povo – os ensinamentos de Jesus da forma que eles foram levados à Europa por sua amada parceira espiritual.

Ao longo de meus anos de pesquisa, eu discuti, questionei, ataquei e mesmo aceitei muitos desses pontos com clérigos e crentes de diversas religiões. Eu sou abençoada por ter amigos e colegas em muitos campos espirituais, incluindo padres católicos, ministros luteranos, gnósticos praticantes e sacerdotisas pagãs. Em Israel, encontrei acadêmicos e místicos judeus, bem como guardiões ortodoxos de locais sagrados da Cristandade. Meu pai é batista; meu marido, católico praticante; minha mãe, descendente das mais antigas tradições de divindades femininas e adoração da natureza da Irlanda. Todos esses indivíduos fazem parte do mosaico de meu sistema de crença. Apesar da miríade de diferenças em suas filosofias, cada uma dessas pessoas me abençoou com o mesmo dom – a capacidade de trocar idéias e dialogar livremente e sem ódio.

E para mim essa é a essência da história de Maria Madalena. Ela me ensinou muito sobre coragem, resistência e fé ao longo desses anos de investigação. Eu descobri que a mensagem dela é de amor, tolerância, perdão e responsabilidade pessoal, é uma mensagem de unidade e compreensão para todas as pessoas e todos os sistemas de crença. Minha maior satisfação é que a consciência do mundo esteja sendo questionada e elevada por intermédio do resgate da verdadeira história de Maria Madalena. Agora é hora de ela brilhar, nos devolvendo, como seres humanos, a um estado de graça e equilíbrio por intermédio de sua sabedoria.

E é assim que você irá me encontrar se quiser se juntar a mim na peregrinação pela trilha da busca e da compreensão, como alguém que quer desesperadamente saber como criar o Céu na Terra do modo que Jesus e Maria queriam nos ensinar. Eu sou fácil de identificar – estarei vestida de vermelho e cantando a trilha sonora de *Jesus Cristo Superstar.*

CAPÍTULO 9

Maria inteiramente moderna: uma Madalena para o século XXI

Se Jesus pode confiar em uma mulher para proclamar a melhor notícia de todas, as Boas-novas, por que as mulheres não podem pregar a homilia na Igreja católica hoje?

— Barbara Grants, FutureChurch

Eu descobri que a mensagem de Maria é de amor, tolerância, perdão e responsabilidade pessoal, é uma mensagem de unidade e compreensão para todas as pessoas e todos os sistemas de crença. Minha maior satisfação é que a consciência do mundo esteja sendo questionada e elevada por intermédio do resgate da verdadeira história de Maria Madalena. Agora é hora de ela brilhar, nos devolvendo, como seres humanos, a um estado de graça e equilíbrio por meio de sua sabedoria.

— Kathleen McGowan

Hoje Maria Madalena é uma personagem que chama à ação. Como uma Tina Turner ou uma Dixie Chick, isso significa levantar o traseiro e ir votar [resistir]; para fazer uma diferença na época em que você vive.

— Jane Schaberg

A busca espiritual de Maria Madalena

Por Deirdre Good

Como este ensaio deixa claro, a ligação de Deirdre Good com Maria Madalena é ao mesmo tempo intensamente profissional e intensamente pessoal. No nível profissional, ouve-se a voz de uma das mais sábias especialistas mundiais em Maria Madalena e na antiga crença cristã e suas experiências. Ela faz suas pesquisas nos originais coptas, aramaicos e em outros idiomas bíblicos, e ensina o Novo Testamento no General Theological Seminary. Good acredita que a visão espiritual de Maria Madalena cria um espaço para uma ligação íntima com Jesus que transcende a morte, o tempo e o espaço. No nível pessoal, diz que para ela Maria Madalena é uma presença reconfortante e encorajadora em face do desespero, a "única presença da qual brota a esperança".

Tanto do ponto de vista profissional quanto do pessoal, Deirdre Good é muito solicitada como professora, conferencista e analista, aparecendo regularmente nos meios de comunicação. Ela também organizou *Mariam, the Magdalen, and the Mother*, livro composto de ensaios ousados produzidos pelas comunidades acadêmica e bíblica. Seu livro mais recente é *Jesus' Family Values*. Como editora associada deste livro, *A verdadeira história de Maria Madalena*, Deirdre Good contribuiu não apenas com seu conhecimento, mas com este ensaio, que reflete sua convicção de que os leitores devem ter uma idéia do que Maria Madalena representa além das polêmicas de primeira página.

No centro da história de Maria Madalena está seu encontro com o Jesus ressuscitado. Quando eles se encontram no jardim, ela se torna testemunha da ressurreição de Jesus. Como primeira testemunha das Boas-novas, ela prega aos apóstolos e recebe o título de "apóstolo dos apóstolos". Mas como e por que apenas ela se encontrou com Jesus e o que seu encontro significou e pode significar ainda precisa ser investigado.

Poucos na Antigüidade, incluindo os discípulos de Jesus, consideravam as mulheres capazes de qualquer espécie de percepção, quanto mais a de alguém que se ergueu dos mortos. Assim, o relato presente nos Evangelhos a respeito de Maria Madalena testemunhar a ressurreição levanta questões sobre antropologia e gênero, especificamente: quem percebe o que e como isso pode ser apreendido? Quais eram (e são) as formas pelas quais homens e mulheres se envolvem e reconhecem um Jesus ressuscitado? Finalmente, eu irei estudar a forma como a tradição cristã compreendeu o encontro entre Maria e Jesus para produzir uma idéia básica de ressurreição: que o presente de Deus de vida elevada é expresso na recriação de um laço entre as pessoas. Para tornar a ressurreição real e (re)estabelecer seu relacionamento, Maria Madalena e Jesus precisam se aproximar um do outro através da morte e através do tempo e do espaço. Ressurreição diz respeito a ligações humanas.

Ver, perceber, tocar e ouvir

Primeiramente, eu quero pesquisar as formas segundo as quais diferentes fontes enfatizam diversas percepções. Como Maria Madalena percebe o Jesus ressuscitado? O dom da percepção é dela e apenas dela ou os outros o reproduzem? Tem ela uma forma especial de percepção? Autores de evangelhos, escritores, artistas, músicos e teólogos sugerem que por intermédio de visão, toque e audição Maria Madalena captura o Jesus elevado. No Evangelho segundo Mateus do Novo Testamento, duas mulheres percebem a ressurreição de Jesus por intermédio de visão, audição e toque. A caminho de dar a notícia da ressurreição, Jesus se encontra com elas e as saúda. Maria Madalena e as outras Marias param, tocam os pés do Jesus elevado e o idolatram. Elas são orientadas a contar aos outros discípulos que eles irão ver Jesus na Galiléia. É por intermédio dos sentidos da visão e do tato que a ressurreição é percebida. Visão e toque levam à adoração.

O Evangelho de João vai um pouco mais longe. Ele dá maior destaque ao reconhecimento de Jesus por Maria mais pela audição que pela visão ou o tato. Quando Maria vê Jesus pela primeira vez, acha que ele é o jardineiro e fala com ele dessa forma. A visão é enganadora. Apenas quando o Jesus elevado fala seu nome, ela ouve e se volta ao reconhecer a voz. Mas ela anuncia as Boas-novas aos discípulos dizendo: "Eu vi o Senhor!" Claro que o "ver" de que ela fala pode incluir perceber e incluiu ouvir. Dessa maneira, o Evangelho de João descreve a percepção da ressurreição por Maria por intermédio de som e visão corrigida.

No mesmo Evangelho, Jesus logo aparecerá a Tomé de modo a atender os pedidos de Tomé por visão e toque: "A não ser que eu veja a marca dos cravos em suas mãos e coloque meu dedo na marca dos cravos e minha mão no seu corpo não irei acreditar!", declara ele. Veja e me toque, diz Jesus a Tomé quando aparece a ele. Mas Jesus acrescenta uma advertência: "Porque viste, creste. Felizes os que não viram e creram." Visão e tato têm seu lugar e suas limitações, infere Jesus. Na presença de

Tomé, Jesus conclama aqueles cuja percepção da ressurreição vai além da preferência de Mateus pela visão e o tato e também terem fé por intermédio da audição.

Representações artísticas e musicais posteriores do encontro entre Maria e Jesus no jardim junto ao túmulo vazio enfatizam os aspectos visuais e auditivos. Esses intérpretes buscam apresentar a ressurreição fisicamente. Em pinturas, Maria olha para Jesus. Ela pode estar estendendo sua mão para ele. Ele pode ser visto em mortalha ou como o jardineiro. Uma das mãos pode estar segurando uma ferramenta de jardinagem. Outra pode estar expressando as palavras "Não me toque!" Contudo, a proximidade das duas figuras as une em um estranho contraste com a proibição de Jesus.

O bem conhecido hino "In the Garden" representa essa cena musicalmente. C. Austin Miles, o compositor, conta como o compôs: certo dia de março de 1912 ele abriu sua Bíblia em João 20 e se sentiu como se fizesse parte da cena em que Maria se ajoelha em frente a Jesus, gritando "Rabboni" em reconhecimento.

> À medida que a luz diminuía, eu parecia estar de pé na entrada de um jardim, olhando para um caminho levemente sinuoso cercado por oliveiras. Uma mulher de branco, com a cabeça curvada, a mão apertando a garganta, como se para controlar seus soluços, caminhava lentamente para as sombras. Era Maria. Quando ela chegou ao túmulo, sobre o qual colocou sua mão, curvou-se para olhar em seu interior, e correu. João, em uma túnica esvoaçante, apareceu, olhando para a tumba; depois veio Pedro, que entrou na tumba, seguido lentamente por João. Quando eles partiram, Maria reapareceu; apoiando a cabeça no braço junto à tumba, ela chorou. Ao se voltar, viu Jesus de pé, assim como eu. Eu sabia que era Ele. Ela se ajoelhou em frente a Ele, com os braços estendidos e, olhando para Seu rosto, gritou "Rabboni!"*

Miles continua, dizendo que, inspirado por essa visão, escreveu o poema o mais rapidamente que conseguiu e então, mais tarde, naquele mesmo dia, a música para o hino.

* Citado em *Simple Gifts: Great Hymns: One Man's Search for Grace*, de Bill Henderson.

In the Garden

I come to the garden alone,
While the dew is still on the roses;
And the voice I hear, falling on my ear,
The Son of God discloses.
Refrain
And He walks with me, And He talks with me,
And He tells me I am His own;
And the joy we share as we tarry there,
None other has ever known.

He speaks, and the sound of His voice
Is so sweet, The birds hush their singing,
And the melody that He gave to me,
Within my heart is ringing.
Refrain

I'd stay in the garden with Him,
Though the night around me be falling,
But He bids me go; through the voice of woe,
His voice to me is calling.
Refrain

(Eu vou ao jardim só,
Quando orvalho ainda está nas rosas;
E a voz que eu ouço em meus ouvidos,
Revela o Filho de Deus.
Refrão
E Ele anda comigo, e Ele fala comigo,
E Ele me diz que sou Sua;
E a alegria que sentimos quando estamos ali,
Ninguém nunca conheceu.

Ele fala e o som de Sua voz
É tão doce, os passarinhos param de cantar,
E a melodia que Ele me deu
Toca no meu coração.
Refrão

Eu ficaria no jardim com Ele,
Mesmo com a noite caindo,
Mas ele me manda partir; apesar da tristeza,
Para mim sua voz é um chamado.
Refrão

Muitas pessoas conhecem e cantam esse hino sem perceber sua ligação com Maria Madalena. Ele dá voz coletiva a Madalena no papel de cada crente depois da morte de Jesus; sua linguagem e seus sentimentos são eróticos e poderosos.

Reconhecendo as limitações da visão e do tato, o Evangelho de João ajuda os leitores do século I a lidar com a ausência física de Jesus. Ao mesmo tempo, nem a visão, nem o som, nem o toque são ignorados ou desprezados no Evangelho: a Maria, Jesus fala de modo que possa ser ouvido, e a Tomé, Jesus se apresenta de modo que possa ser tocado. Mas Jesus no final louva quem não viu, porém ainda assim acredita. Estará ele louvando aqueles cuja fé é baseada em algo menos audível e menos tangível? Ao mesmo tempo, ao aparecer a Maria Madalena e Tomé, o Evangelho de João parece reconhecer que a fé pede algo audível e tangível. Intérpretes artísticos e musicais dessa cena compreenderam essa necessidade.

A visão de Maria do Jesus ressuscitado como relatada no Evangelho de Maria é percebida por sua mente. O que temos do evangelho começa com Maria confortando, com palavras de consolo, os discípulos abalados. Os discípulos então começam a debater sobre as palavras do Salvador. Pedro implora a Maria que conte aos outros discípulos palavras do Salvador que apenas ela tinha ouvido. O que ela conta a eles é sua visão de um Jesus ressuscitado. Esse relato começa com sua pergunta a Jesus: uma pessoa tem uma visão com a alma ou com o espírito? O Salvador responde que nem a alma nem o espírito têm a visão, mas a mente. Jesus diz a ela: "Abençoada por não hesitar ao me ver, pois onde a mente está, lá está o tesouro!" Ao descrever Jesus louvando os poderes racionais de percepção de Maria, o Evangelho de Maria amplia as fronteiras descrevendo os poderes de compreensão das mulheres na Antigüidade. É raro ver os poderes de percepção racional das mulheres descritos, quanto mais louvados, em qualquer texto da Antigüidade.

Os intérpretes cristãos de João 20, provavelmente desconhecendo o Evangelho de Maria, perguntam por que foram mulheres, entre elas a Madalena, que encontraram Jesus. Essa é uma questão sobre gênero e os modos de percepção dos quais se considerava que as mulheres eram capazes. O teólogo Aquinas, por exemplo, sugeriu que era a suposta maior capacidade da mulher de amar, demonstrada em sua fidelidade a Jesus na crucificação e em sua presença cedo na manhã da Páscoa, que garantia a elas uma primeira parcela da visão beatífica. Aquinas pensava mais em amor do que em percepção intelectual. Esse é um julgamento de valor diferente. Talvez Aquinas pensasse que as mulheres eram mais capazes de um amor maior.

Diferentes evangelhos, diferentes testemunhas

Relatos do encontro entre Jesus e Maria Madalena são encontrados na longa conclusão de Marcos, no Evangelho de João e também no Evangelho de Maria. No Evangelho de Mateus, como vimos, duas mulheres, uma das quais é Maria Madalena, encontram o Jesus ressuscitado. Em Lucas, várias mulheres interpretam a tumba vazia como sendo a concretização da previsão de Jesus de crucificação e ressurreição que elas tinham anunciado aos apóstolos. Mas elas não vêem um Jesus elevado.

De acordo com uma conclusão acrescentada a Marcos, o mais antigo Evangelho, e ao Evangelho de João, o último dos quatro Evangelhos do Novo Testamento a ser escrito, Jesus apareceu primeiramente a Maria Madalena e depois aos outros, incluindo os 11 discípulos. No acréscimo a Marcos, Maria Madalena é identificada como aquela de quem Jesus tinha expulsado sete demônios. Seu relato é recebido com descrença. Em Lucas, por outro lado, várias mulheres, incluindo Maria Madalena, levam especiarias ao túmulo para untar o corpo de Jesus. Em Mateus, Maria Madalena e as outras Marias vão ver o túmulo. Não há menção a especiarias. Um anjo do Senhor as recebe lá com a notícia de que Jesus tinha se elevado. A caminho de contar a novidade aos outros discípulos, Jesus as encontra e fala a elas. Elas agarram seus pés e o idolatram. Jesus as encarrega de dizer a "meus irmãos" para seguirem para a Galiléia, onde irão vê-lo. No Evangelho de Lucas, os apóstolos aos quais elas dão a notícia da tumba vazia não acreditam nas mulheres.

Cada relato do Evangelho da visita das mulheres ao túmulo vazio enfatiza elementos que são coerentes com aquele evangelho específico. O silêncio das mulheres junto ao túmulo vazio no Evangelho de Marcos: "Elas não disseram nada a ninguém pois estavam com medo" é uma resposta ao numinoso refletido na reação de Pedro à transfiguração de Jesus em Marcos 9:6, "Por que estavam atemorizados". O silêncio em Marcos é a resposta apropriada a uma manifestação do divino, não uma descrição de mulheres mudas não conseguindo proclamar a ressurreição.

No Evangelho de Mateus, o medo das mulheres está ligado a "grande contentamento", uma emoção que Mateus relaciona com uma epifania, ou manifestação do divino, como vemos na descrição dos Magos descobrindo o lugar sobre o qual estava a estrela em 2:10, o local de nascimento de Jesus, "[os Magos] alegraram-se imensamente". A alegria dá asas a Maria Madalena e às outras Marias asas para contar as Boas-novas aos outros discípulos. O ato seguinte tanto das mulheres no túmulo vazio quanto dos Magos no nascimento de Jesus é idolatrá-lo. Mateus descreve a adequada reação humana ao divino: temor e alegria seguidos de adoração. Essa é uma transformação do puro medo de Marcos. Não é necessária uma descrição do que aconteceu quando as mulheres foram para o túmulo vazio.

O foco do relato de Lucas da ressurreição, por outro lado, é nos homens que ouviram a notícia da tumba vazia dada pelas mulheres, mas não acreditaram no relato delas e não conseguiram compreender seu significado. Jesus critica sua compreensão limitada, mas lida com isso cuidadosamente: "Insensatos e lentos de coração para crer tudo o que os profetas anunciaram! Não era preciso que o Cristo sofresse tudo isso e entrasse em sua glória? E, começando por Moisés e percorrendo todos os profetas, interpretou-lhes em todas as Escrituras o que a ele dizia respeito." A um grupo de discípulos assustados, Jesus parecia um fantasma. Percebendo seus temores, Jesus encoraja os discípulos a olhar suas mãos e pés e a tocar nele, já que, diz ele em um fantasma não tem carne e ossos como vocês vêem que eu tenho. Tendo eles olhado, o texto segue para relatar que em sua satisfação os discípulos ainda estavam incrédulos refletindo. Ele então come um pedaço de peixe assado na presença deles. O foco de Lucas na mudança da compreensão masculina da descrença no relato das mulheres para a alegre descrença e a crença é realizado passando de visão para tato e daí para ver Jesus comer. Uma ênfase em comer é coerente com um evangelho no qual Jesus nasce em uma manjedoura e no qual ele costumeiramente é visto comendo com coletores de impostos, pecadores e muitos outros durante seu ministério. É o meio pelo qual é restabelecida a ligação com o Jesus terreno e pela qual a antiga comunidade de Jerusalém dos Atos, o segundo volume de Lucas, irá se reunir em templos e lares para a divisão do pão e as orações.

Por que João enfatiza a audição como uma forma de Maria Madalena perceber a ressurreição em João 20? Por que João despreza a visão como meio de reconhecimento quando Jesus diz a Tomé em João 20:29, "Porque viste, creste. Felizes os que não viram e creram!". A crença supera a visão e o tato no Evangelho de João. Um Jesus ressuscitado pode oferecer uma refeição de peixe e pão a Simão Pedro em João 21, mas ele mesmo não come. Mas em nenhum momento a audição é dispensada.

A ênfase de João na audição como percepção e na audição levando à visão remete a antigas teorias de visão em contraposição ao som. A visão, como argumenta Platão em diversos momentos, pode ser "o mais preciso de nossos sentidos corporais" (*Phaedrus* 250d), porque supostamente dá acesso mais rápido a idéias imateriais por intermédio do meio comparativamente puro de fogo/luz (*Timaeus* 45), mas a audição depende inteiramente de um meio material, o ar, no qual tanto quem diz quanto quem ouve estão imersos. A visão preserva a distinção entre o objeto de visão por parte de quem vê e o sujeito que vê, enquanto a audição, por outro lado, coloca em questão a distinção entre sujeito e objeto. Quando ouvimos um som, nossas mentes lógicas podem estar agrupando certos sons como parte de uma fala e os distinguindo uns dos outros, mas o tempo todo os ouvidos estão ouvindo todos os sons entre um e outro. Em dada palavra, ouvimos as possibilidades de outras palavras que estão quase presentes nos sons daquela palavra. O que parece estar acontecendo é, com efeito, um eco que acompanha cada palavra em um texto e desfaz a aparente rigidez de palavras pronunciadas.

O Evangelho de João, claro, enfatiza o som e a audição por razões teológicas.

As primeiras palavras do evangelho evocam o Gênese: no princípio era o verbo, isto é, o som. O evangelho descreve Jesus como a palavra de Deus. Para explicar o reconhecimento de Jesus por Maria pela audição em João 20, muitas pessoas citam as palavras anteriores de Jesus no evangelho descrevendo ovelhas que conhecem e reagem apenas à voz do pastor: "Tendo [o pastor] feito sair todas as que são suas, caminha à frente delas e as ovelhas o seguem, pois conhecem a sua voz. Elas não seguirão um estranho, mas fugirão dele, porque não conhecem a voz dos estranhos."

As palavras de Jesus em João são claras, mas não seus significados: elas freqüentemente são banais. Eu acho útil recordar o aviso de Norman Peterson de que apenas Jesus e o narrador sabem o que está acontecendo no Evangelho de João. Algumas vezes o narrador coloca os leitores no quadro. É o caso aqui, quando *o narrador* do encontro entre Jesus e Maria em João 20 revela a identidade do jardineiro ao leitor *antes* que o jardineiro seja reconhecido por Maria: respondendo à pergunta dos anjos, "Mulher, por que choras?", ela explica: "Porque levaram o meu Senhor e não sei onde o puseram!" Ao dizer isso, ela voltou-se e viu Jesus de pé, *mas não sabia que era Jesus* (João 20:14). Graças ao narrador, o leitor, ou quem ouve suas palavras, sabe o que Maria não sabe. Mas Maria não está necessariamente em desvantagem. Em vez disso, podemos dizer que os leitores ou ouvintes agora podem escutar um eco acústico por trás de tudo o que o jardineiro diz. É como ouvir Jesus em *A Paixão de São Mateus*, de Bach: antes de Jesus abrir a boca, violinos criam um efeito de halo ao redor de tudo o que ele diz. O que quer que seja dito, o ouvinte irá prestar atenção às palavras por causa dos violinos. Não é preciso sequer ouvir o que ele diz, sabe-se que é Jesus prestes a falar. Quando "o jardineiro" fala, o leitor ou ouvinte do Evangelho de João está em posição de antecipar que está sendo dado mais do que um conselho sobre jardinagem. O que nós, ouviremos é a voz de Jesus. Sabemos e podemos antecipar o reconhecimento de Maria.

Jesus fala a ela em grego: "Mulher, por que choras? O que procuras?" A essas perguntas ela responde como se a um jardineiro: "Senhor, se foste tu que o levaste, dize-me onde o puseste e eu o irei buscar." Ela não reconhece a voz ou as palavras, mas os leitores de João sim. A segunda pergunta do jardineiro, "O que procuras?", é cercada pelos violinos de Bach. Ela lembra as primeiras palavras de Jesus no evangelho aos discípulos de João Batista: "Que procurais?" Essa não é uma simples pergunta. O que eles estão procurando é na verdade Jesus, identificado pelo próprio João Batista como Messias. Os discípulos de João o abandonam e seguem Jesus.

Os ouvintes ou leitores de João e o jardineiro podem estar se comunicando, mas não a mulher e Jesus. Esse é o ponto no qual João utiliza o diálogo para facilitar a revelação. João fez isso por todo o evangelho. O melhor exemplo disso é o diálogo que Jesus tem com a samaritana na fonte em João 4. No mundo antigo o diálogo é uma troca em que acontece uma iluminação gradual. Em João, por outro lado, o diálogo é a forma pela qual Jesus atrai alguém para uma conversa sobre os significados profundos de coisas comuns como "quem é seu marido" (com a samaritana) ou "o que procuras?" (com a mulher no jardim). Os leitores, conhecendo esse tipo de diálogo joanino, irão apreciar sua utilização aqui, mesmo que a mulher no jardim não aprecie. No entanto, como o diálogo não está levando a lugar algum, Jesus tenta outro idioma, especificamente o aramaico palestino. Ele se dirige à mulher pessoalmente: "Mariam!" *Esse* idioma ela ouve e entende: "Voltando-se, ela lhe diz em hebraico 'Rabbuni', que quer dizer 'mestre'."

O reconhecimento acontece quando Jesus fala em um idioma que Maria compreende. Não é o que ele diz, mas como ele diz, que produz o reconhecimento. A mim, parece que as palavras de Jesus pegam mesmo os leitores e ouvintes do Evangelho de João de surpresa. Eu digo que quando eles finalmente se comunicam, ele e ela estão falando em idiomas diferentes. Os tradutores tentam deixar claro que ele a chamou de "Maria!". É uma tentativa de interpretar as palavras de Jesus. O que ele realmente diz a ela é seu nome em aramaico palestino: Mariam! Esse hoje é um nome bem conhecido. Então, o que eu quero dizer? Os ouvintes se surpreendem com o chamado de Jesus, apesar das traduções. O que parecia ser uma vantagem dos ouvintes era apenas temporária. Hoje, ouvimos os dois conversando em um idioma diferente preservado no grego do Evangelho de João. Mesmo se sabemos quem é "o jardineiro" quando ele fala com Maria, não o ouvimos falar aramaico por todo o evangelho. Ele não fala aramaico na cruz e não o utiliza para operar milagres ou orar a Deus como faz em Marcos, por exemplo. O diálogo "Mariam!" e "Rabbi!" afasta as duas figuras no jardim de nossa compreensão e as deixa tão estranhas mesmo quando se comunicam em seu idioma. Contudo, isso é inteiramente adequado a um evangelho em que o discurso de Jesus normalmente é banal para os ouvintes, mesmo sendo a voz de Deus.

Os relatos sobre as visões auditivas de Maria Madalena continuam na música e na história: *A lenda de ouro*, um compêndio das vidas dos santos escrito no século XIII pelo monge dominicano italiano Tiago de Voragine, nos dá uma descrição precisa, embora lendária, de seu passado e antigo caráter:

> Maria Madalena é assim chamada por causa de sua ligação com a cidade de Magdalum. Ela era filha de pais nobres que de fato tinham ascendência real. Com seu irmão Lázaro e sua irmã Marta, ela era proprietária de

> Magdalum, cidade fortificada a três quilômetros de Genezaré, Betânia, não distante de Jerusalém, e ainda uma parte considerável da própria Jerusalém [...]

Ela conhece Jesus, "que a deixa apaixonada por ele, faz dela um de seus parceiros mais próximos e amorosamente a defende em muitas oportunidades". Após a ascensão de Cristo, ela viaja para a França com sua irmã Marta e seu irmão Lázaro, onde depois se retira para uma vida de solidão:

> Enquanto isso, a abençoada Maria Madalena, querendo se devotar à contemplação celestial, se retirou para uma região deserta onde permaneceu anônima por trinta anos em um lugar preparado para ela pelas mãos de anjos. Nesse local não havia água e não havia árvores ou grama, nem confortos de qualquer tipo, então era claro que nosso Redentor tinha pretendido alimentá-la não com alimentos terrenos, mas apenas com as delícias do Paraíso. Todos os dias, às sete horas canônicas, ela era erguida no ar por anjos e de fato *ouvia, com seus órgãos corporais de audição* [itálico meu], a gloriosa harmonia do coro celestial. Então, satisfeita dia a dia com essa fascinante refeição celestial, não tinha qualquer necessidade de alimento para o corpo quando ela era levada de volta à caverna.

A voz do noivo

Outra forma segundo a qual a interpretação cristã compreende o cerne da visão espiritual de Maria Madalena é vê-la como a noiva no Cântico dos Cânticos: procurando seu amado, o ouvindo, o encontrando, o tomando e não o deixando partir. Isso contradiz a ordem de Jesus a Maria no evangelho: "Não me toque!" Nós vemos exemplos de Maria Madalena como a noiva do Cântico dos Cânticos procurando Jesus desde o século II até o final da Idade Média. É uma forma especial de compreender a busca espiritual de Maria Madalena.

No século II d.C., Cirilo de Jerusalém fazia várias palestras batismais a candidatos ao batismo cristão. Na 14ª palestra batismal, Cirilo claramente compreendia o desejo de Maria Madalena de abraçar Jesus e que os candidatos ao batismo deveriam querer o mesmo. Cirilo colocou citações do Cântico dos Cânticos na mente e na boca de Maria Madalena. No relato de Cirilo, a mulher do Evangelho de Mateus surge junto com Maria Madalena em João:

> O Noivo e Pretendente de almas foi procurado por aquelas nobres e valorosas mulheres. Elas foram, as benditas, ao sepulcro, e procuraram por Ele, que tinha sido elevado, e as lágrimas ainda caíam de seus olhos quando, ao contrário, elas deveriam estar dançando de alegria por Ele, que tinha ascendido. Maria tinha ido procurá-Lo, segundo o Evangelho, e não O tinha encontrado: e tinha ouvido dos Anjos e depois visto o Cristo. Essas coisas também estão escritas? Ele diz no Cântico dos Cânticos: "Em meu leito eu busquei Aquele que minha alma amou. Em que momento? À noite em meu leito eu busquei Aquele que minha alma amou: Maria, é dito, veio enquanto ainda estava escuro. Em meu leito eu O busquei à noite, eu O busquei e não O encontrei. E nos Evangelhos Maria diz, Levaram meu Senhor e não sei onde o puseram."

Quando os anjos perguntaram à mulher por que buscavam os vivos entre os mortos, Cirilo acrescenta:

> Mas ela não sabia, e em sua pessoa o Cântico dos Cânticos disse aos Anjos, Vistes Aquele que minha alma amou? Foi pouco depois de ter passado por eles (ou seja, pelos dois Anjos) que eu encontrei Aquele que minha alma amou. Eu O segurei e não O deixei partir.

Meu segundo exemplo dessa interpretação é da chamada Biblia Pauperum, ou "Bíblia dos Pobres". A origem desse livro é desconhecida, mas no final da Idade Média havia muitos exemplos. Refletindo um disseminado método de interpretação da Bíblia por meio de tipologia, na Bíblia dos Pobres, pessoas, objetos e episódios do Antigo Testamento eram vistos como prefigurando aspectos do ministério de Cristo. O livro tem imagens e texto produzidos com base em impressões de blocos de madeira gravados. Entre 1460-1490, essa era uma forma de transição na edição que levou à impressão de livros por tipos móveis. É incerto se o livro realmente tinha sido concebido para educar os pobres ou tinha como objetivo instruir o clero em suas pregações. Contudo, a impressão facilitou a difusão do livro.

Três painéis em uma única página retratam cenas que são consideradas tipologicamente inter-relacionadas. Nesse exemplo, na Figura 16, vemos Cristo aparecendo a Maria Madalena no jardim no painel central. Essa é uma interpretação de João 20. Cristo segura uma ferramenta de jardinagem. No painel à esquerda vemos o rei da Babilônia visitando Daniel na manhã seguinte a este ter sido lançado na cova do leão. Descobrir que ele estava vivo deixou o rei muito contente. O latim acima do painel continua: "De fato, o rei antecipa Maria Madalena (em latim, *Mariam Magdalenam*) quando foi ao túmulo. Após ter visto o Senhor, ela também exultou por ele ter se erguido dos mortos."

O painel da direita é intitulado "A Filha do Sião descobre seu Esposo". Ele mostra a noiva e o noivo se abraçando. É uma referência ao Capítulo 3 do Cântico dos Cânticos. A inscrição latina declara: "Lemos no Cântico dos Cânticos, Capítulo 3, que quando a noiva encontrou seu amado, ela disse 'eu encontrei aquele que minha alma ama; eu o irei segurar e não o deixarei ir'. Essa noiva antecipa Maria Madalena, que, vendo seu esposo, que é o Cristo, quis tocá-Lo. Cristo respondeu, 'Não me toque; eu ainda não ascendi até meu Pai'." As inscrições abaixo do painel dizem: "A noiva amada agora desfruta do esposo muito buscado" e "Se mostrando, Ó Cristo, consola a santa Maria".

Nessa ilustração medieval vemos uma disseminada compreensão de que a noiva no Cântico dos Cânticos em busca de e encontrando seu amado antecipa Maria Madalena em sua busca e encontro com Jesus no jardim. O que a noiva (Maria Madalena) diz no pergaminho em latim acima de sua cabeça (o equivalente medieval de um balão de diálogo) é "Eu o peguei e não o deixarei partir".

Esses dois exemplos indicam que, longe de eliminar uma compreensão do relacionamento erótico entre Jesus e Maria Madalena, a Igreja continuou a retratá-lo em manuais de instrução para crentes e em bíblias ilustradas como a Bíblia dos Pobres. No encontro entre Jesus e Maria Madalena, o exemplo da noiva em busca de seu amado explica não apenas a presença de Maria Madalena no túmulo do jardim, mas também a tenacidade de sua busca e o fervor com que o toma. O que vemos no abraço de Jesus e Maria Madalena é um amor que transcende a morte.

Assim, não importando se Maria Madalena vê com visão aguçada, ouve uma voz, talvez a voz de seu amado, tenta tocá-lo ou o toca, a tradição cristã mostra sua busca por Jesus como sendo universal e tendo profunda visão e afeto que se recria, através do espaço e do tempo, e mesmo da morte, um laço entre eles. Dan Brown deveria ter olhado além!

Separados, nunca iguais: a Igreja e seus problemas com a deusa*

Por Anna Quindlen

Há uma importante dimensão política na reavaliação de Maria Madalena, além das dimensões teológica, social e histórica. Especificamente, isso deu voz a um número crescente de mulheres que hoje estão questionando a hierarquia de sua Igreja com essa pergunta: se Maria Madalena de fato era o "apóstolo dos apóstolos", a pessoa que ele "amava" mais do que seus outros discípulos e sua "companhia" íntima, por que as mulheres ainda estão sendo marginalizadas no que diz respeito à liderança da Igreja?

Anna Quindlen, ganhadora do Prêmio Pulitzer, colunista e católica romana, se junta ao *cri de coeur*. Nesta coluna escrita para a *Newsweek*, Quindlen destaca que, embora Jesus pareça ter se envolvido em debates religiosos com mulheres ao longo de toda a sua vida e mesmo depois de sua morte — até mesmo abraçando mulheres, apesar da época —, conservadores doutrinários em diversas religiões ainda se recusam a isso hoje. Seja por medo, piedade equivocada ou misoginia, as mulheres foram deixadas de lado das conversas em muitos grupos religiosos dominados pelos homens. (A composição exclusivamente masculina dos 12 discípulos ainda é utilizada pelo Vaticano para negar às mulheres a ordenação.)

É hora, diz ela, de a Igreja adotar a igualdade moderna. Quindlen argumenta que uma casa dividida não permanece de pé, de modo que,

> a não ser que os conservadores religiosos cheguem a um acordo – e mesmo apreciem — com as devotas femininas, podem esperar perder as mulheres como seguidoras.

É aqui que começamos: com a Páscoa, o dia mais santo do calendário cristão, com a visita de Maria Madalena ao túmulo em que Jesus repousa depois da crucificação. O corpo desapareceu, e ela corre ao encontro dos apóstolos Pedro e João para contar isso a eles. Eles olham, fogem, e ela permanece, perturbada. Um homem se aproxima; ela o confunde com o jardineiro.

Ele diz: "Mulher, por que choras?"

A primeira palavra de Jesus depois de sua ressurreição é nosso nome. E talvez isso explique por que as mulheres católicas romanas, que têm sido tão mal atendidas por nossa Igreja, se recusem a partir. Os membros da hierarquia não nos chamam para o debate, mas seu fundador o faz.

Basta olhar para as fotografias do papa e seus cardeais para perceber o problema fundamental. Uma falange de iguais que o mais perto que chegam de um contato diário com mulheres é com as freiras que arrumam a casa para eles. Metade do mundo está do lado de fora. A Igreja católica não está sozinha nisso. Muitas religiões descobriram um meio de colocar as mulheres de lado, transformando-as em oportunidades de pecado ou em anjos do lar. Quando uma acadêmica islâmica quebrou a tradição, liderando um grupo de homens e mulheres muçulmanos em uma cerimônia no mês anterior em Nova York, alguns dos que protestaram insistiram em que as restrições ao papel das mulheres eram um sinal de respeito, embora um homem que perturbou o evento tenha recomendado o apedrejamento para todos os envolvidos.

"Há uma sensação de que o mundo está fora de controle e caótico e que, se nós controlarmos nossas mulheres, o mundo será um lugar mais seguro", diz Randall Balmer, professor de Barnard que é especialista em cristianismo evangélico. "Essa é uma idéia real por parte de um grupo de conservadores religiosos — fundamentalistas muçulmanos, católicos e protestantes."

Nos anos em que comandava a Congregação para a Doutrina da Fé, o novo papa, então cardeal Joseph Ratzinger, exigiu que uma editora da Igreja destruísse exemplares de um livro que defendia a ordenação de mulheres, convocou a Roma bispos norte-americanos para garantir que sua carta pastoral sobre o papel das mulheres seguisse a linha da Igreja, e esteve por trás de um movimento para se livrar de coroinhas do sexo feminino. Em uma carta aos bispos de 2004, ele explicou que, embora as feministas achassem conveniente "reforçar o antagonismo", o que seus colegas deveriam se lembrar era do "gênio das mulheres", um gênio que era reduzido aos velhos estereótipos: emocional, criador, cálido. (Na vida, os seres humanos são abençoados com a individualidade; na ortodoxia, ela é eliminada.) Provando que as Escrituras sempre podem dizer o que você quiser, ele citou São Paulo – "em Cristo não há nem masculino nem feminino" –, como uma reafirmação das diferenças entre os sexos, quando isso parece ser exatamente o contrário.

O cardeal Ratzinger ficou famoso por certa vez sugerir que todas as outras religiões eram de segunda categoria, exceto a sua, portanto ele talvez não se preocupe com outras comunidades de fé. Os anglicanos conseguem louvar Deus com sacerdotes do sexo feminino e clérigos casados; o arcebispo da Cantuária certa vez levou sua esposa, mãe de seus quatro filhos, para um encontro com o papa João Paulo II. O judaísmo hoje prospera sob a liderança de rabinas no que um estudioso classificou de "a maior mudança na vida judaica desde a destruição do Templo no século I". Será possível que os líderes desses dois grupos estejam tão equivocados, que apenas os pensadores rigidamente conservadores estejam certos?

O argumento ortodoxo normalmente é o de que as mulheres são separadas mas iguais, um argumento que tornou a segregação racial – e a flagrante desigualdade – possível nos Estados Unidos durante muitos anos. Ninguém abre mão do poder facilmente; o medo do outro é uma deficiência humana resistente. "Em parte, a ortodoxia tem a ver com medo", afirma o rabino Joy Levitt. "O mundo está se movendo rapidamente e nem tudo nisso é positivo." Mas, finalmente, muitas religiões chegaram à conclusão de que as restrições às mulheres eram produto de normas ultrapassadas e preconceito entranhado, não de textos sagrados. Seus líderes aceitaram a possibilidade de que a igualdade moderna podia levar ao crescimento espiritual. O rabino Levitt recorda as palavras do movimento reconstrucionista Mordecai Kaplan: "A tradição deve ter um voto, não um veto."

As mulheres católicas não são ingênuas. Elas não esperam que um novo papa acorde certa manhã, agite um báculo mágico e torne a ordenação possível, e a responsabilidade sexual, individual. Mas seria bom ter um pontífice que estudasse o papel das mulheres na Igreja moderna a partir de algum diálogo com as próprias mulheres. O simples fato de que alguém é capaz de escrever uma frase como essa mostra como é profundo o cisma entre a Igreja do povo e a Igreja da hierarquia.

A todos aqueles que perguntam por que permanecemos, eu digo: porque é nossa Igreja. Os literalistas gostam de apontar o gênero do próprio Cristo. O que eles ignoram é o fato de que, em uma clara violação às normas de sua época, o fundador da fé se cercou de mulheres. Buscando os conselhos, as opiniões e a ajuda de católicas, os líderes da Igreja não estariam se adequando à modernidade, e sim repetindo Cristo. Eles argumentam que não podem ajustar as bases da Igreja a uma moda social. A verdade é que eles ajustaram sua base à sua cegueira. O novo papa poderia perguntar: "Mulher, por que choras?"

Seguindo Maria: devotos de Madalena criam sua própria realidade religiosa

*Por Jennifer Doll**

Nos Estados Unidos e no mundo, as pessoas estão descobrindo Maria Madalena e sendo inspiradas, por intermédio dela, a se aproximar de outras ou fazer uma verdadeira diferença em suas vidas religiosas. Parece haver uma sensação de liberdade que Maria Madalena estimula em seus seguidores: a capacidade de determinar o que funciona e o que não funciona na espiritualidade pessoal. Maria Madalena dá aos devotos uma oportunidade de ver nela o que eles precisam, uma espécie de "religião-projetada" que está produzindo novos movimentos em obras de caridade, arte, literatura, educação, ativismo e, claro, na própria religião.

Robbi Sluder, 47 anos, de Austin, Texas, é uma dessas pessoas. Robbi teve sua primeira experiência com Madalena na casa de parentes na véspera da Páscoa de 1999. "Eles estavam assistindo a um DVD da Gaither Vocal Band, um grupo de cantores *gospel*", conta ela, "e Sandi Patty, cuja voz é tão magnífica quanto a de Celine Dion, estava cantando". Quando se sentou na poltrona para ouvir, Sluder se deu conta de que as palavras estavam sendo cantadas do ponto de vista de Maria

* Jenniffer Doll é uma consultora editorial, escritora e pesquisadora que trabalhou em *Os segredos do Código* e foi editora executiva deste livro.

Madalena, e ficou claro para ela que Maria — e não Pedro ou João, os discípulos cujos nomes ela tinha ouvido serem repetidos ao longo de toda a sua criação metodista — fora a primeira pessoa a ver Jesus ressuscitado.

"Foi como se uma cortina se abrisse", disse ela. "Eu olhei para o armário em que estava meu vestido de Páscoa lavado a seco, e o vestido de Páscoa de minha filha e as cestas de Páscoa que eu tinha feito, pensei sobre a bela igreja à qual eu iria na manhã seguinte, e comecei a chorar." Sluder pensou em sua própria vida. "Eu pensei que ela era bastante boa, mas e quanto a todas aquelas mulheres nas ruas que não tinham idéia de que Deus as amava e de quanto eram importantes? E se eu pudesse ter feito isto naquela noite, teria ido a um Wal-Mart, comprado coisas e as dado às pessoas nas ruas."

Encorajada por seu marido e por alguns amigos, Sluder começou a colocar em prática um projeto para o ano seguinte. Ela encomendou cestas de Páscoa e outros presentes inspiradores: braceletes "Jesus o ama", lanternas "Jesus é o caminho da luz". "Cada cesta tinha um ovo de Páscoa com doces e algum tipo de animal de pelúcia para tocar seus corações, levá-los de volta a uma época mais inocente." As cestas também tinham produtos de higiene pessoal em amostras ou tamanhos para viagem, o número do celular de Sluder e um "Bilhete Maria", explicando como tinha sido celebrada a primeira Páscoa.

Com as cestas prontas, Sluder descobriu um problema. "Eu tinha feito tudo aquilo e não sabia para onde ir!" Ela telefonou para o Exército da Salvação. Lá um voluntário lhe disse onde seu grupo de três homens e cinco mulheres poderia encontrar prostitutas e orientação sobre como abordá-las e interagir com elas. Aquela primeira Páscoa foi um sucesso. Sluder se lembra de ficar de mãos dadas com as mulheres em uma noite chuvosa sob as luzes fracas de um estacionamento, rezando. "Quando acabou, nós pensamos: 'Uau.' Nós fomos para abençoar, mas fomos nós os abençoados. Nossos corações tinham sido modificados. A Páscoa nunca mais seria a mesma." Depois disso, o projeto e o número de voluntários cresceram, e a equipe de Sluder passou a visitar casas de passagem, casas de correção e clubes masculinos, chegando aos outros por intermédio de Maria Madalena.

Sluder, que sempre tinha pensado que Maria Madalena era uma prostituta, também começou a estudar a Bíblia a fim de descobrir mais sobre ela. O que aprendeu a deixou surpresa. "Eu adoro que ela nunca mencione seus pecados. Mas ela certamente experimentou desesperança, depressão, rejeição, tristeza. Quem de nós não pode dizer isso? Eu comecei a ver que Jesus a escolheu *por causa* disso. Maria é o ponto de acesso. Ela é alguém de verdade, e qualquer um que recebe nossos presentes pode se identificar com ela."

O Projeto Madalena (www.themagdaleneproject.org) é hoje uma grande organização sem fins lucrativos que funciona com o apoio de doações particulares, uma diretoria e mais de três mil voluntários em todos os Estados Unidos. Sua sede é um escritório de 130m^2 em Austin, Texas, dirigido por um funcionário contratado. Todos os funcionários recebem treinamento-padrão e as cidades participantes precisam seguir as regras e as políticas da organização. Em 2001, o Projeto Madalena atuava em dez cidades; em 2006, 23 cidades irão participar.

Vivendo sua espiritualidade por intermédio do ministério

Pam Stockton, 54 anos, de Houston, Texas, começou a se envolver com Maria Madalena em 1998, durante a festa em comemoração à santa na Brigid's Place, uma organização sem fins lucrativos ligada à catedral de Christ Church (www.brigidsplace.org). Isso despertou seu interesse e ela começou a ter aulas na Perkins School of Theology da Universidade Metodista do Sul. Diz Stockton: "Estudar Maria Madalena foi um processo de transformação para mim. Eu sinto como se ela falasse a mim por intermédio de meus estudos: e foi assim que nosso relacionamento começou. Mas ela também chamou outras mulheres. O 'magnetismo de Madalena' é tal que ela atinge mulheres diferentes de modos diferentes."

Pam irá se formar em Perkins este ano, e continua envolvida com os dias comemorativos como organizadora e participante. Ela ajudou a organizar o festival em 2004, durante o qual Karen King, de Harvard, falou para mais de quinhentas pessoas, e o de 2005, que teve como atração Jane Schaberg, da Universidade de Detroit Mercy. A palestrante deste ano é Ann Brock, autora de *Mary Magdalene, the First Apostle: The Struggle for Authority*. Os serviços dos dias de festa não são eucarísticos e freqüentemente incluem diálogos imaginados ou reconstituições. "Em 2004 nós dramatizamos a determinação de Paulo às mulheres de Corinto para que usassem véus e permanecessem em silêncio, e foram ouvidos engasgos na platéia", conta Stockton. "Nós estamos deixando as pessoas chocadas com a descoberta de como as coisas eram, da forma como as mulheres eram silenciadas. Esse tipo de coisa é importante."

Além das celebrações, Stockton participa da Comunidade Madalena da igreja, que foi fundada pela reverendo Betty Adam, diretora espiritual de Brigid's Place e titular de teologia canônica da catedral de Christ Church. "Há 13 anos eu tive a idéia de um ministério para mulheres", conta Adam. "Eu achava que a Igreja não estava dando atenção à luta das mulheres e senti necessidade de abordar algumas dessas questões. Nós estamos fortalecendo as mulheres, falando sobre a espiritualidade feminina. Enquanto tentamos desenvolver nossa espiritualidade e independência, ajudamos outras pessoas." Entre os programas estão Brigid's Hope, que consegue locais de estadia para mulheres que deixam a prisão, e Brigid's Paradigm, que constrói casas para mulheres e crianças com material reciclado. (Os programas são batizados em homenagem a Santa Brígida, que criou conventos por toda a Irlanda no início do século VI.)

Adam também organizou uma comunidade Madalena contemporânea, que se encontra na primeira e na terceira sexta-feira de cada mês para estudar obras como o Evangelho de Maria, e para orações dominicais em uma capela ecumênica em Houston. No tempo livre, Adam está escrevendo um livro intitulado *The Magdalene Mystique: Living the Spirituality of Mary Today*, que tem lançamento programado para outubro de 2006 nos Estados Unidos. "É sobre a energia em torno de Maria Madalena, sobre como a comunidade se desenvolve e o que isso significa para nós", diz ela.

Ouvindo sua voz e falando com os outros

Joan Norton, 58 anos, escritora, psicoterapeuta e facilitadora do Magdalene Circle, do Women's Club de Hollywood, Califórnia (www.marymagdalenewithin.com), diz: "Ela veio a mim sem ser convidada. Eu não tenho um histórico religioso tradicional, não tive histórias de infância nem nada do tipo." Norton, porém, foi uma canalizadora, e como muitas daquelas que encontraram Maria Madalena, ela conhecia a perda (sua filha de 16 anos tinha morrido em acidente de carro em 1986).

Certa manhã, há dez anos, quando ia escrever, ela ouviu as palavras de Maria Madalena na sua cabeça. "Maria disse que queria expressar sua gratidão por seu relacionamento com Jesus, que iria me contar sua história. Era uma sabedoria atemporal penetrando em minha mente. Ela falou comigo todas as manhãs durante duas semanas. O sofrimento era intenso, assim como seu amor por Jesus."

O resultado foi *The Mary Magdalene Within* e um chamado à ação. "Eu senti que era uma fonte de educação para outras mulheres sobre a história perdida do sagrado feminino ", diz Norton. "Isso faz as mulheres se sentirem fortes e iguais, fortalecidas por terem sua própria história cristã."

Uma celebração de Maria Madalena em 2005 no Women's Club de Hollywood despertou interesse inicial, e em setembro daquele ano nascia o Magdalene Circle. O grupo, que hoje congrega cerca de cinqüenta mulheres, se reúne um domingo por mês em uma sala do Women's Club, que é decorada com um altar, velas, flores e arte, "de modo que tenha aqueles bons sentimentos familiares de uma igreja", diz Norton. O grupo se senta em círculo e os trabalhos começam com uma oração antes de terem início os estudos e os debates sobre passagens do Evangelho de Maria. "Nós fazemos uma meditação conduzida que leva a história para a vida pessoal de cada mulher. É como um serviço religioso, mas com muita conversa. As mulheres estão ávidas por esse material."

Quando eu conversei com Norton, ela estava trabalhando em sua aula do domingo seguinte, assim como planejando a festa de Maria Madalena daquele ano (a de 2005, que atraiu 150 pessoas, teve um ministro essênio, dança do ventre, cantos, tambores e comida). Ela recentemente falou em um evento sobre Maria Madalena ao lado da escritora Margaret Starbird e de Katia Romanoff, fundadora e diretora da Esoteric Mystery School, disponível *on-line*. Ela reflete sobre sua atuação pública cada vez maior: "Eu não acho que escrevi aquele livro, ele simplesmente aconteceu. Esse foi o caminho escolhido para mim."

Um renascimento madaleno por intermédio da arte

Sara Taft, 71 anos, é artista, psicóloga e astróloga de Pacific Palisades, Califórnia. Para ela, Maria tem sido uma inspiração e uma afirmação, oferecendo um paralelo para uma ressurreição em sua própria vida. Taft, que há seis anos sobreviveu a um transplante de fígado depois de ter recebido o diagnóstico de uma mortal doença auto-imune, está atualmente fazendo uma exposição de pinturas e histórias intitulada *A Legendary Biography of Mary Magdalene* (www.sarataft.com).

Quando ainda se recuperava do transplante, Taft viajou para a França, a fim de aprender mais sobre o divino feminino e, em especial, sobre Maria Madalena. Criada em uma família metodista patriarcal, isso era algo novo. "Foi como uma revelação, um desenrolar da história cristã que eu estava vendo pela primeira vez. Comecei a pesquisar e a pintá-la, me familiarizar com ela, e quando eu a pinto eu choro. Eu posso não estar triste, mas choro."

As pinturas de Taft, que retratam e narram acontecimentos das vidas histórica e imaginada de Maria Madalena, foram expostas em galerias da Costa Oeste dos Estados Unidos. A reação ao seu trabalho a agradou. "Os homens estão dizendo: 'Vamos ler sobre esta mulher.' As mulheres católicas estão dizendo: 'Você fez isso por todas nós.' Havia lágrimas nos olhos de todas as pessoas, não apenas nos das mulheres."

A Madalena de um homem: a abordagem gnóstica

Mark Williams, 43 anos, de Columbus, Ohio, é professor gnóstico e coordenador do Magdalene Circle (www.magdalene-circle.org), um grupo gnóstico moderado que, como diz ele, "fica em algum ponto entre o cristianismo tradicional e o gnosticismo, se concentrando no divino feminino". Ele também é pai solteiro de dois adolescentes e anteriormente ocupou o cargo de pastor de jovens em uma seita cristã fundamentalista na qual "lutava contra práticas como mulheres não serem capazes de servir". Williams retornou à faculdade para fazer um mestrado em teologia e descobriu o Evangelho de Tomé.

"Acessei a internet e descobri que ainda havia gnósticos. Eu me considerava cristão e não estava disposto a abrir mão disso", diz ele. "Mas eu estava sentindo uma ruptura entre a profunda espiritualidade e uma postura não julgadora." Williams descobriu a ligação que estava buscando no gnosticismo e na figura de Maria Madalena, que ele acredita ter um grande apelo à condição humana. As práticas religiosas tradicionais podem levar a uma sensação de ser um estranho, diz ele. "Há uma mensagem composta de salvação por meio da graça, mas você ainda não é bom o bastante. Maria oferece a idéia de que não importa que ela fosse mulher; ela lutou, foi aceita e tinha fé."

Inspirado pelo que descobriu na internet, Williams começou a colocar folhetos em livrarias locais e a deixar mensagens em vários fóruns *on-line*. Uma mulher da região que estava fazendo o mesmo entrou em contato com ele, e os dois passaram a se encontrar e estudar juntos. Desde então o grupo cresceu para 12 pessoas. "As pessoas que estão seguindo esse caminho são normais, pessoas comuns", diz Williams. "No passado as pessoas pensavam que você tinha de ser um grande teólogo para fazer algo como isso. Mas pode ser qualquer um. Você pode ter falhas e descobrir a espiritualidade."

O grupo se reúne aos sábados em uma antiga casa que foi transformada em uma Igreja unitarista. Em geral eles se concentram em como as passagens de vários Evangelhos gnósticos, incluindo o Evangelho de Maria, se referem à jornada espiritual pessoal de cada membro. Williams também está planejando um encontro de verão em uma área arborizada de 12 mil m^2 junto à igreja. Entre os participantes estão um grupo gnóstico da internet com cem integrantes e outros grupos religiosos, incluindo budistas, hindus e pagãos. "Haverá acampamento, fogueiras e apresentações de uma hora de duração ao longo de dois dias. Nosso objetivo é voltar ao que é nosso. Acreditamos que há vários caminhos", diz Williams, que se prepara para ser ordenado sacerdote gnóstico em agosto. "O meu caminho é o que é certo para mim."

Educação que alimenta a alma

Quem também defende a descoberta de uma religião que se ajuste à sua personalidade é Katia Romanoff, 41 anos, de Dallas/Ft. Worth, Texas. Ela é fundadora e diretora da Esoteric Mystery School, uma comunidade educacional da internet com aproximadamente 250 membros ativos de estudantes e mais cerca de mil pessoas que participam de fóruns de discussão (http://northernway.org/school). Inspirada por livros como *Maria Madalena e o santo Graal*, de Margaret Starbird, Romanoff entrou na internet pela primeira vez em 1999, e criou um grupo de discussão sobre o sagrado feminino e Maria Madalena. O grupo, chamado Goddess Christians, ainda existe hoje e tem mil membros. "Havia pessoas pedindo aulas, guias de estudo, declarações, orações. Eu reuni algumas lições e, em 1999, criamos a Esoteric Mystery School", relembra Romanoff. Curiosamente, 40% dos alunos da escola são homens.

Para Romanoff, uma síntese religiosa como a sua tem sido muito aguardada. "A religião precisa alimentar a alma", afirma Romanoff. "Maria Madalena equilibra coisas como o desequilibrado 'Deus é pai solteiro'. Precisamos de uma mãe celestial. Quem é a esposa de Deus? Eu me lembro de perguntar isso aos seis anos de idade." Mas e se Jesus e Maria nunca foram um casal? "Se Jesus e Maria Madalena não eram casados, deveriam ter sido", diz ela. "Porque isso reverbera, produz realização, nos permite usar a estrutura cristã de acordo com a qual todos fomos criados, e assim nos sentimos à vontade. Nós podemos projetar nossa própria versão, porque isso foi o que todos fizeram." Essa versão inclui uma "Ave Maria" que começa: "Ave Maria Madalena, o Senhor desposou-vos." Também há um Pai Nosso Equilibrado, um Rosário de Maria Madalena e um livro de orações especial da Ordem de Maria Madalena.

A Esoteric Mystery School é, do ponto de vista jurídico, uma Igreja que pode ordenar membros como ministros após a conclusão de um curso e inclui três grandes portais de estudo, três graus e de duzentas a trezentas aulas centradas nas obras de autores como Starbird, Jean-Yves Leloup e Tau Malachi. Os alunos pagam uma mensalidade de 25 dólares por um número ilimitado de aulas e acesso aos portais de estudo, que são acessados *on-line* e por *e-mail*. Essa característica *on-line* cria uma comunidade religiosa virtual que é muito típica do novo milênio: *chats* na internet e encontros no "plano espiritual" ao alvorecer, ao meio-dia e ao anoitecer ajudam a ligar as pessoas apesar da falta de encontros físicos. O grupo também promove um encontro anual, oportunidade para encontrar estudantes de lugares distantes como África, Canadá, China, Europa, Indonésia, México, Porto Rico e Estados Unidos.

Uma igreja para o futuro: Ativismo Madaleno

Chris Schenk, 60 anos, é o diretor executivo da FutureChurch, uma Igreja católica reformada que nasceu em Cleveland, Ohio, em 1990, com o objetivo de preservar a eucaristia católica abrindo a ordenação de mulheres e casados (www.futurechurch.org). Para Schenk, está em jogo algo ainda maior do que Maria Madalena: o futuro da Igreja católica. "Estamos em uma rota de colisão com a falta de padres", diz ela. "Em 2027 teremos sete padres para 235 paróquias em Cleveland."

Em compensação, há trinta mil ministros leigos na Igreja dos Estados Unidos, dos quais 82% são mulheres.

Em 1997, Schenk desenvolveu o projeto Women in Church Leadership em parceria com outra organização renovadora católica, a Call to Action. "Nós enviamos *e-mails* e cartas às pessoas que tinham comprado nossos materiais para mulheres e dissemos: nesse mês de julho, eis o que gostaríamos de fazer. Faça o estudioso da Bíblia de sua localidade apresentar quem era Maria Madalena e o faça em um serviço religioso comandado por uma mulher." No primeiro ano, 23 grupos participaram. Hoje, diz Schenk, o número está na casa de trezentos, com 60% a 70% das atividades acontecendo em locais católicos.

Para Schenk, a batalha pública também tem sido muito pessoal. "Eu estava em uma missão de reverter a noção equivocada de que Maria Madalena era uma prostituta. Na verdade, dependeu dela a proclamação da Ressurreição. Como mulher católica, tudo o que eu sabia era que ela fora uma pecadora pública, e eu queria mudar essa idéia."

Este ano, juntamente com eventos coincidindo com dias de festa, Páscoa, Quaresma e Semana Santa, a FutureChurch criou um conjunto de recursos festejando as mulheres por toda a história da Igreja. "Nós achávamos que elas eram doces, espertas e obedientes e se tornaram santas", diz Schenk. "Mas nós não ouvimos como elas eram fortes e o que realmente fizeram. Elas na verdade foram bispos e padres do sexo feminino. Na verdade a Igreja tem uma tradição de ordenação de mulheres." Sobre Maria Madalena ela diz: "Ela é a ponta do *iceberg*; ela é o ícone do papel suprimido das mulheres na Cristandade."

Tem havido progressos no esforço pela ordenação de mulheres? A resposta de Schenk é cautelosa: "Acho que depende de como você define isso." Pelo lado bom, mulheres estão sendo educadas para o ministério da Igreja e como pregadoras em um nível sem precedentes. "Sessenta por cento das 18 mil pessoas que estudam para ser ministros leigos – incluindo mestres em divindade, estudos bíblicos e similares – são mulheres. Comparado com três mil homens nos seminários. Está mudando a partir de dentro", diz ela.

Para essas oito pessoas e milhares de outras, Maria Madalena está mudando as coisas a partir de dentro e também inspirando mudanças no mundo externo. À medida que a mensagem se espalha, ajudada pela popularidade de livros como *O código Da Vinci*, podemos estar em uma encruzilhada revolucionária para a religião. Há uma nova fusão entre espiritual e pessoal; uma liberdade para abrir seu próprio caminho e descobrir seu próprio modelo. Também há uma necessidade profunda de recuperar o equilíbrio entre masculino e feminino, resgatar o que foi perdido ou escondido durante tanto tempo.

"As pessoas reagem de forma muito positiva, utilizando palavras como *realizado*, *completo*. Minha maior esperança é que possamos continuar com o trabalho e tornar maior essa forma alternativa de cristianismo. Não acontecerá da noite para o dia, mas pelo menos começou", diz Katia Romanoff. Joan Norton é ainda mais confiante. Durante a transmissão de *The Mary Magdalene Within*, me diz ela, Maria revelou algo mais. "Ela sabia que seria deixada de lado até o momento em que fôssemos fortes o bastante para suportar. Agora é o momento certo."

Ela se move de formas misteriosas: Maria Madalena na era da internet

Por Lesa Bellevie

Histórias dão sentido ao presente e nos ajudam a imaginar o futuro. E, no caso de Maria Madalena, um futuro melhor. Essa premissa é tão motivadora hoje quanto era no momento em que os ensinamentos de Jesus e as histórias sobre Maria Madalena começaram a se espalhar de aldeia em aldeia nos tempos bíblicos. Nossa aldeia hoje é global, e o *e-mail* freqüentemente substitui a transmissão de histórias pela tradição oral, mas as histórias propriamente ditas continuam impressionantemente semelhantes às daqueles que buscaram orientação ou alívio do sofrimento fazendo peregrinações para ver as relíquias de Maria Madalena no sul da França na Idade Média.

Hoje o ponto de encontro predileto para discutir "o que Maria significa para mim" é a internet, e nessa mídia www.magdalene.org é a essência. Nós pedimos a Lesa Bellevie, criadora do *site* e sua *webmaster*, que nos contasse o que seus leitores têm a dizer. Enquanto passava pelas histórias pessoais de outros, e descobria os modos como mulheres – e,

> sim, homens – de uma variedade de confissões e históricos partilhavam esse laço comum, Lesa começou a pensar em sua própria jornada. O que se destaca é como Maria Madalena, mesmo no terceiro milênio, entra nas vidas das pessoas inesperadamente, e com freqüência a ligação que elas sentem se torna intensamente pessoal.

Em 1997, eu sonhei com Maria Madalena. Embora eu tenha sido criada em uma casa cristã, chegando mesmo a ler a Bíblia à noite com minha família, eu tinha a mesma vaga compreensão de sua identidade que a maioria das pessoas: ela era a prostituta dos Evangelhos, certo? O sonho, que saiu – em sua maior parte – do nada, era suficientemente estranho e interessante para me levar a abrir minha Bíblia, algo que eu não fazia havia muitos anos.

Por mais que eu tentasse, não consegui encontrar qualquer referência à reputação ilícita de Maria Madalena nas páginas da minha Bíblia do rei James. Vasculhei o índice, procurei diferentes traduções, e nada; eu fiquei sem qualquer idéia razoável de por que as pessoas pensavam nela como uma rameira arrependida. O que tinha começado como um simples exercício destinado a satisfazer minha curiosidade se transformou em um mistério mais intrigante. Quem era Maria Madalena, e como ela tinha se tornado uma pecadora?

Uma das grandes alegrias da vida é vasculhar sebos. Em uma excursão desse tipo no início de 1998, um amigo me passou um exemplar de um livro chamado *The Nag Hammadi Library in English*. Eu imediatamente abri no índice e, para minha surpresa, descobri um tesouro. Não apenas havia muitas menções a seu nome, como até mesmo um Evangelho de Maria Madalena. Eu tinha descoberto o gnosticismo, um dos primeiros rebentos da crença cristã que floresceu nos primeiros cinco séculos depois de Cristo. Os gnósticos acreditavam que um conhecimento especial revelado (gnose) – não o sacrifício de Cristo – era o segredo da salvação. Em algumas seitas gnósticas, Maria Madalena tinha uma posição de grande prestígio, como apóstolo, como líder, e era uma companheira do Salvador.

Eu sou, por profissão, engenheira de teste de programas de computador, e passei a maior parte de minha carreira trabalhando em tecnologias da rede mundial de computadores. Assim, meu passo seguinte era natural: acessei a internet para descobrir o que mais podia aprender sobre Maria Madalena, tanto dentro quanto fora do gnosticismo. Para minha decepção, encontrei muito pouco. A cada dia mais dedicada a estudar essa personagem cristã, eu decidi criar meu próprio *site* sobre Maria Madalena. Em 1998 foi criado o Magdalene.org. Meu objetivo era criar um repositório de conhecimento sobre Maria Madalena que estivesse disponível para qualquer pessoa que tivesse ficado fascinada com a "outra" Maria. De início eu recebia no *site* comentários mensais, depois semanais, depois quase diários. *E-mails* de leitores, a maioria deles de mulheres, quase sempre tinham a mesma coisa a dizer: "Eu achei que era a única interessada em Maria Madalena!"

Rapidamente, várias das pessoas se reuniram em um pequeno grupo *on-line* por intermédio de uma lista de endereços. Nós partilhamos nossas idéias sobre Maria Madalena, Cristandade e temas relacionados, criando amizades e redes de apoio. Na época, parecia que a única ligação entre indivíduos tão diferentes — de adolescentes a avós, de pessoas que abandonaram o ensino secundário até ph.Ds. — era o fato de que eles tinham um interesse apenas em Maria Madalena. Com o tempo, porém, começaram a se revelar tendências. Muitos estavam interessados em Maria Madalena porque tinham seu nome, ou porque tinham escolhido seu nome no crisma da Igreja católica romana. Outros, como eu, simplesmente tinham ficado intrigados com a crença comumente aceita (apesar da falta de provas) de que ela era uma prostituta. Muitos sentiam uma profunda atração espiritual por Maria Madalena que tinham dificuldade em explicar. Quanto mais eu aprendia sobre Maria Madalena, mais eu me sentia assim.

Eu tenho tido sorte de estar na posição de ouvir tantas histórias de um segmento da sociedade. Embora eu nem sempre partilhe as mesmas opiniões sobre Maria Madalena que aqueles que conheci, é difícil não apreciar o fato de que ela enriqueceu a vida espiritual de tantas pessoas. Nisso, eles — ou talvez eu deva dizer *nós* — partilham algo.

Procurando um novo caminho

Uma das questões recorrentes entre mulheres que se descobriram atraídas por Maria Madalena é uma sensação de alienação do cristianismo tradicional. Isso inclui *todos* os ramos do cristianismo, não apenas o catolicismo romano. Quando se descobriram sendo consideradas grandes cozinheiras de bolos de caridade, professoras da escola dominical e freqüentadoras de igrejas, mas não consideradas presbíteros, diáconos ou pastores, muitas mulheres começaram a sentir que, independentemente do que acreditassem em relação a Cristo, sua religião tinha falhas.

Eu partilho essa experiência. Criada como pentecostalista, eu aprendi que uma mulher devia ser submissa a seu marido, e que seu lugar era em casa. Crescendo em uma cultura carregada de feminismo, o conflito entre acreditar que as mulheres podiam realizar qualquer coisa e acreditar que as mulheres só podiam criar filhos e manter a casa organizada era esmagador. Eu encontrei consolo em ouvir as histórias de outras mulheres em nossa comunidade *on-line*:

> *Toda a minha família é católica, embora muitos tenham deixado a Igreja — principalmente as mulheres, por diversas razões [...] Eu parei de ir à igreja porque senti que era tão dominada pelos homens que eu sequer conseguia ouvir nas entrelinhas qualquer espécie de aspecto feminino. [...] Exceto por Maria, a mãe, não havia nenhuma forte presença feminina. Nós, meninas, não podíamos ser coroinhas — e isso sempre me incomodou.*
>
> Mary; Northampton, Massachusetts

> *Eu deixei a [Igreja de Jesus Cristo dos Santos dos Últimos Dias] no final dos anos 1960 por causa de sua visão das mulheres. A questão do sacerdócio não incomodava tanto quanto sua insistência em que as mulheres deviam ser subordinadas aos homens, a ponto mesmo de a violência doméstica ser ignorada.*
>
> Loretta; Sylmar, Califórnia

> *Eu fui criada como luterana, mas sempre achei que faltava algo [...] eu tinha um problema com o modo como as mulheres eram retratadas na Igreja.*
>
> Elizabeth; Chestertown, Maryland

> *Eu me descobri muito insatisfeita com o que estava sendo ensinado na Igreja pentecostal. Eu a considerei muito hostil às mulheres de muitos modos, e dogmática demais.*
>
> Carol; Kansas City, Missouri

As mulheres citadas partilham a mesma origem e o mesmo destino: uma devoção a Maria Madalena como um modelo feminino independente e forte nos Evangelhos. Maria Madalena nos diz que o cristianismo não diz respeito apenas aos homens: nós também somos encarregadas de levar as Boas-novas, de outros modos que não a mera obediência devota.

> *Quanto mais eu aprendia, mais intrigada ficava. Comecei a me dar conta de que uma mudança na percepção pública tanto de Maria, a mãe, quanto de Maria Madalena seria algo poderoso para o progresso das mulheres na sociedade. Eu também comecei a pesquisar e escrever sobre essas duas mulheres com esse objetivo em mente.*
> Loretta; Sylmar, Califórnia

> *[Maria Madalena] realmente é um símbolo para nós — um símbolo de igualdade de gêneros, relacionamentos baseados em parceria, um modelo para mulheres (e homens) de todos os caminhos e experiências espirituais.*
> Denise; Vernon, Connecticut

> *Eu acho [a recente popularidade de Maria Madalena] ótima, sobretudo se as mulheres receberem mais consideração e autoridade na Igreja. [...] Nós somos o restante da população, portanto precisamos ser ouvidas.*
> Carol; Kansas City, Missouri

Sonhos, morte e *O código Da Vinci*

No início de 2003, ninguém em nossa pequena comunidade *on-line* sobre Maria Madalena podia adivinhar que um livro que logo seria publicado iria mudar completamente o modo como o mundo via o objeto de nossa devoção. O romance de Dan Brown *O código Da Vinci*, lançado em abril daquele ano, logo se tornou um *best-seller*. Construído com base no livro de 1982 de Michael Baigent, Richard Leigh e Henry Lincoln *O Santo Graal e a linhagem sagrada*, bem como em títulos de um dos membros de nossa comunidade, Margaret Starbird, como *Maria Madalena e o Santo Graal* e *The Goddess in The Gospels, O código Da Vinci* gira em torno da idéia de que Maria Madalena era não apenas um equivalente divino semelhante a Jesus, mas também a mãe de seus filhos. Isso se mostrou uma combinação atraente para muitos.

O número de pessoas que ingressavam em nossa comunidade começou a crescer constantemente depois do verão de 2003, e nosso "pequeno" grupo se tornou um importante ponto da internet para discussões sobre Maria Madalena. (Partindo de um número relativamente estável de cem membros antes da publicação de *O código Da Vinci*, o grupo tinha, na última contagem, mais de 750 participantes.) Entre os mais novos membros se destacava um novo caminho para Maria Madalena:

> *Eu não tinha idéia de sobre o que era [*O código Da Vinci*] antes de lê-lo. Apenas parecia excitante. Quando eu descobri [...] as teorias envolvendo Madalena, isso me atingiu de forma tão forte que mudou meu ser. De repente, tudo ficou claro — as ligações, o abuso das mulheres, a corrupção da Igreja —, tudo ficou claro.*
>
> Elizabeth; Chestertown, Maryland

> *Depois de ler o romance de Dan Brown,* O código Da Vinci, *eu quis descobrir mais sobre Maria Madalena [...] a abordagem de Margaret Starbird, o casamento sagrado, me pareceu bastante nova na forma como tratava a sexualidade como uma parte fundamental da vida que não pode ser excluída.*
>
> Martina; Berlim, Alemanha

> *Quando eu li* O código Da Vinci, *foi como se uma porta tivesse sido escancarada.*
>
> Kristin; Buffalo, Nova York

Uma história particularmente comovente é a de Erin, de Fort Wayne, Indiana. Ela explica que sua descoberta de *O código Da Vinci* e de Maria Madalena ocorreu em um momento vulnerável de sua vida. Ela leu o livro imediatamente antes do nascimento de sua filha, que veio ao mundo após um parto difícil, que colocou em risco a vida da recém-nascida.

Por insistência da equipe do hospital, eu pedi um padre, que estava de folga e afastado. Ele de fato estava muito ansioso para partir e ofereceu pouco conforto.

Sentindo um desespero pelo qual muitas mães devem ter passado, Erin prometeu a Deus que levaria uma vida mais espiritualizada se ele ajudasse sua recém-nascida a sobreviver. Sua filha se recuperou, e Erin se dedicou a pesquisar algumas das fontes do escritor Dan Brown. Ela queria aprender mais sobre as idéias incomuns contidas em seu romance. Isso a levou aos livros de Margaret Starbird, que tiveram um efeito profundo.

A obra de Margaret Starbird fez muito sentido para mim. Eu senti como se tudo estivesse se juntando pela primeira vez. Em retrospecto, o nascimento de minha filha foi uma parte importante do meu despertar espiritual para o feminino. Eu cumpri minha promessa.

Não fica imediatamente evidente para a maioria das pessoas que situações como a de Erin, que estava entre a vida e a morte, ou chorando uma perda, possam catalisar a descoberta de Maria Madalena. Muitos passam a sentir um profundo respeito por ela após experimentarem a perda de um ente querido. Sendo a principal figura associada à crucificação, sepultamento e ressurreição de Cristo, Maria Madalena molda o sofrimento de uma maneira que nenhuma outra personagem dos Evangelhos consegue.

MaryEllen, ministra ecumênica do condado de Bucks, na Pensilvânia, diz que um sonho perturbador com Maria Madalena antecedeu a morte de vários membros da família em um espaço de vários anos. Depois disso, MaryEllen passou a se lembrar do sonho como uma visita de Maria Madalena, em cuja presença ela posteriormente encontrou conforto. Sustentando a visão de que Jesus e Maria Madalena tinham um relacionamento íntimo, ela diz:

Ela veio para me proteger e a meu equilíbrio mental do novo estresse que estava a caminho. Ela sabia que um dia eu a encontraria. Queria que eu estivesse mentalmente preparada para aceitar as visões céticas de pessoas que não estavam dispostas a abandonar suas crenças enraizadas e suas estruturas

> *ortodoxas. Queria que eu fosse curiosa e investigadora. Eu sei que ela queria que eu, como muitos outros, ajudasse a devolvê-la a seu lugar de direito, ao lado de seu Amado.*

O sonho de MaryEllen é apenas um dos muitos que eu ouvi ao longo dos anos. Sempre impressionada pelo fato de que minha própria experiência fosse partilhada por tantos outros, eu passei a considerar os sonhos com Maria Madalena um profundo impulso na direção de conciliar idéias difíceis e aparentemente contraditórias: o feminino ante a misoginia religiosa, ou o amor na presença da morte. É impressionante perceber que Maria Madalena "se move" dessa forma através da vida de tantos. Eis a experiência de Eleanora, de Seattle, Washington:

> *Eu achava que Maria Madalena era uma prostituta até sonhar que eu tinha feito um santuário para ela. Era muito real. Quando eu descobri que havia muito mais nela do que eu tinha imaginado, decidi fazer um santuário em tamanho real. Depois de fazê-lo, passei a sonhar com ela com maior freqüência. Muitas vezes os sonhos eram caracterizados por alguém chorando profundamente e uma sensação de perda inacreditável. Em um deles, alguém morria, e parecia que aqueles que tinham sido deixados para trás chamavam por Maria Madalena em sua dor. No sonho, era o poder do amor de Maria Madalena por Jesus que permitia a ele voltar à vida.*

Embora eu tenha recebido autorização para reproduzir aqui apenas algumas histórias, aquelas que foram partilhadas de modo mais particular são igualmente pungentes. Pelo menos um estudioso de Maria Madalena, atuando na academia, atribui os sonhos com Maria Madalena à crescente consciência da importância da santa.

Os homens de Madalena

É verdade que a maioria das pessoas que expressam uma profunda devoção por Maria Madalena é de mulheres, mas *há* homens entre elas. Apesar de serem minoria, esses homens que descobriram uma ligação com Maria Madalena não são menos sinceros. Muito freqüentemente, a prática revivida do gnosticismo cristão está no cerne da veneração masculina a Maria Madalena. Alguns textos gnósticos escritos antes do final do século IV, incluindo alguns poucos da biblioteca de Nag Hammadi, colocam Maria Madalena em posição elevada entre seus pares. Isso leva muitos gnósticos modernos a fazer o mesmo.

> *Meu especial interesse por [Maria Madalena] surgiu de meus estudos sobre o gnosticismo. Ela é uma personagem muito importante na escritura gnóstica. Um dos, se não o mais importante dos apóstolos.*
> Jeremy; Seattle, Washington

> *Após freqüentar a faculdade para fazer mestrado eu descobri que não conseguia suportar o fundamentalismo cristão. Eu sempre tinha tido problemas com os julgamentos, e assim que aprendi a história da Igreja e descobri tudo sobre formas alternativas de cristianismo, não consegui voltar. Fiquei interessado em gnosticismo e descobri a tradição gnóstica de Sofia. Os gnósticos dessa tradição dão valor ao divino feminino e colocam Madalena em um papel principal. Eu senti que ela finalmente estava onde eu sempre acreditei que deveria estar.*
> Mark; Mount Vernon, Ohio

Contrariamente ao equívoco popular, os homens também podem ser inspirados pela espiritualidade da deusa, particularmente à luz de seu lugar em romances como *O código Da Vinci*. Um jornalista com quem conversei diversas vezes expressou seu amor por Maria Madalena como deusa por intermédio do termo junguiano *anima*, o feminino que está dentro dos homens e afeta seu relacionamento com as mulheres. Desencorajado por um divórcio, ele atribuiu à presença de Maria Madalena em sua vida espiritual sua paulatina compreensão de como ser um marido e um pai melhor.

Cristãos inabaláveis

Onde estão todos os cristãos que são devotados a Maria Madalena? Ela só apela a pessoas que deixaram a Igreja e seguiram caminhos da Nova Era? De modo algum.

No entanto, parece que as pessoas que continuam a ser cristãs devotas são mais discretas quanto à sua dedicação, não "alardeando isso aos quatro cantos". Muito poucos demonstraram interesse em debater suas histórias publicamente. Entre os pontos de vista que ouvi de cristãos tradicionais, o reconhecimento de Maria Madalena como "apóstolo dos apóstolos" por seu papel de primeira testemunha da Ressurreição é um dos mais citados.

> *Eu realmente acredito que a visão de Madalena como "apóstolo dos apóstolos" é importante para ajudar a Igreja a se ajustar ao pensamento moderno sobre o "lugar da mulher". Eu não acredito em nenhuma dessas coisas de* Código Da Vinci *ou de sagrado feminino que cercam Madalena, mas se isso ajuda as mulheres a conseguir mais espaço dentro da Igreja, não vejo nada de mau.*
>
> Thomas; Bellevue, Washington

Um outro ponto de vista fundamental entre os cristãos é uma ênfase no relacionamento íntimo entre Maria Madalena e Jesus. Embora admitindo algum grau de intimidade na amizade deles, os cristãos não sentem necessidade de vê-los como casados.

> *Para mim, Santa Maria Madalena (eu a considero uma santa, já que sou católica romana praticante e ela é considerada santa, com um dia de celebração) representa amor, total e incondicional; entrega completa e absoluta. [Não há] prazer terreno comparado ao êxtase que ela deve ter sentido aos Seus pés, e com a visão Dele naquela manhã de Páscoa. Para mim a questão é essa: amar o Homem Perfeito, o Deus Perfeito, e receber Seu amor em retribuição. Viver esse amor eternamente — quem poderia pedir algo mais completo que isso?*
>
> Helene; Bloomfield, Nova Jersey

Minha própria jornada com Maria Madalena continua. Depois de quase uma década, ela entrou em minha vida em um nível completo; ela está ali todo dia, toda hora, todo minuto. Em algum ponto entre protetora espiritual e consciência ao estilo Grilo Falante, entre *hobby* e devoção, ela me impulsiona de uma maneira ainda mais poderosa quando eu encontro outros que parecem ser colegas peregrinos no mesmo caminho. Sejam eles cristãos em busca de um apóstolo, ou adeptos da Nova Era contemplando arquétipos de união sagrada, sejam eles acadêmicos ou místicos, todos foram tocados pelo numinoso. E como as pessoas desde o início da história registrada têm dificuldade em descrever experiências espirituais, continuamos a buscar uma linguagem para expressar a profundidade de nossos encontros com Maria Madalena, cuja identidade, depois de quase dois mil anos, permanece incerta. O fato de que a temos em comum, porém, significa que em alguma medida palavras sequer são necessárias. Como os antigos gnósticos, nós apenas *sabemos*.

Apêndices

A prateleira de Maria Madalena

Equipe de "Os segredos"

Um projeto do porte e da abrangência de um livro como *A verdadeira história de Maria Madalena* exige enorme pesquisa. Assim, nossa biblioteca coletiva aumentou em centenas de volumes – de textos de estudiosos sérios que passaram suas carreiras nos trazendo traduções e análises de registros antigos a livros de autoajuda que apresentam Maria Madalena como uma "revolucionária do prazer". Entre os autores há pelo menos uma dúzia de especialistas com variadas interpretações da tradição da deusa e de como a sociedade moderna a eliminou, bem como romancistas e pesquisadores que esperam nos convencer, cada qual com diferentes argumentos, de detalhes da vida da Madalena, seu relacionamento com Jesus, suas viagens no sul da França (e talvez Egito e o Reino Unido). E há aqueles que acreditam que ela é literalmente o Santo Graal, aquela que gerou uma linhagem sagrada e heroína de uma história de ação e aventura e de um *thriller* de anti-história que começa e termina no Louvre. E não podemos nos esquecer daqueles que ponderadamente (na maioria dos casos) opinaram sobre as diversas controvérsias acerca de sua vida – e do uso e abuso religioso e intelectual que ela suportou.

Passando por todos esses livros e centenas de páginas na internet, ficam três impressões: primeiramente, uma enorme admiração pelas pesquisas e análises sérias sobre Maria Madalena; isso nos deu maior compreensão de quem ela foi e do que ela significou para a história cultural da civilização ocidental. Em segundo lugar, a profundidade das ligações religiosas e altamente pessoais que tantos sentem ter com Maria Madalena, mesmo em nossa época secular. Em terceiro lugar, o que as pessoas vêem nela é até, de muitas formas, um reflexo de suas próprias crenças e atitudes.

Qualquer lista de "melhores" certamente teria livros de cada um dos autores que nós entrevistamos, de quem extraímos textos e que convidamos a escrever ensaios para este livro. Ainda assim, com a ajuda de Lesa Bellevie, de Magdalene.org, reunimos o que consideramos serem os melhores livros para qualquer um que queira formar uma biblioteca básica sobre Maria Madalena. A lista reflete apenas nossa própria avaliação, evidentemente, filtrada pelas lentes que escolhemos. Acreditamos que muitos estudiosos, especialistas e leitores leigos cuja avaliação respeitamos muito podem discordar de algumas de nossas escolhas, ou prefiram outras. Nós encorajamos os leitores a apresentar suas opções pessoais em nosso *site*, www.secretsofmarymagdalene.com.

Em cada categoria, os livros são relacionados alfabeticamente pelo sobrenome do autor.

Introduções e visões gerais

The Complete Idiot's Guide to Mary Magdalene, de Lesa Bellevie. Não fuja do título. Em meio a apartes joviais e um estilo altamente informal, há um enorme volume de informação, refletindo uma escolha judiciosa e abrangente de visões do legado de Maria Madalena, do que sabemos e do que não sabemos sobre ela, das controvérsias religiosas e seculares e o lugar que ela ocupa em nossa história e na cultura contemporânea.

Mary Magdalene: A Biography, de Bruce Chilton. Começando com uma visão geral do que sabemos sobre o histórico dela, o autor se concentra na interpretação de seus "sete demônios" e depois mostra como Maria Madalena deixou sua própria "assinatura" nas origens da Cristandade. Os leitores também encontrarão algumas observações enaltecedoras sobre a capacidade de Maria Madalena de inspirar as mulheres no cristianismo moderno.

Lost Christianities: The Battles for Scripture and the Faiths We Never Knew, de Bart Ehrman. O autor explica como os padres da Igreja primitiva classificaram os quatro evangelhos, bem, como Evangelhos – e todos os outros antigos textos cristãos primitivos como heresia. Em um período de trezentos anos, Ehrman nos conta, a organização religiosa e uma aliança com o poder político superaram toda oposição à sua ortodoxia. O último livro de Ehrman, *Peter, Paul, and Mary Magdalene:*

The Followers of Jesus in History and Legend, e, como resume o subtítulo, uma obra sobre os seguidores de Jesus e o que suas histórias nos falam sobre uma igreja incipiente.

Os evangelhos gnósticos, de Elaine Pagels. Esse é o clássico para entender o leque de diferentes cristianismos. Aqui, no estilo acadêmico porém acessível que deu a ela um National Book Award, Pagels desenrola o emaranhado de mito, teologia e política que constituía a Cristandade primitiva. Entre seus outros livros notáveis estão *Beyond Belief*, no qual ela lida com sua própria fé no contexto do Evangelho de Tomé e investiga os motivos pelos quais o cristianismo ficou associado quase exclusivamente às idéias limitadas do Novo Testamento como codificado pelo Concílio de Nicéia, no século IV.

Maria Madalena e o Santo Graal, de Margaret Starbird. Starbird é a principal responsável pela popularização da idéia de que Jesus e Maria Madalena estavam no cerne de uma teologia de "união sagrada" – que ela acredita ser a verdadeira base do cristianismo, esmagada pela incipiente e sufocante ortodoxia da Igreja. Embora muitos estudiosos achem que ela especula em demasia, Starbird também é muito admirada. Seja como for, seus livros (incluindo *Maria Madalena, a noiva no exílio*) são títulos importantes para compreender o fascínio moderno por Maria Madalena e sua nova mitologia.

O melhor da nova erudição sobre Maria Madalena

Não fuja da palavra "erudição". Embora alguns destes livros sejam altamente detalhados, com muitas notas de rodapé e salpicados de eventuais parágrafos (ou mesmo capítulos) densos, eles são altamente recomendáveis, e justificadamente, por oferecer ao leitor novas – e freqüentemente surpreendentes – visões sobre Maria Madalena.

Mary Magdalene, The First Apostle: The Struggle for Authority, de Ann Graham Brock, estuda o que significa ser um apóstolo e por que Maria Madalena nunca foi classificada como tal nos Evangelhos, embora ela seja fundamental para a mensagem cristã. Brock, como outras estudiosas feministas modernas, revela provas de um esforço ativo para eliminá-la como testemunha do Cristo elevado em benefício de Pedro.

Mary Magdalene: Myth and Metaphor, de Susan Haskins. Essa obra definitiva abrange quase dois mil anos, estudando as diversas aparições de Maria Madalena na arte, na liturgia, no teatro, na literatura, na música e na imaginação popular. Haskins dedica a última parte do livro a visões mais recentes sobre Maria Madalena.

The Gospel of Mary of Magdala: Jesus and the First Woman Apostle, de Karen King. King é uma das principais estudiosas do Evangelho de Maria, um texto cristão do início do século II no qual Maria Madalena partilha sua visão de Cristo com os outros discípulos. É uma séria introdução ao que tem sido classificado como um dos mais importantes Evangelhos "Gnósticos".

The Resurrection of Mary Magdalene: Legends, Apocrypha, and the Christian Testament, de Jane Schaberg. "Straight, no chaser" é o título de uma composição de *jazz*, mas algo como puro, sem gelo, poderia ser aplicado a esse livro. Construída em uma estrutura feminista progressista, com um estilo de observação poético e comentários mordazes, a obra de Schaberg oferece ao leitor uma ampla visão das lendas, da arqueologia e das tradições gnósticas/apócrifas que povoam nossa memória coletiva a respeito de Maria Madalena.

Outras obras que consideramos particularmente úteis e que recomendamos

Sobre o gnosticismo e outros diferentes pontos de vista do início do cristianismo

The Gospel of Mary: The Secret Tradition of Mary Magdalene, The Companion of Jesus é uma tradução para o inglês de Marvin Meyer com úteis comentários de Esther de Boer. Marvin Meyer também é conhecido por seu *O evangelho de Tomé* e uma nova obra que abrange algumas das últimas descobertas, *The Gnostic Discoveries*. O *Evangelho de Maria*, de Jean-Yves Leloup, é popular por sua ênfase nesse Evangelho como fonte de sabedoria gnóstica. Uma compilação completa dos Evangelhos gnósticos, com comentários, pode ser encontrada em *A biblioteca de Nag Hammadi* , organizado por James M. Robinson.

Desconstruindo as tradições Madalenas

Se estiver intrigado com a idéia de Maria Madalena como a taça literal para o sangue de Jesus Cristo e o papel de sociedades secretas como o Priorado de Sião na proteção dos mais profundos segredos do mundo ocidental, comece com *O Santo Graal e a linhagem sagrada*, de Henry Lincoln, Michael Baigent e Richard Leigh. Em seguida, passe para a obra de Lynn Picknett (nesse campo temático, *Mary Magdalene* e *A grande heresia*), que assume o ponto de vista de que Maria e Jesus eram amantes e parceiros espirituais – e de que tudo o que a Igreja nos ensina sobre ela é "uma tentativa deliberada de esconder fatos incômodos". Timothy Freke e Peter Gandy têm um ponto de vista mais abrangente, usando simbolismo, mitos da deusa, entre outros para revelar um cristianismo distorcido e uma Maria Madalena cada vez mais importante.

O melhor da ficção Madalena

Vários escritores combinaram sua imaginação literária com muita pesquisa, dessa forma recebendo elogios tanto de acadêmicos quanto de críticos e leitores. *The Secret Magdalene*, de Ki Longfellow, coloca Maria Madalena na Palestina do século I, mais instruída do que a maioria dos homens (e vestida como um deles para poder se movimentar livremente) e descobrindo sua vida entrelaçada à de Jesus. *The Moon Under Her Feet*, de Clysta Kinstler, explora uma versão pagã da história cristã, com Maria Madalena no papel de prostituta sagrada que participa de ritos sexuais com Jesus em uma espécie de culto à fertilidade judaico-helenista. *Maria Madalena: a mulher que amou Jesus*, de Margaret George, gira em torno dos sete demônios de Maria Madalena e cria para ela uma vida que, como diz um crítico literário, é repleta das complexidades, tensões, tristezas e alegrias da natureza humana. Um dos romances mais recentes, e certamente mais anunciado, sobre Maria Madalena é *The Expected One*, de Kathleen McGowan, primeiro de uma trilogia chamada *The Magdalene Line*. Para McGowan, que teve acesso a sociedades secretas durante sua pesquisa, a história de Maria é um exemplo de coragem, resistência e fé.

Outros pontos de vista

Mariam, the Magdalen, and the Mother, de Deirdre Good, e uma coletânea de ensaios que analisam detalhadamente a identidade religiosa e profética de Maria Madalena e de Maria, mãe de Jesus. Katherine L. Jansen, em seu *The Making of the Magdalene: Preaching and Popular Devotion in the Later Middle Ages*, detalha a Idade Média, quando abundavam mitos e lendas sobre Maria Madalena, muitos dos quais tiveram um grande impacto na arte e na cultura. Philip Jenkins representa a visão "tradicionalista" em seu articulado e provocante *Hidden Gospels: How the Search for Jesus Lost Its Way*. Um livro de arte recente com magníficas reproduções de obras com Maria Madalena é *Searching for Mary Magdalene*, de Jane Lahr.

Versículos da Bíblia: Maria Madalena nas Escrituras

Por Beliefnet Staff

1. Referências a Maria de Magdala durante o ministério de Jesus

Lucas 8:1-3: Depois disso, ele andava por cidades e povoados, pregando e anunciando a Boa-nova do Reino de Deus. Os Doze o acompanhavam, assim como algumas mulheres que haviam sido curadas de espíritos malignos e doenças: Maria, chamada Madalena, da qual haviam saído sete demônios, Joana, mulher de Cuza, o procurador de Herodes, Susana e várias outras, que o serviam com seus bens.

2. Referências a Maria de Magdala durante a crucificação

Marcos 15:40: E também estavam ali algumas mulheres, olhando de longe. Entre elas, Maria de Magdala, Maria, mãe de Tiago, o Menor, e de Joset[1] e Salomé.

Mateus 27:56: Entre elas, Maria Madalena, Maria, mãe de Tiago e de José, e a mãe dos filhos de Zebedeu.

João 19:25: Perto da cruz de Jesus, permaneciam de pé sua mãe, a irmã de sua mãe, Maria, mulher de Clopas, e Maria Madalena.

[1] Bíblia de Jerusalém, Editora Paulus, São Paulo, 3ª reimpressão, 2004. (N. do E.)

3. Referências a Maria de Magdala após a crucificação

Marcos 15:47: Maria de Magdala e Maria, mãe de Joset, observavam onde ele fora posto.

Mateus 27:61: Ora, Maria Madalena e a outra Maria estavam ali sentadas em frente ao sepulcro.

Mateus 28:1: Após o sábado, ao raiar do primeiro dia da semana, Maria Madalena e a outra Maria foram ver o sepulcro.

Marcos 16:1: Passado o sábado, Maria de Magdala, Maria, mãe de Tiago, e Salomé compraram aromas para ir ungir o corpo.

4. Referências a Maria de Magdala na Ressurreição

João 20:1: No primeiro dia da semana, Maria Madalena vai ao sepulcro, de madrugada, quando ainda está escuro, e vê que a pedra foi retirada.

Marcos 16:9: Ora, tendo ressuscitado na madrugada do primeiro dia da semana, ele apareceu primeiro a Maria de Magdala, de quem havia expulsado sete demônios.

João 20:18: Maria Madalena foi anunciar aos discípulos: "Vi o Senhor", e as coisas que ele lhe disse.

Lucas 24: No primeiro dia da semana, muito cedo ainda, elas foram ao sepulcro, levando os aromas que tinham preparado. Encontraram a pedra do túmulo removida, mas, ao entrar, não viram o corpo do Senhor Jesus. E aconteceu que, estando perplexas com isso, dois homens se posaram diante delas, com veste fulgurante. Cheias de medo, voltaram o rosto para o chão; eles, porém, disseram: "Por que procurais entre os mortos aquele que vive? Ele não está aqui; ressuscitou. Lembrai-vos de como vos falou quando ainda estava da Galiléia: 'É preciso que o Filho do Homem seja entregue às mãos dos pecadores, seja crucificado e ressuscite ao terceiro dia.'" E elas se lembraram de suas palavras.

Ao voltarem do túmulo, anunciaram tudo isso aos Onze, bem como a todos os outros. Eram Maria Madalena, Joana e Maria, mãe de Tiago. As outras mulheres que estavam com elas disseram-no também aos apóstolos; essas palavras, porém, lhes pareceram desvario, e não lhes deram crédito.

Colaboradores

Dan Burstein (organizador) criou em 2003 a Squibnocket Partners como uma empresa de desenvolvimento de conteúdo inovadora com sua sócia, Arne J. de Keijzer. Em 2004, eles criaram a coleção de livros *Os segredos*, que se consolidou como os principais roteiros seculares de muitos pontos de vista sobre o fenômeno *O código Da Vinci*. A série agora inclui o *The New York Times* e os sucessos internacionais *Os segredos do Código* e *Os segredos de Anjos e Demônios*, bem como *Secrets of the Widow's Son* e *A verdadeira história de Maria Madalena*. Também está sendo produzido um documentário baseado em *Os segredos do Código*.

Trabalhando em tempo integral como empresário e executivo de diversas empresas, além de seu envolvimento com a coleção *Os segredos*, Burstein é fundador e sócio-administrador da Millennium Technology Ventures, empresa com sede em Nova York que investe em empresas de novas tecnologias. Participou das diretorias de mais de uma dúzia de empresas e atualmente é diretor da Applied Minds, um laboratório de pesquisa de ponta, e da Global Options Group, uma empresa de gerenciamento de riscos internacional. De 1988 a 2000, foi consultor sênior do The Blackstone Group, um dos principais bancos comerciais de Wall Street. Ele também é um destacado consultor de estratégias empresariais e foi consultor de CEOs, equipes de administração e corporações internacionais como Sony, Toyota, Microsoft, Boardroom Inc. e Sun Microsystems.

Burstein também é jornalista premiado e autor de diversos livros sobre economia internacional e tecnologia. Seu mais recente livro sobre tecnologia é *BLOG! How the Newest Media Revolution is Changing Politics, Business, and Culture*, escrito em parceria com David Kline. O livro de Burstein *Yen – o Japão e seu novo império financeiro*, sobre o crescimento do poder financeiro japonês, foi um *best-seller* internacional em mais de vinte países. Em 1995, seu livro *Road Warriors* foi um dos primeiros a analisar o impacto da internet e da tecnologia digital nos negócios e na sociedade. Seu livro *Big Dragon* (escrito com Arne J. de Keijzer), de 1998, apresentou uma visão a longo prazo do papel da China no século XXI, que, até agora, se mostrou antecipatória.

Trabalhando como jornalista *freelance* na década de 1980, Burstein publicou mais de mil artigos em duzentas publicações, entre elas *The New York Times, The Wall Street Journal, Los Angeles Times, Boston Globe, Chicago Tribune,* revista *New York, Rolling Stone, Paris Match, Le Nouvel Observateur, L'Expansion* e muitas outras nos Estados Unidos, na Europa e na Ásia. Burstein teve diversas participações na TV – do History Channel a Charlie Rose, CNN e Oprah!

Arne J. de Keijzer é escritor, ex-consultor empresarial para a China e sócio de Dan Burstein na Squibnocket Partners LLC. É autor de um guia de viagem à China que se tornou *best-seller* mundial, dois livros sobre como fazer negócios com a China e, com Dan Burstein, de *Big Dragon: China's Future – What It Means for Business, the Economy, and the Global Order.* Criou, também com Dan Burstein, a coleção de livros *Os segredos* e foi editor administrativo de *Os segredos do Código* e co-editor de *Os segredos de Anjos e Demônios.* Também foi editor colaborador de *BLOG! How the Newest Media Revolution is Changing Politics, Business, and Culture.* Outros trabalhos de De Keijzer foram publicados em periódicos que vão de *Powerboat Reports* ao *New York Times.*

Jennifer Doll foi editora executiva deste livro, papel que ela desempenhou em várias outras publicações. Atualmente consultora editorial da *Reader's Digest,* ela também contribui com seus talentos de escritora e editora para McKinsey & Company, *U.S. News & World Report* e Teaching Commission. Ela foi pesquisadora e assistente editorial de *Os segredos do código.* Em seu tempo livre, ela é autora de ficção e trabalha em seu primeiro romance.

Joan Acocella é colunista da *New Yorker,* onde cobre dança e literatura. Ela também escreveu para o *New York Review of Books* e *The Wall Street Journal.* É autora das biografias críticas *Mark Morris, Creating Hysteria: Women and Multiple Personality Disorder* e de *Willa Cather and the Politics of Criticism.* Ela também editou na íntegra o *Diary of Vaslav Nijinsky* e co-editou, com Lynn Garafola, *André Levinson on Dance.* Foi bolsista da Fundação Guggenheim em 1993-1994 e vive em Nova York.

Tori Amos é pianista, cantora e compositora, e ajudou a definir o papel das mulheres na música *pop* nos anos 1990. Ela é conhecida por canções liricamente enigmáticas, mas emocionalmente intensas, que abordam temas diversos, como sexualidade, religião, patriarcado e tragédia pessoal. Seu pai foi ministro religioso e ela começou a carreira musical aos cinco anos, na igreja dele. Ela também foi a pessoa mais jovem a cursar o Peabody Conservatory of Music, até trocá-lo por uma carreira na música *pop*. Publicou a autobiografia *Piece by Piece*, na qual conta como se tornou famosa e também explora sua obsessão por mitologia e religião. É co-fundadora da Rape, Abuse, and Incest National Network.

Diane Apostolos-Cappadona é historiadora cultural e professora adjunta de arte religiosa e história cultural no Prince Alwaleed bin Talal Center for Muslim-Christian Understanding e professora adjunta de arte e cultura no programa de estudos liberais da Universidade de Georgetown. Foi curadora e autora do catálogo da exposição *In Search of Mary Magdalene: Images and Traditions* (2002). Além disso, escreveu artigos sobre Maria Madalena, simbolismo cristão, Leonardo da Vinci, Gian Lorenzo Bernini e ficção artística para publicações acadêmicas e livros relacionados com os romances de Dan Brown. A dra. Apostolos-Cappadona foi entrevistada para o documentário *Secrets of the Code*, assim como por diversos programas de televisão, entre eles *Today Show, A & E "MovieReal: The Da Vinci Code", Secrets of Angels, Demons, & Masons* e *Secrets of Mary Magdalene.*

Elizabeth Bard é jornalista e historiadora de arte residente em Paris. Seus textos de crítica de arte e viagem saíram no *New York Times, International Herald Tribune, The Washington Post, Wired, Art News* e *Time Out*, entre outras publicações. Ela é editora de novas mídias da *Contemporary*, revista de arte londrina, desde 2002. Na primavera de 2004, ela também começou a trabalhar em um guia para a Paris Muse, uma empresa de historiadores de arte que oferece visitas guiadas aos grandes monumentos de Paris. Escreveu sobre fazer uma visita ao Louvre seguindo o roteiro de *O código Da Vinci* para a edição em brochura de *Os segredos do Código.*

Lesa Bellevie, que trabalha como engenheira de testes de programas de computador, é fundadora de Magdalene.org e autora de *The Complete Idiot's Guide to Mary Magdalene*. O *site*, criado em 1998 como uma forma de reunir tudo o que ela tinha conseguido aprender sobre esse personagem do Novo Testamento, serviu de fonte e fórum ligando pessoas de todo o mundo. Magdalene.org foi relançado em 2005 com nova programação visual e as bases de um novo projeto chamado Encyclopedia Magdalene. Bellevie é freqüentemente entrevistada por jornais e revistas locais, nacionais e internacionais, programas de rádio e documentários de televisão. Entre seus novos projetos estão um *blog* chamado "The Magdalene Review" (http://www.magdalenereview.org), no qual ela rastreia referências sobre Maria Madalena nos meios de comunicação e novas pesquisas.

Ann Graham Brock é uma autora e conferencista que tem entre seus principais temas o Novo Testamento e as antigas tradições cristãs, arqueologia e questões de gênero em religião. Seu trabalho mais recente é *Mary Magdalene, The First Apostle: The Struggle for Authority*. Ela também co-organizou cinco outros livros e tem textos publicados em alemão, francês e inglês. Lecionou Novo Testamento e Religião Mundial na Universidade do Colorado em Boulder, no Trinity Lutheran Seminary, na Iliff School of Theology, Harvard Divinity School e na Universidade de Harvard. Ela apareceu no History Channel apresentando "The Twelve Apostles", no Discovery Channel em "The Real Da Vinci Code", bem como em vários documentários da televisão britânica.

James Carroll freqüentou a Universidade de Georgetown antes de ingressar no St. Paul's College, o seminário dos padres paulinos, onde obteve seus diplomas de graduação e mestrado. Carroll foi militante pelos direitos civis, pacifista e líder comunitário. Ordenou-se em 1969 e foi capelão católico da Universidade de Boston até 1974. Durante esse período, publicou livros sobre temas religiosos e um livro de poemas. Também foi colunista do *National Catholic Reporter* e recebeu o primeiro Thomas Merton Award. Carroll deixou o sacerdócio em 1974, para se tornar escritor, e em 1974 foi dramaturgo residente do Berkshire Theater Festival e começou a escrever romances, tendo publicado dez obras. Entre suas outras obras estão *House of War: The Pentagon and the Disastrous Rise of American Power* (2006), *A espada de Constantino*,[1] *An American Requiem* (National Book Award,

[1] Título em inglês *Constantine's Sword: The Church and the Jews:* lançado em 2001 e transformado em documentário em 2006).

1996), colunas semanais no *Boston Globe* e ensaios publicados nas mais importantes publicações dos Estados Unidos.

Bruce Chilton é professor de religião do Bard College, capelão da faculdade e diretor executivo do Instituto de Teologia Avançada. Ele se formou no General Theological Seminary da Universidade de Colúmbia e foi ordenado sacerdote episcopal, servindo na Free Church of Saint John de Barrytown, Nova York. Entre seus livros estão *Rabbi Jesus: An Intimate Biography, God in Strength, Rabbi Paul: An Intellectual Biography, Judaic Approaches to the Gospels, Revelation, Trading Places, Jesus' Prayer and Jesus' Eucharist, Forging a Common Future* e *Jesus' Baptism and Jesus' Healing*. Ele também é editor-chefe do *Bulletin for Biblical Research* e editor fundador do *Journal for the Study of the New Testament*.

Richard Covington foi colaborador de uma edição especial do *US. News & World Report*, "Women of the Bible".

Mary Rose D'Angelo é professora associada do departamento de teologia da Universidade de Notre Dame. Ela ministra o curso Novo Testamento e origens cristãs e faz pesquisas sobre religião, mulheres e gênero no mundo antigo. Autora de *Moses in the Letter to the Hebrews*, ela foi uma das organizadoras do livro *Women and Christian Origins* e de "Crossroads in Christology: Essays in Honor of Ellen M. Leonard", no *Toronto Journal of Theology*. Autora de artigos sobre mulheres, gênero, políticas imperiais, linguagem teológica e práticas sexuais no início do cristianismo, ela atualmente desenvolve um projeto que descreve os "valores familiares" imperiais romanos e as reações judaicas e cristãs.

Tiago de Voragine, monge italiano, ingressou na ordem dos dominicanos em 1244, e além pregar com sucesso em diversas regiões da Itália, lecionou na escola de sua ordem. Tendo participado de diversos concílios, ele subiu na hierarquia da Igreja católica romana e foi elevado a bispo em 1292. Morreu em 1298 ou 1299, e foi beatificado pelo papa Pio VII em 1816.

Bart D. Ehrman é professor de estudos religiosos da Universidade da Carolina do Norte em Chapel Hill, onde leciona desde 1988. Autoridade no Novo Testamento e na história do início do cristianismo, ele apareceu na CNN, no History Channel, A&E e em diversos programas de televisão e rádio. Gravou uma popular coleção de palestras para The Teaching Company e é autor ou organizador de 13 livros, dos quais o mais recente é *Peter, Paul, and Mary Magdalene: The Followers of Jesus in History and Legend.* Ele também escreveu *A verdade e a ficção em O código Da Vinci* e o sucesso de público e crítica *Lost Christianities: The Battles for Scripture and the Faiths We Never Knew.* Na primavera de 2006, ele foi consultor do projeto *Evangelho de Judas*, da National Geographic Society.

Deirdre Good, editora colaboradora deste livro, é professora do departamento do Novo Testamento do General Theological Seminary de Nova York. Autora com vários livros publicados e conferencista de destaque, ela também é consultora de programas de televisão sobre história da religião. É a organizadora de *Mariam, the Magdalene, and the Mother*, coletânea de ensaios sobre a identidade religiosa e profética de Maria Madalena e Maria, mãe de Jesus. Também é a organizadora de *Reconstructing the Tradition of Sophia in Gnostic Literature* e *Jesus the Meek King*, e colaborou com *Os segredos do Código.*

Maxine Hanks é escritora, conferencista e teóloga feminista que tem como áreas de pesquisa estudos femininos em religião, estudos mórmons e gnosticismo. Ela é bolsista Merrill da Harvard Divinity School e bolsista de pesquisa do Utah Humanities Council. Seu primeiro livro, *Women and Authority*, aborda teologia feminista e história entre os mórmons. Participou de várias publicações e programas de televisão, e fez conferências em diversas instituições. Ex-missionária mórmon e da Igreja de Jesus Cristo dos Santos dos Últimos Dias, ela se tornou gnóstica em 1996 e desde então participa de projetos ecumênicos locais e nacionais.

Susan Haskins é escritora, editora, pesquisadora e tradutora. Fez conferências no mundo inteiro, participou de diversos programas de televisão debatendo sobre Maria Madalena, e atualmente está traduzindo do italiano e organizando *Three Marian Writings* (textos sobre a vida da Virgem por escritoras italianas do século XVI). Ela é autora de *Mary Magdalene: Myth & Metaphor*, e colaborou com *Os segredos do Código.*

Katherine Ludwig Jansen é autora do premiado livro *The Making of the Magdalene: Preaching and Popular Devotion in the Late Middle Ages* (Princeton: Princeton University Press, 2000). Também é professora adjunta de história na Universidade Católica da América. Pesquisadora de história medieval, história italiana, mulheres e gênero e cultura religiosa, ela está prestes a publicar o livro *The Practice of Peace in Late Medieval Italy*. A professora Jansen é membro da American Academy em Roma e de Villa I Tatti, o centro de estudos da Renascença de Harvard em Florença.

Philip Jenkins se formou na Universidade de Cambridge, onde obteve seu doutorado em história. Desde 1980, ele leciona na Penn State University e atualmente tem o posto de professor emérito de história e estudos da religião. Seu livro mais recente é *Decade of Nightmares: The End of the Sixties and the Making of Eighties America*. Entre os outros, se destacam *Mystics and Messiah: Cults and New Religions in American History*, *Hidden Gospels: How the Search for Jesus Lost its Way* e *The Next Christendom: The Rise of Global Christendom*. Os artigos do professor Jenkins podem ser encontrados em diversas publicações, e ele aparece regularmente na mídia.

Karen L. King é professora de histórica eclesiástica na Harvard Divinity School, onde também ocupa o cargo de professora de estudos do Novo Testamento e história do cristianismo antigo. Formada em religião comparada e estudos históricos, é especializada em história do cristianismo e estudos femininos. Entre seus livros, muito elogiados, os mais conhecidos são *The Gospel of Mary of Magdala: Jesus and the First Woman Apostle* e *What is Gnosticism?* Seus principais interesses teóricos são formação da identidade religiosa, discursos de normatização (ortodoxia e heresia) e estudos de gênero. Ela recebeu vários prêmios por magistério e pesquisa, entre os quais bolsas do National Endowment for the Humanities, da Deutsche Akademische Austauschdienst, e da Graves Foundation.

Katherine Kurs integra o corpo docente de estudos da religião do Eugene Lang College da New School University e também o corpo docente do General Theological Seminary. Entre suas áreas de especialização estão espiritualidade norte-americana contemporânea, religiosidade urbana, "religião vivida", pluralismo religioso e autobiografia espiritual. A rev. dra. Kurs também é ministra ecumênica associada da

West Park Presbyterian Church e mantém um consultório particular de aconselhamento. Seu livro *Searching for Your Soul* foi considerado um dos melhores de 1999 em religião/espiritualidade.

John Lamb Lash. Acadêmico independente e eclético, Lash é um dos fundadores e principal autor de Metahistory.org e escreveu quatro livros, entre eles *The Seeker's Handbook, Twins and the Double* e *The Hero*. Ele considera a personagem Maria Madalena uma oportunidade de recuperar as genuínas características heréticas do gnosticismo. Seu próximo livro, *Not in His Image: Gnostic Vision, Sacred Ecology, and the Future of Belief*, irá recuperar o que Lash chama de "visão de Sofia dos Mistérios".

Ki Longfellow é romancista e roteirista de cinema cujo livro *The Secret Magdalene* foi amplamente elogiado por sua pesquisa e estilo. Sob o nome "Pamela Longfellow", ela publicou dois romances, *China Blues* (um *best-seller* internacional) e *Chasing Women*. Ambos foram adaptados para o cinema. Ela também escreveu, com o marido, uma opereta intitulada *STINKFOOT*, montada duas vezes em Londres e muito elogiada.

Kathleen McGowan começou sua carreira literária ainda como uma jornalista adolescente. Aos 21 anos, ela se mudou para a Irlanda com o intuito de trabalhar como repórter. Durante seu período no exterior, McGowan estudou folclore internacional, mitologia e a arte de contar histórias. Ela foi *ghost-writer* e editora de grandes obras de ficção e não-ficção e também produziu trabalhos sobre potencial humano, terapias alternativas, espiritualidade e metafísica. McGowan trabalhou no *marketing* da Walt Disney Company, foi editora de contos e roteiros, e roteirista e produtora de seu próprio filme, *Down to Gehenna. The Expected One* é seu primeiro romance, baseado em vinte anos de pesquisa e permeado por informações inéditas sobre as vidas de Jesus Cristo e Maria Madalena.

Marvin Meyer é professor de estudos bíblicos e cristãos da Chapman University e diretor do Instituto Albert Schweitzer da Chapman University. Também é diretor do projeto de textos mágicos coptas do instituto de Antigüidade e Cristianismo da Claremont Graduate University. O dr. Meyer é autor de diversos livros e artigos sobre religiões greco-romanas e cristãs na Antigüidade e sobre a reverência ética de Albert Schweitzer pela vida. Entre seus livros mais recentes estão *The Gnostic Discoveries*, *The Gnostic Gospels of Jesus*, *The Unknown Sayings of Jesus* e *The Gospels of Mary*. Seu livro *O evangelho de Tomé* foi considerado um dos cem melhores livros de espiritualidade do século XX. Recentemente, o dr. Meyer organizou e traduziu *The Gospel of Judas*, com Rodolphe Kasser e Gregor Wurst. Seus livros e artigos tiveram várias traduções e ele freqüentemente participa de programas de televisão e rádio.

Elaine Pagels é professora de religião da Universidade de Princeton. Ela se formou na Universidade de Stanford e obteve seu ph.D. na Universidade de Harvard. Lá ela integrou a equipe que estudou os pergaminhos da biblioteca Nag Hammadi, que foram a base para seu sucesso *Os evangelhos gnósticos*, uma introdução popular à biblioteca Nag Hammadi. O livro recebeu o National Book Critics Circle Award e o National Book Award, e foi considerado pela Modern Library um dos cem melhores livros do século XX. Em 1982, Pagels ingressou na Universidade de Princeton como professora de história cristã antiga. Seu *best-seller Além de toda crença* trata de alegações religiosas de verdade absoluta. Além de uma bolsa MacArthur, a professora Pagels também detém bolsas Guggenheim e Rockefeller.

Jeremy Pine é um antiquário norte-americano que morou em Katmandu, Nepal, durante 35 anos. Especialista em tecidos antigos, ele teve a oportunidade de examinar e pesquisar milhares de antigas amostras de lãs, sedas e tapeçarias. Entre 1993 e 1995, Pine foi diretor de expedições do Instituto de Ciências de Moscou e do Instituto Estatal de História da Cultura Material de São Petersburgo. Nessa função, comandou três expedições a Tuva para escavar tumbas antigas para o museu Hermitage. Os dois últimos anos foram passados no pouco conhecido e remoto vale da Montanha de Prata, ou Mongün Taiga, ao norte da fronteira da Mongólia. Casado, pai de dois filhos, Pine se aposentou recentemente para se tornar curador em tempo integral da Tapeçaria do Exílio e de seus tesouros.

Nancy Qualls-Corbett é analista junguiana em Birmingham, Alabama. Membro do C. G. Jung Institute de Zurique, é analista sênior da Inter-Regional Society of Jungian Analysts. Nancy é autora de *A prostituta sagrada* e de *Woman's Awakening:*

Dreams and Individuation. Ela combina sua paixão por viagens e mitologia em seminários em locais sagrados do Egito, da Grécia, da França e da Itália.

Anna Quindlen é autora de quatro romances (*A casa dos Blessings, Black and Blue, Um amor verdadeiro* e *Object Lessons*) e quatro livros de não-ficção (*Pequeno grande guia para uma vida feliz, Living Out Loud, Thinking Out Loud* e *How Reading Changed My Life*). Ela também escreveu dois livros infantis (*The Tree That Came to Stay* e *Happily Ever After*). Sua coluna *New York Times* "Public and Private" ganhou o prêmio Pulitzer em 1992. Atualmente sua coluna é publicada quinzenalmente na *Newsweek*.

John M. Saul, ph.D. em geologia pelo MIT, se juntou a Henry Lincoln em Rennes-le-Château em meados de 1974 para procurar o "tesouro secreto" do Abbé Saunière em uma das cavernas de calcário da região. Ele levou cinco anos para se dar conta de que "tesouro" poderia ser uma palavra em código para designar um filho ou filhos de Maria Madalena. O escritor posteriormente colaborou com a pesquisa de *O Santo Graal e a linhagem sagrada*, mas não concordou com os co-autores em que Pierre Plantard deveria ser utilizado como fonte de informações. Com Janice A. Glaholm, também geóloga, ele compilou *Rennes-le-Château: A Bibliography* (1985), livro de 52 páginas cuja introdução inclui o mapa que pela primeira vez mostrava cinco pontos elevados na região de Rennes-le-Château que formam um pentágono quase perfeito.

Jane Schaberg é professora de estudos da religião e de estudos da mulher na University of Detroit Mercy. Ela é autora de *The Resurrection of Mary Magdalene: Legends, Apocrypha, and the Christian Testament*, obra fundamental nos estudos feministas dos testamentos cristãos. Ela também escreveu *The Illegitimacy of Jesus: A Feminist Theological Interpretation of the New Testament Infancy Narratives*, e seus poemas foram publicados em periódicos como *Atlanta Review, Appearances, Pittsburgh Review* e *Interim*.

Margaret Starbird é mestre pela Universidade de Maryland e estudou na Christian-Albrechts University de Kiel, Alemanha, e na Vanderbilt Divinity School. Requisitada para seminários e comentários nos meios de comunicação, ela escreveu muito sobre o conceito de sagrado feminino e união sagrada. Entre seus livros, que Dan Brown reconhece como principais influências para sua abordagem dos mesmos temas em *O código Da Vinci*, estão *Magdalene's Lost Legacy: Symbolic Numbers and the Sacred Union in Christendom, The Goddess in the Gospels: Reclaiming the Sacred Feminine, The Feminine Face of Christendom, Maria Madalena: a noiva no exílio*, e a que talvez seja sua obra mais conhecida, *Maria Madalena e o Santo Graal.*

Merlin Stone, professora de história da arte e escultora, se interessou por arqueologia e religiões antigas por intermédio de sua arte. Ela produziu peças sobre a deusa para rádio e teatro, e organizou festivais da deusa em Nova York e Toronto. Seu livro *When God Was a Woman* foi o resultado de mais de uma década de pesquisas e se tornou um clássico. Lançado no Reino Unido como *The Paradise Papers*, ele foi publicado nos Estados Unidos em 1976 com o título atual.

Agradecimentos

Este livro foi uma jornada fascinante, e muitos guias ao longo do caminho contribuiram para que fosse assim.

Como sempre, as pessoas a quem mais devemos são nossas famílias. Helen e Hannah, Julie e David. Eles sabem quanto significam para nós, mas a importância de seu amor, sabedoria e apoio enquanto mergulhamos na odisséia necessária para criar um livro deste não pode ser subestimada.

Somos profundamente gratos a Deirdre Good e Diane Apostolos-Cappadona, duas acadêmicas extraordinárias que, generosa e amorosamente, deram conselhos e nos guiaram pelo emaranhado de novas idéias e novos textos sobre Maria Madalena. Elas partilharam conosco, sem restrições, suas ótimas idéias e seu profundo conhecimento de história, teologia, idiomas antigos, escrituras, arte e muito mais.

Elaine Pagels foi uma força inspiradora por trás de vários de nossos projetos recentes, e agradecemos muito a contribuição de seu importante ensaio introdutório.

Temos a felicidade de ter uma boa parceria com nossa editora, CDS Books/The Perseus Books Group. CDS/Perseus nos apoiou e incentivou a cada passo. Por sua ajuda neste, que é o quarto livro de nossa coleção *Os segredos*, somos especialmente gratos a David Steinberger, Roger Cooper, Steve Black, Robert Kimzey, Chris Nakamura e Peter Costanzo.

Obrigado também às muitas pessoas talentosas trabalhando nos bastidores que nos ajudaram a produzir este livro, em especial David Wilk, nosso pastor desde o início da coleção *Os segredos*, e Danny Baror, agente literária de categoria internacional. Nós nos valemos do conhecimento e da ajuda infatigável em todas as questões, grandes e pequenas, de Christine Marra, Jane Raese, Gray Cutler, Leigh Taylor, Paul Berger, David Shugarts, Lottchen Shivers e Johanna Pfund.

O centro de gravidade deste livro é "A mesa-redonda de Maria Madalena". Pelo que sabemos, ninguém antes tinha reunido um grupo tão variado e bem informado para pensar coletivamente sobre Maria Madalena e seu papel na história do ponto de vista do mundo de hoje. Por sua participação entusiasmada e contribuição valiosa para esse acontecimento único, expressamos nossa admiração por Diane Apostolos-Cappadona, Lesa Bellevie, Deirdre Good, Susan Haskins, Elaine Pagels, Jane Schaberg e Katherine Kurs. Também queremos agradecer a Stuart Rekant, Rob Fruchtman, Lori Nelson e Erika Dutton, da Hidden Treasures Productions, que filmaram a mesa-redonda. Eles produziram um fascinante companheiro para este livro na forma de um documentário, *Secrets of Mary Magdalene*, que será transmitido para todo o mundo pela televisão e distribuído em DVD.

Mais uma vez, fomos felizes de ter a colaboração de alguns dos melhores acadêmicos, pensadores e escritores do mundo. A lista é um verdadeiro "quem é quem" de especialistas em Maria Madalena. Além dos estudiosos citados anteriormente, agradecemos a: Joan Acocella, Tori Amos, Elizabeth Bard, Ann Graham Brock, James Carroll, Bruce Chilton, Richard Covington, Maria Rose d'Angelo, Bart Ehrman, Maxine Hanks, Katherine L. Jansen, Philip Jenkins, Karen King, John Lash, Ki Longfellow, Kathleen McGowan, Marvin Meyer, Jeremy Pine, Nancy Qualls-Corbett, Anna Quindlen, John Saul, Margaret Starbird e Merlin Stone.

E, por falar em colaboração, estendemos nossos sinceros agradecimentos a Jennifer Doll, editora executiva deste livro. Ela, por sua vez, diz: "Obrigada à minha família, Marilou, Bruce e Brad Doll, por seu apoio e avaliação ao longo de todo esse processo. Um agradecimento especial também a Sarah Griffin e Mike Haney, por seus conselhos editoriais e apoio, e pelo prazer de ter trabalhado com Betty Adam, Kathleen McGowan, Rosamonde Miller, Joan Norton, Katia Romanoff, Chris Schenk, Robbi Sluder, Pamela Stockton, Sara Taft, Lila Sophia Tresemer e Mark Williams."

Agradecimentos pessoais de Arne de Keijzer: um grande obrigado a meu irmão, Steve, e à minha grande família: Dick e Shirley Reiss, Bob e Carolyn Reiss, Marni Virtue, Jelmer e Rose Dorreboom, Brian, Joan e Breeze Weiss, Lynn Northrup e Sandy West. E uma nota especial para "D", patriarca amoroso, incentivador e generoso, e para Bob, amigo valioso e "irmão" por quase trinta anos; ambos irão apreciar a ironia de uma saudação especial neste livro em particular.

Agradecimentos pessoais de Dan Burstein: um obrigado especial a meus muitos amigos e sócios que nos ajudaram na criação, divulgação e distribuição de nossa coleção *Os segredos*, incluindo Marty Edelston, Judy Friedberg, Chuck Hirsch,

Joan O'Connor, Gilbert Perlman e a grande família O'Connor/Aires, PalTalk, WetPaint, Alchemist Films, a agência Endeavor, Hidden Treasures, Waterfront Media, BzzAgent, *US News & World Report* e as nossas muitas editoras internacionais espalhadas por todo o mundo.

Freqüentemente nos perguntam quem faz o que nesta parceria literária. A resposta é: ambos, e tudo. No caso deste livro, Dan Burstein teve a inspiração inicial e sugeriu, editou, escreveu e atuou como o principal responsável pelo *marketing*. Arne de Keijzer converteu o conceito em um projeto, recrutou e trabalhou com os colaboradores, transformou as contribuições em um livro e deu sugestões, editou, escreveu e atuou como editor-chefe. Como dissemos: ambos, tudo.

Dan Burstein e Arne J. de Keijzer
Agosto de 2006

Visite-nos em www.secretsofmarymagdalene.com e www.secretsofthecode.com.

Este livro foi composto em Minion 10,5/15,1
e impresso pela Ediouro Gráfica sobre
papel polén soft 70g para a Ediouro em setembro de 2006.